En busca del tiempo perdido
5. La prisionera

Biblioteca Proust

Marcel
Proust

En busca del tiempo perdido
5. La prisionera

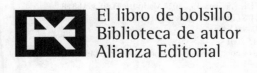

El libro de bolsillo
Biblioteca de autor
Alianza Editorial

TÍTULO ORIGINAL: *À la recherche du temps perdu*
5. *La prisonnière*

TRADUCTOR: Consuelo Berges

Primera edición en «El libro de bolsillo»: 1968
Décima tercera reimpresión: 1998
Primera edición en «Biblioteca de autor»: 1998
Segunda reimpresión: 2001

Diseño de cubierta: Alianza Editorial
Ilustración: Georges Seurat, *Una tarde de domingo en la isla de la Grande Jatte* (detalle)
Proyecto de colección: Odile Atthalin y Rafael Celda

© de la traducción: Fundación Consuelo Berges
© Ed. cast.: Alianza Editorial, S.A., Madrid, 1968, 1970, 1975, 1978, 1980, 1982, 1983, 1987, 1988, 1991, 1992, 1995, 1997, 1998, 2000, 2001
Calle Juan Ignacio Luca de Tena, 15; 28027 Madrid; teléf. 91 393 88 88
ISBN: 84-206-3804-8 (Tomo 5)
ISBN: 84-206-4703-9 (O. C.)
Depósito legal: S. 47-2001
Impreso en Gráficas Varona. Polígono «El Montalvo», parcela 49. Salamanca
Printed in Spain

Muy de mañana, mirando todavía a la pared y sin haber visto aún el matiz de la raya del día sobre las grandes cortinas de la ventana, sabía ya qué tiempo hacía. Me lo decían los primeros ruidos de la calle, según llegaran amortiguados y desviados por la humedad o vibrantes como flechas en el aire resonante y vacío de una mañana espaciosa, glacial y pura; en el paso del primer tranvía notaba yo si rodaba aterido en la lluvia o iba camino del azur. Y acaso a estos ruidos se había anticipado alguna emanación más rápida y más penetrante que, filtrándose en mi sueño, le infundía una tristeza que presagiaba la nieve o bien hacía entonar en él a cierto pequeño personaje intermitente tan numerosos cánticos a la gloria del sol, que acababan por provocar en mí, dormido aún, con un asomo de sonrisa y dispuestos los párpados cerrados a dejarse deslumbrar, un estrepitoso despertar en música. En aquella época, yo percibía la vida exterior sobre todo desde mi cuarto. Sé que Bloch contó que, cuando iba a verme por la noche, oía un rumor de conversación. Como mi madre estaba en Combray y él no encontraba nunca a nadie en mi habitación, dedujo que hablaba solo. Cuando, mucho más tarde, supo que Albertina vivía entonces conmigo y comprendió que la escondía de todo el mundo, dijo que por fin veía la razón de que, en aquella época de mi vida, nunca quisiera salir. Se equivocaba. Pero era muy disculpable, pues la realidad, aunque sea necesaria, no es completamente previsible; los que se enteran de algún detalle exacto sobre la vida de otro sacan en seguida consecuencias que no lo son y ven en el hecho recién descubierto la explicación de cosas que precisamente no tienen ninguna relación con él.

Cuando ahora pienso que mi amiga, a nuestro regreso de Balbec, fue a vivir bajo el mismo techo que yo, que renunció a la idea de hacer un viaje, que su habitación estaba a veinte pasos de la mía, al final del pasillo, en la sala de tapices de mi padre, y que todas las noches, muy tarde, antes de dejarme deslizaba su lengua en mi boca, como un pan cotidiano, como un alimento nutritivo y con el carácter casi sagrado de toda carne a la que los sufrimientos que por ella hemos padecido han acabado por conferirle una especie de dulzura moral, lo que evoco inmediatamente por comparación no es la noche que el capitán De Borodino me permitió pasar en el cuartel, por un favor que, en suma, sólo curaba un malestar efímero, sino aquélla en que mi padre envió a mamá a dormir en la pequeña cama junto a la mía. Hasta tal punto la vida, cuando tiene una vez más que librarnos, contra toda previsión, de sufrimientos que parecían inevitables, lo hace en condiciones diferentes, opuestas a veces, tanto que hay casi un sacrilegio aparente en comprobar la identidad de la gracia concedida.

Cuando Albertina se enteraba por Francisca de que, en la noche de mi cuarto con las cortinas cerradas todavía, no dormía, no se cuidaba de no hacer un poco de ruido, al bañarse, en su tocador. Entonces, en vez de esperar a una hora más tardía, yo solía ir a mi cuarto de baño, contiguo al suyo y que era agradable. En otro tiempo, un director de teatro gastaba centenares de miles de francos en constelar de verdaderas esmeraldas el trono en que la diva hacía un papel de emperatriz. Los bailes rusos nos han enseñado que unos simples juegos de luces sabiamente dirigidos prodigan joyas tan suntuosas y más variadas. Pero esta decoración, ya más inmaterial, no es tan graciosa como la que, a las ocho de la mañana, pone el sol en la que veíamos cuando nos levantábamos al mediodía. Las ventanas de nuestros dos cuartos de baño no eran lisas, para que no pudieran vernos desde fuera, sino esmeriladas de una escarcha artificial y pasada de moda. De pronto, el sol teñía de amarillo aquella muselina de vidrio, la doraba y, descubriendo dulcemente en mí un joven más antiguo que el hábito había ocultado mucho tiempo, me embriagaba de recuerdos, como si estuviera en plena naturaleza ante unos follajes dorados donde ni siquiera faltaba la presencia de un pájaro. Pues oía a Albertina silbar sin tregua:

> *Les douleurs sont des folles,*
> *Et qui les écoute est encor plus fou*[1].

La quería demasiado para no sonreír gozosamente de su mal gusto musical. Por lo demás, aquella canción había entusiasmado el año anterior a madame Bontemps, la cual oyó decir después que era una inepcia, de suerte que, en lugar de pedir a Albertina que la cantara cuando había gente, la sustituyó por:

> *Une chanson d'adieu sort des sources troublées*[2],

que a su vez resultó «un viejo estribillo de Massenet con el que la pequeña nos machacaba los oídos».

Pasaba una nube, eclipsaba el sol y yo veía extenderse en un tono grisáceo la púdica y frondosa cortina de vidrio. Los

1. «Los pesares son locos y más loco es aún quien los escucha.»
2. «Una canción de despedida surge de fuentes turbias.»

tabiques que separaban nuestros dos cuartos de baño (el de Albertina era uno que mamá, como tenía otro en la parte opuesta de la casa, no había utilizado nunca para no hacer ruido cerca de mí) eran tan delgados que podíamos hablarnos mientras nos lavábamos cada uno en el nuestro, siguiendo una charla sólo interrumpida por el ruido del agua, en esa intimidad que en el hotel suele permitir la exigüidad del alojamiento y la proximidad de las habitaciones, pero que es tan rara en París.

Otras veces permanecía acostado, soñando todo el tiempo que quería, pues había orden de no entrar nunca en mi cuarto antes de que yo llamase, lo que, por la incómoda posición de la pera eléctrica encima de mi cama, requería tanto tiempo que muchas veces, cansado de buscarla y contento de estar solo, casi volvía a dormirme unos momentos. No es que yo fuese completamente indiferente a la estancia de Albertina en nuestra casa. El estar separada de sus amigas conseguía evitar a mi corazón nuevos sufrimientos. Lo mantenía en un reposo, en una casi inmovilidad que le ayudarían a curarse. Pero al fin y al cabo aquella calma que me procuraba mi amiga era lenitivo del sufrimiento más que alegría. Y no es que no me permitiera gustarlas numerosas, pero estas alegrías que el dolor demasiado vivo me impidiera sentir, lejos de debérselas a Albertina, que por otra parte ya no me parecía apenas bonita y con la cual me aburría, sintiendo la clara sensación de no amarla, las gustaba, por el contrario, cuando Albertina no estaba conmigo. En consecuencia, para comenzar la mañana, no la llamaba en seguida, sobre todo si hacía bueno. Durante unos instantes, y sabiendo que me hacía más feliz que ella, empezaba por quedarme frente a frente con el pequeño personaje interior que cantaba su saludo al sol y del que ya he hablado. Entre los que componen nuestra persona, no son los más aparentes los que nos son más esenciales. En mí, cuando la enfermedad haya acabado de derribarlos uno tras otro, quedarán todavía dos o tres de ellos que persistirán más que los otros, especialmente cierto filósofo que sólo es feliz cuando, entre dos obras, entre dos sensaciones, ha descubierto un punto común. Pero me he preguntado a veces si el último de todos no sería aquel hombrecito muy parecido a otro que el óptico de Combray puso en su escaparate para indicar el tiempo que hacía y que, quitándose la capucha cuando hacía sol, se la volvía a poner cuando iba a llover. Conozco el egoísmo de ese hombrecito: ya puedo sufrir una crisis de asma que sólo calmaría la venida de la lluvia, a él le tiene sin cuidado, y a las primeras gotas tan impacientemente esperadas pierde su alegría y se baja la capucha malhumorado. En cambio, estoy seguro de que en mi agonía, cuando hayan muerto ya todos mis otros «yos», si sale un rayo de sol mientras yo lanzo el último suspiro, el personajillo barométrico se sentirá tan a gusto y se quitará la capucha para cantar: «¡Ah, por fin hace bueno!»

Llamaba a Francisca. Abría *Le Figaro*. Buscaba y comprobaba que no venía en él un artículo, o supuesto artículo, que había mandado a este periódico y que no era más que la página recientemente encontrada y un poco arreglada que había escrito tiempo atrás en el coche del doctor Percepied mirando los campanarios de Martinville. Después leía la carta de mamá. Le parecía raro, chocante, que una muchacha viviera sola conmigo. El primer día, al salir de Balbec, cuando me vio tan triste, tal vez mi madre, preocupada por dejarme solo, estaba contenta de saber que Albertina iba con nosotros y de ver que con nuestros equipajes (los equipajes junto a los cuales había pasado yo la noche llorando en el hotel Balbec) habían cargado en el trenecillo los baúles de Albertina, estrechos y negros como ataúdes y que yo no sabía si llevarían a la casa la vida o la muerte. Pero con aquella alegría de llevarme a Albertina en la radiante mañana después del miedo de permanecer en Balbec, ni siquiera me lo había preguntado. Pero si al principio mi madre no se había mostrado hostil a aquel proyecto (hablando amablemente a mi amiga como una madre cuyo hijo acaba de ser gravemente herido y que está agradecida a la joven amante que le cuida con abnegación), sí lo fue una vez realizado por completo y al prolongarse la estancia de la muchacha en nuestra casa y estando ausente de ella mis padres. Pero no puedo decir que mi madre me manifestó nunca esta hostilidad. Como en otro tiempo cuando ya no se atrevía a reprocharme mi nerviosismo, mi pereza, ahora sentía escrúpulos –escrúpulos que, en el momento, quizá no adiviné, o no quise adivinar– de formular algunas reservas sobre la muchacha con la que le había dicho que me iba a casar, por miedo a ensombrecer mi vida, a que fuera más tarde menos cariñoso con mi mujer, acaso a sembrar en mí, para cuando ella ya no existiera, el remordimiento de haberla apenado casándome con Albertina. Mamá prefería aparentar que aprobaba aquella elección porque tenía el sentimiento de que no podría hacerme desistir de ella. Pero todos los que la vieron en aquella época me han dicho que, aparte el dolor de haber perdido a su madre, se le notaba una perpetua preocupación. Aquella contención de espíritu, aquella discusión interior, le producían a mamá un gran calor en las sienes, y abría continuamente las ventanas para refrescarse. Pero no llegaba a tomar una decisión, por miedo a «influir en mí» en un mal sentido y destruir lo que ella creía mi felicidad. Ni siquiera podía decidirse a impedir que Albertina estuviera temporalmente en nuestra casa. No quería mostrarse más severa que madame Bontemps, que era a quien concernía principalmente aquello, y a la que no le parecía mal, lo que sorprendía mucho a mi madre. En todo caso lamentaba haber tenido que dejarnos solos y marcharse precisamente en aquel momento a Combray, donde quizá tuviera que quedarse (y de hecho se quedó) muchos meses, mientras mi tía abuela la necesitara noche y día. En Combray todo le resultó fácil gracias a la bondad, a la generosidad de Legrandin, que, sin retroceder ante ninguna molestia, fue aplazando de semana en semana su regreso a París, y eso que no conocía mucho a mi tía, simplemente porque había sido amiga de su madre y además porque se dio cuenta de que la enferma desahuciada reclamaba sus cuidados y no podía pasar sin él. El *snobismo* es una enfermedad grave del alma, pero localizada y que no afecta a toda ella. Pero yo, al contrario de mamá, estaba muy contento de su marcha a Combray, porque (como no podía decir a Albertina que la ocultara) hubiera temido que descubriera su amistad con mademoiselle Vinteuil. Habría sido para mi madre un obstáculo insuperable no sólo para una boda de la que me había pedido que no hablara todavía definitivamente a mi amiga y cuya idea me era cada vez más intolerable, sino para que Albertina pasara algún tiempo en la casa. Excepto una razón tan grave y que ella no conocía, mamá, por el doble efecto de la imitación edificante y liberadora de mi abuela, admiradora de George Sand y que ponía la virtud en la nobleza del corazón y, por otra parte, de mi propia influencia corruptora, ahora era indulgente con unas mujeres cuya conducta habría reprobado severamente antes, e incluso hoy si se tratara de sus amigas burguesas de París o de Combray, pero que, según yo le decía, tenían un alma grande, y les perdonaba mucho porque me querían.

De todos modos, y aun dejando aparte la cuestión de conveniencia, creo que Albertina no se hubiera entendido con mamá, que conservaba de Combray, de mi tía Leontina, de todas sus parientas, unos hábitos de orden de los que mi amiga no tenía ni idea. No cerraría una puerta, y, en cambio, cuando una puerta estaba abierta, entraba tan despreocupada como lo haría un perro o un gato. De suerte que su encanto, un poco incómodo, era estar en la casa, más que como una muchacha, como un animal doméstico que entra en una habitación, que sale, que se encuentra donde menos se espera y que –y esto era para mí un profundo descanso– venía a tenderse en mi cama junto a mí, a hacerse en ella un sitio del que ya no se movía, sin molestar como molestaría una persona. Pero acabó por adaptarse a mis horas de sueño, no sólo a no intentar entrar en mi cuarto, sino a no hacer ruido hasta que yo llamara. Fue Francisca quien le impuso estas reglas. Francisca era de esas domésticas de Combray que saben el valor de su amo y que lo menos que pueden hacer es exigir que les den todo lo que ellas creen que se le debe. Cuando un visitante forastero le daba a Francisca una propina para repartir con la pincha de cocina, apenas el donante había entregado su moneda, Francisca, con una rapidez, una discreción y una energía ejemplares, iba a dar la lección a la pincha, que acudía a dar las gracias no con medias palabras, sino francamente, claro y alto, como Francisca le había dicho que había que hacerlo. El cura de Combray no era un genio, pero también sabía lo que había que saber. Bajo su dirección, se había convertido al catolicismo la hija de unos primos protestantes de madame Sazerat, y la familia se portó perfectamente con él. Se trató de una boda con un noble de Méséglise. Los padres del joven escribieron, para pedir informes, una carta bastante desdeñosa y en la que se aludía con desprecio al origen protestante. El cura de Combray contestó en un tono tan adecuado que el noble de Méséglise, reverencioso y prosternado, escribió una segunda carta muy diferente solicitando como un gran favor casarse con la joven conversa.

En Francisca no fue ningún mérito hacer que Albertina respetara mi sueño. Estaba acostumbrada por la tradición. Por un silencio que guardó, o por la respuesta perentoria que dio a una proposición de entrar en mi cuarto o de mandar a pedirme algo, que debió de formular inocentemente Albertina, comprendió ésta con estupor que se encontraba en un mundo extraño, de costumbres desconocidas, regido por unas leyes de vida que no se podía pensar en infringir. Ya había tenido un primer presentimiento de esto en Balbec,

pero en París ni siquiera intentó resistir y esperó paciente-
mente cada mañana mi campanillazo para atreverse a hacer
ruido.

La educación que le dio Francisca fue saludable además
para nuestra vieja sirvienta, calmando poco a poco los gemi-
dos que no cesaba de lanzar desde que volvimos de Balbec.
Pues, al subir al tren, se dio cuenta de que había olvidado
despedirse de la «gobernanta» del hotel, una persona bigo-
tuda que vigilaba los pisos y que apenas conocía a Francisca,
pero que había sido relativamente atenta con ella. Francisca se empeñaba en volver atrás, apearse del tren, tornar al
hotel, despedirse de la gobernanta y no marcharse hasta el
día siguiente. La sensatez y, sobre todo, mi súbito horror por
Balbec me impidieron concederle esta gracia, pero Francisca
había contraído un mal humor enfermizo y febril que el
cambio de aires no llegó a suprimir y que se prolongaba en
París. Pues, según el código de Francisca, tal como aparece
ilustrado en los bajorrelieves de Saint-André-des-Champs,
desear la muerte de un enemigo, y aun dársela, no está prohibido, pero es horrible no hacer lo que se debe, no corresponder a una fineza, no despedirse antes de marcharse,
como una verdadera mal educada, de una gobernanta de
piso. Durante todo el viaje, el recuerdo, constantemente re-
novado, de no haberse despedido de aquella mujer puso en
las mejillas de Francisca un vermellón alarmante. Y si dejó
de beber y de comer hasta París, probablemente fue porque
aquel recuerdo le ponía un verdadero «peso en el estóma-
go» (cada clase social tiene su patología) más aún que por
castigar.

Entre las causas de que mamá me mandara todos los días
una carta, y una carta en la que nunca faltaba alguna cita de
madame de Sévigné, estaba el recuerdo de mi abuela. Mamá
me escribía: «Madame Sazerat nos ha dado una de esas co-
miditas de las que ella tiene el secreto y que, como diría tu
pobre abuela citando a madame de Sévigné, nos sacan de la

soledad sin darnos compañía». En mis primeras respuestas, cometí la tontería de escribir a mamá: «Tu madre te reconocería en seguida en esas citas». Lo que, tres días después, me valió estas palabras: «Pobre hijo mío, si era por hablarme de *mi madre,* invocas muy inoportunamente a madame de Sévigné; ésta te habría contestado como contestó ella a madame de Grignan: "¿No era nada tuyo? Creía que erais parientes".»

Entre tanto, yo oía los pasos de mi amiga que salía de su habitación o entraba en ella. Llamé, pues era la hora en que iba a venir Andrea con el chófer, amigo de Morel y prestado por los Verdurin, a buscar a Albertina. Había hablado a ésta de la posibilidad lejana de casarnos; pero no lo había hecho nunca formalmente; ella misma, por discreción, cuando le dije: «No sé, pero quizá sea posible», movió la cabeza con una melancólica sonrisa diciendo: «No, no será posible», lo que significaba: «Soy demasiado pobre». Y entonces, a la vez que decía: «Es muy poco seguro», cuando se trataba de proyectos para el futuro, en aquel momento hacía todo lo posible por distraerla y hacerle la vida agradable, quizá tratando también, inconscientemente, de despertar en ella el deseo de casarse conmigo. Ella misma se reía de todo aquel lujo. «Qué cara pondría la madre de Andrea al verme convertida en una dama rica como ella, lo que ella llama una señora que tiene "caballos, carruajes, cuadros". Pero ¿no te he contado nunca que decía esto? ¡Oh, es un tipo! Lo que me extraña es que eleve los cuadros a la dignidad de los caballos y de los carruajes.»

Ya veremos más adelante que Albertina, a pesar de los estúpidos hábitos de hablar que aún conservaba, había progresado extraordinariamente. Lo que me era completamente igual, pues las superioridades intelectuales de una mujer me han interesado siempre muy poco. Sólo me hubiera gustado, quizá, el curioso talento de Celeste.

A pesar mío, sonreía un momento cuando, por ejemplo, al enterarse de que no estaba Albertina, me abordaba con estas palabras:

—¡Divinidad del cielo depositada en una cama!

Yo le decía:

—Pero vamos a ver, Celeste, ¿por qué «divinidad del cielo»?

—Bueno, si usted cree que tiene algo de los que viajan sobre nuestra miserable tierra, se equivoca.

—Pero ¿por qué «depositada» en una cama? Ya ve que estoy acostado.

—Usted no está nunca acostado. ¿Cuándo se ha visto una persona acostada así? Lo que ha hecho es posarse ahí. En este momento, su pijama, tan blanco, y ese modo de mover el cuello, le da un aire de paloma.

Albertina, hasta en el orden de las cosas tontas, se expresaba de manera muy diferente que la muchachita que había sido en Balbec hacía sólo unos años. Llegaba a decir, a propósito de un hecho político que ella reprobaba: «Eso me parece formidable», y no recuerdo si fue por entonces cuando, refiriéndose a un libro que encontraba mal escrito, aprendió a expresarse así: «Es interesante, pero está *como escrito por un cerdo*».

La prohibición de entrar en mi cuarto antes de que yo llamase le hacía mucha gracia. Como llegó también a adoptar nuestra costumbre familiar de las citas y empleaba las de las piezas de teatro que ella había representado en el convento y que yo le había dicho que me gustaban, me comparaba siempre con Asuero:

Et la mort est le prix de tout audacieux
Qui sans être appelé se présente à ses yeux.

Rien ne met à l'abri de cet ordre fatal
Ni le rang, ni le sexe, et le crime est égal.

Moi-même...
Je suis à cette loi comme une autre soumise,
Et sans le prévenir il faut pour lui parler
Qu'il me cherche ou du moins qu'il me fasse appeler[1].

Físicamente también había cambiado. Sus rasgados ojos azules –más alargados– no tenían la misma forma; sí el mismo color, pero parecía como si hubieran pasado al estado líquido. Tanto que, cuando los cerraba, era como cuando se corren las cortinas y ya no se ve el mar. Cada noche, al dejarla, yo recordaba sobre todo esta parte de ella. En cambio, cada mañana, su pelo alborotado, por ejemplo, me causó durante mucho tiempo la misma sorpresa, como si fuera una cosa nueva que no había visto nunca. Y, sin embargo, ¿hay algo más bello, después de la mirada sonriente de una muchacha, que esa corona ondulada de violetas negras? La sonrisa es más bien cosa de amistad; pero los pequeños tirabuzones brillantes de la cabellera florecida, más parientes de la carne y como su trasposición en leves olas, prenden más el deseo.

Apenas en mi cuarto, saltaba sobre la cama y a veces definía mi tipo de inteligencia, juraba, en sincero arrebato, que prefería morir a dejarme: esto ocurría los días en que me había afeitado antes de llamarla. Era de esas mujeres que no saben explicar la razón de lo que sienten. El placer que les causa una piel fresca lo explican por las cualidades morales del que creen que les ofrece una felicidad para el futuro, que es capaz, además, de perder atractivo y de resultar menos necesario a medida que se deja crecer la barba.

Le preguntaba a dónde pensaba ir.

1. «Y la muerte es el precio que paga el temerario / que ante él se presenta sin haberle llamado. / Nada puede eximir de esta orden fatal, / ni la estirpe ni el sexo, que igual es el delito. Yo misma... / sometida a esa ley, como cualquiera, estoy, / y esperar es preciso, para hablarle, / que sea él quien me busque o, al menos, me requiera.»

–Creo que Andrea quiere llevarme a las Buttes-Chaumont, que no conozco.

Entre tantas otras palabras, me era imposible adivinar si éstas escondían una mentira. Por otra parte, tenía confianza en que Andrea me diría todos los lugares a donde iba con Albertina. En Balbec, cuando me sentí muy cansado de Albertina, había pensado decirle a Andrea esta mentira: «¡Ay, Andreíta, lástima no haberla conocido antes! Sería de usted de quien me hubiera enamorado. Pero ahora mi corazón está preso en otro sitio. De todos modos podremos vernos mucho, pues mi amor a otra me causa grandes disgustos y usted me ayudará a consolarme.» Estas mismas palabras embusteras resultaban verídicas pasadas tres semanas. Acaso Andrea creyó en París que era en efecto una mentira y que la amaba, como seguramente lo habría creído en Balbec. Pues la verdad cambia para nosotros de tal modo que a los demás les es difícil reconocerse en ella. Y como yo sabía que Andrea me iba a contar todo lo que hicieran Albertina y ella, le pedí, y lo aceptó, que viniera a buscarla casi todos los días. Así, yo podría quedarme en casa sin preocupación. Y aquel prestigio de Andrea de ser una de las muchachas de la pandilla me hacía confiar en que ella conseguiría de Albertina todo lo que yo quisiera. Y ahora sí que podría decirle con toda verdad que ella sería capaz de tranquilizarme.

Por otra parte, al elegir a Andrea (que había renunciado a su proyecto de volver a Balbec y se encontraba en París) como guía de mi amiga, pensaba en lo que Albertina me contó del afecto que su amiga me tenía en Balbec, en un momento en que, por el contrario, yo temía serle desagradable, y si lo hubiera sabido entonces, acaso fuera a Andrea a quien amara.

–Pero ¿es que no lo sabías? –me dijo Albertina–; pues nosotras bromeábamos mucho con esto. ¿Y no notaste que empezó a adoptar tus maneras de hablar, de razonar? Sobre todo cuando acababa de dejarte, era impresionante. No ne-

cesitaba decirnos que te había visto. En cuanto llegaba, si venía de estar contigo, se le notaba en el primer segundo. Nosotras nos mirábamos y nos reíamos. Andrea era como un
carbonero que quiere hacer creer que no es carbonero, y está
todo negro. Un molinero no necesita decir que es molinero,
se ve perfectamente toda la harina que lleva encima y el sitio
de los sacos que ha cargado. Lo mismo pasaba con Andrea,
enarcaba las cejas como tú y después doblaba el cuello tan
largo; en fin, no puedo decirte. Cuando cojo un libro que ha
estado en tu cuarto, ya puedo leerlo fuera, que de todos modos se sabe que viene de tu casa, porque conserva algo de tus
repugnantes fumigaciones. Es una nadería, no sabría decirte
en qué consiste, pero, en el fondo, es una nadería bastante
simpática. Cada vez que alguien hablaba bien de ti, que parecía tenerte en mucho, Andrea estaba feliz.

A pesar de todo, para evitar que se preparara algo a espaldas mías, yo aconsejaba renunciar aquel día a las Buttes-
Chaumont e ir más bien a Saint-Cloud o a otro sitio.

Desde luego, y yo lo sabía, no era que amase a Albertina
en absoluto. El amor no es quizá otra cosa que la propaga-
ción de esos oleajes con que una emoción sacude el alma. Algunos sacudieron la mía hasta el fondo cuando Albertina
me habló en Balbec de mademoiselle Vinteuil, pero ahora se
habían aquietado. Ya no amaba a Albertina, pues no me quedaba nada del dolor que sentí en el tren de Balbec al enterarme de cómo había sido la adolescencia de Albertina, quizá
con visitas a Montjouvain. Todo aquello, pensé durante mucho tiempo, se había curado. Pero en algunos momentos
ciertas maneras de hablar de Albertina me hacían suponer
–no sé por qué– que, en su vida, todavía tan corta, había debido de recibir muchos cumplidos, muchas declaraciones, y
que las había recibido con placer, es decir, con sensualidad.
A propósito de cualquier cosa, decía: «¿Es verdad?, ¿es de veras?» Claro que si hubiera dicho como una Odette: «¿Es verdad esa mentira tan gorda?», no me habría preocupado,

pues la misma ridiculez de la fórmula se habría explicado por una estúpida trivialidad mental de mujer. Pero su tono interrogador: «¿Es verdad?», causaba, por una parte, la extraña impresión de una criatura que no puede darse cuenta de las cosas por sí misma, que apela a nuestro testimonio como si ella no tuviera las mismas facultades que nosotros (si le decían: «Hace una hora que salimos», o: «Está lloviendo», preguntaba: «¿Es verdad?»). Desgraciadamente, además, esta falta de facilidad para darse cuenta por sí misma de los fenómenos exteriores no debía de ser el verdadero origen de sus «¿Es verdad?, ¿de veras?» Más bien parecía que estas palabras fueran, desde su nubilidad precoz, respuestas a: «No he conocido nunca a una persona tan bonita como tú», «estoy enamoradísimo de ti, me encuentro en un estado de excitación terrible». Afirmaciones a las cuales contestaba, con una modestia coquetamente consentidora, con aquellos «¿Es verdad?, ¿de veras?», que conmigo ya no le servían a Albertina más que para contestar con una pregunta a una afirmación como: «Te has quedado dormida más de una hora. –¿De veras?»

Sin sentirme en absoluto enamorado de Albertina, sin incluir en el número de los placeres los momentos que pasábamos juntos, seguía preocupándome el empleo de su tiempo; cierto que había huido de Balbec para estar seguro de que Albertina no podría ver a esta o a la otra persona con la que yo tenía miedo de que hiciera el mal riendo, acaso riéndose de mí; cierto que había intentado hábilmente romper de una vez, con mi partida, todas sus malas relaciones. Y Albertina tenía tal fuerza de pasividad, tal facultad de olvidar y someterse, que, en efecto, sus relaciones quedaron rotas y curada la fobia que me obsesionaba. Pero ésta puede adoptar tantas formas como el incierto mal que la suscita. Mientras mis celos no reencarnaron en seres nuevos, tuve un intervalo de calma después de los pasados sufrimientos. Pero el menor pretexto puede hacer renacer una enfermedad crónica, de la

misma manera que la menor ocasión puede servir para que
la persona causante de estos celos ejerza su vicio (después de
una tregua de castidad) con otros seres diferentes. Yo había
logrado separar a Albertina de sus cómplices y exorcizar así
mis alucinaciones; se podía hacerle olvidar a las personas,
abreviar sus amistades, pero su inclinación al placer era crónica y acaso sólo esperaba una ocasión para ejercerse. Ahora
bien, París ofrecía tantas como Balbec. En cualquier ciudad
que fuere no necesitaba buscar, pues el mal no estaba en Albertina sola, sino en otras para quienes toda ocasión de placer es buena. Una mirada de una, en seguida captada por la
otra, junta a las dos hambrientas. Y a una mujer diestra le es
fácil aparentar que no ve y a los cinco minutos ir hacia la persona que ha entendido y la espera en una calle transversal, y
le da en dos palabras una cita. ¿Quién lo sabrá jamás? ¡Y era
tan sencillo para Albertina decirme, para que la cosa conti-
nuara, que deseaba volver a ver cualquier punto de las cerca-
nías de París que le había gustado! Bastaba, pues, que volviera muy tarde, que su paseo durara un tiempo inexplicable,
aunque quizá muy fácil de explicar (sin que interviniera ninguna razón sensual), para que renaciera mi mal, unido esta
vez a representaciones que no eran de Balbec, y que procuraría destruir lo mismo que las anteriores, como si la destrucción de una causa efímera pudiera implicar la de un mal
congénito. No me daba cuenta de que, en aquellas destrucciones donde tenía por cómplice la capacidad de Albertina
para cambiar, su facilidad para olvidar, casi para odiar, al
objeto reciente de su amor, yo causaba a veces un profundo
dolor a uno o a otro de aquellos seres desconocidos con los
que Albertina había gozado sucesivamente, y de que aquel
dolor lo causaba en vano, pues serían abandonados, pero
sustituidos, y, paralelamente al camino jalonado por tantos
abandonos que ella cometería a la ligera, proseguiría para
mí otro camino implacable, interrumpido apenas por muy
breves descansos; de suerte que, bien pensado, mi sufri-

miento no podía acabar más que con Albertina o conmigo. Ya en los primeros tiempos de nuestra llegada a París, insatisfecho de lo que Andrea y el chófer me decían sobre los paseos con mi amiga, los alrededores de París me resultaban tan odiosos como los de Balbec, y me fui unos días de viaje con Albertina. Pero en todas partes la misma incertidumbre de lo que Albertina hacía, igual de numerosas las posibilidades de que lo que hacía fuera malo, más difícil aún la vigilancia, tanto que me volví con ella a París. En realidad, al dejar Balbec, había creído dejar Gomorra, arrancar de Gomorra a Albertina; pero, ¡ay de mí!, Gomorra estaba dispersa en los cuatro extremos del mundo. Y mitad por mis celos, mitad por mi ignorancia de aquellos goces (cosa muy rara), había preparado sin querer aquel juego al escondite en el que Albertina se me escapaba siempre. Le preguntaba a quemarropa:

–¡Ah!, a propósito, Albertina, ¿lo he soñado, o me dijiste una vez que conocías a Gilberta Swann?

–Sí, bueno, me habló en clase, porque ella tenía los cuadernos de historia de Francia, y estuvo muy simpática, me los prestó y se los devolví también en clase, no la he visto más que allí.

–¿Es de ese género de mujeres que a mí no me gustan?

–Nada de eso, todo lo contrario.

Pero más que entregarme a esta clase de conversaciones indagadoras, solía dedicar a imaginar el paseo de Albertina las fuerzas que no empleaba en hacerlo, y hablaba a mi amiga con ese ardor que conservan intactos los proyectos no cumplidos. Manifestaba tal deseo de ir a ver de nuevo una vidriera de la Sainte-Chapelle, tal pesar por no poder hacerlo con ella sola, que me decía tiernamente:

–Pero, chiquito mío, si eso te hace tanta ilusión, haz un pequeño esfuerzo, ven con nosotros. Esperaremos todo lo que quieras para que te prepares. Además, si te gusta estar conmigo sola, no tengo más que mandar a Andrea a su casa, ya vendrá otra vez.

Pero estos ruegos para que saliera reforzaban la calma que me permitía quedarme en casa.

No pensaba que la apatía de descargarme así sobre Andrea o sobre el chófer del cuidado de calmar mi agitación, encomendándoles a ellos el de vigilar a Albertina, anquilosaba en mí, haciéndolos inertes, todos esos movimientos imaginativos de la inteligencia, todas esas inspiraciones que ayudan a adivinar, a impedir lo que va a hacer una persona. Esto era más peligroso aún porque, por naturaleza, el mundo de los posibles ha estado siempre más abierto para mí que el de la contingencia real. Esto nos ayuda a conocer el alma, pero nos dejamos engañar por los individuos. Mis celos nacían en imágenes, cuando se trataba de un sufrimiento, no de una probabilidad. Ahora bien, puede haber en la vida de los hombres y en la de los pueblos (y debía de haberlo en la mía) un día en que se siente la necesidad de tener en sí un prefecto de policía, un diplomático de clara visión, un jefe de seguridad que, en vez de pensar en lo que esconde un espacio que se extiende a los cuatro puntos cardinales, razona con precisión y se dice: «Si Alemania declara esto, es que quiere hacer tal otra cosa, no otra cosa indefinida, sino exactamente ésta o aquélla, que acaso ha comenzado ya. Si tal persona ha huido, no ha huido hacia los puntos *a, b, d,* sino hacia el punto *c,* y el lugar donde tenemos que desarrollar nuestras pesquisas es, etc.» Desgraciadamente, esta facultad no estaba muy desarrollada en mí, la dejaba atrofiarse, perder fuerzas, desaparecer, acostumbrándome a estar tranquilo desde el momento en que otros se ocupaban de vigilar por mí.

En cuanto a la razón de mi deseo de quedarme, me hubiera sido muy desagradable decírsela a Albertina. Le decía que el médico me mandaba quedarme en cama. No era verdad. Y aunque lo hubiera sido, sus prescripciones no me habrían impedido acompañar a mi amiga. Le pedía permiso para no ir con ella y con Andrea. Sólo diré una de las razones, que era una razón de prudencia. Cuando salía con Albertina, si se separaba de mí aunque sólo fuera un momento, estaba inquieto: me figuraba que había hablado a alguien o simplemente había mirado a alguien. Si Albertina no estaba de muy buen humor, me imaginaba que le chafaba o le hacía aplazar un proyecto. La realidad no es más que un incentivo para una meta desconocida en cuyo camino no podemos llegar muy lejos. Es preferible no saber, pensar lo menos posible, no dar a los celos el menor detalle concreto. Desgraciadamente, a falta de la vida exterior, la vida interior tiene también sus incidentes; a falta de los paseos de Albertina, los azares encontrados en las reflexiones que me hacía me proporcionaban a veces esos pequeños fragmentos de realidad que, como un imán, atraen hacia ellos un poco de lo desconocido, doloroso desde este momento. Aun viviendo bajo el equivalente de una campana neumática, continúan actuando las asociaciones de ideas, los recuerdos. Pero esos choques internos no se producían inmediatamente; en cuanto Albertina salía para su paseo, las exaltantes virtudes de la soledad me vivificaban, aunque sólo fuera por unos momentos. Tomaba mi parte de los placeres del día que comenzaba; el deseo arbitrario –la veleidad caprichosa y puramente mía– de gustarlos no habría bastado para ponerlos a mi alcance si el tiempo especial que hacía no me hubiera no sólo evocado las imágenes pasadas, sino afirmado la realidad actual, inmediatamente accesible a todos los hombres a quienes una circunstancia contingente y, por tanto, desdeñable no obligaba a quedarse en su casa. Algunos días muy claros hacía tanto frío, era tan amplia la comunicación con la calle, que parecía que se hubieran abierto las paredes de la casa, y cada vez que pasaba el tranvía, su timbre resonaba como un cuchillo de plata golpeando una casa de vidrio. Pero, sobre todo, yo oía en mí con entusiasmo un sonido nuevo del violín interior. Sus cuerdas se tensan o se aflojan por simples diferencias de la temperatura, de la luz exterior. En nuestro ser, instrumento que la uniformidad del hábito ha hecho silencioso, el canto nace de esas diferencias, de esas variaciones, fuente de toda música: por el tiempo que hace ciertos días, pasamos de repente de una nota a otra. Volvemos a encontrar el son olvidado cuya necesidad matemática hubiéramos podido adivinar y que, en los primeros momentos, cantamos sin reconocerlo. Sólo estas modificaciones internas, aunque venidas de fuera, renovaban para mí el mundo exterior. Unas puertas de comunicación condenadas desde hacía mucho tiempo se abrían de nuevo en mi cerebro. La vida de algunas ciudades, la alegría de ciertos paseos, recuperaban en mí su sitio. Estremecido todo yo en torno a la cuerda vibrante, habría sacrificado mi vida de otro tiempo y mi vida futura, suprimidas por la goma de borrar del hábito, por aquel estado tan especial.

Si no iba a acompañar a Albertina en su larga excursión, mi espíritu vagabundearía más aún que si la acompañaba y, por haber renunciado a gustar con mis sentidos aquella madrugada, gozaba en imaginación de todas las madrugadas semejantes, pasadas o posibles, más exactamente de cierto tipo de madrugadas de las que todas las del mismo género no eran sino una intermitente aparición y que yo reconocía en seguida; pues el aire vivo volvía por sí solo las páginas que había que volver y yo encontraba claramente indicado ante mí, para poder seguirlo desde la cama, el evangelio del día. Aquella madrugada ideal me llenaba el espíritu de realidad permanente, idéntica a todas las mañanas semejantes, y me comunicaba una alegría que mi estado de debilidad no amenguaba: como el bienestar resulta para nosotros, mucho más que de nuestra buena salud, del excedente inaplicado de nuestras fuerzas, podemos alcanzarlo lo mismo aumentando éstas que restringiendo nuestra actividad. El excedente de la mía, mantenido en potencia en mi cama, me hacía vibrar, saltar interiormente, como una máquina que no pudiendo cambiar de sitio gira sobre sí misma.

Francisca venía a encender la chimenea y para que prendiera el fuego echaba unas ramillas cuyo olor, olvidado durante todo el verano, describía en torno a la chimenea un círculo mágico en el que yo, viéndome a mí mismo leyendo en Combray unas veces, en Doncières otras, estaba tan contento en mi cuarto de París como si me dispusiera a salir de paseo hacia Méséglise o a encontrarme en el campo con Saint-Loup y sus amigos de servicio. Suele ocurrir que el placer que sienten todos los hombres en volver a ver los recuerdos acumulados por su memoria es más vivo, por ejemplo, en aquellos que, por la tiranía del mal físico y la esperanza cotidiana de su curación, se ven privados, por una parte, de ir a buscar en la naturaleza unos cuadros parecidos a esos recuerdos y, por otra parte, conservan la suficiente confianza en que podrán hacerlo pronto para permanecer respecto a ellos en estado de deseo, de apetito, y no considerarlos sólo como recuerdos, como cuadros. Pero aunque no hubieran sido nunca nada más que eso para mí y yo hubiese podido, al recordarlos, sólo verlos, volvería a ser de pronto, todo yo, en virtud de una sensación idéntica, el niño, el adolescente que los había visto. No era sólo cambio de tiempo en el exterior, o de olores en la habitación, sino diferencia de edad en mí, sustitución de persona. El olor, en el aire frío, de las ramas de leña, era como un fragmento del pasado, un banco de hielo invisible desprendido de un invierno antiguo que avanzaba en mi cuarto, estriado además de tal perfume, de tal resplandor, como en años diferentes en los que me encontraba de nuevo sumergido, invadido, incluso antes de identificarlas, por la alegría de unas esperanzas abandonadas desde hacía mucho tiempo. El sol entraba hasta mi cama y atravesaba el transparente tabique de mi cuerpo enflaquecido, me calentaba, me tornaba ardiente como cristal. Entonces, convaleciente hambriento que saborea ya todos los manjares que no le permiten todavía, me preguntaba si no malograría mi vida casándome con Albertina, haciéndome asumir la obligación, demasiado pesada para mí, de consagrarme a otro ser, obligándome a vivir ausente de mí mismo por su presencia continua y privándome para siempre de los goces de la soledad.

Y no solamente de éstos. Aun cuando solamente deseos pidamos a la jornada, hay algunos –no los que provocan las cosas, sino los que suscitan los seres– que se caracterizan por ser individuales. Así, si me bajaba de la cama para ir a descorrer un momento la cortina de la ventana, no era solamente como un músico abre un instante el piano y para comprobar si, en el balcón y en la calle, la luz del sol estaba exactamente al mismo diapasón que en mi recuerdo: era también para mirar a una planchadora que pasaba con su cesta de ropa, a una panadera con su mandil azul, a una lechera con su pechero y sus mangas de tela blanca, el garfio con las marmitas de leche, alguna orgullosa muchachita rubia siguiendo a su institutriz; una imagen, en fin, que ciertas diferencias de líneas quizá cuantitativamente insignificantes bastaban para hacerla tan distinta de cualquier otra como lo es la diferencia de dos notas en una frase musical, y sin cuya visión mi jornada hubiera perdido, empobreciéndose, las metas que podía proponer a mis deseos de felicidad. Mas si el suplemento de alegría aportado por la contemplación de unas mujeres imposibles de imaginar *a priori* me las hacía más deseables, más dignas de ser exploradas, la calle, la ciudad, la gente, me daban al mismo tiempo el afán de curarme, de salir y de ser libre sin Albertina. Cuántas veces, en el momento en que la mujer desconocida con la que iba a soñar pasaba delante de la casa, unas veces a pie, otras con toda la velocidad de su automóvil, sufrí porque mi cuerpo no pudiera seguir a mi mirada que la alcanzaba y, cayendo sobre ella como disparado desde mi ventana por un arcabuz, detener la huida de aquel rostro en el que me esperaba la ofrenda de una felicidad que, enclaustrado como estaba, no gustaría jamás.

En cambio, de Albertina ya no me quedaba nada que aprender. Cada día me parecía menos bonita. Sólo el deseo que suscitaba en los demás la izaba a mis ojos en un alto pavés cuando, al enterarme, comenzaba a sufrir de nuevo y quería disputársela. Podía causarme sufrimiento, nunca alegría. Y sólo por el sufrimiento subsistía mi fastidioso apego a ella. Tan pronto como desaparecía, y con ella la necesidad de calmar aquel sufrimiento, que requería toda mi atención como una distracción atroz, sentía que no era nada para mí, como nada debía de ser yo para ella. Me dolía la continuación de aquel estado, y a veces deseaba enterarme de algo terrible que ella hubiera hecho y que diera lugar a una ruptura hasta que me curara, lo que nos permitiría reconciliarnos, rehacer de manera diferente y más ligera la cadena que nos unía.

Mientras tanto, yo encomendaba a mil circunstancias, a mil placeres, la tarea de procurarle junto a mí la ilusión de la felicidad que yo no me sentía capaz de darle.

Quería ir a Venecia en cuanto me curara; pero, si me casaba con Albertina, ¿cómo iba a hacerlo, tan celoso de ella que, hasta en París, si alguna vez me decidía a moverme, era para salir con ella? Incluso cuando me quedaba en casa toda la tarde, mi pensamiento la seguía en sus paseos, describiendo un horizonte lejano, azulado, engendrando alrededor del centro que era yo una zona movible de incertidumbre y de vaguedad. «¡Cómo me evitaría Albertina –me decía– las angustias de la separación si, en uno de esos paseos, viendo que ya no le hablaba de matrimonio, se decidiera a no volver y se fuera a casa de su tía sin que yo tuviese que decirle adiós!» Mi corazón, desde que se estaba cicatrizando su herida, comenzaba a no adherirse ya al de mi amiga; en imaginación, podía alejarla de mí sin sufrir. Seguramente, al perderme a mí, se casaría con otro y, libre, tendría quizá aventuras de aquellas que a mí me horrorizaban. Pero hacía tan buen tiempo, estaba yo tan seguro de que volvería por la noche, que aunque me asaltara esta idea de posibles faltas, podía, en un acto libre, aprisionarla en una parte de mi cerebro, donde ya no tenía más importancia de la que hubieran tenido para mi vida real los vicios de una persona imaginaria; poniendo en funcionamiento los goznes lubrificados de mi cerebro, rebasaba, con una energía que en mi cabeza la sentía yo a la vez física y mental como un movimiento muscular y una iniciativa espiritual, el habitual estado en que hasta entonces estuviera confinado y comenzaba a moverme al aire libre, donde sacrificarlo todo para impedir que Albertina se casara con otro y obstaculizar su afición a las mujeres parecía tan irrazonable a mis propios ojos como a los de alguien que no la conociera.

Por otra parte, los celos son una de esas enfermedades intermitentes cuya causa es caprichosa, imperativa, siempre idéntica en el mismo enfermo, a veces diferente por completo en otro. Hay asmáticos que sólo calman sus crisis abriendo las ventanas, respirando aire libre, un aire puro de las alturas, mientras que otros se refugian en el centro de la ciudad, en un cuarto lleno de humo. Apenas existen celosos cuyos celos no admitan ciertas derogaciones. Uno se aviene a aquel engaño con tal de que se lo digan, otro con tal de que se lo oculten, sin que ninguno de ellos sea más absurdo que el otro, puesto que, si el segundo resulta más verdaderamente engañado desde el momento en que le ocultan la verdad, el primero reclama en esta verdad el alimento, la ampliación, la renovación de sus sufrimientos.

Es más: esas dos manías inversas de los celos suelen ir más allá de las palabras, ya imploren o ya rechacen las confidencias. Celosos hay que sólo sienten celos de los hombres con los que su amante tiene relaciones lejos de ellos, pero, en cambio, permiten que se entregue a otro hombre cercano, si lo hace con su autorización y, si no en su misma presencia, al menos bajo el mismo techo. Este caso es bastante frecuente en los hombres de edad enamorados de una mujer joven. Se dan cuenta de la dificultad de gustarle, a veces de la impotencia para contentarla, y antes que ser engañados prefieren permitir que venga a su casa, a una habitación contigua, alguien que consideran incapaz de darle malos consejos, pero no de darle placer. En otros es todo lo contrario: no dejan a su amante salir sola un minuto en una ciudad que conocen, la tienen en una verdadera esclavitud, y en cambio la dejan ir a pasar un mes en un país que no conocen, donde no pueden imaginar lo que hará. Yo tenía con Albertina estas dos clases de manía calmante. No habría tenido celos si el placer lo gozara cerca de mí, alentado por mí, pero bajo mi completa vigilancia, ahorrándome así el temor a la mentira; acaso no los tuviera tampoco si ella se fuera a un lugar bastante desconocido por mí y bastante lejano como para que yo no pudiera imaginar su género de vida ni tener la posibilidad y la tentación de conocerlo. En ambos casos, el conocimiento o la ignorancia igualmente completos suprimirían la duda.

En la declinación del día, el recuerdo me volvía a sumergir en una atmósfera antigua y fresca; la respiraba con la misma delicia que Orfeo el aire sutil, desconocido en esta tierra, de los Campos Elíseos. Pero terminaba la jornada y me invadía la desolación de la noche. Mirando maquinalmente en el reloj cuántas horas faltarían para que volviera Albertina, veía que me quedaba tiempo para vestirme y bajar a pedir a mi propietaria, madame de Guermantes, indicaciones para ciertas bonitas cosas de *toilette* que quería regalar a mi amiga. A veces encontraba a la duquesa en el patio, disponiéndose a ir de compras a pie, aunque hiciera mal tiempo, con un sombrero plano y una piel. Yo sabía muy bien que, para muchas personas inteligentes, no era más que una señora cualquiera, porque el título de duquesa de Guermantes no significaba nada cuando ya no había ducados ni principados. Pero yo había adoptado otro punto de vista en mi manera de gozar de los seres y de los países. Me parecía que aquella dama envuelta en pieles y desafiando el mal

tiempo llevaba consigo todos los castillos de las tierras de
que era duquesa, princesa, vizcondesa, como los personajes
esculpidos en el dintel de un pórtico tienen en la mano la catedral que ellos han construido o la ciudad que han defendi-
do. Pero aquellos castillos, aquellos bosques, los ojos de mi
espíritu sólo podían verlos en la mano enguantada de la
dama envuelta en pieles, prima del rey. Los de mi cuerpo
sólo veían, los días en que el tiempo amenazaba lluvia, un
paraguas con el que la duquesa no temía ir armada. «Por si
acaso, es más prudente llevarlo, por si me encuentro lejos y
me pide un coche demasiado caro para mí». Las palabras
«demasiado caro», «superior a mis medios», salían constantemente en la conversación de la duquesa, como «soy muy
pobre», sin que se pudiera saber si hablaba así porque le divertía decir que era pobre, siendo rica, o porque consideraba
elegante, siendo tan aristocrática, es decir, haciéndose la
campesina, no dar a la riqueza la importancia que le dan las
personas que son solamente ricas y desprecian a los pobres.
Quizá fuera más bien una costumbre de una época de su
vida en la que, siendo ya rica pero no lo bastante teniendo en
cuenta lo que costaba sostener tantas propiedades, pasaba
ciertos apuros de dinero que no quería disimular. Las cosas
de las que solemos hablar en broma son generalmente, al
contrario, las que nos fastidian, pero no queremos que se vea
que nos fastidian, quizá con la esperanza inconfesada de esa
ventaja suplementaria de que precisamente la persona con
quien hablamos, al oírnos bromear con eso, crea que no es
verdad.

Pero, generalmente, a aquella hora yo sabía que la duquesa estaría en casa, y me alegraba mucho, pues era más cómodo para pedirle con detalle los datos que Albertina deseaba.
Y bajaba a su casa casi sin pensar en lo extraordinario que
era que yo fuese a ver a aquella misteriosa madame de Guermantes de mi infancia únicamente con el fin de aprovecharla
para una simple comodidad práctica, como si fuera un telé-

fono, ese instrumento sobrenatural ante cuyos milagros nos maravillábamos antes y del que ahora nos servimos sin pensarlo siquiera para llamar al sastre o encargar un helado.

Las cosas de adorno personal entusiasmaban a Albertina. Yo no sabía privarme de regalarle algo cada día. Y cada vez que me hablaba con arrobo de una echarpe, de una estola, de una sombrilla que al pasar por el patio, o desde la ventana, habían vislumbrado sus ojos, rapidísimos en distinguir todo lo referente a la elegancia, en el cuello, sobre los hombros, en la mano de madame de Guermantes, como yo sabía que el gusto naturalmente difícil de Albertina (refinado, además, por las lecciones de elegancia sacadas de la conversación de Elstir) no se conformaría con una simple imitación, aunque lo fuera de una cosa muy bella, que la reemplaza para el vulgo, pero que es completamente distinta, iba en secreto a que la duquesa me explicara dónde, cómo, sobre qué modelo, había confeccionado lo que le gustaba a Albertina, qué tenía que hacer yo para conseguir exactamente lo mismo, en qué consistía el secreto del que lo había hecho, el encanto de su manera (lo que Albertina llamaba *«le chic»*, «la clase»), el nombre exacto –la belleza de la materia tenía su importancia– y la calidad de las telas que yo debía pedir que emplearan.

Cuando, al llegar de Balbec, le dije a Albertina que la duquesa de Guermantes vivía enfrente de nosotros, en el mismo hotel, al oír el gran título y el gran nombre, tomó ese aire más que indiferente, hostil, desdeñoso, que es la señal del deseo impotente en las naturalezas orgullosas y apasionadas. La de Albertina era magnífica, pero las cualidades que ocultaba sólo podían desarrollarse en medio de esas trabas que son nuestros gustos a los que hemos tenido que renunciar, como Albertina al *snobismo:* es lo que se llaman odios. El de Albertina a las personas del gran mundo ocupaba, por lo demás, muy poco sitio en ella y me gustaba por un aspecto de espíritu de revolución –es decir, amor desgraciado a la

nobleza– inscrito en la cara opuesta del carácter francés
donde está el género aristocrático de madame de Guermantes. Este género aristocrático, a Albertina, por imposibilidad
de llegar a él, no le hubiera importado, pero, recordando que
Elstir le había hablado de la duquesa como de la mujer que
mejor se vestía en París, el desdén republicano cedió el sitio
en mi amiga a un vivo interés por una elegante. Frecuentemente me preguntaba cosas sobre madame de Guermantes
y le gustaba que fuera a pedirle para ella consejos sobre *toilette*. Hubiera podido pedírselos a madame Swann, y hasta le
escribí una vez con este objeto. Pero me parecía que madame de Guermantes la superaba en el arte de vestirse. Si, al
bajar un momento a su casa, después de cerciorarme de que
no había salido y de pedir que me avisaran en cuanto volviera Albertina, encontraba a la duquesa envuelta en la bruma
de un vestido de crespón de China gris, aceptaba este aspecto dándome cuenta de que se debía a causas complejas y no
hubiera podido cambiarse, me dejaba invadir por la atmósfera que desprendía, como ciertos atardeceres envueltos en
algodón gris perla por una niebla vaporosa; si, por el contrario, aquel vestido era chinesco con llamas amarillas y rojas,
la miraba como a una puesta de sol muy luminosa; aquellas
toilettes no eran una decoración cualquiera, sustituible a voluntad, sino una realidad dada y poética como la del tiempo
que hace, como la luz especial a cierta hora.

De todos los vestidos o de todas las batas que llevaba madame de Guermantes, los que parecían responder mejor a
una intención determinada, tener un significado especial,
eran esos vestidos pintados por Fortuny según antiguos dibujos de Venecia. ¿Es su carácter histórico, es más bien el hecho de que cada uno es único lo que le da un carácter tan especial que la actitud de la mujer que lo lleva esperándonos,
hablando con nosotros, toma una importancia excepcional,
como si ese traje fuera el resultado de una larga deliberación
y como si esa conversación surgiera de la vida corriente

como una escena de novela? En las de Balzac se ven heroínas que visten a propósito esta o la otra *toilette* el día en que tienen que recibir a este o al otro visitante. Las *toilettes* de hoy no tienen tanto carácter, excepto los trajes de Fortuny. En la descripción del novelista no puede subsistir ninguna variedad, porque ese vestido existe realmente, y sus menores dibujos quedan tan naturalmente trazados como los de una obra de arte. Antes de vestir este o el otro traje, la mujer ha tenido que elegir entre dos no más o menos parecidos, sino profundamente individuales cada uno, tanto que se podría darles nombre.

Pero el vestido no me impedía pensar en la mujer. En aquella época, madame de Guermantes me parecía más agradable aún que cuando yo la amaba todavía. Esperando menos de ella (ya no iba a verla por sí misma), la escuchaba casi con la tranquila despreocupación que tenemos cuando estamos solos, con los pies en los morillos de la chimenea, como si estuviera leyendo un libro escrito en lenguaje de otro tiempo. Yo tenía la suficiente libertad de espíritu para gustar en lo que la duquesa decía esa gracia francesa tan pura que ya no se encuentra ni en el hablar ni en los escritos del tiempo presente. Escuchaba su conversación como una canción popular deliciosamente francesa, comprendía que se burlara, como yo la había oído hacerlo, de Maeterlinck (al que ahora admiraba por debilidad de espíritu de mujer, sensible a estas modas literarias cuyos rayos llegan tardíamente), como comprendía que Mérimée se burlara de Baudelaire, Stendhal de Balzac, Paul-Louis Courier de Victor Hugo, Meilhac de Mallarmé. Comprendía muy bien que el que se burlaba tenía una idea muy restringida comparado con aquel de quien se burlaba, pero también un vocabulario más puro. El de madame de Guermantes, casi tanto como el de la madre de Saint-Loup, lo era hasta un punto que encantaba. No es en las frías imitaciones de los escritores de hoy que dicen *au fait* (por *en réalité), singulièrement* (por *en particu-*

lier), *étonné* (por *frappé de stupeur)*, etc., donde se encuentra el viejo lenguaje y la verdadera pronunciación de las palabras, sino hablando con una madame Guermantes o una Francisca. Desde los cinco años, yo había aprendido de la segunda que no se dice el Tarn, sino el Tar, que no se dice el Béarn, sino el Béar. Lo que me valió que a los veinte años, cuando entré en la sociedad, no tuve que aprender en ella que no se debía decir, como decía madame Bontemps: madame de Béar*n*.

Mentiría si dijera que aquel lado terrícola y casi campesino que quedaba en la duquesa ella no lo notaba y no ponía cierta afectación en mostrarlo. Pero en ella, más que afectada sencillez de gran dama que se hace la campesina y orgullo de duquesa que se burla de las damas ricas despreciativas de los campesinos, a quienes no conocen, era inclinación casi artística de una mujer que conoce el encanto de lo que posee y no va a estropearlo con un revoque moderno. De análoga manera, todo el mundo ha conocido en Dives a un normando, propietario de un restaurante llamado «Guillaume le Conquérant», que se guardó muy bien –cosa muy rara– de dar a su establecimiento el lujo moderno de un hotel y que, siendo millonario, conservaba el hablar y la blusa de campesino normando y dejaba que los clientes entraran a la cocina a verle guisar a él mismo, como en el campo, una comida que no por eso dejaba de ser mucho mejor, y mucho más cara, que en los más grandes *palaces*.

No basta toda la savia local que hay en las viejas familias aristocráticas: hace falta que nazca en ellas un ser bastante inteligente para no desdeñarla, para no borrarla bajo el barniz mundano. Madame de Guermantes, desgraciadamente inteligente y parisiense y que, cuando yo la conocí, sólo el acento conservaba de su tierra, cuando quería pintar su vida de muchacha había encontrado, al menos para su lenguaje (entre lo que hubiera parecido demasiado involuntariamente provinciano, o, al contrario, artificialmente letrado), una de esas aproximaciones que constituyen el atractivo de *La Petite Fadette,* de George Sand, o de algunas leyendas recogidas por Chateaubriand en las *Mémoires d'outre-tombe.* Lo que más me gustaba era oírle contar alguna historia en la que aparecían con ella en escena algunos campesinos. Los nombres antiguos, las viejas costumbres, daban un sabor especial a aquellas relaciones entre el palacio y el pueblo.

Si no había en ello ninguna afectación, ningún propósito de fabricar un lenguaje propio, entonces aquella manera de pronunciar era un verdadero museo de historia de Francia por la conversación. «Mi tío abuelo Fitt-jam» no tenía nada de extraño, pues es sabido que los Fitz James gustan de proclamar que son grandes señores franceses y no quieren que se pronuncie su nombre a la inglesa. Por otra parte, es de admirar la enternecedora docilidad de las gentes que hasta entonces se habían creído en el deber de esforzarse por pronunciar gramaticalmente ciertos nombres y que, de pronto, al oír a la duquesa de Guermantes decirlos de otro modo, se esfuerzan en la pronunciación que no habían podido suponer. Así, la duquesa, que había tenido un bisabuelo adicto al conde de Chambord, para pinchar a su marido por haberse hecho orleanista, se complacía en decir: «Nosotros los antiguos de Frochedorf». El visitante que había creído acertar diciendo hasta entonces «Frohsdorf» cambiaba inmediatamente y decía «Frochedorf».

Una vez que pregunté a madame de Guermantes quién era un joven exquisito que ella me había presentado como sobrino suyo y cuyo nombre entendí mal, no lo distinguí mejor cuando la duquesa, desde el fondo de su garganta, emitió muy fuerte, pero sin articular: «Es el... i Eon, el... b... hermano de Roert. Pretende que tiene la forma del cráneo de los antiguos galos.» Entonces comprendí que había dicho: Es el *petit* Léon (el príncipe de Léon, cuñado, en efecto, de Roberto de Saint-Loup). En todo caso, no sé si tiene el cráneo de los galos –añadió–, pero su manera de vestirse, muy elegante

por lo demás, no es muy de allá. Un día que fuimos de pere-
grinación desde Josselin, donde estaba yo en casa de los Rohan, llegaron campesinos de casi todos los puntos de Breta-
ña. Un gran diablo de aldeano de Léon miraba pasmado el
pantalón *beige* del cuñado de Roberto.

–¿Por qué me miras así? Apuesto a que no sabes quién soy
–le dijo Léon. Y como el campesino dijera que no–. Pues
soy tu príncipe.

–¡Ah! –contestó el campesino descubriéndose y discul-
pándose–, le había tomado por un inglés.

Y si, aprovechando este punto de partida, llevaba yo a madame de Guermantes al tema de los Rohan (con los que su
familia había emparentado varias veces), su conversación se
impregnaba un poco del melancólico encanto de las rome-
rías y, como diría ese verdadero poeta que es Pampille, «del
áspero sabor de los *crêpes* de trigo negro hechos en un fuego
de juncos».

Del marqués del Lau (cuyo triste fin es conocido, cuando,
sordo él, se hacía llevar a casa de madame H..., ciega) contaba los años menos trágicos, cuando en Guermantes, al volver de caza, se ponía en zapatillas para tomar el té con el rey
de Inglaterra, al que no se sentía inferior y con el que, como
se ve, no andaba con contemplaciones. La duquesa destacaba esto con tanto colorido que le ponía el penacho mosque-
teril de los nobles un poco gloriosos del Périgord.

Además, madame de Guermantes, que seguía de tal modo
apegada a la tierra, lo que constituía su mayor fuerza, aun la
simple calificación de las personas la hacía por provincias,
situaba en ellas a las gentes como nunca sabría hacerlo una
parisiense de origen, y los simples nombres de Anjou, de
Poitou, de Périgord, reconstruían en su conversación paisajes en torno a un retrato a lo Saint-Simon.

Volviendo a la pronunciación y al vocabulario de madame
de Guermantes, en esto es donde la nobleza resulta verdaderamente conservadora, con todo lo que esta palabra tiene a

la vez de un poco pueril, de un poco peligroso, de refracta-
rio a la evolución, pero también de divertido para el artista.
Yo quería saber cómo se escribía antiguamente la palabra
Jean. Lo supe al recibir una carta del sobrino de madame
de Villeparisis, que firma –como fue bautizado, como figura en el Gotha– Jehan de Villeparisis, con la misma hermosa H inútil, heráldica, tal como se la admira, miniada en
vermellón o en ultramar, en un libro de horas o en una vidriera.

Desgraciadamente, yo no tenía tiempo de prolongar indefinidamente estas visitas, pues quería, en lo posible, no volver después de mi amiga. Pero sólo con cuentagotas podía
obtener de madame de Guermantes los datos sobre sus *toilettes,* que me eran útiles para encargar para Albertina otras
toilettes del mismo estilo, en la medida en que podía llevarlas
una muchacha.

–A propósito, duquesa, el día en que iba usted a comer a
casa de madame de Saint-Euverte, antes de ir a casa de la
princesa de Guermantes, llevaba usted un vestido rojo, con
zapatos rojos, estaba usted asombrosa, parecía una gran flor
de sangre, un rubí en llamas; ¿cómo se llamaba aquel vestido? ¿Puede llevarlo una muchacha soltera?

La duquesa, dando a su rostro ajado la radiante expresión
que tenía la princesa de Laumes cuando Swann le decía ga-
lanterías, miró llorando de risa, con un aire burlón, interrogativo y feliz, a monsieur de Bréauté, siempre allí a aquella
hora y que entibiaba bajo su monóculo una sonrisa indulgente para aquella jerigonza de intelectual, por la exaltación
física de hombre joven que le parecía ocultar. La duquesa parecía decir: «¿Qué le pasa? Está loco.» Después, dirigiéndose
a mí con gesto mimoso:

–Yo no sabía que pareciera un rubí en llamas o una flor de
sangre, pero recuerdo, en efecto, que he tenido un vestido
rojo: era de raso rojo, como se llevaba en aquel momento. Sí,
en rigor una muchacha soltera puede llevar eso, pero usted

me ha dicho que la suya no sale de noche. Es un vestido de
gran gala, no se puede poner para hacer visitas.

Lo extraordinario es que de aquella noche, al fin y al cabo
no tan lejana, madame de Guermantes no se acordara más
que de su *toilette* y hubiera olvidado una cosa que, sin embargo, como veremos, debiera interesarle mucho. Parece ser
que en las personas de acción (y las personas del gran mundo son personas de acciones minúsculas, microscópicas,
pero personas de acción) la mente, sobrecargada por la atención a lo que va a ocurrir al cabo de una hora, confía muy
poco a la memoria. Por ejemplo, no era por engañar y parecer al cabo de la calle cuando monsieur de Norpois, si le hablaban de pronósticos emitidos por él sobre una alianza con
Alemania, que ni siquiera se había realizado, decía:

–Debe de estar usted equivocado, no lo recuerdo en absoluto, creo que no es así, pues en esa clase de conversaciones
yo soy siempre muy lacónico y nunca habría predicho el éxito de uno de esos *coups d'éclat* que no suelen ser más que
coups de tête y habitualmente degeneran en *coups de force*. Es
innegable que en un futuro lejano se podría llegar a un acer-
camiento franco-alemán, muy beneficioso para los dos países y en el que creo que Francia no perdería nada, pero yo no
he hablado nunca de eso, porque la pera no está madura
aún, y si usted quiere conocer mi opinión, creo que si propu-
siéramos a nuestros antiguos enemigos volver a contraer
con nosotros unas justas nupcias, nos expondríamos a un
gran fracaso y no recibiríamos más que golpes.

Al decir esto, monsieur de Norpois no mentía, simplemente había olvidado. Y es que se olvida pronto lo que no se
ha pensado con profundidad, lo que ha sido dictado por la
imitación, por las pasiones circundantes. Estas pasiones
cambian y con ellas cambia nuestro recuerdo. Los hombres
políticos, menos aún que los diplomáticos, no recuerdan el
punto de vista en que se situaron en un determinado momento, y algunas de sus palinodias se deben, más que al ex-

ceso de ambición, a la falta de memoria. En cuanto a las personas del gran mundo, recuerdan poca cosa.

Madame de Guermantes me sostuvo que no recordaba que estuviera madame de Chaussepierre en la fiesta donde ella llevaba aquel vestido rojo, que seguramente me equivocaba. Y, sin embargo, Dios sabe lo que desde entonces habían ocupado los Chaussepierre el pensamiento del duque y hasta de la duquesa. He aquí la razón. Cuando murió el presidente del Jockey, monsieur de Guermantes era el vicepresidente más antiguo. Algunos miembros del círculo que no tienen relaciones y cuyo único placer es votar con bolas negras a los que no les invitan hicieron campaña contra el duque de Guermantes, que, seguro de su elección y bastante negligente en cuanto a aquella presidencia, que era relativamente poca cosa para su posición mundana, no se ocupó de nada. Se hizo valer que la duquesa era dreyfusista (el asunto Dreyfus había terminado hacía ya tiempo, pero transcurridos veinte años se hablaba todavía de él, y sólo habían pasado dos), que recibía a los Rothschild, que favorecía demasiado desde hacía algún tiempo a grandes potentados internacionales, como el duque de Guermantes, medio alemán. La campaña encontró un terreno muy favorable, pues los clubs están siempre celosos de las gentes muy destacadas y detestan a las grandes fortunas. La de Chaussepierre no era pequeña, pero no podía deslumbrar a nadie: no gastaba un céntimo, el piso del matrimonio era modesto, la mujer iba vestida de lana negra. Loca por la música, daba muchas pequeñas fiestas en las que había muchas más cantantes que en casa de los Guermantes. Pero nadie hablaba de aquello, no había refrescos, y ni siquiera estaba presente el marido, en la oscuridad de la Rue de la Chaise. En la Ópera, madame de Chaussepierre pasaba inadvertida, siempre con gentes cuyo nombre evocaba el medio más «ultra» de la intimidad de Carlos X, pero eran gentes sin ningún relieve, poco mundanas. El día de la elección, con sorpresa general, la oscuridad triunfó so-

bre el deslumbramiento: Chaussepierre, segundo vicepresidente, fue nombrado presidente del Jockey, y el duque de
Guermantes se quedó en la calle, es decir, de primer vicepresidente. Claro que ser presidente del Jockey no representa
gran cosa para príncipes de primera categoría como eran los
Guermantes. Pero no serlo cuando corresponde, ser preteri-
do a un Chaussepierre, a cuya mujer no sólo no le devolvía
Oriana el saludo dos años antes, sino que llegaba hasta mostrarse ofendida de que la saludara aquella desconocida, era
duro para el duque. Quería aparentar que estaba por encima
de aquel fracaso, asegurando, además, que se lo debía a su
vieja amistad con Swann. Pero en realidad estaba furibun-
do. Un detalle curioso: nunca se había oído al duque de
Guermantes la expresión bastante trivial *bel et bien,* pero
desde la elección del Jockey, desde que se hablaba del asunto Dreyfus, surgía *bel et bien:* «asunto Dreyfus, asunto
Dreyfus, se dice pronto y el término es impropio; no es un
asunto de religión, es *bel et bien*[1] un asunto político». Podían pasar cinco años sin que se oyera *bel et bien* si durante
ese tiempo no se hablaba del asunto Dreyfus, pero si pasados esos cinco años volvía el nombre de Dreyfus, en seguida surgía automáticamente el *bel et bien.* Por lo demás, el
duque ya no podía soportar que se hablara de ese asunto
«que tantos males ha causado», decía, aunque en realidad
él no era sensible más que a uno, a su fracaso en la presidencia del Jockey.

Por eso, la tarde a que me refiero, en la que recordé a madame de Guermantes el vestido rojo que llevaba en la fiesta
de su prima, monsieur de Bréauté fue bastante mal recibido
cuando, queriendo decir algo, por una asociación de ideas
que permaneció oscura y que él no desveló, comenzó mo-
viendo la lengua en la punta de su boca de culo de pollo:

---

1. La traducción de *bel et bien* parece ser aquí, *exactamente, ni más ni
menos. (N. de la T.)*

–A propósito del asunto Dreyfus... –¿por qué el asunto
Dreyfus?: se trataba solamente de un vestido rojo y ciertamente el pobre Bréauté, que no pensaba nunca más que en
decir cosas agradables, no ponía en ello ninguna malicia,
pero el nombre de Dreyfus le hizo fruncir el jupiterino entrecejo al duque de Guermantes–, me han contado un chiste
bastante bonito, muy fino desde luego, de nuestro amigo
Cartier –advertimos al lector que el tal Cartier, hermano de
madame de Villefranche, no tenía la menor relación con el
joyero del mismo nombre–, lo que no me extraña nada, pues
tiene ingenio para dar y vender.

–¡Ah! –interrumpió Oriana–, no seré yo quien lo compre.
No puedo decirles lo que su Cartier me ha cargado siempre,
y no puedo comprender el grandísimo encanto que Carlos
de la Trémoïlle y su mujer le encuentran a ese pelma con el
que me encuentro en su casa cada vez que voy.

–Mi *erida duesa* –contestó Bréauté, que pronunciaba difícilmente la *q*–, es usted muy severa con Cartier. Desde luego
está demasiado metido en casa de los La Trémoïlle, pero al
fin y al cabo es para Arlos una especie de, cómo diré, una especie de fiel *Achate,* lo que ha llegado a ser un pájaro bastante raro en los tiempos que corren. En todo caso, les diré el
chiste que me han contado. Parece ser que Cartier dijo que si
Zola había buscado que le procesaran y le condenaran, era
por experimentar una sensación que aún no conocía, la de
estar en la cárcel.

–Por eso huyó antes que lo detuvieran –interrumpió
Oriana–. Eso no tiene pies ni cabeza. Además, aunque fuera
verosímil, me parece francamente idiota. ¡Si a eso le llama
usted ingenioso!

–Pero, mi *erida* Oriana –replicó Bréauté, que al ver que le
contradecían comenzaba a echarse atrás–, esas palabras no
son mías, no hago más que repetirlas tal como me las dijeron, así que tómalas por lo que valen. En todo caso, han
dado lugar a que monsieur Cartier recibiera un buen sofión

de ese excelente La Trémoïlle, que con mucha razón no quiere nunca que se hable en su salón de lo que llamaré, ¿cómo decirlo?, los asuntos en discusión y que aquel día estaba más contrariado aún por la presencia de madame Alfonso Rothschild. Cartier tuvo que aguantar una buena reprimenda de La Trémoïlle.

–Naturalmente –intervino el duque de muy mal humor–, los Alfonso Rothschild, aunque tienen el tacto de no hablar nunca de ese abominable asunto, son dreyfusistas en el fondo del alma, como todos los judíos. Éste es un argumento *ad hominem* –el duque empleaba la expresión *ad hominem* un poco al buen tun tun– que no se pone bastante de relieve para demostrar la mala fe de los judíos. Si un francés roba o asesina, yo no me creo en el deber, porque sea francés como yo, de considerarle inocente. Pero los judíos no admitirán jamás que uno de sus conciudadanos sea un traidor, aunque lo sepan perfectamente, y les importan un bledo las catastróficas repercusiones –el duque pensaba, por supuesto, en la maldita elección de Chaussepierre– que ese crimen de uno de los suyos puede provocar hasta... En fin, Oriana, no dirás que no es gravísimo para los judíos el hecho de que todos ellos sostengan a un traidor. No dirás que es porque son judíos.

–Claro que sí –contestó Oriana, sintiendo, un poco irritada, cierto deseo de resistir al Júpiter tonante y también de poner «la inteligencia» por encima del asunto Dreyfus–. Pero es precisamente porque, siendo judíos y conociéndose a sí mismos, saben que se puede ser judío y no ser forzosamente traidor y antifrancés, como parece ser que opina monsieur Drumont. Claro que si hubiera sido cristiano, los judíos no se habrían interesado por él, pero lo han hecho porque se dan cuenta de que, si no fuera judío, no le creerían traidor tan fácilmente y *a priori*, como diría mi sobrino Roberto.

–Las mujeres no entienden nada de política –exclamó el duque mirando fijamente a la duquesa–. Pues ese horrible crimen no es simplemente una causa judía, sino *bel et bien* un inmenso asunto nacional que puede traer las más terribles consecuencias para Francia, de donde se debería expulsar a todos los judíos, aunque reconozco que las sanciones aplicadas hasta ahora lo han sido (de una manera innoble que debería ser revisada) no contra ellos, sino contra sus adversarios más eminentes, contra los hombres de primer orden, excluidos para desgracia de nuestro pobre país.

Me daba cuenta de que aquello iba por mal camino y me precipité a volver al tema de los vestidos.

–¿Recuerda usted, duquesa –dije–, la primera vez que estuvo usted amable conmigo...?

–La primera vez que estuve amable con él –repitió riendo y mirando a monsieur de Bréauté, que encogía la punta de la nariz sonriendo tiernamente por halagar a madame de Guermantes, y emitiendo con su voz de afilar un cuchillo unos sonidos vagos y enroñecidos– ...llevaba usted un vestido amarillo con grandes flores negras.

–Pero, hijito, estamos en las mismas, son vestidos de gala.

–¡Y su sombrero de florecillas azules que tanto me gustó! Pero, en fin, todo eso es retrospectivo. Yo quisiera encargar a la muchacha de que se trata un abrigo de pieles como el que usted llevaba esta mañana. ¿No sería posible que yo le viera?

–Claro que sí, Aníbal tiene que marcharse dentro de un momento. Se vendrá usted conmigo a casa y mi doncella le enseñará todo eso. Ahora que, hijito mío, encantada de prestarle todo lo que quiera, pero si le encarga a una modista cualquiera modelos de Callot, de Doucet, de Paquin, nunca será lo mismo.

–Pero yo no quiero de ninguna manera ir a una modista cualquiera, sé muy bien que no será lo mismo, pero me gustaría saber por qué no será lo mismo.

–Ya sabe usted que yo no sé explicar nada, soy una tonta, hablo como una campesina. Es cuestión de toque, de detalle. Para las pieles, por lo menos, puedo darle unas letras para mi peletero, que así no le robará. Pero, de todos modos, eso le costará ocho o nueve mil francos.

–¿Y aquella bata que huele tan mal, la que llevaba usted la otra noche, oscura, afelpada, con manchas de color y estrías de oro como un ala de mariposa?

–¡Ah!, es un vestido de Fortuny. Su amiguita puede muy bien ponerse eso en casa. Tengo muchas, se las enseñaré, y hasta puedo darle alguna si le place. Pero me gustaría, sobre todo, que viera la de mi prima Talleyrand. Le escribiré que se la preste.

–Y aquellos zapatos tan bonitos que llevaba, ¿también eran de Fortuny?

–No, ya sé a cuáles se refiere, son unos de cabritilla dorada que encontramos en Londres yendo de compras con Consuelo de Manchester. Era una piel extraordinaria. Nunca he podido comprender cómo la habían dorado, era exactamente como una piel de oro. No hay como eso con un pequeño diamante en el medio. La pobre duquesa de Manchester ha muerto, pero si le interesa escribiré a madame de Warwick o a madame Malborough para que intenten encontrar algo parecido. Estoy pensando si me queda todavía de esa piel. Es posible que lo pudieran hacer aquí. Miraré esta noche y le mandaré recado.

Como yo procuraba, en lo posible, dejar a la duquesa antes de que volviera Albertina, a aquella hora solía encontrar en el patio, al salir de casa de madame de Guermantes, a monsieur de Charlus y a Morel, que iban a tomar el té a casa de... Jupien, supremo favor para el barón. No me cruzaba con ellos todos los días, pero iban todos los días. Es de observar que cuanto más absurda es una costumbre, mayor suele ser la constancia en seguirla. Las cosas extraordinarias no se hacen, generalmente, más que a saltos. Pero las vidas insensatas en las que el maníaco se priva voluntariamente de todos los placeres y se inflige los mayores males, esas vidas son las que menos cambian. Si tuviéramos la curiosidad de comprobarlo, cada diez años volveríamos a ver a un desgraciado durmiendo a las horas en que podría vivir, saliendo a las horas en que no hay otra cosa que hacer que dejarse asesinar en la calle, tomando bebidas heladas cuando tiene calor, siempre cuidándose un catarro. Bastaría, una vez, un pequeño impulso de energía para cambiar definitivamente estas costumbres. Pero precisamente esas vidas suelen ser propias de personas incapaces de energía. Los vicios son otro aspecto de esas existencias monótonas que la voluntad podría hacer menos atroces. En el hecho de que monsieur de Charlus fuera todos los días con Morel a tomar el té en casa de Jupien, se podían considerar ambos aspectos. Una sola tormenta se había producido en aquella costumbre cotidiana. Un día dijo a Morel la sobrina del chalequero: «Eso, vengan mañana, les pagaré el té»; a monsieur de Charlus le pareció esta expresión, y lo era en realidad, demasiado vulgar para una persona a la que pensaba hacer casi su nuera; pero como le gustaba ofender y se exaltaba con su propia cólera, en vez de decir simplemente a Morel que le rogaba diera a este respecto una lección de elegancia, todo el camino de vuelta transcurrió en escenas violentas. En el tono más insolente, más orgulloso:

–El *toucher*, que, por lo que veo, no va forzosamente unido al *tact*[1], te ha impedido el desarrollo normal del olfato, puesto que has tolerado que esa fétida expresión de pagar el té, supongo que a quince céntimos, hiciera subir su olor de letrina hasta mis regias narices. ¿Has visto alguna vez que cuando has terminado un solo de violín te recompensaran con un pedo, en lugar de un aplauso frenético o de un silencio aún más elocuente porque lo determina el miedo a no poder contener (no lo que tu novia te prodiga), sino el sollozo que has hecho asomar al borde de los labios?

1. *Toucher*, además del contacto de la mano con algo, tiene, entre otros significados, el de la personal manera de tocar un instrumento y el de *tacto*, en las dos acepciones españolas de esta palabra. De aquí el juego de palabras entre *toucher* referido al músico Morel, y *tact*. (N. de la T.)

Cuando a un funcionario le inflige su jefe semejantes reproches, al día siguiente, invariablemente, queda cesante. Mas para monsieur de Charlus era demasiado doloroso despedir a Morel, y, temiendo haber llegado demasiado lejos, se puso a hacer de la muchacha unos elogios minuciosos, muy inteligentes, involuntariamente salpicados de impertinencias.

–Es encantadora. Como tú eres músico, supongo que te ha seducido por la voz, pues la tiene muy bonita en las notas altas, en las que parece estar esperando el acompañamiento de tu *si* sostenido. Su registro grave me gusta menos, y esto debe de estar en relación con su cuello delgado y raro, que empieza tres veces, pues parece que acaba y vuelve a empezar; en ella, más que los detalles mediocres, es la silueta lo que me gusta. Y como es modista y debe de saber manejar las tijeras, me tendrá que dar un bonito patrón de ella misma en papel.

Charlie no escuchaba estos elogios, tanto menos cuanto que los atractivos que celebraban en su novia le habían pasado siempre inadvertidos. Pero contestó a monsieur de Charlus:

–Desde luego, pequeño mío, le echaré una buena para que no vuelva a hablar así.

Si Morel llamaba «pequeño mío» a monsieur de Charlus, no es el apuesto violinista ignorara que el barón le triplicaba la edad. Tampoco lo decía como lo hubiera dicho Jupien, sino con esa sencillez que, en ciertas relaciones, postula que la supresión de la diferencia de edad ha precedido tácitamente al cariño (cariño fingido en Morel, sincero en otros). Así, por aquella época, monsieur de Charlus recibió una carta concebida en los siguientes términos: «Mi querido Palamède, ¿cuándo te veré? Me aburro mucho después de ti y pienso muchas veces en ti, etc. Muy tuyo, Pedro.» Monsieur de Charlus se devanó los sesos por averiguar qué persona de su familia se permitía escribirle con tanta familiaridad, persona que debía, por tanto, conocerle mucho, y él, sin embargo, no conocía su letra. Durante unos días desfilaron por el cerebro de monsieur de Charlus todos los príncipes a los que el Almanaque del Gotha concede unas líneas. Hasta que, de pronto, le iluminó una dirección escrita al dorso: el autor de la carta era el botones de un casino de juego al que monsieur de Charlus iba algunas veces. El tal botones no creyó descortés escribir en aquel tono a monsieur de Charlus, quien, por el contrario, tenía gran prestigio a sus ojos. Pero pensaba que no estaba bien no tutear a una persona que le había besado varias veces, demostrándole con ello su cariño –así lo imaginaba en su inocencia–. En el fondo, a monsieur de Charlus le encantó aquella familiaridad. Hasta llegó a acompañar a monsieur de Vaugoubert, a la salida de una fiesta, para enseñarle la casa. Y, sin embargo, Dios sabe que a monsieur de Charlus no le gustaba salir con monsieur de Vaugoubert. Pues éste, con el monóculo en el ojo, miraba a todos los jóvenes que pasaban. Más aún, sintiéndose emancipado cuando estaba con monsieur de Charlus, empleaba un lenguaje que el barón detestaba. Ponía en femenino todos los nombres de hombres y, como era muy tonto, le parecía muy ingeniosa esta broma y se reía a carcajadas. Como además tenía muchísimo apego a su puesto diplomático, sus deplorables y estrepitosas maneras en la calle las interrumpía continuamente el miedo cuando se cruzaba con personas del gran mundo, pero sobre todo con funcionarios.

–A esa pequeña telegrafista –decía tocando con el codo al enfurruñado barón– la he conocido, pero se ha vuelto muy formal, la muy antipática. ¡Oh, ese repartidor de Galeries Lafayette, qué maravilla! Diablo, por ahí va el director de Asuntos Comerciales. ¡Con tal de que no se haya fijado en mi gesto! Sería capaz de decírselo al ministro, que me dejaría excedente, sobre todo porque, al parecer, es del gremio.

Monsieur de Charlus estaba furioso. Por fin, para abreviar aquel paseo que le exasperaba, se decidió a sacar la carta y a dársela a leer al embajador, pero recomendándole discreción, pues para poder hacer creer que Charlie le amaba, fingía que éste era celoso. Y añadió con un impagable gesto de bondad:

–Hay que procurar siempre, en lo posible, no causar pena.

Antes de volver al taller de Jupien, le interesa al autor hacer constar cuánto le contrariaría que el lector se equivocara ante tan extrañas descripciones. Por una parte (y éste es el aspecto menos importante del asunto), resulta que este libro parece presentar a la aristocracia más degenerada, proporcionalmente, que las demás clases sociales. Aunque así fuera, no habría por qué extrañarse. Las familias más antiguas acaban por declarar, en la nariz roja y caballuda, en el mentón deformado, unos signos específicos en los que todo el mundo admira la «raza». Pero entre estos rasgos persistentes y cada vez más acusados hay algunos no visibles, y son las tendencias y los gustos. Una objeción más grave, si fuera fundada, sería decir que todo esto nos es ajeno y que hay que sacar la poesía de la verdad muy próxima. Existe, en efecto, el arte extraído de la realidad más familiar, y acaso su campo es el más grande. Pero también es cierto que puede nacer un gran interés, a veces por la belleza, de actos derivados de una forma de espíritu tan lejana de todo lo que sentimos, de todo lo que creemos, que ni siquiera podemos llegar a comprenderlos, que se presentan ante nosotros como un espectáculo sin causa. ¿Hay algo más poético que Jerjes, hijo de Darío, mandando azotar el mar que se había tragado sus barcos?

Morel, haciendo uso del poder que sus encantos le daban sobre la muchacha, transmitió a ésta, llamándola a capítulo, la censura del barón, y la expresión «pagar el té» desapareció del taller del chalequero tan absolutamente como desaparece para siempre de un salón una persona íntima a la que se recibía diariamente y con la que, por una u otra razón, se han enfadado los dueños de la casa o les interesa ocultar esa amistad y no frecuentarla más que fuera de aquélla. Monsieur de Charlus se quedó muy satisfecho, pues aquello representaba para él una prueba de su ascendiente sobre Morel y la desaparición de la única pequeña mancha en las perfecciones de la muchacha. Además, como a todos los de su especie, sin dejar de ser sinceramente amigo de Morel y de su casi prometida, ardiente partidario de su unión, le encantaba el poder de suscitar a su capricho unos piques más o menos inofensivos, permaneciendo él al margen y por encima de los mismos tan olímpicamente como si fuera hermano suyo. Morel había dicho a monsieur de Charlus que amaba a la sobrina de Jupien y quería casarse con ella, y al barón le era dulce acompañar a su joven amigo a unas visitas en las que él desempeñaba el papel de futuro suegro indulgente y discreto. Nada le era más grato.

Personalmente creo que «pagar el té» venía del propio Morel y que la joven costurera, por ceguera de amor, adoptó una expresión del hombre adorado, expresión que, por su fealdad, chocaba con el bonito hablar de la muchacha. Este hablar, las bonitas maneras que lo acompañaban, la protección de monsieur de Charlus, daban lugar a que muchos clientes para los que había trabajado la recibieran como amiga, la invitaran a comer, la introdujeran entre sus relaciones, todo lo cual no lo aceptaba la pequeña si no era con el permiso del barón y las noches que a ella le convenían. «¿Una costurerilla en el gran mundo? –se dirá–. ¡Qué cosa más inverosímil!» Bien pensado, no era menos inverosímil que el hecho de que Albertina fuera a verme a media noche y ahora viviera conmigo. Y quizá fuera inverosímil en otra, pero no en Albertina, sin padre ni madre, haciendo una vida tan libre que al principio yo la tomé en Balbec por amante de un corredor, teniendo como pariente más próximo a madame Bontemps, que, ya en casa de madame Swann, sólo admiraba en su sobrina sus malas maneras y ahora cerraba los ojos, sobre todo si esto podría librarla de ella facilitándole una buena boda que se traduciría en un poco de dinero para la tía (en la más alta sociedad, algunas madres muy nobles y muy pobres que han casado a sus hijos con un buen partido se dejan mantener por los jóvenes esposos, aceptan pieles, un automóvil, dinero, de una nuera a la que no quieren, pero a la que introducen en sociedad). Acaso llegue un día en que las costureras alternarán en el gran mundo, lo que a mí no me parecería mal en absoluto. Como la sobrina de Jupien es una excepción, no puede todavía permitir preverlo, pues una golondrina no hace verano. En todo caso, si el pequeño ascenso de la sobrina de Jupien escandalizó a algunas personas, no fue, por cierto, a Morel, pues en algunos puntos su estupidez era tan grande que no sólo encontraba «más bien tonta» a aquella muchacha mil veces más inteligente que él, quizá sólo porque ella le amaba, sino que suponía que eran aventureras, modistas de baja categoría disfrazadas de señoras, las personas muy bien situadas que la recibían y de lo que ella no se envanecía. Por supuesto, no eran Guermantes, ni siquiera personas que las conociesen, sino burguesas ricas, elegantes, de espíritu lo bastante libre como para pensar que nadie se deshonra recibiendo a una costurera, de espíritu lo bastante esclavo también como para sentir cierta satisfacción por proteger a una muchacha a la que S. A. el barón de Charlus, sin tener con ella ninguna relación amorosa, iba a ver todos los días.

La idea de aquella boda le era muy grata al barón, pues pensaba que así no le quitarían a Morel. Parece ser que la sobrina de Jupien había tenido, casi niña, un «desliz» y a monsieur de Charlus, sin dejar de cantar los elogios de la muchacha, no le hubiera desagradado contárselo al amigo, que se habría puesto furioso, y meter así cizaña. Pues monsieur de Charlus, aunque profundamente malévolo, se parecía a muchas buenas personas que hacen el elogio de éste o del otro para demostrar su propia bondad, pero que se guardarían como del fuego de pronunciar palabras, tan raramente emitidas, que pudieran hacer reinar la paz. A pesar de ello, el barón se guardó de la menor insinuación, y por dos razones. «Si le cuento –pensaba– que su novia no está sin mancha, sufrirá su amor propio y me tomará rabia. Y, además, ¿quién me dice que no está enamorado de ella? Si no digo nada, ese fuego de paja se apagará en seguida, yo gobernaré a mi gusto sus relaciones, él no la amará sino en la medida en que yo lo desee. Si le cuento la pasada falta de su prometida, ¿quién me dice que mi Charlie no está lo bastante enamorado para sentir celos? Entonces, por mi propia culpa, transformaré un amorío sin consecuencias y muy fácil de manejar en un gran amor, cosa difícil de gobernar.» Por estas dos razones, monsieur de Charlus guardaba un silencio que sólo tenía las apariencias de la discreción, pero que, por otra parte, era meritorio, pues a las personas de este tipo les es casi imposible callarse.

Por otra parte, la muchacha era deliciosa, y monsieur de Charlus, satisfecho el gusto estético que podía tener para las mujeres, hubiera querido tener centenares de fotografías suyas. Menos tonto que Morel, se enteraba con gusto de las damas elegantes que la recibían y a las que su olfato social sabía catalogar. Pero, velando por conservar su dominio, se guardaba muy bien de decírselo a Charlie, el cual, un verdadero ignorante de estas cosas, seguía creyendo que, aparte la «clase de violín» y los Verdurin, no existían más que los Guermantes, las pocas familias casi reales enumeradas por el barón, y que todo lo demás no era sino una «hez», una «turba». Charlie tomaba al pie de la letra estas expresiones de monsieur de Charlus.

¡Cómo es posible que monsieur de Charlus, vanamente esperado todos los días del año por tantos embajadores y tantas duquesas; que monsieur de Charlus, que no comía con el príncipe de Croy porque se le da la precedencia; que monsieur de Charlus pase en casa de la sobrina de un chalequero todo el tiempo que quita a esas grandes damas, a esos

grandes señores! En primer lugar, razón suprema, estaba allí
Morel. Y aunque no estuviera, no veo ninguna inverosimilitud, o ustedes juzgan como lo haría un subalterno de Amado. Sólo los camareros creen que un hombre muy rico lleva
siempre trajes nuevos y resplandecientes y que un señor muy
elegante da comidas de sesenta cubiertos y no va más que en
automóvil. Se equivocan. Ocurre frecuentemente que un
hombre muy rico lleva siempre la misma chaqueta raída,
que un caballero muy elegante es un señor que en el restaurante sólo se trata con los empleados y, al volver a casa, juega
a las cartas con sus criados. Esto no quita para que se niegue
a pasar después del príncipe Murat.

Entre las razones que a monsieur de Charlus le hacían desear la boda de los dos jóvenes, figuraba ésta: que la sobrina
de Jupien sería en cierto modo una prolongación de la personalidad de Morel y, por consiguiente, del poder y del conocimiento que el barón tenía de él. En cuanto a «engañar»,
en el sentido conyugal, a la futura esposa del violinista, a
monsieur de Charlus no se le ocurría ni por un momento
sentir por ello el menor escrúpulo. Pero tener que guiar a un
«joven matrimonio», sentirse un protector temido y todo-
poderoso de la mujer de Morel, que consideraba al barón
como a un Dios, demostraría que el querido Morel le había
infundido esta idea, y contendría así algo de Morel, haría
cambiar el tipo de dominio de monsieur de Charlus y nacer
en su «cosa» Morel un ser más, el esposo, es decir, le daría un
atractivo más, algo nuevo, algo curioso que amar en él. Acaso este dominio sería ahora mayor que nunca. Pues allí donde Morel solo, desnudo por decirlo así, resistía muchas veces
al barón, pues se sentía seguro de reconquistarlo, una vez casado temería por su matrimonio, por su casa, por su porvenir y ofrecería a monsieur de Charlus mayor superficie, más
medios de captación. Todo esto, y hasta, llegado el caso, las
noches en que se aburriera, la posibilidad de encizañar a los
esposos (al barón no le habían desagradado nunca los cua-

dros de batallas) le gustaba mucho a monsieur de Charlus. Pero no tanto como pensar en que el joven matrimonio iba a depender de él. El amor de monsieur de Charlus por Morel adquiría una deliciosa novedad cuando pensaba: es tan mío que su mujer también será mía; no harán nada que pueda molestarme, obedecerán a mis caprichos, y de este modo ella será una señal (que yo no he conocido hasta ahora) de lo que casi había olvidado y que tan sensible es a mi corazón: que para todo el mundo, para los que verán que los protejo, que los alojo, y para mí mismo, Morel es mío. A monsieur de Charlus esta evidencia para los demás y para sí mismo le entusiasmaba más que todo el resto. Pues la posesión de lo que se ama es un goce más grande aún que el amor. Muy frecuentemente los que ocultan a todos esta posesión sólo lo hacen por miedo a que les quiten el objeto amado. Y esta prudencia de callarse amengua su felicidad.

El lector recuerda quizá que Morel dijo un día al barón que deseaba seducir a una muchacha, especialmente a aquélla, y que para lograrlo le prometería casarse con ella, pero después de violarla la dejaría plantada. Pero ante las declaraciones de amor a la sobrina de Jupien que Morel le hizo, monsieur de Charlus olvidó aquello. Más aún, es posible que también lo hubiera olvidado Morel. Acaso mediaba una distancia verdadera entre la naturaleza de Morel –tal como él la confesaba cínicamente, quizá hasta hábilmente exagerada– y el momento en que ésta se impusiera. Cuando trató más a la muchacha, le gustó, la amó, y tan mal se conocía que llegó a figurarse quizá que la amaba para siempre. Persistían, desde luego, su deseo inicial, su proyecto nefando, pero enmascarados por tantos sentimientos superpuestos que nada demuestra que el violinista no fuera sincero al decir que aquel vicioso deseo no era el verdadero móvil de su acción. Y hasta hubo un período, de corta duración, en el que, sin confesárselo exactamente, aquella boda le parecía necesaria. En aquel momento, Morel sufría calambres de la mano bastante

fuertes y pensaba en la eventualidad de tener que dejar el
violín. Como fuera de su arte era perezosísimo, se impo-
nía la necesidad de que le mantuvieran, y prefería que lo hiciera la sobrina de Jupien antes que monsieur de Charlus,
pues esta combinación le permitía mayor libertad, y también una variada elección de mujeres diferentes, tanto por
las aprendizas siempre nuevas que él encargaría a la sobrina
de Jupien de corromper, como por las bellas damas ricas con
las que la prostituiría. Ni por un momento entraba en los
cálculos de Morel que su futura mujer pudiera negarse a
condescender a tales complacencias y fuera perversa hasta
tal punto. Por lo demás, todo esto pasó a segundo plano, dejando el sitio al amor puro, porque se le quitaron los calambres. Bastaría el violín y las aportaciones de monsieur de
Charlus, cuyas exigencias amainarían seguramente una vez
que él, Morel, estuviera casado con la muchacha. Urgía este
matrimonio, por su amor y por el interés de su libertad.
Hizo pedir a Jupien la mano de su sobrina, y Jupien la consultó. Lo cual no era necesario: la pasión de la muchacha por
el violinista fluía de toda ella, como su cabellera cuando se la
soltaba, como la alegría de sus ojos. En Morel, casi todo lo
que le era agradable o provechoso le despertaba emociones
morales y palabras igualmente morales, a veces hasta lágrimas. Y, sinceramente –si se puede aplicar a Morel esta palabra–, dirigía a la sobrina de Jupien discursos tan sentimentales (sentimentales son también los que tantos jóvenes
aristócratas que no tienen gana de hacer nada en la vida diri-
gen a alguna encantadora hija de riquísimos burgueses)
como descaradamente bajas eran las teorías que expusiera a
monsieur de Charlus sobre el tema de la seducción, de la
desfloración. El entusiasmo virtuoso ante una persona que
le ofrecía un placer y los solemnes compromisos que tomaba
con ella, sólo tenían en Morel una contrapartida. Si la persona dejaba de ofrecerle aquel placer, o incluso, por ejemplo, si
la obligación de cumplir las promesas hechas le contrariaba,

le tomaba inmediatamente una viva antipatía que él justificaba a sus propios ojos y que, pasados ciertos trastornos
neurasténicos, le permitía demostrarse a sí mismo, una vez
recuperada la euforia de su sistema nervioso, que, aun considerando las cosas desde un punto de vista puramente virtuoso, se sentía exento de toda obligación.

Así, por ejemplo, al final de su estancia en Balbec, perdió
no sé en qué todo su dinero, no se atrevió a decírselo a monsieur de Charlus y se puso a buscar alguien a quien pedírselo.
Había aprendido de su padre (que a pesar de esto le había
prohibido volverse nunca un «sablista») que en semejante
caso conviene escribir a la persona a quien se piensa dirigirse «que se le va a hablar de negocios», que «se le pide una entrevista para negocios». Esta fórmula mágica le gustaba tanto a Morel que hubiera llegado, creo, a desear perder dinero
nada más que por el gusto de pedir una cita «para negocios».
En el transcurso de la vida había visto que la fórmula no era
tan eficaz como él creía. Comprobó que algunas personas, a
las que sin este motivo no hubiera escrito nunca, no le contestaban a los cinco minutos de recibir la carta «para hablar
de negocios». Si transcurría la tarde sin recibir respuesta, a
Morel no se le ocurría que, aun poniéndose en lo mejor, acaso el señor solicitado no había vuelto, quizá había tenido que
escribir otras cartas, eso si no estaba de viaje o había caído
enfermo, etc. Si, por una suerte extraordinaria, Morel recibía una cita para la mañana siguiente, abordaba al solicitado
con estas palabras: «Precisamente me extrañaba no recibir
respuesta, pensaba si pasaría algo; ¿así que bien de salud?,
etc.». En Balbec, y sin decirme que tenía que hablarle de un
«negocio», me pidió un día que le presentara a aquel mismo
Bloch con el que, una semana antes, había estado tan desagradable en el tren. Bloch no vaciló en prestarle –o más bien
en hacer que le prestara monsieur Nissim Bernard– cinco
mil francos. Desde aquel día, Morel adoró a Bloch. Se preguntaba con lágrimas en los ojos qué podría hacer por una

persona que le había salvado la vida. Por fin yo me encargué, en nombre de Morel, de pedir a monsieur de Charlus mil francos mensuales, dinero que éste entregaría inmediatamente a Bloch, con lo que la deuda se saldaría bastante pronto. El primer mes, Morel, todavía bajo la impresión de la bondad de Bloch, le mandó inmediatamente los mil francos; pero después debió de parecerle que sería más agradable dar otro empleo a los cuatro mil francos restantes, pues empezó a hablar muy mal de Bloch. Sólo verle le sugería ideas negras, y como Bloch olvidara exactamente lo que había prestado a Morel y le reclamara tres mil quinientos francos en vez de cuatro mil, con lo que el violinista ganaría quinientos francos, éste quiso contestar que ante pareja falsedad no sólo no daría un céntimo más, sino que su prestatario debía darse por contento con que no presentara una denuncia contra él. Al decir esto, los ojos le echaban llamas. Y no se conformó con decir que Bloch y monsieur Nissim Bernard no tenían por qué quejarse de él; dijo más: que debían darse por satisfechos de que él no se quejara de ellos. Finalmente, como monsieur Nissim Bernard dijera, según parece, que Thibaud tocaba tan bien como Morel, éste pensó que debía llevarle a los tribunales, pues tales palabras le perjudicaban en su profesión, pero como en Francia ya no hay justicia, sobre todo contra los judíos (el antisemitismo de Morel era el efecto natural de haberle prestado cinco mil francos un israelita), ya decidió salir siempre de casa con un revólver cargado.

El mismo estado nervioso subsiguiente a un vivo cariño se iba a producir muy pronto en Morel con relación a la sobrina del chalequero. Verdad es que en este cambio intervino, quizá sin saberlo, monsieur de Charlus, porque solía decir, sin pensarlo por lo más remoto, y por pura broma, que en cuanto se casaran ya no los vería más y los dejaría volar con sus propias alas. Esta idea, en sí misma, no bastaba en absoluto para separar a Morel de la muchacha, pero se le quedaba dentro, dispuesta, llegado el día, a combinarse con otras ideas afines a ella y que, una vez realizada la mezcla, podían resultar un poderoso agente de ruptura.

Por lo demás, yo no veía muy a menudo a monsieur de Charlus y a Morel. Cuando salía de casa de la duquesa, ellos solían haber entrado ya en el taller de Jupien, pues me encontraba tan a gusto con ella que llegaba a olvidar no sólo la ansiosa espera del regreso de Albertina, sino hasta la hora de este regreso.

Entre los días en que me detenía en casa de madame de Guermantes, señalaré uno destacado por un pequeño incidente cuya triste significación me pasó inadvertida por completo y sólo la comprendí mucho tiempo después. Aquel atardecer, madame de Guermantes me dio unas celindas que había recibido del Midi. Cuando subí a casa, Albertina había vuelto ya; me crucé en la escalera con Andrea, a la que pareció molestar el olor de las flores que yo llevaba.

–Pero ¿ya han vuelto? –le dije.

–Hace sólo un momento, pero Albertina tenía que escribir y me ha despedido.

–¿No cree usted que tendrá algún plan censurable?

–Nada de eso, creo que está escribiendo a su tía. Pero, como no le gustan los olores fuertes, no creo que le encanten esas celindas que usted lleva.

–Entonces he tenido una mala ocurrencia. Le diré a Francisca que las ponga en el rellano de la escalera de servicio.

–Como si Albertina no fuera a notar en usted el olor a celindas; éste y el de la tuberosa creo que es el más mareante. Además, creo que Francisca ha ido a un recado.

–Entonces, ¿cómo voy a entrar si hoy no tengo la llave?

–Pues llame, ya abrirá Albertina. Y además puede que Francisca haya vuelto.

Me despedí de Andrea. A la primera llamada salió a abrirme Albertina, lo que fue bastante complicado, pues como Francisca había salido, Albertina no sabía dónde se daba la luz. Por fin me abrió, pero las celindas la pusieron en fuga. Las dejé en la cocina y mientras tanto mi amiga interrumpió su carta (no entendí por qué) y tuvo tiempo de ir a mi cuarto, desde donde me llamó, y de tenderse en mi cama. Una vez más, en el momento mismo, todo aquello me pareció muy natural, quizá un poco confuso, insignificante en todo caso[1].

Aparte este incidente único, todo ocurría normalmente cuando yo subía de casa de la duquesa después de volver Albertina; como no sabía si yo querría salir con ella antes de comer, generalmente encontraba en la antesala su sombrero, su abrigo y su sombrilla, que había dejado allí por si acaso. Cuando yo veía estas cosas al entrar, la atmósfera de la casa me resultaba respirable. Sentía que en lugar de un aire rarificado la llenaba la felicidad. Estaba salvado de mi tristeza: ver aquellas pequeñas cosas me hacía poseer a Albertina, corría hacia ella.

Los días en que yo bajaba a casa de madame de Guermantes, para que el tiempo me pareciera menos largo durante aquella hora que precedía al regreso de mi amiga, hojeaba un álbum de Elstir, un libro de Bergotte, la Sonata de Vinteuil. Entonces –como las obras mismas que parecen dirigirse solamente a la vista y al oído exigen que, para gustarlas, nuestra inteligencia despierta colabore íntimamente con estos dos sentidos–, sin darme cuenta, extraía de mí los sueños que Albertina suscitaba en otro tiempo, cuando aún no la conocía y que la vida cotidiana había extinguido. Los echaba en la frase del músico o en la imagen del pintor como un hoyo, nutría con ellos la obra que leía. Y desde luego me parecía ésta más viva. Pero Albertina ganaba también transpor-

---

1. «Había estado a punto de ser sorprendida con Andrea y se dio un poco de tiempo apagando las luces, pasando a mi cuarto para que no se viera su cama deshecha y haciendo como que escribía. Pero todo esto ya lo veremos más adelante, todo esto que nunca supe si era cierto.» [En la edición de La Pléiade se añade este párrafo a pie de página. (N. de la T.)]

tada así de uno a otro de los dos mundos a los que tenemos acceso y en los que podemos situar sucesivamente un mismo objeto, escapando así de la aplastante presión de la materia para actuar en los fluidos espacios del pensamiento. De pronto, y por un momento, me encontraba capaz de sentimientos ardientes por la fastidiosa muchacha. En aquel momento tenía la apariencia de una obra de Elstir o de Bergotte, y yo sentía por ella una exaltación momentánea, viéndola en la perspectiva de la imaginación y del arte.

En seguida me avisaban que acababa de volver; tenían orden de no decirme su nombre si no estaba solo, si estaba conmigo, por ejemplo, Bloch, al que yo obligaba a quedarse un momento más para que no pudiera encontrarse con mi amiga. Pues yo ocultaba que vivía en la casa, y hasta que la viera alguna vez en ella: hasta tal punto temía que alguno de mis amigos se enamoriscara de Albertina, la esperara fuera, o que, al encontrarse en el pasillo o en la antesala, pudiera ella hacer una seña y dar una cita. Después oía el roce de la falda de Albertina dirigiéndose a mi cuarto, pues por discreción, y sin duda también por aquellos cuidados con que en nuestras comidas de la Raspelière se las ingeniaba para no darme celos, no venía a la mía sabiendo que no estaba solo. Pero no era sólo por esto, lo comprendí de pronto. Recordaba; había conocido una primera Albertina; después, de pronto, se convirtió en otra, la actual. Y yo no podía hacer responsable de este cambio a nadie más que a mí mismo. Todo lo que ella me hubiera confesado fácilmente, con mucho gusto después, cuando éramos buenos camaradas, dejó de brotar en cuanto creyó que la amaba o, acaso sin decirse el nombre de Amor, en cuanto adivinó un sentimiento inquisitorial que quiere saber, que sufre, sin embargo, de saber, que se empeña en saber más. Desde aquel día me lo ocultó todo. Se alejaba de mi habitación si creía que estaba no ya, muchas veces, con una amiga, sino con un amigo, ella cuyos ojos tan vivamente se interesaran en otro tiempo cuando yo hablaba de una muchacha:

–Hay que procurar que venga, me encantaría conocerla.

–Pero es de esas que tú llamas de mal género.

–Precisamente por eso será mucho más divertido.

En aquel momento, acaso hubiera podido yo saberlo todo. Y hasta cuando, en el pequeño casino de Balbec, separó sus senos de los de Andrea, no creo que lo hiciera por mi presencia, sino por la de Cottard, porque debía de pensar que Cottard le había dado mala fama. Y, sin embargo, ya entonces había comenzado a callar, ya no salían de sus labios las palabras confiadas, ya sus gestos eran reservados. Después fue apartando de ella todo lo que hubiera podido disgustarme. Con la complicidad de mi ignorancia, daba a las partes de su vida que yo no conocía un carácter inofensivo. Y ahora la transformación era ya completa; si yo no estaba solo, se iba derecha a su cuarto no solamente por no molestar, sino para demostrarme que los demás no le importaban. Sólo una cosa no haría ya nunca por mí, una cosa que sólo hubiera hecho en el tiempo en que me hubiese sido indiferente, y la habría hecho fácilmente por eso mismo: confesar. Me vería obligado para siempre, como un juez, a sacar conclusiones inseguras de imprudencias de lenguaje que acaso no eran inexplicables sin recurrir a la culpabilidad. Y ella me sentiría siempre celoso y juez.

Nuestras relaciones tomaban un cariz de proceso y ella la timidez de una culpable. Ahora cambiaba de conversación cuando se trataba de personas, hombres o mujeres, que no fueran personas mayores. Yo debiera haberle preguntado lo que quería saber cuando ella no sospechaba todavía que tenía celos. Hay que aprovechar ese tiempo. Es entonces cuando nuestra amiga nos cuenta sus placeres y hasta los medios con que los oculta a los demás.

Ahora ya no me hubiera confesado, como lo hizo en Balbec, mitad porque era cierto, mitad por disculparse de no manifestar más su cariño a mí, pues ya entonces la cansaba y había visto por mis atenciones con ella que no necesitaba tener conmigo tantas como con otros para conseguir más que de ellos; ahora ya no me hubiera confesado como entonces: «A mí me parece estúpido demostrar que se ama, para mí es lo contrario: cuando me gusta una persona, aparento no hacerle caso. Así, nadie sabe nada.» ¡Y era la misma Albertina de hoy, con sus presunciones de franqueza y de ser indiferente a todos, la que me dijo esto! ¡Ahora ya no me hubiera enunciado esta regla! Cuando hablaba conmigo, se limitaba a aplicarla diciéndome de esta o de la otra persona que podía inquietarme: «¡Ah!, no sé, no la he mirado, es demasiado insignificante». De cuando en cuando, precaviéndose ante ciertas cosas de que yo podría enterarme, hacía una de esas confesiones que su mismo acento, antes de que se conozca la realidad que pretenden desvirtuar, hacer pasar por inocentes, denuncia ya como mentirosas.

Escuchando los pasos de Albertina, con la confortadora satisfacción de pensar que ya no saldría aquella noche, me admiraba yo de que entrar cada día en casa de aquella muchacha que en otro tiempo pensé no poder conocer nunca fuera precisamente entrar en la mía. El placer hecho de misterio y de sensualidad, fugitivo y fragmentario, que sentí en Balbec la tarde en que vino a dormir al hotel, se había completado, se había estabilizado, llenaba mi casa, antes vacía, de una permanente provisión de dulzura doméstica, casi familiar, que irradiaba hasta en los pasillos, y de la cual se alimentaban con tranquila satisfacción todos mis sentidos, ya efectivamente, ya cuando estaba solo, en imaginación y esperando el regreso. Cuando oía cerrarse la puerta de la habitación de Albertina, si estaba conmigo algún amigo le hacía salir, y no le dejaba hasta estar bien seguro de que ya se encontraba en la escalera, y hasta, si era necesario, bajaba yo unos peldaños.

Albertina venía hacia mí por el pasillo.

–Mientras me quito los trapos, te mando a Andrea, que ha subido un momento para saludarte.

Y envuelta en el gran velo gris que colgaba del gorro de chinchilla que yo le había regalado en Balbec, se iba a su habitación, como adivinando que Andrea, encargada por mí de cuidar de ella, iba a poner alguna realidad, dándome muchos detalles, contándome que había encontrado a una persona conocida, en las vagas regiones por las que ellas habían paseado todo el día y que yo no había podido imaginar.

Los defectos de Andrea eran ahora más acusados; ya no era tan agradable como cuando yo la conocí. Ahora había en ella, a flor de piel, una especie de inquietud acre, pronta a estallar, como una turbonada en el mar, a poco que yo hablara de algo agradable para Albertina y para mí. Esto no impedía que Andrea pudiera ser mejor para mí, quererme más –y de ello tuve muchas veces la prueba– que otras personas más amables. Pero la menor traza de alegría que se manifestara, si no era ella quien la causaba, le producía una impresión nerviosa, desagradable como el ruido de un portazo. Admitía los sufrimientos en que ella no tenía parte, no los placeres; si me veía enfermo, le daba pena, me compadecía, me habría cuidado. Pero si tenía una satisfacción tan insignificante como despertarme con aire de beatitud cerrando un libro y diciendo: «¡Ah!, he pasado dos horas deliciosas leyendo. ¡Qué libro más entretenido!», estas palabras, que habrían alegrado a mi madre, a Albertina, a Saint-Loup, suscitaban en Andrea una especie de reprobación, quizá sólo de malestar nervioso. Mis satisfacciones le producían una especie de irritación que no podía disimular. A estos defectos se sumaban otros más graves: un día en que le hablé de aquel joven tan entendido en cosas de carreras, de juegos, de golf, y tan inculto en todo lo demás, que había conocido con la pequeña banda en Balbec, Andrea empezó a decir: «Pues su padre robó y tuvieron que procesarle. Ellos presumen mucho, pero yo me complazco en decírselo a todo el mundo. Me gustaría que me denunciaran por calumnia. ¡Menuda declaración haría yo!» Los ojos le echaban chispas. Bueno, pues

me enteré de que el padre no había cometido ninguna inco-
rrección, y Andrea lo sabía como todo el mundo. Pero creyéndose despreciada por el hijo, buscó algo para perjudi-
carle, para avergonzarle, e inventó toda una novela de
declaraciones judiciales para las que había sido imaginaria-
mente citada y, a fuerza de repetirse los detalles de las mismas, acaso ya no sabía si eran o no ciertas. Y así, tal como se
había vuelto (y aun sin sus odios fugaces e insensatos), yo no
hubiera querido verla, sólo por aquella maligna susceptibilidad que rodeaba de un cinturón acre y glacial su verdadera
índole, más calurosa y mejor. Pero lo que sólo ella podía
contarme sobre mi amiga me interesaba demasiado para
desperdiciar una ocasión, tan rara, de saberlo. Andrea entraba, cerraba la puerta; habían encontrado a una amiga, y
resultaba que Albertina no me había hablado nunca de tal
amiga.

–¿Qué dijeron?

–No lo sé, pues aproveché que Albertina no estaba sola
para ir a comprar lana.

–¿A comprar lana?

–Sí, me lo pidió Albertina.

–Razón de más para no ir, lo hizo quizá para alejarla.

–Pero me lo había pedido antes de encontrar a su amiga.

–¡Ah! –contestaba yo recobrando la respiración.

En seguida me volvía la sospecha: «Pero quién sabe si no
había citado de antemano a su amiga y preparado un pretexto para quedarse sola cuando quisiera». Por otra parte, ¿estaba yo bien seguro de que la vieja hipótesis (aquella en que
Andrea no me decía más que la verdad) no era la buena? A lo
mejor, Andrea estaba de acuerdo con Albertina.

Despierta nuestro amor una persona, me decía yo en Balbec, cuando sentimos celos, más que por ella misma, por sus
actos; nos damos cuenta de que si nos los dijera todos, deja-
ríamos fácilmente de amarla. Por mucha habilidad que se
ponga en disimular los celos, la persona que los inspira los

descubre en seguida y los utiliza a su vez con habilidad. Procura engañarnos sobre lo que podría hacernos desgraciados, y nos engaña fácilmente, pues para el que no está en antecedentes, ¿por qué una frase insignificante había de revelar las mentiras que oculta? No la distinguimos de las demás; dicha con miedo, la escuchamos sin atención. Después, ya solos, volvemos a pensar en aquella frase, y no nos parece del todo adecuada a la realidad. Pero ¿acaso recordamos bien aquella frase? Parece nacer espontáneamente en nosotros una duda en cuanto a esa frase y en cuanto a la exactitud de nuestro recuerdo, una duda como esas que, en ciertos estados nerviosos, nos impiden recordar si hemos echado el cerrojo y no lo recordamos, aunque lo intentemos cincuenta veces. Dijérase que podemos repetir indefinidamente el acto sin que le acompañe jamás un recuerdo preciso y liberador. Por lo menos podemos volver a cerrar la puerta cincuenta y una veces, mientras que la frase inquietante pertenece al pasado, en una audición incierta que no está a nuestro alcance repetir. Entonces ponemos nuestra atención en otras que no ocultan nada, y el único remedio, remedio que no queremos, sería ignorarlo todo para no sentir el deseo de saber más.

Descubiertos los celos, la persona que los inspira los considera una desconfianza que autoriza al engaño. Por otra parte, somos nosotros los que, por averiguar algo, hemos tomado la iniciativa de mentir, de engañar. Cierto que Andrea, que Amado nos prometen no decir nada, pero ¿lo harán? Además, Bloch no ha podido prometer nada, porque nada sabía, y a poco que Albertina hable con cada uno de los tres, con ayuda de lo que Saint-Loup llamaría «atar cabos», sabría que le mentimos cuando nos hacemos los indiferentes a sus actos y moralmente incapaces de hacerla vigilar. Así, el pequeño fragmento de respuesta que acababa de darme Andrea, sucediendo a mi infinita duda habitual, demasiado indeterminada para no ser indolora y que era a los celos lo que son a la pena esos comienzos de olvido que nacen de la vaguedad, suscitaba inmediatamente nuevas indagaciones; explorando una parcela de la gran zona que se extendía en torno mío, sólo había logrado alejar ese sector desconocido que es para nosotros, cuando intentamos efectivamente representárnosla, la vida real de otra persona. Seguía interrogando a Andrea mientras Albertina, por discreción y por darme tiempo para preguntarle (¿adivinaba esto?), se estaba más del necesario para dejar las prendas en la habitación.

–Creo que los tíos de Albertina me quieren –decía yo atolondradamente a Andrea, sin pensar en su carácter.

Inmediatamente se le alteraba la cara, viscosa como un jarabe que se corta, y parecía enturbiada para siempre. Se le ponía la boca amarga. Ya no quedaba en Andrea nada de aquella juvenil alegría que, como toda la pandilla y a pesar de su índole doliente, ostentaba el año de mi primera estancia en Balbec y que ahora (verdad es que Andrea tenía unos años más que entonces) tan fácilmente se eclipsaba en ella. Pero yo iba a hacerla renacer involuntariamente antes que Andrea me dejara para ir a cenar a su casa.

–Una persona me ha hecho hoy grandes elogios de usted –le decía.

Súbitamente le iluminaba la mirada un rayo de alegría, y parecía que de verdad me amaba. Evitaba mirarme, pero reía en el vacío con unos ojos que, de pronto, se habían vuelto redondos.

–¿Quién? –preguntaba con un interés ingenuo y ávido.

Se lo decía y, fuera quien fuera, se ponía contentísima. Después, llegada la hora de marcharse, me dejaba. Albertina volvía a mi cuarto; se había quitado la ropa de la calle y llevaba uno de esos bonitos peinadores de crespón de China o unas batas japonesas cuya descripción había pedido yo a madame de Guermantes y para alguna de las cuales me había dado madame Swann ciertos detalles suplementarios en una carta que comenzaba por estas palabras: «Después de su largo eclipse, al leer su carta sobre mis *tea gown,* creí recibir noticias de un aparecido». Albertina llevaba unos zapatos negros adornados con brillantes, que Francisca llamaba rabiosamente chanclos, parecidos a los que, por la ventana del salón, había visto ella que llevaba madame de Guermantes por la noche en su casa, lo mismo que poco más tarde llevaba Albertina chinelas, algunas de cabritilla dorada, otras de chinchilla, y que me gustaba ver porque unas y otras eran como señales (y otro calzado no lo hubiera sido) de que vivía en mi casa. Tenía también otras cosas que no le había regalado yo, como una bonita sortija de oro. Admiré en ella las alas desplegadas de un águila.

–Me la ha regalado mi tía –me dijo–. A pesar de todo, a veces es simpática. Este regalo me envejece, porque me lo ha hecho al cumplir los veinte años.

A Albertina todas estas cosas bonitas le hacían mucha más ilusión que a la duquesa, porque, como todo obstáculo a una posesión (como para mí la enfermedad, que tan difíciles y tan deseables me hacía los viajes), la pobreza, más generosa que la opulencia, da a las mujeres mucho más que el vestido que no se pueden comprar: el deseo de ese vestido, deseo que es el conocimiento verdadero, detallado, profundo, de la cosa deseada. Albertina porque no podía comprarse esas cosas, yo porque, comprándoselas, quería darle una alegría, éramos ambos como esos estudiantes que conocen de antemano unos cuadros que anhelan ir a ver a Dresde o a Viena; mientras que las mujeres ricas, en medio de todos sus sombreros y de todos sus vestidos, son como esos visitantes a quienes la visita a un museo, no deseada previamente, les produce sólo una sensación de mareo, de fatiga y de aburrimiento. Un sombrero, un abrigo de cibelina, un peinador de Doucet con las mangas forradas de rosa, adquirían para Albertina, que los había visto, codiciado y, por ese exclusivismo y esa minucia que caracterizan el deseo, los había a la vez aislado de lo demás en un vacío sobre el que se destacaban maravillosamente el forro o la echarpe, y tomaban en todas sus partes –y también para mí, que había ido a casa de madame de Guermantes a pedirle que me explicara en qué consistía la particularidad, la superioridad, la elegancia de la cosa y la inimitable manera del gran autor de la misma– una importancia, un encanto que, ciertamente, no tenían para la duquesa, saciada aun antes de hallarse en estado de apetito, ni siquiera para mí si lo había visto unos años antes acompañando a una mujer elegante en uno de sus fastidiosos recorridos de modista en modista.

La verdad es que Albertina iba siendo poco a poco una mujer elegante. Pues cada cosa que yo le encargaba así era en su género la más bonita, con todo el refinamiento aportado por madame de Guermantes o por madame Swann, y de estas cosas empezaba a tener muchas. Pero esto no importaba, desde el momento en que las había deseado antes y por separado. Cuando hemos estado enamorados de un pintor y después de otro, podemos al final sentir por todo el museo una admiración que no es glacial, pues está hecha de amores sucesivos, cada uno exclusivo en su tiempo y que han acabado por enlazarse y conciliarse.

Por otra parte, Albertina no era frívola, leía mucho cuando estaba sola y me leía a mí cuando estaba conmigo. Se había vuelto muy inteligente. Decía, equivocándose por lo demás:

–Me aterra pensar que, de no ser por ti, habría seguido siendo una tonta. No lo niegues, tú me has abierto un mundo de ideas que yo ni sospechaba, y lo poco que soy ahora te lo debo a ti, nada más que a ti.

Ya sabemos que Albertina había hablado de la misma manera de mi influencia sobre Andrea. ¿Acaso una u otra me amaba? Y, en sí mismas, ¿qué eran Albertina y Andrea? Para saberlo, tendríais que inmovilizaros, dejar de vivir en esa perpetua espera de vosotras en la que pasáis siempre a otras; tendríais que dejar de amaros para estabilizaros, dejar de conocer vuestra interminable y siempre desconcertante llegada, oh muchachas, oh rayo que no cesa en ese torbellino en el que palpitamos al veros reaparecer sin reconoceros apenas, en la velocidad vertiginosa de la luz. Esa velocidad la ignoraríamos acaso y todo nos parecería inmóvil, si una atracción sexual no nos impulsara hacia vosotras, gotas de oro siempre diferentes y que rebasan siempre nuestra espera. Cada vez, una muchacha se parece tan poco a lo que era la vez anterior (haciendo añicos en cuanto la divisamos el recuerdo que conservábamos y el deseo que nos proponíamos) que la estabilidad de naturaleza que le atribuimos es sólo ficticia y por comodidad de lenguaje. Nos han dicho que una linda muchacha es tierna, cariñosa, plena de los más delicados sentimientos. Nuestra imaginación lo cree sin más, y cuando la vemos por primera vez, bajo la corona rizada de su cabello rubio, del disco de su cara rosada, casi nos da miedo de que esa hermana demasiado virtuosa, al enfriarnos por su virtud misma, no pueda nunca ser para nosotros la amante que hemos deseado. Al menos, ¡cuántas confidencias le hacemos en el primer momento, creyendo en esa nobleza de corazón, cuántos proyectos convenimos los dos! A los pocos días nos pesa habernos confiado tanto, pues la muchachita de mejillas color rosa nos dice cosas propias de una lúbrica Furia. En las fases sucesivas que después de una pulsación de algunos días nos presenta la rosada luz interceptada, ni siquiera es seguro que un *movimentum* ajeno a estas muchachas no haya modificado su aspecto, y esto había podido ocurrir en mis muchachas de Balbec. Nos alaban la dulzura, la pureza de una virgen. Pero después sentimos que nos gustaría más algo más picante y le aconsejamos que sea más atrevida. Ella, en sí misma, ¿era más bien la una o la otra? Quizá no, sino capaz de llegar a tantas posibilidades diversas en la vertiginosa corriente de la vida. Tratándose de cualquiera otra cuyo atractivo residía únicamente en un algo implacable (que esperábamos domeñar a nuestra manera), como, por ejemplo, el terrible saltamontes de Balbec que ro-

zaba en sus saltos los cráneos de los viejos señores aterrados,
¡qué decepción cuando, en la nueva fase ofrecida por esta
cara, en el momento en que le decimos ternezas exaltadas
por el recuerdo de tanta dureza con los demás, la oímos decir, como para entrar en el juego, que es tímida, que no sabe
nunca decir nada sensato a nadie la primera vez, tanto es su
miedo, y que sólo cuando pasen quince días podrá hablar
tranquilamente con nosotros! El acero se ha tornado algodón, ya no tendremos que romper nada, puesto que pierde
por sí misma toda consistencia. Por sí misma, pero quizá por
culpa nuestra, porque las tiernas palabras que habíamos dirigido a la Dureza acaso le sugirieron –aun sin cálculo interesado– ser tierna. (Lo que nos desolaba, pero sólo era torpe
a medias, pues la gratitud por tanta dulzura nos iba a obligar
quizá a más que a embelesarnos ante la crueldad vencida.)
   No digo que no llegue un día en que, incluso a esas deslumbrantes muchachas, les atribuiremos caracteres muy rotundamente definidos, pero es que entonces habrán dejado
de interesarnos, que su llegada no será ya para nuestro corazón la aparición que nuestro corazón esperaba distinta y que
le deja perturbado, cada vez, por encarnaciones nuevas. Su
invariabilidad vendrá de nuestro desinterés, que las entrega-
rá al juicio de la inteligencia. Por lo demás, este juicio no se
pronunciará de una manera mucho más categórica, pues
después de haber decidido que cierto defecto, predominante
en una, estaba, por fortuna, ausente en la otra, verá que este
defecto tenía como contrapartida una cualidad preciosa. De
suerte que del falso juicio de la inteligencia, la cual sólo entra en juego cuando dejamos de interesarnos, saldrán definidos caracteres estables de muchachas, caracteres que no
nos dirán más que los sorprendentes rostros aparecidos
cada día cuando, en la velocidad mareante de nuestra espera, nuestras amigas se presentaban cada día, cada semana,
demasiado diferentes para permitirnos –pues la carrera era
incesante– clasificar, asignar puestos. En cuanto a nuestros

sentimientos, hemos hablado demasiado de ellos para repetirlo; muchas veces un amor no es más que la asociación de
una imagen de muchacha (que sin esto nos resultaría muy
pronto insoportable) con las palpitaciones de corazón inse-
parables de una espera interminable, vana, y de un engaño
en que la señorita nos ha hecho caer. Todo esto sólo es cierto
cuando se trata de jóvenes imaginativos ante muchachas
cambiantes. En el tiempo a que ha llegado nuestro relato, parece ser, lo supe después, que la sobrina de Jupien había
cambiado de opinión sobre Morel y sobre monsieur de
Charlus. Mi mecánico, para reforzar el amor de la muchacha
por Morel, había atribuido al violinista, con grandes alabanzas, delicadezas infinitas que ella estaba muy inclinada a
creer. Por otra parte, Morel le hablaba continuamente del
papel de verdugo que monsieur de Charlus ejercía sobre
el violinista y que ella, como no adivinaba el amor, atribuía
a maldad. Además, no tenía más remedio que observar que
monsieur de Charlus asistía tiránicamente a todas sus entre-
vistas. Y, para corroborar todo esto, oía a algunas mujeres
del gran mundo hablar de la atroz perversidad del barón.
Pero desde hacía poco su juicio había cambiado por completo. Había descubierto en Morel (sin dejar por eso de amarle)
profundidades de maldad y de perfidia, compensadas, por
lo demás, con una dulzura frecuente y una verdadera sensibilidad, y en monsieur de Charlus una insospechada e inmensa bondad, unida a unas durezas que ella no conocía. De
suerte que no pudo formular un juicio sobre lo que eran,
cada uno por su parte, el violinista y su protector, como no
podía formularlo yo sobre Andrea, a la que veía todos los
días, ni sobre Albertina, que vivía conmigo.

Las noches en que ésta no me leía en voz alta, me tocaba el
piano, o jugaba conmigo partidas de damas o entablábamos
conversaciones, partidas y conversaciones que yo interrumpía para besarla. Nuestras relaciones eran tan sencillas que
resultaban sedantes. El mismo vacío de su vida daba a Al-

bertina una especie de solicitud y de obediencia para las únicas cosas que yo le pedía. Detrás de aquella muchacha, como detrás de la luz púrpura que caía a los pies de mis cortinas en Balbec mientras resonaba el concierto de los músicos, se nacaraban las ondulaciones azuladas del mar. ¿No era, en efecto (ella, en el fondo de la cual residía habitualmente una idea de mí tan familiar que, después de su tía, quizá era yo la persona que menos distinguía de sí misma), la muchacha que vi la primera vez en Balbec, bajo su *polo* plano, con sus ojos insistentes y alegres, desconocida todavía, delgada como una silueta perfilada sobre las olas? Estas efigies que se conservan intactas en la memoria, cuando las encontramos de nuevo, nos asombra su desemejanza con el ser que conocemos; nos damos cuenta del trabajo de moldeo que el hábito realiza cotidianamente. En el encanto que Albertina tenía en París junto a la chimenea, vivía aún el deseo que me había inspirado el cortejo insolente y florido que se extendiera antes a lo largo de la playa, y así como Raquel conservaba para Saint-Loup, incluso después de dejarla, el prestigio de la vida de teatro, en esta Albertina enclaustrada en mi casa, lejos de Balbec, de donde yo la había arrancado precipitadamente, subsistían la emoción, la preocupación social, la vanidad inquieta, los deseos errantes de la vida de las playas. Estaba tan bien enjaulada que algunas noches ni siquiera mandaba a buscarla a su cuarto para venir al mío, ella a quien todo el mundo seguía, a la que, corriendo en su bicicleta, tanto me costaba alcanzar y que ni siquiera el botones podía traérmela, dejándome sin apenas esperanza de que viniera, y esperándola, sin embargo, toda la noche. ¿No era Albertina en Balbec, frente al hotel, como una gran actriz de la playa encendida, suscitando celos cuando avanzaba en aquel escenario natural, no hablando con nadie, empujando a los habituales, dominando a sus amigas, y aquella actriz tan codiciada no era ella, que, retirada por mí de la escena, encerrada en mi casa, estaba aquí, al abrigo de los deseos de todos los que ahora podían buscarla en vano, tan pronto en mi cuarto como en el suyo, en el que se ocupaba en algún trabajo de dibujo y de cincelado?

En los primeros días de Balbec, Albertina parecía estar en un plano paralelo al plano en que yo vivía, pero se fue aproximando a éste (cuando estuve en casa de Elstir), hasta unirse a él, a medida que se fueron estrechando nuestras relaciones en Balbec, en París, en Balbec otra vez. Por otra parte, ¡qué diferencia entre los dos cuadros de Balbec, en la primera temporada y en la segunda, compuestos por las mismas villas de donde salían las mismas muchachas ante el mismo mar! En las amigas de Albertina de la segunda temporada, en aquellas muchachas que yo conocía tan bien, con unas cualidades y unos defectos tan claramente grabados en sus rostros, ¿podía yo volver a encontrar a aquellas lozanas y misteriosas desconocidas que antaño no podían, sin que me palpitara el corazón, hacer chirriar sobre la arena la puerta de su chalet y rozar al pasar los trémulos tamarindos? Desde entonces, sus grandes ojos se habían empequeñecido, seguramente porque ya no eran niñas, pero también porque aquellas encantadoras desconocidas, actrices del novelesco primer año y sobre las cuales no cesaba yo de indagar detalles, ya no tenían misterio para mí. Se habían vuelto obedientes a mis caprichos, simples muchachas en flor, y no estaba yo poco orgulloso de haber cogido, a hurtadillas de todos, su rosa más bella.

Entre las dos decoraciones de Balbec, tan diferentes una de otra, había el intervalo de varios años en París, en cuyo largo recorrido se encontraban tantas visitas de Albertina. La veía en los diferentes años de mi vida, ocupando con relación a mí diferentes posiciones que me hacían notar la belleza de los espacios interpuestos, el largo tiempo pasado que había transcurrido sin verla, y sobre cuya diáfana profundidad se modelaba con misteriosas sombras y acusado relieve la rosada persona que tenía ante mí. Por otra parte, este re-

lieve estaba determinado no sólo por las sucesivas imágenes
que Albertina había sido para mí, sino también por las grandes cualidades de inteligencia y de corazón, por los defectos
de carácter, unas y otros insospechados por mí, que Albertina, en una germinación, en una multiplicación de sí misma,
en una eflorescencia carnosa de colores oscuros, había añadido a una naturaleza antes casi nula, ahora difícil de profundizar. Pues los seres, incluso aquellos con los que hemos
soñado tanto que nos parecían una imagen, una figura de
Benozzo Gozzoli que se destaca sobre un fondo verdoso, y
cuyas variaciones estábamos dispuestos a creer que se debían únicamente al punto en que estábamos situados para
mirarlas, a la distancia que nos separaba de ellas, a la luz,
esos seres, a la vez que cambian en relación a nosotros, cambian también en sí mismos; una figura que antes fuera sólo
un perfil sobre el mar era más rica ahora, más sólida, más
acusado su volumen.

Por otra parte, no era sólo el mar al atardecer lo que vivía
para mí en Albertina, sino a veces el mar dormido en la arena las noches de luna. Porque a veces, cuando me levantaba
para ir a buscar un libro al despacho de mi padre, mi amiga,
que me había pedido permiso para echarse en la cama mientras tanto, estaba tan cansada por la larga excursión de la
mañana y de la tarde, al aire libre, que, aunque yo hubiera
pasado sólo un momento fuera de mi cuarto, al volver encontraba a Albertina dormida y no la despertaba. Tendida
cuan larga era, en una actitud de una naturalidad que no se
podía inventar, me parecía como un tallo florido que alguien
dejara allí; y así era: el poder de soñar que yo sólo tenía en
ausencia suya, volvía a encontrarlo en aquellos momentos a
su lado, como si, dormida, se hubiera convertido en una
planta. De este modo, su sueño realizaba, en cierta medida,
la posibilidad del amor: solo, podía pensar en ella, pero me
faltaba ella, no la poseía; presente, le hablaba, pero yo estaba
demasiado ausente de mí mismo para poder pensar. Cuan-

do ella dormía, yo no tenía que hablar, sabía que ella no me miraba, ya no tenía necesidad de vivir en la superficie de mí mismo.

Al cerrar los ojos, al perder la conciencia, Albertina se había desprendido, uno tras otro, de aquellos diferentes caracteres de humanidad que me decepcionaron el día mismo en que la conocí. Ya no quedaba en ella más que la vida inconsciente de los vegetales, de los árboles, vida más diferente de la mía, más ajena y que, sin embargo, me pertenecía más. Ya no se escapaba su yo a cada momento, como cuando hablábamos, por las puertas del pensamiento inconfesado y de la mirada. Había recogido dentro de sí todo lo que era exteriormente; se había refugiado, encerrado, resumido en su cuerpo. Teniéndola bajo mis ojos, en mis manos, me daba la impresión de poseerla por entero, una impresión que no sentía cuando estaba despierta. Su vida me estaba sometida, exhalaba hacia mí su tenue aliento.

Escuchaba el murmullo de aquella emanación misteriosa, dulce como un céfiro marino, mágica como un claro de luna, que era su sueño. Mientras éste duraba, yo podía soñar en ella, y mirarla, sin embargo, y cuando su sueño era más profundo, tocarla, besarla. Lo que yo sentía entonces era un amor tan puro, tan inmaterial, tan misterioso como si estuviera ante esas criaturas inanimadas que son las bellezas de la naturaleza. Y, en efecto, cuando dormía un poco profundamente, dejaba de ser sólo la planta que había sido; su sueño, a la orilla del cual meditaba yo con una fresca voluptuosidad de la que no me hubiera cansado jamás y que hubiera podido gustar indefinidamente, era para mí todo un paisaje. Su sueño ponía a mi lado algo tan sereno, tan sensualmente delicioso como esas noches de luna llena en la bahía de Balbec, quieta entonces como un lago, donde apenas se mueven las ramas, donde, tendidos en la arena, escucharíamos sin fin el romper de las olas.

Al entrar en la habitación, me quedé de pie en el umbral,

sin atreverme a hacer ruido, y sólo oía el de su aliento expirando en sus labios, a intervalos intermitentes y regulares, como un reflujo, pero más suave, más leve. Y al recoger mi oído aquel rumor divino, me parecía que, condensada en él, estaba toda la persona, toda la vida de la encantadora cautiva, allí tendida bajo mis ojos. Por la calle pasaban, ruidosamente, los carruajes, y su frente seguía tan inmóvil, tan pura, tan ligero su aliento, reducido a la simple espiración del aire necesario. Luego, al ver que no iba a turbar su sueño, avanzaba prudentemente, me sentaba en la silla que había al lado de la cama y después en la cama misma.

He pasado noches deliciosas hablando, jugando con Albertina, pero nunca tan dulces como cuando la miraba dormir. Hablando, jugando a las cartas, tenía esa naturalidad que una actriz no hubiera podido imitar; pero la naturalidad que me ofrecía su sueño era más profunda, una naturalidad de segundo grado. Le caía el cabello a lo largo de su cara rosada y se posaba junto a ella en la cama, y a veces un mechón aislado y recto producía el mismo efecto de perspectiva que esos árboles lunares desmedrados y pálidos que vemos muy derechos en el fondo de los cuadros rafaelescos de Elstir. Si Albertina tenía los labios cerrados, en cambio, tal como yo estaba situado, sus párpados parecían tan disjuntos que yo hubiera podido preguntarme si estaba verdaderamente dormida. Pero aquellos párpados entornados daban a su rostro esa continuidad perfecta que los ojos no interrumpen. Hay rostros que adquieren una belleza y una majestad inhabituales a poco que les falte la mirada.

Yo contemplaba a Albertina tendida a mis pies. De cuando en cuando la recorría una agitación ligera e inexplicable, como el follaje que una brisa inesperada sacude unos instantes. Se tocaba el pelo, pero no se contentaba con esto y volvía a llevarse la mano a la cabeza con movimientos tan seguidos, tan voluntarios, que yo estaba convencido de que iba a despertarse. Nada de eso: volvía a quedarse tranquila en el no perdido sueño. Y permanecía inmóvil. Había posado la mano en el pecho con un abandono del brazo tan ingenuamente pueril que, mirándola, me tenía que esforzar por no sonreír con esa sonrisa que nos inspiran los niños pequeños, su inocencia, su gracia.

Conociendo como conocía varias Albertinas en una sola, me parecía ver reposando junto a mí otras muchas más. Sus cejas arqueadas como yo no las había visto nunca rodeaban los globos de sus párpados como un suave nido de alción. Razas, atavismos, vicios reposaban en su rostro. Cada vez que movía la cabeza, creaba una mujer nueva, a veces insospechada para mí. Me parecía poseer no una, sino innumerables muchachas. Su respiración, que iba siendo poco a poco más profunda, le levantaba regularmente el pecho, y, encima, sus manos cruzadas, sus perlas desplazadas de diferente modo por el mismo movimiento, como esas barcas, esas amarras que el movimiento de las olas hace oscilar. Entonces, notando que su sueño era total, que no iba a tropezar con escollos de conciencia ahora cubiertos por la pleamar del sueño profundo, deliberadamente me subía sin ruido a la cama, me acostaba al lado de ella, le rodeaba la cintura con mi brazo, posaba los labios en su mejilla y sobre su corazón; después, en todas las partes de su cuerpo, mi única mano libre, que la respiración de la durmiente levantaba también, como las perlas; hasta yo mismo cambiaba ligeramente de posición por su movimiento regular: me había embarcado en el sueño de Albertina.

A veces me hacía gustar un placer menos puro. Para ello no tenía necesidad de ningún movimiento, extendía mi pierna contra la suya, como una rama que se deja caer y a la que se imprime de cuando en cuando una ligera oscilación, parecida al intermitente batir del ala de los pájaros que duermen en el aire. Elegía para mirarla ese lado de su rostro que no se veía nunca y que tan bello era. En rigor, se comprende que las cartas que nos escribe alguien sean más o menos parecidas entre ellas y tracen una imagen bastante diferente de la persona que conocemos para que constituyan una segunda personalidad. Pero es muy extraño que una mujer esté soldada, como Rosita a Doodica, a otra mujer cuya diferente belleza hace suponer otro carácter, y que para ver a una de ellas haya que ponerse de perfil, de frente para la otra. Su respiración, ahora más fuerte, podía dar la ilusión del jadeo del placer y cuando el mío llegaba a su término podía besarla sin haber interrumpido su sueño. En aquellos momentos me parecía que acababa de poseerla más completamente, como una cosa inconsciente y sin resistencia de la muda naturaleza. No me inquietaban las palabras que a veces dejaba escapar dormida; su significado era hermético para mí y, además, aunque se dirigieran a alguna persona desconocida, era sobre mi mano, sobre mi mejilla, donde su mano, a veces animada por un leve estremecimiento, se crispaba un instante. Yo gustaba su sueño con un amor desinteresado y sedante, de la misma manera que permanecía horas escuchando el batir de las olas.

Acaso es necesario que los seres sean capaces de hacernos sufrir mucho para que, en los momentos de remisión, nos procuren esa misma calma sedante que nos ofrece la naturaleza. No tenía que contestarle como cuando hablábamos, y aunque pudiera callarme, como también lo hacía, cuando ella hablaba, de todos modos, oyéndola hablar no entraba tan profundamente en ella. Mientras continuaba oyéndola, recogiendo, de instante en instante, el murmullo, suave como una brisa imperceptible, de su puro aliento, tenía ante mí, para mí, toda una existencia fisiológica; hubiera permanecido mirándola, escuchándola, tanto tiempo como antaño permaneciera tendido en la playa bajo la luna. A veces se diría que el mar se iba encrespando, que se percibía la tempestad hasta en la bahía, y yo me acercaba más a ella para escuchar el fragor de su aliento.

A veces, cuando Albertina tenía demasiado calor, y ya casi dormida, se quitaba el quimono y lo echaba en una butaca. Mientras ella dormía, yo pensaba que todas sus cartas estaban en el bolsillo interior de aquel quimono, donde las ponía siempre. Una firma, una cita hubiera bastado para probar una mentira o disipar una sospecha. Cuando veía a Albertina profundamente dormida, me apartaba del pie de su cama, donde llevaba mucho tiempo contemplándola sin hacer un movimiento, y aventuraba un paso, presa de una ardiente curiosidad, sintiendo el secreto de aquella vida que se ofrecía, desmayada y sin defensa, en una butaca. Quizá daba aquel paso también porque mirar dormir sin movernos acaba por cansarnos. Y así, muy despacito, volviéndome continuamente para ver si no se despertaba Albertina, iba hasta la butaca. Allí me paraba, me quedaba mucho tiempo mirando el quimono como me había quedado mucho tiempo mirando a Albertina. Pero nunca (y quizá hice mal) toqué el quimono, nunca metí la mano en el bolsillo, nunca miré las cartas. Viendo que no me decidiría, acababa por retroceder a paso de lobo, volvía junto a la cama de Albertina y a mirarla dormir, a ella que no me decía nada, cuando yo estaba viendo sobre el brazo de la butaca aquel quimono que acaso me hubiera dicho muchas cosas.

Y de la misma manera que algunas personas alquilan por cien francos diarios una habitación en el hotel de Balbec para respirar el aire del mar, a mí me parecía muy natural gastar más por ella, puesto que tenía su aliento junto a mi mejilla, en mi boca, que yo entreabría sobre la suya y a la que, por mi lengua, pasaba su vida.

Pero a este placer de verla dormir, tan dulce como sentirla vivir, le ponía fin otro placer: el de verla despertarse. Era, en un grado más profundo y más misterioso, el placer mismo de que viviera en mi casa. Sin duda me era dulce que a la tarde, cuando se apeaba del coche, entrara en mi departamento. Y me era más dulce aún que, cuando, desde el fondo del sueño, subía los últimos peldaños de la escalera de los sueños, fuera en mi cuarto donde ella renacía a la conciencia y a la vida, que se preguntara un instante «¿dónde estoy?», y al ver los objetos que la rodeaban, la lámpara cuyo resplandor le hacía apenas entornar los ojos, pudiera contestarse que estaba en su casa al darse cuenta de que se despertaba en la mía. En este primer momento delicioso de incertidumbre, me parecía que tomaba posesión de ella más completa, porque, cuando saliera, en lugar de entrar en su cuarto, era mi cuarto, en cuanto Albertina lo reconociera, el que iba a albergarla, a contenerla, sin que los ojos de mi amiga manifestaran ninguna turbación, permaneciendo tan serenos como si no se hubiera dormido. La indecisión del despertar se revelaba por su silencio, no por su mirada.

Al recuperar la palabra, decía: «Mi» o «mi querido», seguidos uno y otro de mi nombre de pila, lo que, dando al narrador el mismo nombre que al autor de este libro hubiera sido: «Mi Marcelo», «mi querido Marcelo». Desde entonces yo no permitía ya que, en familia, una pariente me dijera «querido», quitando así el valor de ser únicas a las palabras deliciosas que me decía Albertina. Al decírmelas, hacía una muequecita que ella misma transformaba en beso. Con la misma rapidez que antes se había dormido se despertaba ahora.

No más que mi cambio en el tiempo, no más que el hecho de mirar a una muchacha sentada junto a mí bajo la lámpara que alumbraba de manera distinta a como alumbraba el sol cuando ella caminaba a lo largo del mar, este enriquecimiento real, este proceso autónomo de Albertina, no eran la causa importante de la diferencia que había entre mi manera de verla ahora y mi manera de verla al principio en Balbec. Hubieran podido pasar más años entre las dos imágenes sin determinar un cambio tan completo; este cambio se produjo, esencial y súbito, cuando me enteré de que mi amiga había sido casi educada por la amiga de mademoiselle Vinteuil. Si en otro tiempo me exaltaba creyendo ver misterio en los ojos de Albertina, ahora sólo era feliz en los momentos en que de aquellos ojos, hasta de aquellas mejillas, espejeantes como ojos, unas veces tan dulces y en seguida tan hoscas, lograba yo expulsar todo misterio. La imagen que buscaba, la imagen en que me recreaba, contra la cual hubiera querido morir, ya no era la Albertina que tenía una vida desconocida, era una Albertina conocida por mí en todo lo posible (por eso aquel amor no podía durar, a menos de seguir siendo desgraciado, pues, por definición, no satisfacía la necesidad de misterio), era una Albertina que no reflejaba un mundo lejano, que no deseaba más –había, en efecto, momentos en que parecía ser así– que estar conmigo, del todo semejante a mí, una Albertina imagen de lo que precisamente era mío y no de lo desconocido.

Cuando un amor nace así de una hora de angustia por un ser, de la incertidumbre de si podremos retenerlo o se nos escapará, ese amor lleva la marca de la revolución que lo ha creado, recuerda muy poco lo que habíamos visto hasta entonces cuando pensábamos en ese mismo ser. Y mis primeras impresiones ante Albertina, a la orilla del mar, podían en una pequeña parte subsistir en mi amor a ella; en realidad, esas impresiones anteriores ocupan muy poco sitio en un amor de esa clase, en su fuerza, en sus sufrimientos, en su necesidad de dulzura y de refugio en un recuerdo apacible, tranquilo, donde quisiéramos quedarnos y no saber ya nada más de la que amamos, aunque hubiera algo odioso que saber –aun conservando las impresiones anteriores, un amor así está hecho de algo muy distinto.

A veces yo apagaba la luz antes de que ella entrara. Y a oscuras, apenas guiada por la luz de un tizón, se acostaba a mi lado. Sólo mis manos, sólo mis mejillas la reconocían sin que la viesen mis ojos, que a veces tenían miedo de encontrarla cambiada. De suerte que, a favor de este amor ciego, se sentía más querida que habitualmente.

Me desnudaba, me acostaba y, sentada Albertina en una esquina de la cama, reanudábamos nuestra partida o nuestra conversación interrumpida por los besos; y en el deseo, lo único que nos hace encontrar interés en la existencia y en el carácter de otra persona, si, en compensación, vamos abandonando a los diferentes seres sucesivamente amados, permanecemos tan fieles a nuestra naturaleza que una vez, viendo en el espejo, mientras besaba a Albertina llamándola «niñita mía», la expresión triste y apasionada de mi propio rostro, semejante a lo que fuera en otro tiempo cerca de Gilberta, de la que ya no me acordaba, a lo que sería quizá después junto a otra si alguna vez llegara a olvidar a Albertina, me hizo pensar que por encima de las consideraciones de persona (decidiendo el instinto que consideremos a la actual como única verdadera) estaba yo cumpliendo los deberes de una devoción ardiente y dolorosa consagrada como una ofrenda a la juventud y a la belleza de la mujer. Y, sin embargo, a este deseo que honraba con un «ex voto» a la juventud, también a los recuerdos de Balbec, se unía, en la necesidad que yo sentía de tener así todas las noches a Albertina junto a mí, algo que hasta entonces había sido ajeno a mi vida, al menos a mi vida amorosa, si no era enteramente nuevo en mi vida. Era un poder de calma de tal entidad como no lo había sentido desde las lejanas noches de Combray en que mi madre, inclinada sobre mi cama, venía a traerme el reposo en un beso. Seguramente en aquel tiempo me habría extrañado mucho que me dijeran que no era enteramente bueno y, sobre todo, que intentara nunca privar a alguien de un placer. Sin duda me conocía muy mal entonces, pues mi satisfacción de ver a Albertina viviendo en mi casa era, mucho más que un placer positivo, el de haber retirado del mundo donde cualquiera podía disfrutarla a su vez a la muchacha en flor que, si no me daba gran alegría, al menos no se la daba a los demás. La ambición, la gloria me hubieran dejado indiferente. Era aún más incapaz de sentir odio. Y, sin embargo, amar carnalmente era para mí gozar de un triunfo sobre tantos competidores. No me cansaré de decirlo, era, más que nada, un modo de tranquilizarme.

Ya podía haber dudado de Albertina antes de que volviera, haberla imaginado en el cuarto de Montjouvain: una vez en bata, sentada frente a mí, o bien, como era más frecuente, acostado yo al pie de mí cama, depositaba mis dudas en ella, se las entregaba para que me descargase de ellas, en la abdicación de un creyente que se pone a rezar. Podía haber pasado toda la noche apelotonada graciosamente como una bola sobre mi cama, jugando conmigo como una gata; podía su naricilla rosada, que ella encogía aún en la punta con una mirada coqueta que le imprimía la sutileza singular de ciertas personas un poco gruesas, darle un aspecto travieso y ardiente; podía dejar caer un mechón de su larga cabellera negra sobre la mejilla de rosada cera y, entornando los ojos, descruzando los brazos, parecer como que me decía: «Haz de mí lo que quieras»; cuando en el momento de dejarme se me acercaba para decirme adiós, era su dulzura ya casi familiar lo que yo besaba en ambos lados de su cuello fuerte, que entonces no me parecía nunca bastante moreno ni de piel bastante granulada, como si estas sólidas cualidades tuviesen relación con alguna bondad leal en Albertina.

–¿Vendrás mañana con nosotros, malísimo? –me preguntaba antes de dejarme.

–¿A dónde vais a ir?

–Depende del tiempo y de ti. ¿Has escrito siquiera algo antes, queridito? ¿No? Entonces no valía la pena no haber ido de paseo. A propósito, cuando volví hace un momento, ¿reconociste mi paso, adivinaste que era yo?

–Naturalmente. ¿Cómo iba a equivocarme, cómo no iba a reconocer entre mil los pasos de mi codornicilla? Permítame mi codornicilla descalzarla para irse a la cama, eso me gustará muchísimo. Estás tan bonita y tan color de rosa en toda esa blancura de encajes.

Ésta era mi respuesta; en medio de las efusiones carnales, se reconocerán otras propias de mi madre y de mi abuela. Pues, poco a poco, yo me iba pareciendo a toda mi familia, a mi padre, que–claro que de manera diferente que yo, pues si las cosas se repiten, lo hacen con grandes variaciones– tanto se interesaba por el tiempo que hacía; y no sólo a mi padre, sino cada vez más a mi tía Leontina. A no ser así, Albertina no hubiera podido ser para mí más que un motivo para salir, para no dejarla sola, sin mi control. Mi tía Leontina, tan mojigata y con la que yo hubiera jurado que no tenía ni un solo punto común, tan apasionado yo por los placeres, al revés, en apariencia, de aquella maniática que nunca había conocido ninguno y se pasaba todo el día rezando el rosario, tan contrariado yo por no poder realizar una vida literaria, mientras que ella había sido la única persona de la familia que no había podido comprender que leer era otra cosa que pasar el tiempo y «divertirse», lo que, hasta en las pascuas, hacía la lectura permitida en domingo, día en que está prohibida toda ocupación seria, con el fin de que sea únicamente santificado por la oración. Ahora bien, aunque cada día yo encontrase la causa en un malestar especial, lo que tantas veces me hacía quedarme en la cama era un ser, no Albertina, no un ser que yo amaba, sino un ser más poderoso sobre mí que un ser amado: era, transmigrada en mí, despótica hasta el punto de acallar a veces mis sospechas celosas, o al menos de impedirme ir a comprobar si eran fundadas o no, mi tía Leontina. ¿No bastaba que me pareciese con exageración a mi padre hasta el punto de no limitarme a consultar como él el barómetro, sino siendo yo mismo un barómetro vivo; que me dejase mandar por mi tía Leontina para seguir observando el tiempo, pero desde mi cuarto o hasta desde mi cama? Resulta que ahora yo hablaba a Albertina tan pronto como el niño que fui en Combray hablaba a mi madre, tan pronto como mi abuela me hablaba a mí. Cuando hemos pasado de cierta edad, el niño que fuimos y el alma de los muertos de los que salimos vienen a echarnos a puñados sus bienes y sus desventuras, queriendo cooperar en los nuevos sentimientos que experimentamos y en los cuales nosotros, borrando su antigua efigie, los refundimos en una creación original. Así, todo mi pasado desde mis más lejanos años y, por encima de esto, el pasado de mis ascendientes mezclaban a mi impuro amor por Albertina la dulzura de un cariño a la vez filial y maternal. Desde una determinada hora, debemos recibir a todos nuestros antepasados llegados de tan lejos y reunidos en torno nuestro.

Antes de que Albertina me obedeciera y se quitara los zapatos, yo le entreabría la camisa. Sus dos pequeños senos, altos, eran tan redondos que, más que parte integrante de su cuerpo, parecían haber madurado en él como dos frutos; y su vientre (disimulando el lugar que en el hombre se afea como con el soporte que queda fijo en una estatua desalojada de su sitio) se cerraba, en la unión de los muslos, con dos valvas de una curva tan suave, tan serena, tan claustral como la del horizonte cuando se ha puesto el sol. Se quitaba los zapatos, se acostaba junto a mí.

Oh grandes actitudes del Hombre y de la Mujer cuando se disponen a unir, en la inocencia de los primeros días y con la humildad del barro, lo que la creación ha separado, cuando Eva se queda sorprendida y sumisa ante el Hombre junto al cual se despierta, como él mismo, solo todavía, ante Dios que le ha formado. Albertina anudaba sus brazos tras su cabello negro, alzada la cadera, caída la pierna en una inflexión de cuello de cisne que se alarga y se curva para volver sobre sí mismo. Cuando estaba completamente de lado, había cierto aspecto de su rostro (tan bueno y tan bello de frente) que yo no podía soportar, ganchudo como ciertas caricaturas de Leonardo, pareciendo revelar la maldad, la codicia, la bellaquería de una espía cuya presencia en mi casa me hubiera horrorizado y que parecía desenmascarada por aquellos perfiles. Me apresuraba a coger la cara de Albertina en mis manos y la volvía a poner de frente.

–Sé bueno, prométeme que mañana, si no vienes, trabajarás –decía mi amiga volviendo a ponerse la camisa.

–Sí, pero no te pongas todavía la bata.

A veces acababa por dormirme junto a ella. La habitación se había enfriado, hacía falta leña. Yo intentaba encontrar el timbre a mi espalda, no lo conseguía, palpando todos los barrotes de cobre que no eran aquellos entre los que pendía, y le decía a Albertina, que se había bajado de la cama para que Francisca no nos viera juntos:

–No, vuelve a subir un momento, no encuentro el timbre.

Instantes dulces, alegres, inocentes en apariencia y en los que se acumula, sin embargo, la posibilidad insospechada del desastre: lo que hace de la vida amorosa la más contradictoria de todas, aquella en que la imprevisible lluvia de azufre y de pez cae después de los momentos más gozosos y en la que en seguida, sin tener el valor de sacar la lección de la desgracia, volvemos a construir inmediatamente en las laderas del cráter del que no podrá salir más que la catástrofe. Yo tenía la despreocupación de los que creen duradera su felicidad. Precisamente porque esta dulzura ha sido necesaria para parir el dolor –y volverá, por otra parte, a calmarla intermitentemente–, los hombres pueden ser sinceros con otro, y hasta consigo mismos, cuando se jactan de la bondad de una mujer con ellos, aunque, a lo sumo, en el seno de sus relaciones circule constantemente, de manera secreta, inconfesada a los demás, o revelada involuntariamente con preguntas, con indagaciones, una inquietud dolorosa. Pero esta inquietud no podría nacer sin la dulzura previa; incluso después es necesaria la dulzura intermitente para hacer soportable el sufrimiento y evitar las rupturas, y el disimulo del infierno secreto que es la vida común con esa mujer, hasta la ostentación de una intimidad que dicen dulce, expresa un punto de vista verdadero, una relación general entre el efecto y la causa, uno de los modos que han hecho posible la producción del dolor.

Ya no me extrañaba que Albertina estuviera allí y no fuera a salir al día siguiente más que conmigo o bajo la protección de Andrea. Aquellos hábitos de vida en común, aquellas grandes líneas que delimitaban mi existencia y en cuyo interior no podía penetrar nadie más que Albertina, y también (en el plano futuro, todavía desconocido para mí, de mi vida interior, como el que traza un arquitecto para unos monumentos que no se elevarán hasta mucho más tarde) las líneas lejanas, paralelas a éstas y más amplias, que trazaban en mí, como una ermita aislada, la fórmula un poco rígida y monótona de mis amores futuros, habían sido en realidad trazadas en Balbec aquella noche en que, cuando Albertina me reveló en el trenecillo quién la había educado, quise a todo trance sustraerla a ciertas influencias e impedirle que estuviera fuera de mi presencia durante unos días. Los días sucedieron a los días, aquellos hábitos se hicieron maquinales, pero, como esos ritos cuyo significado intenta descubrir la historia, yo hubiera podido decir (y no hubiera querido), a quien me preguntara qué significaba aquella vida retirada en que me secuestraba yo hasta el punto de no ir ya al teatro, que tenía por origen la ansiedad de una noche y la necesidad de probarme a mí mismo, los días que la siguieron, que la mujer de cuya lamentable infancia acababa de enterarme no tendría ya la posibilidad de exponerse a las mismas tentaciones, si es que lo deseaba. Ya sólo de tarde en tarde pensaba en estas posibilidades, pero, sin embargo, seguían vagamente presentes en mi conciencia. El hecho de destruirlas día por día –o de procurar destruirlas– era sin duda la causa de que me fuera tan dulce besar aquellas mejillas que no eran más bellas que otras muchas; bajo toda dulzura carnal un poco profunda, está la permanencia de un peligro.

*

Había prometido a Albertina que, si no salía con ella, me pondría a trabajar. Pero al día siguiente, como si la casa, aprovechando nuestro sueño, hubiera viajado milagrosamente, me despertaba en otro tiempo diferente, en otro clima. No se trabaja cuando se desembarca en un país nuevo a cuyas condiciones hay que adaptarse. Y cada día era para mí un país diferente. Mi misma pereza, ¿cómo reconocerla bajo las nuevas formas que adoptaba? A veces, en días que decían irremediablemente malos, nada más que vivir en la casa situada en medio de una lluvia monótona y continua tenía la resbaladiza dulzura, el silencio calmante, todo el interés de una navegación; otra vez, en un día claro, permanecer inmóvil en mi cama era dejar que giraran las sombras alrededor de mí como de un tronco de árbol. Otras, a las primeras campanadas de un convento vecino, raras como las devotas matinales, vislumbraba uno de esos días tempestuosos, desordenados y agradables, blanqueando apenas el cielo con sus nubes indecisas que el viento tibio fundía y dispersaba, uno de esos días en que los tejados mojados por una ráfaga intermitente que seca un soplo o un rayo de sol dejan caer en un arroyo una gota de lluvia y, a la espera de que gire de nuevo el viento, alisan al momentáneo sol que les irisa sus tejas cuello de pichón; uno de esos días con tantos cambios de tiempo, tantos incidentes aéreos, tantas tormentas, que el perezoso no cree haberlos perdido porque se ha interesado en la actividad que ha desplegado, a falta de él, la atmósfera, actuando de cierta manera en su lugar; días parecidos a esos tiempos de disturbios o de guerra que al escolar que falta a la escuela no le parecen vacíos, porque en los alrededores del Palacio de Justicia o leyendo los periódicos se hace la ilusión de sacar de los acontecimientos producidos, a falta del trabajo no cumplido, un provecho para su inteligencia y una justificación para su ociosidad; días, en fin, comparables a esos en que ocurre en nuestra vida alguna crisis excepcional y de la que el que no ha hecho nunca nada cree que, si termina bien, va a sacar hábitos de trabajo: por ejemplo, la mañana en que sale para un duelo que va a tener lugar en condiciones particularmente peligrosas; entonces, en el momento en que acaso va a perderla, ve de pronto el valor de una vida que hubiera podido aprovechar para comenzar una obra o simplemente para divertirse, y de la que no ha sabido sacar ningún fruto. «Si no me mataran –se dice–, ¡cómo me pondría inmediatamente a trabajar, y también cómo iba a divertirme!» Y es que la vida ha tomado súbitamente para él un valor más grande, porque pone en ella todo lo que parece que la vida puede dar, y no lo poco que él le hace dar habitualmente. La ve según su deseo, no como su experiencia le ha enseñado que él sabía hacerla, es decir, tan mediocre. Se ha llenado de pronto de trabajos, de viajes, de excursiones alpinas, de todas las cosas bellas que, se dice él, podrá hacer imposible el funesto resultado de ese duelo, sin pensar que lo eran ya antes de que surgiera tal duelo, y lo eran por las malas costumbres que, sin el duelo, hubieran continuado. Vuelve a casa sin siquiera una herida. Pero encuentra los mismos obstáculos para los placeres, para las excursiones, para los viajes, para todo aquello de que, por un momento, se había creído despojado por la muerte; para esto, basta la vida. En cuanto al trabajo –pues las circunstancias excepcionales exaltan lo que existía previamente en el hombre, el trabajo en el laborioso, la pereza en el ocioso–, se otorga unas vacaciones.

Yo hacía lo que él, lo que había hecho siempre desde mi vieja resolución de ponerme a escribir, una resolución tomada tiempo atrás, pero que me parecía de ayer, porque había considerado cada día, uno tras otro, como no transcurrido. Lo mismo hacia con éste, dejando pasar sin hacer nada sus chaparrones y sus claros y prometiéndome empezar a trabajar al día siguiente. Pero bajo un cielo sin nubes ya no era el mismo; el dorado sol de las campanas no contenía solamente luz, como la miel, sino la sensación de la luz (y también el sabor insípido de las mermeladas, porque en Combray se había parado como una avispa en nuestra mesa después de retirar el servicio). En aquel día de sol resplandeciente, permanecer todo el día con los ojos cerrados era cosa permitida, usual, saludable, grata, propia de la estación, como tener las persianas cerradas contra el calor. En un tiempo así oía yo, al principio de mi segunda estancia en Balbec, los violines de la orquesta entre las aguas azules de la marea alta. ¡Cuánto más mía era Albertina hoy! Había días en que el toque de una campana que daba la hora llevaba en la esfera de su sonoridad una placa tan fresca, con tan fuerte relieve de agua o de luz, que era como una traducción para ciegos o, si se quiere, como una traducción musical del encanto de la lluvia o del encanto del sol. De tal suerte que, en aquel momento, con los ojos cerrados, en mi cama, me decía que todo puede transformarse y que un universo solamente audible podría ser tan variable como el otro. Remontando perezosamente cada día como en una barca, y viendo aparecer ante mí siempre nuevos recuerdos encantados, que yo no escogía, que un momento antes me eran invisibles y que mi memoria me presentaba uno tras otro sin que pudiese elegirlos, proseguía perezoso mi paseo al sol por aquellos espacios lisos.

Aquellos conciertos matinales de Balbec no eran antiguos. Y, sin embargo, en aquel momento relativamente cercano me importaba poco Albertina. Es más, los primeros días de la llegada no me había enterado de su presencia en Balbec. ¿Por quién me enteré? ¡Ah, sí!, por Amado. Hacía un hermoso sol como éste. ¡El bueno de Amado! Estaba contento de volver a verme. Pero no quiere a Albertina. No todo el mundo puede quererla. Sí, fue él quien me dijo que Albertina estaba en Balbec. Pero ¿cómo lo sabía? ¡Ah!, la había encontrado, le había parecido de mala pinta. En aquel momento, mi pensamiento, abordando el relato de Amado por una cara distinta a la que él me presentó en el momento de hacérmelo, mi pensamiento, que hasta entonces había navegado sonriente por aquellas aguas propicias, estallaba de pronto, como si hubiera chocado con una mina invisible y peligrosa insidiosamente colocada en aquel punto de mi memoria. Me dijo que la había encontrado, que le había parecido de mala pinta. ¿Qué había querido decir con eso de mala pinta? Yo entendí que la había encontrado de pinta vulgar, pues, para contradecirle de antemano, le dije que era distinguida. Pero no, quizá quería decir del gremio gomorriano. Estaba con una amiga, quizá iban cogidas de la cintura, acaso miraban a otras mujeres, acaso tenían, en efecto, una «pinta» que yo no había visto nunca a Albertina en mi presencia. ¿Quién era la amiga? ¿Dónde había visto Amado a esa odiosa Albertina? Procuraba recordar exactamente lo que Amado me dijo, por ver si tenía relación con lo que yo imaginaba o si se refería solamente a maneras vulgares. Pero era inútil que me lo preguntara: la persona que se hacía la pregunta y la persona que podía ofrecer el recuerdo no eran, desgraciadamente, más que una sola y misma persona: yo, que me desdoblaba momentáneamente, pero sin añadir nada. Era inútil preguntar, me contestaba yo mismo, y no averiguaba nada más. Ya no pensaba en mademoiselle Vinteuil. El acceso de celos que sufría, nacido de una sospecha nueva, era nuevo también, o más bien no era más que la prolongación, la ampliación de aquella sospecha; tenía el mismo escenario, que ya no era Montjouvain, sino el camino en que Amado había visto a Albertina; el mismo objeto, las varias amigas entre las que una u otra podía ser la que estaba con Albertina aquel día. Acaso fuera una tal Isabel, o quizá aquellas dos muchachas que Albertina había mirado en el espejo del casino haciendo como que no las veía. Seguramente tenía relaciones con ellas, y también con Ester, la prima de Bloch. Si un tercero me hubiera revelado tales relaciones, eso habría bastado para medio matarme, pero como era yo quien las imaginaba tenía buen cuidado de dejarlas en la suficiente incertidumbre para atenuar el dolor. Bajo la forma de sospechas, llegamos a absorber diariamente en dosis enormes la idea de que nos engañan, esa misma idea que, inoculada en dosis muy ligeras por el picotazo de una palabra brusca, podría ser mortal. Y

sin duda por esto, y por un derivado del instinto de conservación, el mismo celoso no vacila en concebir sospechas
atroces a propósito de hechos inocentes, sin perjuicio de negarse a la evidencia ante la primera prueba que le presenten.
Por otra parte, el amor es un mal incurable, como esas diá-
tesis en las que el reumatismo sólo concede alguna tregua
para dar paso a jaquecas epileptiformes. La sospecha celosa
se había calmado, le reprochaba a Albertina no haber estado
cariñosa, quizá haberse burlado de mí con Andrea. Pensaba
con espanto en la idea que había debido de formarse si Andrea le había repetido todas nuestras conversaciones; el porvenir me parecía terrible. Y estos tristes pensamientos sólo
me dejaban cuando una nueva sospecha me lanzaba a otras
averiguaciones o cuando, por el contrario, las manifestaciones de cariño de Albertina me hacían insignificante mi felicidad. ¿Quién podría ser aquella muchacha? Tendría que escribir a Amado, que procurar verle, y luego, hablando con
Albertina, confesándola, comprobaría lo que me dijera.
Mientras tanto, dando por seguro que sería la prima de
Bloch, pedí a éste, sin que él comprendiera en absoluto con
qué fin, que me enseñara una fotografía de aquella prima o,
mejor aún, que me la presentara.

¡Cuántas personas, cuántas ciudades, cuántos caminos
deseamos conocer por causa de los celos! Los celos son una
sed de saber gracias a la cual acabamos por tener sucesivamente, sobre puntos aislados unos de otros, todas las nociones posibles menos la que quisiéramos. Nunca sabemos si va
a nacer una sospecha, pues de pronto recordamos una frase
que no era clara, una coartada que nos dieron no sin intención. Sin embargo, no hemos vuelto a ver a la persona, pero
hay unos celos *a posteriori* que sólo nacen después de haberla dejado, unos celos de la escalera. Acaso la costumbre que
yo había tomado de guardar en el fondo de mí ciertos deseos, deseo de una muchacha de la alta sociedad como las
que veía pasar desde mi ventana seguidas de su institutriz, y

especialmente de aquella de que me hablara Saint-Loup, aquella que iba a las casas de citas; deseo de las doncellas guapas, y especialmente de la de madame Putbus; deseo de ir al campo al empezar la primavera por ver los espinos, los manzanos en flor, las tormentas; deseo de Venecia, deseo de ponerme a trabajar, deseo de hacer la vida de todo el mundo –acaso la costumbre de conservar en mí, sin satisfacerlos, todos esos deseos, contentándome con la promesa hecha a mí mismo de no olvidar satisfacerlos un día–, acaso esa costumbre añeja del aplazamiento perpetuo, de eso que monsieur de Charlus infamaba con el nombre de «procrastinación», había llegado a ser tan general en mí que se apoderaba también de mis sospechas celosas, y, mientras me hacía decidir mentalmente que no dejaría de tener un día una explicación con Albertina sobre la muchacha, la que fuera (quizá las muchachas, pues esta parte del relato era confusa, borrosa, tanto como decir indescifrable, en mi memoria), con la que (o con las que) Amado la había visto, me hacía aplazar esta explicación. En todo caso, esta noche no hablaría de aquello a mi amiga por no arriesgarme a parecerle celoso y enfadarla.

Pero cuando al día siguiente me envió Bloch la foto de su prima Ester, me apresuré a mandársela a Amado. Y en el mismo momento recordé que Albertina me había negado aquella mañana un placer que hubiera podido cansarla en efecto. ¿Sería quizá que lo reservaba para otro aquella tarde? ¿Para quién? Así de interminables son los celos, pues incluso cuando el ser amado, ya muerto, por ejemplo, no puede provocarlos con sus actos, ocurre que, posteriormente a todo hecho, los recuerdos se comportan de pronto en nuestra memoria como hechos; unos recuerdos que no habíamos aclarado hasta entonces, que nos habían parecido insignificantes, basta nuestra propia reflexión sobre ellos para darles, sin ningún hecho exterior, un sentido nuevo y terrible. No hace falta ser dos, basta estar solo en nuestro cuarto, pensando, para que se produzcan nuevas traiciones de nuestra amada, aunque haya muerto. Por eso en el amor, como en la vida habitual, no se debe temer sólo el porvenir, sino también el pasado, que muchas veces no se realiza para nosotros hasta después del porvenir, y no hablamos solamente del pasado que conocemos inmediatamente, sino del que hemos conservado desde hace mucho tiempo en nosotros y que de pronto aprendemos a leer.

De todos modos, ya cayendo la tarde, yo estaba muy contento de que no iba a tardar la hora en que podría encontrar en la presencia de Albertina la satisfacción que necesitaba. Desgraciadamente, la noche que llegó fue una de aquellas en que no me era otorgada esta satisfacción. En que el beso que Albertina me daría al dejarme, muy diferente del habitual, no me calmaría más que en otro tiempo el de mi madre los días en que estaba enfadada y yo no me atrevía a llamarla de nuevo, pero sentía que no podía dormir. Aquellas noches eran ahora las noches en que Albertina había hecho para el día siguiente algún proyecto que no quería que yo conociese. Si me lo hubiera confiado, yo habría puesto en asegurar su realización un entusiasmo que nadie como Albertina podría inspirarme. Pero no me decía nada y, además, no necesitaba decirme nada; en cuanto entraba, en la puerta misma de mi cuarto todavía con el sombrero o la toca en la cabeza, veía yo el deseo desconocido, disimulado, tenaz, indomable. Y esto solía ocurrir las noches en que yo había esperado su regreso con los más tiernos pensamientos, en que pensaba abrazarme a su cuello con la mayor ternura. Desgraciadamente, estos desacuerdos, como los que yo había tenido muchas veces con mis padres al encontrarlos fríos o irritados cuando yo me acercaba a ellos rebosante de cariño, no son nada comparados con los que se producen entre dos amantes. En este caso, el sufrimiento es mucho menos superficial, mucho más difícil de soportar, radica en una capa más profunda del corazón. Pero aquella noche Albertina no tuvo

más remedio que decirme algo del proyecto que había formado; comprendí en seguida que quería ir al día siguiente a hacer a madame Verdurin una visita que, en sí misma, no me hubiera contrariado en absoluto. Pero seguramente era para ver
allí a alguien, para preparar allí alguna diversión. A no ser así,
no habría tenido tanto empeño en aquella visita. Quiero decir
que no habría repetido que no tenía tal empeño. Yo había seguido en mi vida una marcha inversa a la de los pueblos que
sólo utilizan la escritura fonética después de considerar los caracteres como una serie de símbolos; yo, que durante tantos
años no había buscado la vida y el pensamiento reales de las
personas más que en el enunciado directo que me ofrecían voluntariamente, había llegado por su culpa a lo contrario, a no
dar importancia más que a los testimonios que no son una expresión racional y analítica de la verdad; las palabras mismas
no me decían nada sino con la condición de ser interpretadas
a la manera de un aflujo de sangre a la cara de una persona que
se turba, también a la manera de un silencio súbito. Un adverbio (por ejemplo, empleado por monsieur de Cambremer
cuando creía que yo era «escritor» y, sin haberme hablado todavía, contando una visita que había hecho a los Verdurin, se
volvió hacia mí diciéndome: «Estaba *precisamente* Borelli»),
adverbio surgido en una conflagración por el encuentro involuntario, a veces peligroso, de dos ideas que el interlocutor no
expresaba y de la que, por unos métodos adecuados de análisis o de electrolisis, podía yo deducirlas, me decía más que un
discurso. Albertina dejaba caer a veces en sus palabras una de
estas preciosas amalgamas, que yo me apresuraba a «tratar»
para transformarlas en ideas claras.

Por lo demás, una de las cosas más terribles para el enamorado es que, si los hechos particulares –que sólo se pueden conocer por la experiencia, el espionaje, entre tantas
realizaciones posibles– son tan difíciles de encontrar, en
cambio, la verdad resulta fácil de penetrar o por lo menos de
presentir. Yo la había visto a veces en Balbec fijar en unas

muchachas que pasaban una mirada brusca y prolongada, como una palpación, y después, si yo las conocía, me decía: «¿Y si las llamáramos? Me gustaría insultarlas.» Y desde hacía algún tiempo, seguramente desde que había captado mis dudas, ninguna proposición de invitar a nadie, ninguna palabra, ni siquiera una desviación de las miradas, ya sin objeto y silenciosas, y tan reveladoras, con el gesto distraído y vacante que las acompañaba, como antes fuera su imantación. Y me era imposible hacerle reproches o preguntas sobre cosas que ella hubiera declarado tan mínimas, tan insignificantes, en las que yo me había fijado sólo por el gusto de buscar tres pies al gato. Ya es difícil decir «¿por qué has mirado a esa que pasa?», pero lo es mucho más preguntar «¿por qué no la has mirado?» Y, sin embargo, yo sabía, o al menos lo habría sabido si no hubiera querido creer más bien las afirmaciones de Albertina, todo lo que aquello incluía, todo lo que demostraba, como cualquier contradicción en la conversación de la que yo no solía darme cuenta hasta mucho tiempo después de haberla dejado, que me hacía sufrir toda la noche, de la que no me atrevía ya a volver a hablar, pero que no por eso dejaba de honrar de cuando en cuando mi memoria con sus visitas periódicas. Y aun tratándose de aquellas simples miradas furtivas o desviadas en la playa de Balbec o en las calles de París, a veces podía yo preguntarme si la persona que las provocaba no sería sólo un objeto de deseos cuando pasaba, sino una antigua conocida, o bien una muchacha de la que sólo había oído hablar, con gran asombro mío al enterarme de que le hubieran hablado de ella: tan lejos estaba, a mi juicio, de los conocimientos posibles de Albertina. Pero la Gomorra moderna es un *puzzle* de fragmentos procedentes de donde menos se espera. Así vi yo una vez, en Rivebelle, una gran comida a cuyos diez invitados conocía por casualidad, al menos de nombre, y que, siendo muy dispares, se acoplaban allí perfectamente, de suerte que nunca vi reunión tan homogénea, aunque tan mezclada.

Volviendo a las jóvenes transeúntes, Albertina no hubiera mirado nunca a una señora mayor o a un viejo con tanta fijeza o, al contrario, con tanta reserva y como si no viera. Los maridos engañados, aunque no saben nada lo saben todo, sin embargo. Mas para montar una escena de celos hace falta un expediente más materialmente documentado. Por otra parte, si los celos nos ayudan a descubrir cierta inclinación a mentir en la mujer que amamos, centuplican esta inclinación cuando la mujer ha descubierto que estamos celosos. Miente (en unas proporciones en que nunca nos había mentido antes), bien por piedad o por miedo, o se escapa instintivamente en una huida simétrica a nuestras investigaciones. Cierto que hay amores en los que, desde el principio, una mujer ligera se ha presentado como una virtud a los ojos del hombre que la ama. Pero ¡cuántos otros comprenden dos períodos perfectamente contrastados! En el primero, la mujer habla casi fácilmente, con simples atenuaciones, de su inclinación al placer, de la vida galante a que esta inclinación la ha llevado, cosas todas que negará después con la mayor energía al mismo hombre al notar que está celoso de ella y que la espía. Llega a añorar el tiempo de aquellas primeras confidencias, cuyo recuerdo le tortura, sin embargo. Si la mujer le hiciera ahora otras parecidas, le descubriría ella misma el secreto de las faltas que él persigue inútilmente cada día. Y, además, ¡qué abandono demostraría esto, qué confianza, qué amistad! Si no puede vivir sin engañarle, al menos le engañaría siendo amiga, contándole sus placeres, asociándole a ellos. Y echa de menos esa vida que los comienzos de su amor parecían esbozar, que la continuación ha hecho imposible, transformando aquel amor en algo atrozmente doloroso, en algo que, según los casos, hará inevitable o imposible una separación.

A veces la escritura en la que yo descifraba las mentiras de Albertina, sin ser ideográfica, había, simplemente, que leerla al revés; así aquella noche en que me lanzó, con aire ne-

gligente, este mensaje destinado a pasar casi inadvertido:
«Acaso vaya mañana a casa de los Verdurin, no sé si iré o no,
no tengo muchas ganas». Anagrama pueril de esta declaración: «Mañana iré a casa de los Verdurin, con toda seguridad, pues es importantísimo para mí». Esta duda aparente
significaba una voluntad decidida y el anunciármelo tenía
por objeto quitar importancia a la visita. Albertina empleaba siempre el tono dubitativo para las resoluciones irrevoca-
bles. La mía no lo era menos: me las arreglaría para que no
se realizara la visita a madame Verdurin. Muchas veces los
celos no son más que una inquieta necesidad de tiranía aplicada a las cosas del amor. Seguramente yo había heredado de
mi padre este brusco deseo arbitrario de amenazar a las personas que más quería en las esperanzas que abrigaban con
una seguridad que yo quería demostrarles engañosa; cuando veía que Albertina había combinado sin contar conmigo,
a escondidas de mí, el plan de una salida que yo habría hecho
todo lo posible por hacerle más fácil y más agradable si me
lo hubiera contado, le decía negligentemente, para hacerla
temblar, que pensaba salir aquel día.

Me puse a proponer a Albertina otros paseos que imposi-
bilitarían la visita Verdurin, con palabras teñidas de una fingida indiferencia bajo la cual trataba yo de disimular mi
irritación. Pero ella la había notado. Aquella irritación encontraba en Albertina la fuerza eléctrica de una voluntad
contraria que la rechazaba duramente; los ojos le echaban
chispas. Pero ¿para qué fijarme en lo que decían las pupilas
en aquel momento? ¿Cómo no había notado desde hacía
tiempo que los ojos de Albertina pertenecían a la familia de
los que (hasta en un ser mediocre) parecen hechos de varios
fragmentos, debidos a todos los lugares donde el ser quiere
estar –y ocultar que quiere estar– aquel día? Unos ojos por
mentira siempre inmóviles y pasivos, pero dinámicos,
medibles por los metros o kilómetros que han de recorrer
para encontrarse en el lugar de cita querido, implacable-

mente querido, unos ojos que, más aún que sonreír al placer que los tienta, se aureolan con la tristeza y la decepción ante una posible dificultad para acudir a la cita. Aun entre nuestras manos, esos seres son seres fugitivos. Para comprender las emociones que dan y que otros seres, aunque sean más hermosos, no dan, hay que calcular que no están inmóviles, sino en movimiento, y añadir a su persona un signo correspondiente al que en física significa velocidad.

Si les estropeamos el día, nos confiesan el placer que nos habían ocultado: «¡Me hubiera gustado tanto ir a merendar a las cinco con tal persona a la que quiero!» Bueno, pues si, pasados seis meses, llegamos a conocer a aquella persona, nos enteramos de que la muchacha a quien le chafamos el plan y que, cogida en la trampa, nos confesó, para que la dejáramos libre, que todas las tardes merendaba con una persona querida a la hora en que nosotros no la veíamos, nos enteramos de que esta persona no la ha recibido jamás, de que nunca han merendado juntas, pues la muchacha le decía que tenía un compromiso, precisamente con nosotros. De modo que la persona con la que había dicho que iba a merendar, con la que nos había suplicado que la dejáramos ir a merendar, esa persona, razón confesada por necesidad, no era ella, era también otra cosa. Otra cosa, ¿qué? Otra persona, ¿quién?

Desgraciadamente, los ojos fragmentados, mirando lejos y tristes, permitirán quizá medir las distancias, pero no indican las direcciones. Se extiende el campo infinito de los posibles, y si por casualidad la realidad se presentara ante nosotros, estaría tan fuera de los posibles que yendo a chocar, en un brusco aturdimiento, contra ese muro levantado, caeríamos de espaldas. Ni siquiera son indispensables el movimiento y la huida comprobados, basta que los induzcamos. Nos había prometido una carta, estábamos tranquilos, ya no amábamos. La carta no ha llegado, ningún correo la trae, «¿qué pasa?»; renace la ansiedad y renace el amor. Para desgracia nuestra, son sobre todo de esta clase de seres los que nos inspiran el amor. Pues cada nueva ansiedad que sentimos por ellos les quita personalidad para nosotros. Nos habíamos resignado al sufrimiento, creyendo amar fuera de nosotros, y nos damos cuenta de que nuestro amor es función de nuestra tristeza, de que nuestro amor es quizá nuestra tristeza, y de que el objeto de ese amor no es sino en pequeña parte la muchacha de la negra cabellera. Pero, al fin y al cabo, son sobre todo esas criaturas las que inspiran el amor.

Generalmente, el objeto del amor no es un cuerpo sino cuando se funden en él una emoción, el miedo de perderlo, la inseguridad de recuperarlo. Ahora bien, esta clase de ansiedad tiene una gran afinidad para los cuerpos. Les añade una cualidad que supera a la belleza misma, y ésta es una de las razones de que algunos hombres, indiferentes ante las mujeres más bellas, amen apasionadamente a algunas que nos parecen feas. A estos seres, a estos seres de fuga, su naturaleza, nuestra inquietud, les ponen alas. E incluso cuando están con nosotros su mirada parece decirnos que van a echar a volar. La prueba de esta belleza, superior a la belleza, que añaden las alas, es que muchas veces, para nosotros, un mismo ser es sucesivamente un ser sin alas y un ser alado. Cuando tenemos miedo de perderle, olvidamos a todos los demás. Seguros de conservarle, le comparamos a esos otros que vamos a preferir en seguida. Y como estas emociones y estas certidumbres pueden alternar de una semana a otra, puede ocurrir que una semana sacrifiquemos a un ser todo lo que nos gusta y que a la semana siguiente sea él el sacrificado, y así sucesivamente durante mucho tiempo. Lo cual sería incomprensible si no supiéramos (por la experiencia que todo hombre tiene de haber dejado, por lo menos una vez en su vida, de amar a una mujer) lo poco que es en sí mismo un ser cuando ya no es o todavía no es permeable a nuestras emociones. Y, naturalmente, cuando decimos «seres de fuga», esto es igualmente aplicable a personas encarceladas, a mujeres cautivas que creemos no serán nunca nuestras. Por eso los hombres detestan a las celestinas, pues facilitan la huida, hacen relucir la tentación; pero, en cambio, si aman a una mujer enclaustrada, suelen buscar a las celestinas para hacerla salir de la prisión y llevársela. En la medida en que las uniones con las mujeres raptadas son menos duraderas que otras, se debe a que todo nuestro amor es el miedo de no llegar a conseguirlas o la inquietud de que huyan y de que, una vez separadas de su marido, arrancadas de su escenario, curadas de la tentación de dejarnos, disociadas, en una palabra, de nuestra emoción, cualquiera que ésta sea, esas mujeres ya no son más que ellas mismas, es decir, casi nada, y, durante tanto tiempo codiciadas, pronto las abandona el mismo que tanto miedo tenía de que ellas le dejaran.

Dije: «¿Cómo no lo adiviné?» Pero ¿no lo había adivinado desde el primer día en Balbec? ¿No había adivinado en Albertina a una de esas muchachas bajo cuya envoltura carnal palpitan más seres ocultos, no ya que en un juego de naipes todavía en su caja, en una catedral cerrada o en un teatro antes de que entremos en él, sino en la multitud inmensa y renovada? Y no sólo tantos seres, sino el deseo, el recuerdo voluptuoso, la inquietud busca tantos seres. En Balbec no me había preocupado porque ni siquiera había supuesto que un día llegaría a estar sobre unas pistas incluso falsas. No importa, esto había dado para mí a Albertina la plenitud de un ser colmado hasta el borde por la superposición de tantos seres, de tantos deseos y recuerdos voluptuosos de seres. Y ahora que me dijo un día «mademoiselle Vinteuil», yo hubiera querido no quitarle el vestido para ver su cuerpo, sino ver, a través de su cuerpo, todo aquel cuaderno de sus recuerdos y de sus próximas y ardientes citas.

¡Qué extraordinario valor toman de pronto las cosas, a veces las más insignificantes, cuando un ser al que amamos (o al que sólo faltaba esta duplicidad para que le amáramos) nos las oculta! El sufrimiento, por sí mismo, no nos inspira forzosamente sentimientos de amor o de odio por la persona que lo causa: un cirujano que nos hace daño sigue siéndonos indiferente. Pero una mujer que durante algún tiempo nos ha dicho que éramos todo para ella, sin que ella fuera todo para nosotros, una mujer que nos complace verla, besarla, tenerla sobre nuestras rodillas, a poco que sintamos, por una brusca resistencia, que no disponemos de ella, se produce en nosotros una gran extrañeza. A veces la decepción despierta en nosotros el recuerdo olvidado de una angustia antigua, aunque sabemos que no fue provocada por esta mujer, sino por otra cuyas traiciones se escalonan en nuestro pasado. Y, por cierto, ¿cómo tenemos el valor de desear vivir, cómo podemos hacer nada para preservarnos de la muerte, en un mundo en que el amor no es provocado más que por la mentira y consiste solamente en la necesidad de que calme nuestros sufrimientos la criatura que nos ha hecho sufrir? Para salir de la desesperación que sentimos cuando descubrimos esa mentira y esa resistencia, hay el triste remedio de procurar actuar, a pesar de ella, con ayuda de los seres que sabemos más dentro de su vida que nosotros mismos, sobre la que nos resiste y nos miente, a engañar nosotros mismos, a suscitar su odio. Pero el sufrimiento de un amor así es igual que el que lleva a un enfermo a buscar en un cambio de postura un bienestar ilusorio. Desgraciadamente, esos medios de acción no nos faltan. Y el horror de esos amores nacidos sólo de la inquietud proviene de que, en nuestra jaula, damos vueltas y más vueltas a palabras insignificantes; sin contar que los seres por quienes sentimos esos amores rara vez nos gustan físicamente de una manera completa, porque no es nuestro gusto deliberado, sino el azar de un minuto de angustia (minuto indefinidamente prolongado por una debilidad de carácter que cada noche repite experiencias y se rebaja a calmantes) quien ha elegido por nosotros.

Desde luego mi amor a Albertina no era el más pobre de esos en que por falta de voluntad podemos caer, pues no era enteramente platónico; Albertina me daba satisfacciones carnales, y además era inteligente. Pero todo esto era suplementario. Lo que me ocupaba el espíritu no era cualquier cosa inteligente que ella hubiera podido decir, sino alguna palabra que suscitaba en mí una duda sobre sus actos; intentaba recordar si me había dicho esto o aquello, en qué tono, en qué momento, en respuesta a qué palabra, reconstituir toda la escena de su diálogo conmigo, en qué momento había querido ir a casa de los Verdurin, qué palabras mías le habían hecho poner cara de enfado. Tratárase del acontecimiento más importante y no me hubiera esforzado yo tanto por restablecer la verdad o reconstruir la atmósfera y el color exacto. Sin duda estas inquietudes, llegadas a un grado en que se nos hacen insoportables, a veces logramos calmarlas completamente por una noche. Cuando tanto trabaja nuestra mente por adivinar qué clase de fiesta es aquella a la que tiene que ir nuestra amiga, resulta que nos invitan también a nosotros, que nuestra amiga sólo para nosotros tiene ojos, la llevamos a casa y, disipadas nuestras inquietudes, gozamos de un reposo tan completo, tan reparador como el que disfrutamos a veces en ese sueño profundo que sigue a las largas caminatas. Y no cabe duda de que un reposo así vale la pena de pagarlo caro. Pero ¿no hubiera sido más sencillo no comprar nosotros mismos, voluntariamente, la ansiedad, y más cara todavía? Por otra parte, bien sabemos que, por profundos que puedan ser esos descansos momentáneos, la inquietud será de todos modos la más fuerte. Y aun ocurre que la renueva la frase que se proponía tranquilizarnos. Las exigencias de nuestros celos y la ceguera de nuestra credulidad son más grandes de lo que podía suponer la mujer que amamos. Cuando nos jura espontáneamente que tal o cual hombre no es para ella más que un amigo, nos perturba enterándonos de que es para ella un amigo

–cosa que no sospechábamos–. Mientras nos cuenta, para demostrarnos su sinceridad, que esa misma tarde tomaron el té juntos, a cada palabra que dice, el invisible, el insospechado va tomando forma ante nosotros. Nos confiesa que él le pidió que fuera su amante y sufrimos el martirio de que ella pudiera escuchar sus proposiciones. Nos dice que las rechazó. Pero dentro de un momento, recordando su relato, nos preguntaremos si esa negativa es verdadera, pues entre las diferentes cosas que nos dijo hay esa falta de vinculación lógica y necesaria que es, más que los hechos que se cuentan, el signo de la verdad. Y además tuvo ese terrible tono desdeñoso –«Le dije que no, rotundamente»–, que se encuentra en todas las clases de la sociedad cuando una mujer miente. Sin embargo, tenemos que agradecerle que se negara, animarla con nuestra bondad a que siga haciéndonos en el futuro esas confidencias tan crueles. A lo sumo, hacemos esta observación: «Pero si ya te había hecho proposiciones, ¿por qué te has prestado a tomar el té con él? –Para que no se enfadara y no me dijera que no era buena.»

Y no nos atrevemos a contestarle que negándose hubiera sido quizá más buena para nosotros.

Por otra parte, Albertina me asustaba diciéndome que yo hacía bien en decir, para no perjudicarla, que no era su amante, porque además, añadía, «la verdad es que no lo eres». En efecto, quizá no lo era completamente, pero entonces, ¿había que pensar que todas las cosas que hacíamos juntos las hacía también ella con todos los hombres de los que me juraba que no era amante? ¡Querer conocer a todo trance lo que Albertina pensaba, a quién veía, a quién amaba! ¡Qué extraño era que yo sacrificase todo a esta necesidad, cuando antes, con Gilberta, la había sentido igualmente de saber nombres propios, hechos que ahora me eran tan indiferentes! Me daba muy bien cuenta de que los actos de Albertina, en sí mismos, ya no tenían interés. Es curioso que un primer amor, al abrirnos, por la fragilidad que deja en nuestro corazón, el camino para los amores siguientes, no nos dé al menos, siendo idénticos los síntomas y los sufrimientos, el medio de curarlos. Por otra parte, ¿hay necesidad de saber un hecho? ¿No conocemos en primer lugar, en general, la mentira y la discreción misma de esas mujeres que tienen algo que ocultar? ¿Hay posibilidad de error? Tienen a virtud callar, cuando tanto desearíamos hacerles hablar. Y sentimos que han asegurado a su cómplice: «Nunca diré nada. No será por mí por quien se enterarán, yo no digo nunca nada.»

Damos nuestra fortuna, nuestra vida a un ser, y, sin embargo, sabemos muy bien que en un plazo de diez años, más tarde o más temprano, negaríamos a ese ser nuestra fortuna, preferiríamos conservar la vida. Pues entonces ese ser quedaría desprendido de nosotros, solo, es decir, nulo. Lo que nos une a los seres son esas mil raíces, esos innumerables hilos que constituyen los recuerdos de la noche anterior, las esperanzas de la mañana siguiente; esa trama continua de hábitos de la que no podemos desprendernos. Así como hay avaros que atesoran por generosidad, nosotros somos pródigos que gastamos por avaricia, y, más que a un ser, sacrificamos nuestra vida a todo lo que ha podido fijar en torno suyo de nuestras horas, de nuestros días, de eso junto a lo cual la vida no vivida aún, la vida relativamente futura, nos parece una vida más lejana, más separada de nosotros, menos íntima, menos nuestra. Lo que haría falta es liberarse de esos lazos que tienen mucha más importancia que ese ser, pero crean en nosotros deberes momentáneos hacia él, deberes por los que no nos atrevemos a dejarle por miedo de que nos juzgue mal, mientras que más tarde nos atreveríamos, pues desprendido de nosotros ya no sería nosotros, y, en realidad, no nos creamos deberes más que con nosotros mismos (aunque por una contradicción aparente pudieran llegar al suicidio).

Si no amaba a Albertina (de lo que no estaba seguro), el lugar que ocupaba junto a mí no tenía nada de extraordinario: sólo vivimos con lo que no amamos, con lo que no hemos hecho vivir con nosotros más que para matar el insoportable amor, trátese de una mujer, de un país, o también de una mujer que lleva en sí un país. Y hasta tendríamos mucho miedo de volver a amar si la ausencia se produjera de nuevo. Yo no había llegado a este punto con Albertina. Sus mentiras, sus confesiones me dejaban la tarea de acabar de averiguar la verdad: sus mentiras, tan numerosas, porque no se contentaba con mentir como todo ser que se cree amado, sino que, además de esto, era mentirosa por naturaleza (y tan variable además que, aun diciéndome alguna vez la verdad, por ejemplo, sobre lo que pensaba de las gentes, hubiera dicho cada vez cosas distintas); sus confesiones, porque siendo tan raras, tan incompletas, dejaban entre ellas, cuando se referían al pasado, grandes intervalos en blanco que yo tenía que llenar, y para esto empezar por averiguar su vida.

En cuanto al presente, hasta donde yo podía interpretar las palabras sibilinas de Francisca, Albertina me mentía no ya sobre asuntos particulares, sino sobre todo un conjunto, y «un buen día» vería yo lo que Francisca aparentaba saber, lo que no quería decirme, lo que yo no me atrevía a preguntarle. Por otra parte, Francisca, seguramente por los mismos celos que en otro tiempo tuvo de Eulalia, hablaba de las cosas más inverosímiles, tan vagas que, a lo sumo, se podía suponer en ellas la insinuación, muy inverosímil, de que la pobre cautiva (a la que le gustaban las mujeres) prefería una boda con alguien que no parecía ser yo. Si así fuera, ¿cómo lo habría sabido Francisca, a pesar de sus radiotelepatías? Desde luego, lo que Albertina me contaba no podía en modo alguno sacarme de dudas, pues era cada día tan opuesto como los colores de un trompo casi parado. Además, se notaba que era el odio lo que hacía hablar a Francisca. No había día en que no me dijera, y en que yo no soportase, en ausencia de mi madre, palabras como:

«Desde luego usted es bueno y nunca olvidaré la gratitud que le debo –esto probablemente para que yo me cree derechos a su gratitud–, pero la casa está infectada desde que la bondad ha metido aquí a la bribonería, desde que la inteligencia protege a la más tonta que nunca se vio, desde que la finura, los modales, el espíritu, la dignidad en todo, el aire y la realidad de un príncipe se dejan imponer la ley y engatusar, mientras que a mí, que llevo cuarenta años en la familia, me humilla el vicio, lo más vulgar y lo más bajo.»

Lo que más rabia le daba a Francisca de Albertina era que la mandara otra persona que no fuéramos nosotros y un aumento de trabajo en la casa, un cansancio que, al alterar la salud de nuestra vieja sirvienta (que a pesar de eso no quería que nadie le ayudara, pues ella no era «una inútil»), bastaría para explicar aquella irritación, aquellas iras rencorosas. Naturalmente, hubiera querido que desapareciera Albertina-Ester. A esto aspiraba Francisca y esto la hubiera consolado y dejado tranquila. Pero creo que no era solamente esto. Un odio así sólo podía nacer en un cuerpo cansado. Y, más aún que atenciones, Francisca necesitaba sueño.

Mientras Albertina iba a cambiarse de ropa, y para avisar cuanto antes, cogí el receptor del teléfono e invoqué a las divinidades implacables, pero no hice más que suscitar su furia, que se tradujo en estas palabras: «No está libre». En efecto, Andrea estaba hablando con alguien. Mientras esperaba que acabara de hablar, me preguntaba yo por qué, habiendo tantos pintores que intentan renovar los retratos femeninos del siglo XVIII en los que la ingeniosa escenografía es un pretexto para las expresiones de la espera, del enfado, del interés, del ensueño, ninguno de nuestros modernos Boucher y de los que Saniette llamaba Watteau de vapor[1], no pintaban, en lugar de La carta, El clavicordio, etc., esa escena que se podría llamar: «Ante el teléfono», y en la que tan espontánea-

1. Se supone que se trata de un juego de palabras: *Watteau* se pronuncia aproximadamente como *bateau* (barco). *(N. de la T.)*

mente nacería en los labios de la que está escuchando una sonrisa más verdadera, puesto que no la ven. Por fin Andrea pudo oírme: «¿Vendrá a buscar a Albertina mañana?», y al pronunciar este nombre de Albertina pensaba yo en la envidia que me inspiró Swann cuando me dijo, el día de la fiesta de la princesa de Guermantes: «Venga a ver a Odette», y yo pensé que, a pesar de todo, había fuerza en un nombre que para todo el mundo y para la misma Odette sólo en boca de Swann tenía aquel sentido absolutamente posesivo. Cada vez que estaba enamorado, me parecía que debía de ser tan dulce un acto de posesión como aquél –resumido en un vocablo– sobre toda una existencia. Pero, en realidad, cuando se puede decirlo, o bien la cosa es ya indiferente, o bien la costumbre, si no ha embotado el cariño, las dulzuras se han tornado dolores. Yo sabía que sólo yo podría decir así «Albertina» a Andrea. Y, sin embargo, sentía que para Albertina, para Andrea y para mí mismo yo no era nada. Y comprendía la imposibilidad con que se estrella el amor. Nos imaginamos que tiene por objeto un ser que puede estar acostado ante nosotros, encerrado en un cuerpo. ¡Ay! Es la prolongación de ese ser a todos los puntos del espacio y del tiempo que ese ser ha ocupado y ocupará. Si no poseemos su contacto con tal lugar, con tal hora, no poseemos a ese ser. Ahora bien, no podemos llegar a todos esos puntos. Si por lo menos nos los señalaran, acaso podríamos llegar hasta ellos. Pero andamos a tientas y no los encontramos. De aquí la desconfianza, los celos, las persecuciones. Perdemos un tiempo precioso en una pista absurda y pasamos sin sospecharlo al lado de la verdadera.

Pero ya una de las divinidades irascibles con sirvientes vertiginosamente ágiles se irritaba no de que hablase, sino de que no dijese nada. «¡Vamos a ver, está libre! Con el tiempo que lleva en comunicación, le voy a cortar.» Pero no lo hizo, y suscitando la presencia de Andrea, la envolvió, como gran poeta que es siempre una señorita telefonista, en la atmósfera especial de la casa, en el barrio, en la vida misma de la amiga de Albertina.

–¿Es usted? –me dijo Andrea, cuya voz era proyectada hasta mí con instantánea rapidez por la diosa que tiene el privilegio de hacer los sonidos más veloces que el rayo.

–Escuche –contesté–, vayan donde quieran, a cualquier sitio menos a casa de madame Verdurin. Mañana hay que alejar a todo trance a Albertina de esa casa.

–Pero precisamente tiene que ir mañana.

–¡Ah!

Pero tenía que interrumpir un momento y hacer unos gestos amenazadores, pues Francisca, que seguía sin querer aprender a telefonear –como si fuera una cosa tan desagradable como la vacuna o tan peligrosa como el aeroplano–, lo que nos hubiera descargado de algunas comunicaciones que ella podía conocer sin inconveniente, en cambio entraba en mi cuarto tan pronto como yo estaba sosteniendo una lo bastante secreta para que me interesase particularmente ocultársela. Cuando por fin salió de la habitación, no sin remolonear para llevarse diversos objetos que estaban allí desde la víspera y allí hubieran podido seguir una hora más sin estorbar en absoluto, y para echar al fuego un leño perfectamente innecesario por el calor que me daba la presencia de la intrusa y el miedo de que la telefonista me cortara, dije a Andrea:

–Perdóneme, me han interrumpido. ¿Es absolutamente seguro que Albertina tiene que ir mañana a casa de los Verdurin?

–Absolutamente, pero puedo decirle que a usted le molesta que vaya.

–No, al contrario; es posible que yo vaya con ustedes.

–¡Ah! –exclamó Andrea como contrariada y como asustada de mi audacia, que por lo demás no hizo sino afirmarse.

–Bueno, la dejo, y perdone que la haya molestado para nada.

–Eso no –dijo Andrea y (como ahora el uso del teléfono era ya corriente y en torno a él se había formado un adorno de frases especiales, como antes en torno a los tés) añadió–: Me ha sido muy grato oír su voz.

Yo hubiera podido decirle lo mismo, y más verídicamente que ella, pues había sido muy sensible a su voz, que hasta entonces no había notado tan diferente de las demás. Entonces recordé otras voces, sobre todo voces de mujeres, unas despaciosas, por la precisión de una pregunta y la atención de la mente, otras atropelladas, hasta cortadas, por el torrente lírico de lo que cuentan; recordé una por una la voz de cada muchacha que había conocido en Balbec, después la de Gilberta, después la de mi abuela, después la de madame de Guermantes; las encontré todas diferentes, adaptadas a un lenguaje particular de cada una, tocando todas un instrumento diferente, y pensé qué mísero concierto deben de dar en el Paraíso los tres o cuatro ángeles músicos de los antiguos pintores, cuando veía elevarse hacia Dios, por docenas, por centenares, por millares, la armoniosa y multisonora salutación de todas las Voces. No dejé el teléfono sin dar las gracias, con unas palabras propiciatorias a Aquella que reina sobre la velocidad de los sonidos, por haberse dignado usar en favor de mis humildes palabras de un poder que las hacía cien veces más rápidas que el trueno. Pero mis acciones de gracias no tuvieron otra respuesta que cortarlas.

Cuando Albertina volvió a mi cuarto vestía una bata de raso negro que contribuía a acentuar su palidez, a hacer de ella la parisiense lívida, ardiente, anémica por la falta de aire, la atmósfera de las multitudes y acaso el hábito del vicio, y cuyos ojos parecían más inquietos porque no los animaba el rojo de las mejillas.

–Adivina –le dije– a quién acabo de telefonear: a Andrea.

–¿A Andrea? –exclamó Albertina en un tono vivo, sorprendido, emocionado, impropio de una noticia tan sencilla–. Espero que se le habrá ocurrido decirte que el otro día encontramos a madame Verdurin.

–¿A madame Verdurin? No recuerdo –contesté aparentando que pensaba en otra cosa, a la vez para parecer indiferente a aquel encuentro y para no vender a Andrea, que me había dicho a dónde iría Albertina al día siguiente.

Pero quizá Andrea me traicionaría, quizá al día siguiente contaría a Albertina que yo le había pedido que le impidiera a toda costa ir a casa de los Verdurin. Acaso le había contado ya que yo le había hecho varias veces recomendaciones análogas. Aunque me asegurara que nunca se las repitió, el valor de esta afirmación perdía peso en mi ánimo por la impresión de que, desde hacía algún tiempo, ya no veía en la cara de Albertina la confianza que durante tanto tiempo había tenido en mí.

En el amor, el sufrimiento cesa a ratos, pero para volver de una manera diferente. Lloramos al ver que la persona que amamos no tiene ya con nosotros aquellos arrebatos de simpatía, aquellos gestos amorosos del principio, y nos duele más aún que habiéndolos perdido para nosotros los tenga para otros; después, de este sufrimiento nos distrae un nuevo mal más atroz, la sospecha de que nos ha mentido sobre la noche de la víspera, y seguramente nos ha mentido; esta sospecha se disipa también, el cariño que nos demuestra nuestra amiga nos tranquiliza; pero entonces nos viene a la mente una palabra olvidada: nos dijeron que era ardiente en el placer, y sólo la hemos conocido tibia; intentamos imaginar lo que fueron sus frenesís con otros, y sentimos lo poco que somos para ella, observamos un gesto de aburrimiento, de nostalgia, de tristeza mientras hablamos, vemos como un cielo negro los vestidos descuidados que se pone cuando está con nosotros, guardando para los demás aquellos con los que al principio nos halagaba. Si, por el contrario, está cariñosa, ¡qué momento de alegría! Pero al verla sacar esa lengüita como para llamar a alguien, pensamos en aquellas a quienes tan a menudo dirigía esa llamada, que, tal vez, aun estando conmigo, sin que Albertina pensara en ellas, era ya, por un hábito muy prolongado, un signo maquinal. Luego vuelve el sentimiento de que la aburrimos. Pero, de pronto, este sufrimiento casi desaparece cuando pensamos en lo desconocido maléfico de su vida, en los lugares imposibles de conocer donde ha estado, y acaso también en las horas que no estamos con ella, y eso suponiendo que no proyecte vivir definitivamente en aquellos lugares donde está lejos de nosotros, donde no es nuestra, donde es más feliz que con nosotros. Así son las luces giratorias de los celos.

Los celos son también un demonio al que no se puede exorcizar, y reaparece siempre, encarnado bajo una nueva forma. Y aunque pudiéramos llegar a exterminarlas todas, a conservar perpetuamente a la que amamos, el Espíritu del Mal tomaría entonces otra forma aún más patética, el desconsuelo de no haber logrado la fidelidad más que por la fuerza, el desconsuelo de no ser amado.

Por dulce que Albertina fuera algunas noches, ya no tenía aquellos arranques espontáneos que yo le había conocido en Balbec cuando me decía: «Pero ¡qué bueno eres!» Y el fondo de su corazón parecía venir a mí sin la reserva de ninguno de los agravios que ahora tenía y que callaba, porque seguramente los consideraba irreparables, imposibles de olvidar, inconfesados, pero que no por eso dejaban de poner entre ella y yo la prudencia significativa de sus palabras o el intervalo de un infranqueable silencio.

−¿Y se puede saber por qué has telefoneado a Andrea?

−Para preguntarle si no la molestaría que vaya mañana con vosotras a hacer a los Verdurin la visita que les tengo prometida desde la Raspelière.

−Como quieras. Pero te advierto que esta noche hay una niebla tremenda y que seguramente la habrá también mañana. Te digo esto porque no quisiera que te hiciera daño. Ya puedes suponer que, por mí, prefiero que vengas con nosotras. Además –añadió con gesto preocupado–, no sé si iré a casa de los Verdurin. Han sido tan amables conmigo que debería ir. Después de ti, son las personas que mejores han sido para mí, pero tienen algunas pequeñas cosas que no me gustan. Tengo que ir sin falta al Bon Marché o a los Trois-Quartiers a comprarme un pechero blanco, pues este vestido es demasiado oscuro.

Dejar a Albertina ir sola a unos grandes almacenes en los que se roza uno con tanta gente, en los que hay tantas puertas que se puede decir que, a la salida, no se encontró el coche que estaba esperando más lejos, era cosa que yo estaba decidido a no consentir, pero, en todo caso, me sentía desgraciado. Y, sin embargo, no me daba cuenta de que debía haber dejado a Albertina hacía mucho tiempo, pues había entrado para mí en ese lamentable período en que un ser, diseminado en el espacio y en el tiempo, ya no es para nosotros una mujer, sino una serie de acontecimientos que no podemos poner en claro, una serie de problemas insolubles, un mar que, como Jerjes, queremos ridículamente azotar para castigarle por lo que se ha tragado. Una vez iniciado este período, somos inevitablemente vencidos. ¡Dichosos los que lo comprenden a tiempo para no prolongar una lucha inútil, agotadora, cerrada en todas direcciones por los límites de la imaginación y en la que los celos se debaten tan vergonzosamente que el mismo que antes, sólo con que la mujer que estaba siempre junto a él mirara un instante a otro, imaginaba una intriga y sufría grandes tormentos, se resigna después a dejarla salir sola, a veces con el hombre que él sabe que es su amante y prefiere esta tortura, al menos conocida, a otra desconocida! Es cuestión de adoptar un ritmo que luego se sigue por costumbre. Nerviosos hay que no podrían perder una comida y después se someten a curas de reposo interminables; mujeres que, hace todavía poco, eran ligeras viven en la penitencia. Celosos hay que, por espiar a su amada, se acortaban el sueño y el descanso y que después

–sintiendo que sus deseos de ella, el mundo tan vasto y tan secreto, el tiempo, son más fuertes– la dejan salir sin ellos, viajar después, hasta que se separan. Así, por falta de alimento, mueren los celos, y si duraron tanto fue solamente por haberlo reclamado sin cesar. Yo estaba muy lejos de este estado.

Ahora podía salir con Albertina siempre que quisiera. Como no tardaron en construir cerca de París hangares de aviación, que son para los aeroplanos lo que los puertos para los barcos, y como desde el día en que, cerca de la Raspelière, el encuentro casi mitológico de un aviador, cuyo vuelo hizo casi que se encabritara mi caballo, era para mí como una imagen de la libertad, solía elegir uno de estos aeródromos para nuestros paseos del atardecer, lo que además complacía a Albertina, muy aficionada a todos los deportes. A los dos nos atraía esa vida incesante de las salidas y de las llegadas que tanto encanto dan a los paseos por las escolleras o simplemente por la arena para los que aman el mar, y en torno a un centro de aviación para los que aman el cielo. A cada momento, entre el reposo de los aparatos inertes y como anclados, veíamos uno penosamente arrastrado por varios mecánicos, como se arrastra sobre la arena una barca solicitada por un turista que quiere dar un paseo por el mar. Después ponían el motor en marcha, el aparato corría, tomaba impulso, hasta que al fin, de pronto, se elevaba lentamente en ángulo recto, en el éxtasis rígido, como inmovilizado, de una velocidad horizontal transformada de pronto en majestuosa y vertical ascensión. Albertina no podía contener su alegría y pedía explicaciones a los mecánicos que, ya a flote el aparato, regresaban. Mientras tanto, el aparato no tardaba en tragarse los kilómetros; el gran esquife, del que no apartábamos los ojos, no era ya en el azul más que un punto casi indistinto, hasta que recobraba poco a poco su materialidad, sus dimensiones, su volumen, cuando, a punto de terminar el paseo, llegaba el momento de volver a puerto. Y Albertina y yo mirábamos con envidia, en el momento en que saltaba a tierra, al paseante que había ido a gozar a sus anchas, en aquellos horizontes solitarios, de la calma y de la limpidez del atardecer. Después, fuera del aeródromo, fuera de algún museo o de alguna iglesia que hubiéramos ido a visitar, volvíamos juntos para la hora de comer. Pero yo no volvía sosegado como volvía en Balbec de paseos menos frecuentes, orgulloso de que duraran toda una tarde y que contemplaba después, destacándose en hermosos macizos de flores sobre el resto de la vida de Albertina como sobre un cielo inhabitado ante el cual soñamos dulcemente, sin pensar. Entonces, el tiempo de Albertina no me pertenecía en cantidades tan grandes como ahora. Sin embargo, me parecía mucho más mía, porque sólo contaba las horas que pasaba conmigo –mi amor las celebraba como un favor–; ahora contaba sólo las horas que pasaba sin mí, mis celos buscaban con inquietud en ellas la posibilidad de una traición.

Y mañana ella desearía, sin duda, que hubiera horas de éstas. Habría que elegir entre dejar de sufrir o dejar de amar. Pues así como al principio el amor está formado de deseos, más tarde sólo lo sostiene la ansiedad dolorosa. Sentía que una parte de la vida de Albertina se me escapaba. El amor, en la ansiedad dolorosa como en el deseo feliz, es la exigencia de un todo. Sólo nace, sólo subsiste si queda una parte por conquistar. Sólo se ama lo que no se posee por entero. Albertina mentía al decirme que seguramente no iría a ver a los Verdurin, como mentía yo al decir que quería ir a su casa. Ella quería solamente impedirme que saliera con ella, y yo, con la brusca notificación de aquel proyecto que no pensaba en absoluto cumplir, quería tocar en ella el punto que adivinaba más sensible, acosar el deseo que ocultaba y obligarla a confesar que mi presencia junto a ella le impediría mañana satisfacerlo. En realidad, lo había hecho al decir bruscamente que no quería ir a casa de los Verdurin.

–Si no quieres ir a casa de los Verdurin –le dije–, en el Trocadero dan una magnífica función de beneficio.

Escuchó con aire doliente mi consejo de ir a aquella función. Volví a ser duro con ella como en Balbec, en los tiempos de mis primeros celos. Su cara reflejaba una decepción, y yo empleaba en censurar a mi amiga las mismas razones con que me censuraban a mí mis padres cuando era pequeño y que a mi infancia incomprendida le habían parecido ininteligentes y crueles.

–No, a pesar de tu gesto de tristeza –le decía a Albertina–, no puedo compadecerte; te compadecería si estuvieras enferma, si te hubiera ocurrido una desgracia, si hubieras perdido a una persona de la familia; lo que quizá no te daría ninguna pena, teniendo en cuenta el derroche de falsa sensibilidad que haces por nada. Además, yo no aprecio la sensibilidad de las personas que nos dicen que nos quieren y no son capaces de hacernos el más pequeño favor y que tan poco piensan en nosotros que olvidan llevar la carta que les hemos encomendado y de la que depende nuestro porvenir.

Estas palabras –pues una gran parte de lo que decimos no es más que una recitación– se las había oído yo mucho a mi madre, la cual (muy amiga de explicarme que no se debía confundir la verdadera sensibilidad con la sensiblería, lo que, decía ella, los alemanes, cuya lengua admiraba mucho mi madre a pesar del horror de mi abuelo por esta nación, llamaban *Empfindung* y *Empfindelei*), una vez que yo estaba llorando, llegó a decirme que Nerón era quizá nervioso y no por eso era mejor persona. En realidad, como ocurre con esas plantas que se desdoblan al crecer, al niño sensitivo que yo había sido se enfrentaba ahora un hombre opuesto, lleno de buen sentido, de severidad para la sensibilidad enfermiza de los demás, un hombre parecido a lo que mis padres habían sido para mí. Como todos debemos continuar en nosotros la vida de los nuestros, sin duda el hombre ponderado y burlón que no existía en mí al principio se había incorporado al hombre sensible, y era natural que así fuera, porque así habían sido mis padres. Por otra parte, al formarse este

nuevo ser, encontraba su lenguaje ya preparado en el recuerdo del otro, irónico y reparón, con que me habían hablado,
en el que ahora hablaba yo a los demás, y que salía de mi
boca con toda naturalidad, bien porque yo lo evocase por
mimetismo y asociación de recuerdos, o porque también las
delicadas y misteriosas incrustaciones del poder genésico
hubiesen dibujado en mí, sin intervención mía, como en la
hoja de una planta, las mismas entonaciones, los mismos
gestos, las mismas actitudes que habían tenido los que me
dieron vida. ¿No había llegado mi madre a creer (de tal manera unas oscuras corrientes subconscientes orientaban en
mí hasta los más pequeños movimientos de mis dedos ya
impulsados a los mismos ciclos que mis padres) que era mi
padre quien entraba, tan igual a la suya era mi manera de
llamar?

Por otra parte, el acoplamiento de los elementos contra-
rios es la ley de la vida, el principio de la fecundación y,
como veremos, la causa de muchos males. Habitualmente
detestamos lo que se nos parece, y nuestros propios defectos, vistos desde fuera, nos exasperan. Cuánto más aún una
persona que ha pasado la edad en que se expresan ingenuamente esos defectos y que, por ejemplo, ha adoptado en los
momentos más ardientes un semblante de hielo, execra esos
mismos defectos si es otro, más joven, o más ingenuo, o más
tonto, quien los expresa. Hay sensibles para quienes es exas-
perante ver en los ojos de otro las lágrimas que ellos mismos
retienen. Es la excesiva semejanza lo que hace que, a pesar
del afecto, y a veces cuanto mayor es el afecto, reine la división en las familias.

Acaso en mí y en muchos, el segundo hombre que yo había llegado a ser era simplemente una parte del primero,
exaltado y sensible para sí mismo, severo Mentor para los
demás. Acaso ocurría esto en mis padres según que se los
considerara con relación a mí o en sí mismos. Y en cuanto a
mi abuela y a mi madre, se veía muy bien que su severidad

para mí era deliberada, y hasta les resultaba penosa, y quizá en mi mismo padre la frialdad no era más que un aspecto exterior de su sensibilidad. Pues acaso es la verdad humana de este doble aspecto, aspecto del lado de la vida interior, aspecto del lado de las relaciones sociales, lo que expresaban aquellas palabras, que en otro tiempo me parecieran tan falsas en su contenido como triviales en su forma, cuando decían, hablando de mi padre: «Bajo su frialdad glacial, oculta una sensibilidad extraordinaria; lo que tiene, sobre todo, es el pudor de su sensibilidad». ¿No escondía, en el fondo, incesantes y secretas tempestades aquella calma llena, llegado el caso, de reflexiones sentenciosas, de ironía para las manifestaciones torpes de la sensibilidad, aquella calma suya, pero que también afectaba yo ahora ante todo el mundo, y que sobre todo adoptaba siempre, en ciertas circunstancias, con Albertina?

Creo verdaderamente que «aquel día» iba a decidir nuestra separación e irme a Venecia. Lo que me ató de nuevo a Albertina fue Normandía, no porque ella manifestara alguna intención de ir a este país donde tuve celos de ella (pues yo tenía la suerte de que sus proyectos no tocaran nunca los puntos dolorosos de mi recuerdo), sino porque al decirle yo: «Es como si te hablara de la amiga de tu tía que vivía en Infreville», contestó con rabia, satisfecha como toda persona que discute y que quiere tener la mayor cantidad posible de argumentos, demostrarme que yo me equivocaba y ella no: «Pero mi tía no ha conocido nunca a nadie en Infreville y yo no he estado nunca allí». Había olvidado la mentira que me dijo una noche sobre la señora susceptible a cuya casa no tenía más remedio que ir a tomar el té, aunque para ello hubiera de perder mi amistad y suicidarse. No le recordé su mentira; pero me abrumó. Y de nuevo dejé la ruptura para otra vez. Para ser amado, no se necesita sinceridad, ni siquiera habilidad en la mentira. Yo llamo aquí amor a una tortura recíproca.

Aquella noche no me parecía en absoluto reprensible hablarle como mi abuela, tan perfecta, me hablaba a mí, ni, para decirle que la acompañaría a casa de los Verdurin, haber adoptado la manera brusca de mi padre, que cuando nos comunicaba una decisión lo hacía siempre en el tono que pudiera causarnos la mayor agitación posible, una agitación desproporcionada, en tal grado, con la decisión misma. Lo que le permitía después encontrarnos absurdos porque manifestábamos por tan poca cosa tanta desolación que, en realidad, respondía a la conmoción que él nos había dado. Y si –como la sensatez demasiado inflexible de mi abuela– estas veleidades arbitrarias de mi padre habían venido a completar en mí la naturaleza sensible a la que durante tanto tiempo permanecieron ajenas y a la que en toda mi infancia tanto hicieron sufrir, esta naturaleza sensible las informaba muy exactamente sobre los puntos en que debían actuar eficazmente: no hay mejor guía que un antiguo ladrón o que un individuo de la nación a la que se combate. En ciertas familias mentirosas, un hermano que va a ver a su hermano sin razón aparente y que al marcharse, ya en la puerta, le pide incidentalmente un informe que ni siquiera parece escuchar, demuestra por esto mismo a su hermano que ese informe era la finalidad de su visita, pues el hermano conoce bien esos aires indiferentes, esas palabras dichas como entre paréntesis, en el último segundo, porque él mismo ha hecho a menudo lo mismo. Y hay también familias patológicas, sensibilidades emparentadas, temperamentos fraternales, iniciados en esa tácita lengua común con la que una familia se entiende sin hablar. Así, pues, ¿puede haber alguien más enervante que un nervioso? Y, además, quizá había en mi conducta, en estos casos, una causa más general, más profunda. Es que en esos momentos breves, pero inevitables, en que detestamos a una persona a la que amamos –esos momentos que a veces duran toda la vida con las personas que no amamos– no queremos parecer buenos para que no nos compadezcan, sino, a la vez, lo más malos y lo más dichosos posible para que nuestra felicidad sea verdaderamente odiosa y ulcere el alma del enemigo ocasional o permanente. ¡Ante cuántas personas me he calumniado yo falsamente, sólo para que mis «éxitos» les pareciesen más inmorales y les diesen más rabia! Lo que habría que hacer es seguir el camino inverso, demostrar sin orgullo que se tienen buenos sentimientos, en lugar de ocultarlos tanto. Y sería fácil si supiéramos no odiar nunca, amar siempre. Pues entonces ¡nos haría tan felices decir las cosas que pueden hacer felices a los demás, enternecerlos, hacer que nos amen!

Claro que sentía cierto remordimiento de estar tan irritante con Albertina, y me decía: «Si no la amara, me tendría más gratitud, pues no sería malo con ella; pero no, se compensaría, pues también sería menos bueno». Y para justificarme hubiera podido decirle que la amaba, pero la confesión de este amor, aparte de que no hubiera sido nada buena para Albertina, quizá la hubiese enfriado conmigo más que las durezas y las trapacerías cuya única disculpa era precisamente el amor. ¡Es tan natural ser duro y trapacero con la persona amada! Si el interés que demostramos a los demás no nos impide ser atentos con ellos y complacientes con lo que desean, es porque ese interés es falso. El otro nos es indiferente, y la indiferencia no invita a la maldad.

Pasaba la noche; antes que Albertina fuera a acostarse, no había mucho tiempo que perder si queríamos hacer las paces, volver a besarnos. Ninguno de los dos había tomado aún la iniciativa.

Notando que de todas maneras ya estaba enfadada, aproveché para hablarle de Esther Levy.

–Me ha dicho Bloch –lo que no era cierto– que conocías muy bien a su prima Esther.

– Ni siquiera la reconocería –contestó en un tono indiferente.

–Yo he visto su fotografía –añadí irritado. Al decir esto, no
miraba a Albertina, de modo que no vi su expresión, que hubiera sido su única respuesta, pues no dijo nada.

Aquellas noches ya no era el sosiego del beso de mi madre
en Combray lo que yo sentía junto a Albertina, sino, por el
contrario, la angustia de las noches en que mi madre apenas
me decía adiós o ni siquiera subía a mi cuarto, fuera porque
estuviese enfadada conmigo o porque la retuvieran los invitados. Aquella angustia, no su trasposición al amor, no,
aquella angustia misma, que en un tiempo se había especializado en el amor, y que al hacer el reparto, al efectuar la división de las pasiones, fue asignada sólo a él, ahora parecía extenderse de nuevo a todas, indivisa otra vez, lo mismo que
en mi infancia, como si todos mis sentimientos, que temblaban de no poder conservar a Albertina junto a mi cama a la
vez como una amante, como una hermana, como una hija,
también como una madre del cotidiano beso de despedida,
como una madre de la que volvía a sentir la pueril necesidad,
hubieran empezado a concentrarse, a unificarse en la noche
prematura de mi vida, que parecía iba a ser tan corta como
un día de invierno. Pero si bien sentía la angustia de mi infancia, el cambio del ser que me hacía sentirla, la diferencia
de sentimiento que me inspiraba, la transformación misma
de mi carácter, me impedían absolutamente pedirle a Albertina el sosiego como antaño a mi madre. No sabía decir: estoy triste. Me limitaba a hablar, con la muerte en el alma, de
cosas indiferentes que no me hacían adelantar nada hacia
una solución feliz; me debatía, sin moverme del sitio, en dolorosas trivialidades. Y con ese egoísmo intelectual que, a
poca relación que una verdad insignificante tenga con nuestro amor, nos lleva a hacer un gran honor al que la ha encontrado, acaso tan fortuitamente como la echadora de cartas
que nos anunció un hecho, un hecho trivial, pero que se ha
realizado después, no estaba yo lejos de creer a Francisca superior a Bergotte y a Elstir porque me había dicho en Balbec:

«Esa moza no le va a causar más que disgustos». Cada minuto me recordaba la despedida de Albertina, que al fin se despedía. Pero aquella noche su beso, del que ella misma estaba
ausente y que a mí no me encontraba, me dejaba tan ansioso
que, con el corazón palpitante, pensaba mirándola ir hacia la
puerta: «Si quiero encontrar un pretexto para llamarla, retenerla, hacer las paces, tengo que apresurarme, ya no le faltan
más que unos pasos para salir de la habitación, nada más
que dos, nada más que uno, agarra el picaporte, abre, es demasiado tarde, ya ha cerrado la puerta». Aunque quizá no
demasiado tarde. Como antaño en Combray, cuando mi
madre me dejaba sin calmarme con su beso, quería yo correr
tras Albertina, sentía que no habría paz para mí antes de volver a verla, que ese volver a verla iba a ser algo inmenso que
aún no había sido y que, si no lograba yo solo liberarme de
aquella tristeza, tomaría quizá la vergonzosa costumbre
de ir a mendigar a Albertina; cuando ella estaba ya en su
cuarto, me tiraba de la cama, salía y volvía a salir al pasillo,
esperando que ella asomara y me llamase; permanecía inmóvil ante su puerta por no arriesgarme a no oír una débil
llamada, volvía un momento a mi cuarto a ver si, por suerte,
mi amiga había olvidado el pañuelo, el bolso, cualquier cosa
que yo pudiera aparentar que echaría de menos y sirviera de
pretexto para ir a llevárselo. No, nada. Volvía a apostarme
ante su puerta, pero ya no se veía luz por la rendija. Albertina había apagado, se había acostado, y yo seguía allí quieto,
esperando no sé qué oportunidad que no llegaba; y al cabo
de mucho tiempo, muerto de frío, volvía a meterme bajo las
mantas y me pasaba llorando todo el resto de la noche.

En noches así, a veces recurrí a un ardid que me valía el
beso de Albertina. Sabiendo lo pronto que se dormía en
cuanto se acostaba (también lo sabía ella, pues al acostarse
se quitaba instintivamente las chinelas que yo le había regalado y la sortija, poniéndolo a su lado como lo hacía en su
cuarto antes de acostarse), sabiendo lo profundo que era

su sueño y lo tierno que era su despertar, yo inventaba un pretexto para ir a buscar algo y la hacía echarse en mi cama. Cuando volvía la encontraba dormida, y veía ante mí aquella otra mujer en que se convertía cuando estaba por completo de frente. Pero en seguida cambiaba de personalidad, pues me acostaba a su lado y volvía a verla de perfil. Podía cogerle la cabeza, levantarla, posarla contra mis labios, rodear mi cuello con sus brazos; ella seguía durmiendo como un reloj que no se para, como una planta trepadora, un *volubilis* que sigue echando ramas con cualquier apoyo que se le dé. Sólo su aliento variaba con cada uno de mis toques, como si fuera un instrumento en el que ejecutara yo modulaciones sacando de una de sus cuerdas, de otra después, diferentes notas. Mis celos se calmaban, pues sentía a Albertina convertida en un ser que respira, que no es otra cosa, como lo indicaba el hálito regular con que se expresa esa pura función fisiológica que, toda fluida, no tiene ni el espesor de la palabra, ni el del silencio y, en su ignorancia de todo mal, aliento sacado de una caña hueca más que de un ser humano, verdaderamente paradisíaco para mí, que en aquellos momentos sentía a Albertina sustraída a todo no sólo materialmente, sino moralmente, era el puro canto de los ángeles. Y, sin embargo, me decía de pronto que en aquel aliento debían de sonar quizá muchos nombres humanos llamados por la memoria.

Y aun a veces, a aquella música se añadía la voz humana. Albertina pronunciaba unas palabras. ¡Cuánto hubiera querido yo captar su sentido! Ocurría que a sus labios venía el nombre de una persona de la que habíamos hablado y que suscitaba mis celos, pero sin hacerme sufrir, pues el recuerdo que traía aquel nombre parecía no ser otro que el de las conversaciones que sobre él había tenido conmigo. Pero una noche, despertándose a medias, con los ojos cerrados, me dijo tiernamente dirigiéndose hacia mí: «Andrea». Disimulé mi emoción.

–Estás soñando, yo no soy Andrea –le dije riendo.

Ella sonrió también:

–No, quería preguntarte qué te había dicho Andrea antes.

–Yo habría creído más bien que habías estado como ahora acostada a su lado.

–Pues no, nunca –me dijo.

Pero antes de contestarme esto se tapó un momento la cara con las manos. Luego sus silencios no eran más que veladuras, luego sus cariños de superficie no hacían más que retener en el fondo mil recuerdos que me hubieran destrozado, luego su vida estaba llena de esos hechos cuyo relato burlón, cuya crónica humorística constituye nuestros cotilleos cotidianos sobre los demás, sobre los que nos son indiferentes, pero que cuando un ser no está bien claro en nuestro corazón, nos parecen un esclarecimiento tan precioso de su vida que por conocer ese mundo subyacente daríamos de buen grado la nuestra. Entonces veía su sueño como un mundo maravilloso y mágico en el que va surgiendo por momentos, desde el fondo del elemento apenas traslúcido, la confesión de un secreto que no entenderemos. Pero, generalmente, cuando Albertina dormía parecía haber recobrado su inocencia. En la actitud en que yo la había puesto, pero que en seguida ella hacía suya en el sueño, parecía confiarse a mí. Su semblante había perdido toda expresión de astucia o de vulgaridad, y entre ella y yo, levantado su brazo hacia mí, posada en mí su mano, parecía haber un completo abandono, una indisoluble unión. Su sueño no la separaba de mí y dejaba subsistir en ella la noción de nuestro cariño; más bien producía el efecto de abolir todo lo demás; yo la besaba, le decía que iba a dar una vuelta, ella entreabría los ojos y me decía sorprendida –y, en efecto, era ya de noche–: «Pero ¿adónde vas así, querido?» (llamándome por mi nombre de pila), y se volvía a dormir en seguida. Su sueño no era más que una especie de anulación del resto de la vida, nada más que un silencio compacto sobre el que, de cuando en cuando, emprendían el vuelo palabras familiares de cariño.

Enlazando unas con otras, se hubiera compuesto la conversación sin mezcla, la intimidad secreta de un puro amor. Este sueño tan tranquilo me encantaba como encanta a una madre, que lo interpreta como una cualidad, el buen sueño de su niño. Y, en efecto, el sueño de Albertina era el sueño de un niño. También su despertar, y tan natural, tan tierno, incluso antes de que ella supiera dónde estaba, que a veces me preguntaba yo con espanto si Albertina había tenido la costumbre, antes de vivir en mi casa, de no dormir sola y de encontrar, al abrir los ojos, a alguien a su lado. Pero su gracia infantil era más fuerte. Yo me maravillaba, también como una madre, de que se despertara siempre de tan buen humor. Al cabo de unos momentos iba recobrando la conciencia, decía palabras encantadoras, no ligadas las unas a las otras, simple piar de pájaro. Por una especie de sustitución, su cuello, habitualmente poco notable, ahora casi demasiado bello, había tomado la inmensa importancia que sus ojos, cerrados por el sueño, habían perdido, sus ojos, mis interlocutores habituales y a los que, cerrados los párpados, ya no podía dirigirme. De la misma manera que los ojos cerrados dan al rostro una belleza inocente y grave suprimiendo lo que las miradas expresan demasiado, las palabras no sin significación, pero entrecortadas de silencio, que Albertina pronunciaba al despertar tenían una pura belleza no maculada a cada momento, como la conversación, con hábitos verbales, con muletillas, con huellas de defectos. Además, cuando me decidía a despertar a Albertina, podía hacerlo sin temor, pues sabía que su despertar no tendría ninguna relación con la velada que acabábamos de pasar, sino que surgiría de su sueño como de la noche surge la mañana. En cuanto abría los ojos sonriendo, me ofrecía su boca, y antes de que dijera nada, gustaba yo su frescor, sedante como el de un jardín todavía silencioso antes de salir el sol.

Al día siguiente de aquella noche en que Albertina me dijo que acaso iría y después que no iría a casa de los Verdurin, me desperté temprano y, todavía medio dormido, mi alegría me dijo que iba a hacer, interpolado en el invierno, un día de primavera. Fuera, los temas populares finamente escritos para instrumentos varios, desde la corneta del que arregla cacharros de cocina, o la trompeta del que pone asientos en las sillas, hasta la flauta del cabrero, que en un buen día parecía un pastor de Sicilia, orquestaban ligeramente el aire matinal, en una «obertura para un día de fiesta». El oído, ese sentido delicioso, nos trae la compañía de la calle, trazándonos todas sus líneas, dibujando todas las formas que por ella pasan, mostrándonos su color. Las «cortinas» de hierro del panadero, del lechero, que ayer se bajaron sobre todas las posibilidades de felicidad femenina, se alzaban ahora, como las ligeras poleas de un navío que apareja y se dispone a zarpar, atravesando el mar transparente, sobre un sueño de jóvenes empleadas. Este ruido de cortina que se levanta hubiera sido quizá mi único placer en un barrio diferente. En éste, otros cien me alegraban, otros cien de los que no hubiera querido perder ni uno quedándome dormido demasiado tiempo. En esto radica el encanto de los viejos barrios aristocráticos: en ser al mismo tiempo populares. Así como al lado de las catedrales había a veces, junto al pórtico, diversos pequeños oficios (y a veces conservaron el nombre de éstos, como el de la catedral de Ruan, llamado de los «Libreros», porque éstos exponían contra él, al aire libre, su mercancía), otros pequeños oficios, pero ambulantes, pasaban delante del noble hotel de Guermantes y recordaban a veces la Francia eclesiástica de otras épocas. Pues el gracioso pregón que lanzaban a las casitas vecinas no tenía, con raras excepciones, nada de una canción. Tanto como de la declamación –apenas esmaltada de insensibles variaciones– difería de *Boris Godunov* y de *Pelléas;* pero por otra parte recordaba la salmodia de un sacerdote de unas ceremonias que tienen en las escenas de la calle una contrapartida inocente, ferial, y, sin embargo, semilitúrgica. Nunca me habían gustado tanto

aquellos pregones como desde que Albertina vivía conmigo;
me parecían como una gozosa señal de su despertar e, interesándome en la vida de la calle, me hacían sentir mejor la
sedante virtud de una presencia querida, tan constante
como yo la deseaba. Algunos de los alimentos pregonados
en la calle, y que yo personalmente detestaba, le gustaban
mucho a Albertina, tanto que Francisca mandaba a com-
prarlos por el criadito, quizá un poco humillado de verse
confundido con la multitud plebeya. En aquel barrio tan
tranquilo (donde los ruidos no eran ya para Francisca un
motivo de tristeza y lo eran de alegría para mí) me llegaban
muy distintos, cada uno con su modulación diferente, unos
recitativos declamados por aquella gente del pueblo como se
declamarían en la música, tan popular, de *Boris,* donde una
entonación inicial apenas es alterada por la inflexión de una
nota que se inclina sobre otra música de la multitud que es
más bien un lenguaje que una música. El pregón «¡A los buenos bígaros, dos perrillas el bígaro!» hacía que se precipitara
la gente hacia los cucuruchos en que vendían esos horribles
moluscos que, de no ser por Albertina, me hubieran repug-
nado, lo mismo que los caracoles que oía vender a la misma
hora. También aquí el vendedor hacía pensar en la declamación apenas lírica de Musorgski, pero no solamente en ella.
Pues después de decir en tono solamente «hablado»: «¡Caracoles, caracoles frescos, hermosos!», el vendedor de caracoles, con la tristeza y la vaguedad de Maeterlinck, musical-
mente traspuestas por Debussy, en uno de esos dolorosos
finales en que el autor de *Pelléas* se parece a Rameau: «Si yo
he de ser vencido, ¿serás tú mi vencedor?», añadía con una
cantarina melancolía: «A seis perrillas la docena...»
    Siempre me fue difícil comprender por qué estas palabras
tan claras las suspiraba el hombre en un tono tan poco adecuado, misterioso como el secreto que pone a todo el mundo triste en el viejo palacio al que Melisanda no ha logrado
llevar la alegría, y profundo como un pensamiento del an-

ciano Arkel que procura proferir en palabras muy sencillas
toda la sabiduría y el destino. Las mismas notas sobre las que
se eleva, con creciente dulzura, la voz del viejo rey de Alle-
monde o de Golaud para decir: «No se sabe qué es lo que hay
aquí. Esto puede parecer extraño. Acaso no hay acontecimientos inútiles», o bien: «No te asustes... Era un pobre ser
misterioso, como todo el mundo», eran las notas que servían al vendedor de caracoles para repetir, en una cantilena
indefinida: «A seis perrillas la docena...» Pero este lamento metafísico no tenía tiempo de expirar al borde del infinito, pues lo interrumpía por una aguda trompeta. Esta
vez no se trataba de cosa de comer; las palabras del libreto
eran: «Se esquilan perros, se pelan gatos, se cortan rabos y
orejas».

Claro que la fantasía, el ingenio de cada vendedor o vendedora, solían introducir variantes en todas estas músicas
que yo oía desde mi cama. Sin embargo, una interrupción ritual que ponía un silencio en medio de la palabra, sobre todo
cuando se repetía dos veces, evocaba constantemente el recuerdo de las viejas iglesias. El vendedor de prendas de vestir, con su látigo, en su carrito conducido por una burra, que
paraba delante de cada casa para entrar en los patios, salmo-
diaba: «Ropa, vendo ropa, ro... pa», con la misma pausa entre las dos sílabas de ropa que si estuviera entonando en pleno canto: *per omnia saecula saeculo... rum* o *Requiescat in
pa... ce,* aunque no creyera en la eternidad de su ropa y no la
ofreciera tampoco como sudarios para el supremo descanso
en paz. Y de la misma manera, como los motivos comenzaban a entrecruzarse en aquella hora matinal, una verdulera,
empujando su carretilla, se valía para su letanía de la división gregoriana:

> *À la tendresse, à la verduresse*
> *Artichauts tendres et beaux*
> *Ar – tichauts,*

aunque seguramente ignoraba el antifoniario y los siete tonos que simbolizan, cuatro de ellos las ciencias del *quadrivium* y tres las del *trivium*.

Sacando de un flautín o de una cornamusa unos aires de su país meridional, cuya luz rimaba bien con los días buenos, un hombre de blusa, llevando en la mano una correa de buey y tocado con una boina vasca, se paraba delante de las casas. Era el cabrero, con dos perros y, delante de él, su rebaño de cabras. Como venía de lejos, pasaba bastante tarde por nuestro barrio, y las mujeres acudían con un tazón para coger la leche que iba a fortalecer a sus pequeños. Pero a los sones pirenaicos de aquel benéfico pastor se mezclaba ya la campanilla del afilador, el cual gritaba: «¡Cuchillos, tijeras, navajas de afeitar!» Con él no podía luchar el afilador de sierras, pues éste, desprovisto de instrumento, se contentaba con gritar: «Tenéis sierras que afilar, el afilador», mientras que el estañador, más alegre, después de enumerar las calderas, las cacerolas, todo lo que estañaba, entonaba el refrán:

> *Tam, tam, tam,*
> *C'est moi qui rétame,*
> *Même le macadam,*
> *C'est moi qui mets des fonds partout,*
> *Qui bouche tous les trous,*
> *Trou, trou, trou.*

Y unos italianos pequeños, con unas grandes cajas de hierro pintadas de rojo que llevaban marcados los números –perdedores y ganadores–, y tocando una carraca, proponían: «Diviértanse, señoras, aquí está la diversión».

Francisca me trajo *Le Fígaro*. De una sola ojeada me di cuenta de que tampoco publicaba mi artículo. Me dijo que Albertina preguntaba si podía entrar en mi cuarto y me avisaba que, en todo caso, había renunciado a la visita a los Verdurin y pensaba ir, como yo le había aconsejado, a la función «extraordinaria» del Trocadero –lo que hoy se llamaría, con mucha menos importancia, sin embargo, una *matinée* de gala– después de un pequeño paseo a caballo que iba a dar con Andrea. Ahora que yo sabía que Albertina había renunciado a su deseo, tal vez malo, de ir a ver a madame Verdurin, dije riendo: «¡Que venga!», y pensé que podía ir donde quisiera y que me daba lo mismo. Sabía que al final de la tarde, al llegar el crepúsculo, sería seguramente otro hombre, triste, dando a las menores idas y venidas de Albertina una importancia que no tenían a esta hora matinal y cuando hacía tan buen tiempo. Pues a mi despreocupación seguía la clara noción de su causa, pero ésta no alteraba aquélla.

–Francisca me dijo que estabas despierto y que no te molestaba –dijo Albertina al entrar. Y como el mayor temor de Albertina, junto con el de que yo tuviera frío al abrir ella su ventana en un momento inadecuado, era entrar en mi cuarto cuando estaba dormido, añadió–: Espero no haber hecho mal. Tenía miedo de que me dijeras:

Quel mortel insolent vient chercher le trépas?[1]

Y se rió con aquella risa que tanto me alteraba. Le contesté en el mismo tono de broma:

Est-ce pour vous qu'est fait cet ordre si sévère?[2]

Y por miedo de que la infringiera alguna vez, añadí:

–Aunque me daría mucha rabia que me despertaras.
–Ya lo sé, ya lo sé, no temas –me dijo Albertina. Y para dulcificar la cosa, añadí, siguiendo la representación con ella de la escena de *Esther,* mientras en la calle continuaban los pregones, muy confusos ahora por nuestra conversación:

1. «¿Qué insolente mortal viene a buscar su muerte?»
2. «¿Acaso para ti se dio orden tan severa?»

Je ne trouve qu'en vous je ne sais quelle grâce
Qui me charme toujours et jamais ne me lasse[1]

(y pensaba para mí: «Sí, me cansa muy a menudo»). Y recordando lo que me había dicho la víspera, al mismo tiempo que le daba con exageración las gracias por haber renunciado a los Verdurin, le dije, para que otra vez me obedeciera también en alguna otra cosa:

–Albertina, desconfías de mí, que te quiero, y tienes confianza en personas que no te quieren –como si no fuera natural desconfiar de las personas que nos quieren y que son las que tienen interés en mentirnos para saber, para impedir, y añadí estas palabras mentirosas–: En el fondo, no crees que te quiero, es curioso. En efecto, no te *adoro*.

Albertina mintió a su vez al decirme que no se fiaba de nadie más que de mí, y después fue sincera al asegurar que sabía muy bien que la quería. Pero esta afirmación no parecía implicar que no creyera que yo mentía y que la espiaba. Y sabía perdonarme, como si viera en ello la consecuencia insoportable de un gran amor o como si ella misma se encontrara menos buena.

–Por favor, niña mía, nada de alardes ecuestres como el otro día. ¡Figúrate, Albertina, si te ocurriera un accidente!

No le deseaba, naturalmente, ningún mal. Pero ¡qué suerte si se le ocurriera un día la buena idea de partir con sus caballos a cualquier sitio, que le gustara aquel sitio y no volviera nunca más a casa! ¡Cómo se simplificaría todo si se fuera a vivir, dichosa, lejos, sin que a mí me interesara siquiera saber dónde!

–¡Oh!, estoy segura de que no me sobrevivirías ni cuarenta y ocho horas, de que te matarías.

Así fuimos cruzando palabras mentirosas. Pero una ver-

1. «Solamente en ti encuentro la indefinible gracia / que siempre me embelesa y que jamás me cansa.»

dad más profunda que la que diríamos si fuéramos sinceros podemos a veces expresarla y anunciarla por una vía que no es la de la sinceridad.

–¿No te molestan todos esos ruidos de fuera? –me preguntó–. A mí me encantan, pero a ti que tienes el sueño tan ligero...

A veces lo tenía muy profundo (como ya he dicho, pero lo que va a seguir me obliga a recordarlo), y sobre todo cuando no me dormía hasta la madrugada. Como un sueño de éstos es, por término medio, cuatro veces más reparador, al que se despierta de él le parece que ha sido cuatro veces más largo, cuando ha sido cuatro veces más corto. Magnífico error de una multiplicación por dieciséis, que tanta belleza da al despertar e introduce en la vida una verdadera innovación, parecida a esos grandes cambios de ritmo musical en virtud de los cuales una corchea contiene en un *andante* tanta duración como una blanca en un *prestissimo,* y que en el estado de vigilia son desconocidos. En ella, la vida es casi siempre la misma, de aquí las decepciones del viaje. Sin embargo, parece que el sueño esté hecho a veces con la materia más grosera de la vida, pero, en él, esta materia está «tratada», trabajada de tal modo –con un alargamiento debido a que ninguno de los límites horarios del estado de vigilia le impide llegar a alturas insólitas– que no se la reconoce. Las mañanas en que me tocaba esta fortuna, en que la esponja del sueño había borrado de mi cerebro los signos de las ocupaciones cotidianas trazados en él como en una pizarra, tenía que hacer revivir mi memoria; a fuerza de voluntad podemos recuperar lo que la amnesia del sueño o un ataque nos ha hecho olvidar y que va renaciendo poco a poco a medida que abrimos los ojos o que desaparece la parálisis. Llamaba a Francisca y quería hablarle en un lenguaje adecuado a la realidad y al momento, pero había vivido tantas horas en unos instantes que tenía que recurrir a todo mi poder interno de comprensión para no decir: «Bueno, Francisca, son las cinco de la tarde y no la he visto desde ayer». Y para dominar mis sueños, en contradicción con ellos y mintiéndome a mí mismo, y obligándome con todas mis fuerzas al silencio, decía descaradamente palabras contrarias: «¡Francisca, son las diez!» Ni siquiera decía las diez de la mañana, sino simplemente las diez, para que aquellas «diez» tan increíbles pareciesen pronunciadas en un tono más natural. Sin embargo, decir estas palabras, en lugar de las que seguía pensando el durmiente apenas despertado que yo era todavía, me exigía el mismo esfuerzo de equilibrio que a una persona que, saltando de un tren en marcha y corriendo un momento a lo largo de la vía, lograra no caerse. Corre un momento porque el medio que deja era un medio animado de gran velocidad y muy diferente de este otro suelo inerte, al que a sus pies les es difícil acostumbrarse.

Del hecho de que el mundo del sueño no sea el mundo de la vigilia no se deduce que el mundo de la vigilia sea menos verdadero, al contrario. En el mundo del sueño, nuestras percepciones están tan sobrecargadas, expresada cada una por otra superpuesta que la duplica y la ciega inútilmente, que, en el aturdimiento del despertar, ni siquiera sabemos distinguir lo que pasa; ¿había venido Francisca, o era que yo, cansado de llamarla, iba a buscarla? En aquel momento el silencio era el único medio de no revelar nada, como en el momento en que nos detiene un juez enterado de circunstancias que nos conciernen, pero de las que no nos informan. ¿Había venido Francisca?, ¿la había llamado yo? E incluso, ¿no sería Francisca quien dormía y yo quien acababa de despertarla? Más aún, ¿no estaba Francisca encerrada en mi pecho, pues la distinción de las personas y su interacción apenas existen en esa parda oscuridad donde la realidad es tan poco traslúcida como en el cuerpo de un puercoespín y donde la percepción puede quizá dar idea de la de ciertos animales? Por otra parte, hasta en la límpida locura que precede a esos sueños más pesados, si flotan luminosamente unos fragmentos de sentido, si no se ignoran los nombres de

Taine, de George Eliot, no por eso deja de tener el mundo de la vigilia esa superioridad de poder continuar el sueño cada mañana, y no cada noche. Pero acaso hay otros mundos más reales que el de la vigilia. Y aun hemos visto que hasta éste, cada revolución en las artes le transforma, mucho más, en el mismo tiempo, el grado de aptitud o de cultura que diferencia a un artista de un necio ignorante.

Y con frecuencia una hora de sueño de más es un ataque de parálisis después del cual hay que recuperar el uso de los miembros, aprender de nuevo a hablar. La voluntad no lo conseguiría. Hemos dormido demasiado, ya no somos. El despertar lo sentimos apenas mecánicamente, y sin conciencia, como quizá en una tubería el cierre de un grifo. Sucede una vida más inanimada que la de la medusa, una vida en la que, suponiendo que pudiéramos pensar algo, nos parecería salir del fondo de los mares o volver de presidio. Pero entonces, desde lo alto del cielo, se inclina sobre nosotros la diosa Mnemotecnia y nos tiende, en forma de «hábito de pedir el café con leche», la esperanza de la resurrección[1]. La resurrección no llega en seguida; creemos haber llamado, no lo hemos hecho, se trata de ideas demenciales. Sólo el movimiento restablece el pensamiento, y cuando hemos apretado de verdad la pera eléctrica, podemos decir con lentitud, pero claramente: «Son las diez. Francisca, tráigame el café con leche.»

¡Oh milagro! Francisca no podía sospechar el mar de irrealidad que me bañaba todavía todo entero y a través del cual había tenido la energía de hacer pasar mi extraña pre-

1. «Pero el súbito don de la memoria no siempre es tan simple. En esos primeros minutos en que nos dejamos ir al despertar, solemos tener junto a nosotros una suma de realidades diversas entre las que creemos poder elegir como en un juego de cartas. Es viernes por la mañana y volvemos de paseo, o en la hora del té a la orilla del mar. La idea del sueño y de que estamos en la cama en camisón suele ser la última que se nos presenta». (La edición de La Pléiade incluye a pie de página estas líneas, añadidas por el autor en un papel pegado al pie de su correspondiente página. [N. de la T.])

gunta. Pues me contestaba: «Son las diez», lo que me daba
una apariencia razonable y me permitía no dejar notar las
extrañas conversaciones que me habían mecido intermina-
blemente (los días en que no era una montaña de vacío que
me quitaba toda vida). A fuerza de voluntad, me reintegra-
ba a la realidad. Gozaba todavía de los restos del sueño, es
decir, de la única invención, de la única renovación que existe en la manera de contar, pues ninguna narración en estado
de vigilia, aunque sea embellecida por la literatura, tiene
esas misteriosas diferencias de las que nace la belleza. Es fácil
hablar de la que crea el opio. Mas para un hombre habituado
a no dormir sino con drogas, una hora inesperada de sueño
natural descubrirá la inmensidad matinal de un paisaje no
menos misterioso y más lozano. Variando la hora, el lugar
donde dormimos, provocando el sueño de una manera artificial, o, al contrario, volviendo por un día al sueño natural
–el más extraño de todos para quien tiene el hábito de dormir con soporíferos–, se llega a obtener variedades de sueño
mil veces más numerosas que las que obtendría un floricul-
tor de claveles o de rosas. Los floricultores obtienen flores
que son sueños deliciosos, también otras que parecen pesadillas. Cuando me dormía de cierta manera, me despertaba
tiritando, creyendo que tenía el sarampión o, lo que era más
doloroso aún, que mi abuela (en la que ya no pensaba nunca) sufría porque me había burlado de ella un día en que, en
Balbec, creyendo que se iba a morir, quiso que yo tuviese
una fotografía suya. En seguida, aunque despierto, quería ir
a explicarle que no me había entendido. Pero ya no tiritaba.
Quedaba descartado el pronóstico de sarampión, y mi abuela tan alejada de mí que ya no hacía sufrir a mi corazón. A
veces, una oscuridad súbita se abatía sobre estos sueños diferentes. Yo tenía miedo prolongando mi paseo en una avenida completamente oscura, por la que oía pasar rondado-
res. De pronto surgía una discusión entre un guardia y una
de esas mujeres que solían ejercer el oficio de conducir y que,

de lejos, tomamos por jóvenes cocheros. En su pescante rodeado de tinieblas yo no la veía, pero ella hablaba y en su voz leía yo las perfecciones de su rostro y la juventud de su cuerpo. Avanzaba hacia ella en la oscuridad para subir a su carruaje antes de que reanudara la marcha. Estaba lejos. Afortunadamente, se prolongaba la discusión con el guardia. Yo alcanzaba el coche, todavía parado. Esta parte de la avenida estaba alumbrada con reverberos. Ahora la conductora era visible. Desde luego era una mujer, pero vieja, alta y gorda, con un pelo blanco que se salía del gorro y una erupción roja en la cara. Me alejaba pensando: «¿Ocurre esto con la juventud de las mujeres? Si de pronto deseamos volver a ver a las que hemos conocido, ¿son ya viejas? ¿Acaso la mujer que deseamos es como un papel de teatro que cuando decaen sus creadoras hay que encomendarlo a nuevas estrellas? Pero entonces ya no es la misma.»

Y me invadía la tristeza. Resulta, pues, que en nuestro sueño tenemos numerosas Piedades, como las *Pietà* del Renacimiento, pero no ejecutadas en mármol como ellas, al contrario: inconsistentes. Sin embargo, tienen su utilidad, la de hacernos recordar cierta visión de las cosas más tierna, más humana, visión que tendemos demasiado a olvidar en la cordura gélida, a veces llena de hostilidad, de la víspera. Así me hicieron recordar a mí la promesa que a mí mismo me hiciera, en Balbec, de conservar siempre la compasión por Francisca. Y al menos durante toda esta mañana me esforzaría por no irritarme con las querellas de Francisca y del mayordomo del hotel, por ser bueno con Francisca, a quien tan poca bondad dedicaban los otros. Esta mañana solamente, y tendría que procurar hacerme una ley más estable; pues así como los pueblos no son mucho tiempo gobernados por una política de puro sentimiento, los hombres no se gobiernan por el recuerdo de sus sueños. Ya aquél comenzaba a esfumarse. Procurando recordarle para pintarle, le hacía huir más de prisa. Mis párpados no estaban ya tan fuertemente

cerrados sobre mis ojos. Si intentaba reconstruir mi sueño,
se abrirían por completo. En todo momento hay que elegir
entre la salud, la cordura por una parte y los goces espirituales por otra. Yo he tenido siempre la cobardía de elegir la primera parte. Por lo demás, el peligroso poder a que renunciaba lo era más aún de lo que se cree. Las compasiones, los
sueños, no se esfuman solos. Al variar las condiciones en las
que nos hemos dormido, no se desvanecen solamente los
sueños, sino también, por muchos días, a veces por años, la
facultad no sólo de soñar, sino de dormir. El dormir es divino, pero poco estable; el más ligero choque lo volatiliza.
Amigo del hábito, éste le retiene cada noche, más fijo que él,
en su lugar consagrado, le preserva de todo choque; pero si
le cambian de lugar, si ya no está sujeto, se desvanece como
el humo. Es como la juventud y como los amores, que no se
recuperan.

En estos diversos sueños, también como en música, era el
aumento o la disminución del intervalo lo que creaba la belleza. Yo gozaba de ella, pero en cambio había perdido en ese
sueño, aunque breve, una parte de los pregones en los que se
nos hace sensible la vida circulante de los oficios, de los alimentos de París. Por eso (sin prever, por desgracia, el drama
que iban a traer para mí aquellos despertares tardíos y mis
dispersas leyes draconianas de Asuero raciniano) generalmente me esforzaba por despertarme temprano para no
perder nada de aquellos pregones. Aparte el placer de saber
lo que le gustaban a Albertina y de salir yo mismo sin dejar
de permanecer acostado, veía en ellos como el símbolo de la
atmósfera de la calle, de la peligrosa vida bulliciosa en la que
yo no la dejaba circular sino bajo mi tutela, en una prolongación exterior del secuestro, y de donde la retiraba a la hora
que quería para hacerla volver a mi lado.

Por eso pude contestar a Albertina con la mayor sinceridad del mundo:

–Al contrario, me gustan porque sé que te gustan a ti.

«¡Ostras en el barco, ostras!»

–¡Ostras, qué ganas tenía de ellas!

Por fortuna, Albertina, mitad por inconstancia, mitad por docilidad, olvidaba pronto lo que había deseado, y sin darme tiempo a decirle que las tendría mejores en Prunier, quería sucesivamente todo lo que pregonaba la pescadera: «¡Quisquillas, a las buenas quisquillas; llevo raya viva, vivita y coleando!... ¡Bacaladillos de freír!... ¡Caballas, caballas frescas, fresquitas, qué ricas las caballas, señoras!... ¡Mejillones, mejillones frescos, mejillones!...» Sin poder evitarlo, el pregón de la llegada de las caballas me hacía estremecerme[1]. Pero como este anuncio no se podía aplicar, me parecía, a nuestro chófer, yo no pensaba más que en el pez que detestaba, y mi inquietud era pasajera.

–¡Mejillones –dijo Albertina–, cómo me gustaría comer mejillones!

–Pero, querida, eso es bueno para Balbec, aquí no valen nada; además, acuérdate de lo que te dijo Cottard de los mejillones.

Pero mi observación resultaba más inoportuna porque la siguiente vendedora ambulante pregonaba una cosa que Cottard prohibía mucho más aún:

À la romaine, à la romaine!
On ne la vend pas, on la promène.

Pero Albertina me hacía el sacrificio de la lechuga romana con tal que a los pocos días mandara a comprarle a la vendedora que pregona: «¡A los buenos espárragos de Argenteuil, a los buenos espárragos!» Una voz misteriosa, y de la que se hubieran esperado ofertas más extrañas, insinuaba: «¡Barri-

---

1. La caballa se llama, en francés, *maquerau,* palabra que se aplica también al hombre que vive de las mujeres. Quizá tenga relación con esto, aunque muy indirecta, el «estremecimiento» de que aquí se habla. *(N. de la T.)*

les, barriles!» Teníamos que quedarnos en la decepción de que no se tratara más que de barriles, pues esta palabra quedaba enteramente cubierta por el pregón: «¡Vidri, vidri-ero, cristales rotos, el vidriero, el vidri-ero!», división gregoriana que, sin embargo, me recordó la liturgia menos de lo que me la recordaba el trapero, reproduciendo sin saberlo una de esas bruscas interrupciones de la sonoridad en medio de una plegaria tan frecuentes en el ritual de la Iglesia: *Praeceptis salutaribus moniti et divina institutione formati, audemus dicere*, dijo el sacerdote terminando bruscamente en el *dicere*. Sin irreverencia, así como el pueblo piadoso de la Edad Media, en el recinto mismo de la iglesia, representaba las farsas y los pasos, en este *dicere* hace pensar el trapero cuando, después de retornear las palabras, emite la última sílaba con una brusquedad digna de la acentuación reglamentada por el gran papa del siglo VII: «Se compran trapos, chatarra –todo esto salmodiado con lentitud, así como las dos sílabas siguientes, mientras que la última acaba más bruscamente que *dicere*–, pieles de co-nejo». «Valencia, la bella Valencia, la fresca naranja», hasta los modestos puerros («¡a los buenos puerros!»), cebollas («¡a ocho perrillas las cebollas!») desfilaban para mí como un eco de las olas en que Albertina, libre, hubiera podido perderse, y adquirían así la dulzura de un *Suave mari magno*.

> *Voilà des carottes*
> *A deux ronds la botte.*

–¡Oh –exclamó Albertina–, repollos, zanahorias, naranjas...! Todo son cosas que tengo ganas de comer. Manda a Francisca a comprarlas. Pondrá las zanahorias con salsa blanca. ¡Y qué bueno comer todo eso junto! Será todos esos pregones que escuchamos transformados en una buena comida.

«¡A la raya viva, vivita!»

–¡Anda, dile a Francisca que haga más bien raya *au beurre noir!*, ¡es tan bueno!

–Bien, hijita, vete. Si no, vas a pedir todo lo que llevan los vendedores ambulantes.

–Pues sí, me voy, pero no quiero que comamos nunca más que cosas que hayamos oído pregonar. Es divertidísimo. Lástima que tengamos que esperar todavía dos meses para oír: «¡Judías verdes y tiernas, judías verdes!» Qué bien lo dicen: judías tiernas. Ya sabes que me gustan muy finas, muy finas, chorreando vinagreta; no parecen cosa de comer, son como rocío. Como los corazoncitos a la crema, todavía tardarán mucho: «¡Al buen queso a la cre, queso a la cre, al buen queso!» Y las uvas de Fontainebleau: «¡Llevo uvas dulces!»

Y yo pensaba con espanto en todo el tiempo que tendría que pasar con ella hasta la época de las uvas.

–Oye, te he dicho que no quiero más que las cosas que hayamos oído pregonar, pero, claro, hago excepciones. De modo que no sería imposible que pase por Rebattet a encargar un helado para nosotros dos. Dirás que todavía no es el tiempo, pero tengo unas ganas de helado...

Me perturbó aquel proyecto de Rebattet, más cierto y sospechoso para mí por las palabras «no sería imposible». Era el día en que recibían los Verdurin, y desde que Swann les dijera que Rebattet era la mejor casa encargaban allí los helados y los pasteles.

–No me opongo a un helado, querida Albertina, pero déjame que lo encargue yo, no sé si será en Poiré-Blanche, en Rebattet o en el Ritz, ya veremos.

–¿Es que vas a salir? –me preguntó con aire de desconfianza. Siempre decía que le gustaría mucho que saliese más, pero si yo decía una palabra dando a entender que no me iba a quedar en casa, su visible inquietud hacía pensar que no era quizá muy sincera su alegría de verme salir mucho.

–Puede que salga o puede que no, ya sabes que no hago

nunca proyectos de antemano. En todo caso, los helados no los pregonan en la calle, ¿por qué los quieres?

Me contestó con palabras que me demostraban cómo se habían desarrollado de pronto en ella, desde Balbec, una inteligencia y un gusto latente, palabras que ella decía debidas únicamente a mi influencia, a la constante cohabitación conmigo, palabras que, sin embargo, yo no habría dicho jamás, como si algún desconocido me hubiera prohibido usar nunca en la conversación formas literarias. Acaso el futuro no iba a ser el mismo para Albertina y para mí. Tuve casi el presentimiento de esto al ver cómo se apresuraba a emplear, hablando, unas imágenes tan escritas y que me parecían reservadas para otro uso más sagrado y que yo ignoraba todavía. Me dijo (y a pesar de todo me conmovió, pues pensaba: cierto que yo no hablaría como ella, pero, por otra parte, ella no hablaría así sin mí, ha recibido profundamente mi influencia, de modo que no puede no amarme, es mi obra):

–Lo que me gusta en esas cosas de comer pregonadas es que una cosa oída como una rapsodia cambia de naturaleza en la mesa y se dirige a mi paladar. Y los helados (pues espero que me los encargarás en esos moldes antiguos que tienen todas las formas de arquitectura imaginables), cada vez que los tomo, sean templos, iglesias, obeliscos, rocas, es como mirar una geografía pintoresca y después convertir los monumentos de frambuesa o de vainilla en frescor en mi garganta.

A mí me parecía aquello demasiado bien dicho, pero ella notó que le parecía bien dicho y continuó, deteniéndose un poco, cuando hacía una buena comparación, para soltar aquella hermosa risa suya que tanto me dolía por ser tan voluptuosa.

–Pero en el hotel Ritz temo que no encuentres columnas Vendôme de helado de chocolate o de frambuesa, y entonces hacen falta varios para que parezcan columnas votivas o pilares elevados en un paseo a la gloria del Frescor. Hacen también obeliscos de frambuesa que se alzarán de tramo en tramo en el desierto ardiente de mi ser y cuyo granito rosa se fundirá en el fondo de mi garganta, apagando su sed mejor que lo hiciera un oasis –y aquí estalló la risa profunda, bien de satisfacción de hablar tan bien, bien por burla de ella misma por expresarse en imágenes tan seguidas, bien, ¡ay!, por voluptuosidad física de sentir en ella algo tan bueno, tan fresco, que le causaba el equivalente de un goce–. Esos picos de hielo del Ritz parecen a veces el monte Rosa, y hasta no me disgusta, si el helado es de limón, que no tenga forma de monumento, que sea irregular, abrupto, como una montaña de Elstir. Entonces no debe ser demasiado blanco, sino un poco amarillento, con esa apariencia de nieve sucia y blanducha que tienen las montañas de Elstir. Aunque el helado no sea muy grande, aunque sea medio helado, esos helados de limón son siempre montañas reducidas a una escala muy pequeña, pero la imaginación restablece las proporciones, como en esos árboles japoneses enanos que, enanos y todo, notamos que son cedros, encinas, manzanillos, de tal manera que poniendo algunos a lo largo de un canalito, en mi cuarto, tendría un inmenso bosque descendiendo hacia un río y en el que se perderían los niños. Y al pie de mi medio helado amarillento de limón, veo muy bien postillones, viajeros, sillas de posta por las que mi lengua se encarga de hacer rodar unos aludes de nieve que se las tragarán –la voluptuosidad cruel con que decía aquello me dio celos–; y también –añadió– que me encargo de destruir con mis labios, columna por columna, esas iglesias venecianas de un pórfido que es fresa y de derribar sobre los fieles las que dejara en pie. Sí, todos esos monumentos pasarán de su lugar de piedra a mi pecho, donde palpita ya su licuado frescor. Pero mira, aun sin helados, nada tan excitante y que dé tanta sed como los anuncios de las fuentes termales. En Montjouvain, en casa de mademoiselle Vinteuil, no vendían buenos helados cerca, pero dábamos en el jardín la vuelta a Francia bebiendo cada día un agua mineral gaseosa distinta, como el agua de Vichy, que al echarla en el vaso levanta en sus profundidades una nube blanca que se duerme y se disipa si no bebemos en seguida.

Pero oírla hablar de Montjouvain me era demasiado penoso, y la interrumpí.

–Te estoy aburriendo; adiós, querido.

¡Qué cambio desde Balbec, cuando yo desafié al mismo Elstir por haber podido adivinar en Albertina aquellas riquezas de poesía, de una poesía extraña, menos personal que la de Celeste Albaret, por ejemplo! Albertina no hubiera encontrado nunca lo que Celeste me decía; pero el amor, incluso cuando parece a punto de acabar, es parcial. Yo prefería la geografía pintoresca de los sorbetes, cuya gracia bastante fácil me parecía una razón para amar a Albertina y una prueba de que yo ejercía un poder sobre ella, de que me amaba.

Cuando Albertina se marchaba, me daba cuenta de la fatiga que era para mí aquella presencia perpetua, insaciable de movimiento y de vida, que me turbaba el sueño con sus movimientos, que me hacía vivir en un enfriamiento perpetuo por las puertas que dejaba abiertas, que –para encontrar pretextos que justificasen el no acompañarla, sin parecer enfermo, y por otra parte para que alguien la acompañara– me obligaba a desplegar cada día más ingenio que Shehrazada. Desgraciadamente, si la condesa persa retardaba su muerte con un ardid ingenioso, yo, con el mismo, apresuraba la mía. Hay así en la vida ciertas situaciones que no todas son creadas, como ésta, por los celos amorosos y una salud precaria que no permite compartir la vida de un ser activo y joven, pero en las que, sin embargo, el problema de continuar la vida en común o de volver a la vida separada de antes se plantea de una manera casi médica: hay que sacrificarse a dos clases de reposo (continuando la fatiga cotidiana o volviendo a las angustias de la ausencia) –¿al del cerebro o al del corazón?

En todo caso, yo estaba muy contento de que Andrea acompañara a Albertina al Trocadero; por algunos accidentes recientes, y minúsculos por lo demás, aunque teniendo la misma confianza en la honradez del chófer, su vigilancia, o al menos la perspicacia de su vigilancia, ya no me parecía tan grande como antes. Hacía poco, un día que mandé a Albertina sola con él a Versalles, Albertina me dijo que había almorzado en el Réservoirs; como el chófer me había hablado del restaurante Vatel, cuando observé esta contradicción busqué un pretexto para bajar a hablar al mecánico (siempre el mismo, el que vimos en Balbec) mientras Albertina se vestía.

–Me dijo usted que habían almorzado en Vatel, y la señorita Albertina me habla del Réservoirs. ¿Qué significa eso?

El mecánico me contestó:

–Bueno, yo dije que había almorzado en Vatel, pero no puedo saber dónde almorzó la señorita. Me dejó al llegar a Versalles para tomar un coche de caballos, que lo prefiere cuando no es para ir por carretera.

Yo estaba muerto de rabia pensando que había estado sola; pero era ya hora de almorzar.

–Podía usted –le dije amablemente, pues no quería que se viera mi propósito de hacer vigilar a Albertina, lo que sería humillante para mí, y doblemente, pues eso significaba que ella me ocultaba lo que hacía– haber almorzado, no digo que con ella, pero en el mismo restaurante.

–Pero me dijo que no estuviera hasta las seis de la tarde en la Plaza de Armas. No tenía que ir a buscarla a la salida del almuerzo

–¡Ah! –exclamé procurando disimular mi disgusto. Y subí.

De modo que Albertina había estado más de siete horas sola, entregada a sí misma. Verdad es que yo sabía bien que el *fiacre* no habría sido un simple medio de librarse de la vigilancia del chófer. Pero de todos modos había pasado siete horas de las que yo no sabría nunca nada. Y no me atrevía a pensar en cómo las había empleado. Me parecía que el mecánico había sido muy torpe, pero desde entonces tuve en él una confianza absoluta. Pues a poco de acuerdo que hubiera estado con Albertina, nunca me habría dicho que la había dejado libre desde las once de la mañana hasta las seis de la tarde. Sólo cabía una explicación, pero absurda, de aquella confesión del chófer: que un enfado entre él y Albertina le moviera a demostrar a mi amiga, haciéndome a mí una pequeña revelación, que era hombre capaz de hablar y que si, después de la primera y muy benigna advertencia, no andaba derecha a gusto de él, hablaría claro. Pero esta explicación era absurda; había que empezar por suponer un enfado inexistente entre Albertina y él, y después atribuir una índole de chantajista a aquel buen mecánico que siempre había sido tan afable y tan buen muchacho. Además, al día siguiente vi que, contra lo que yo creí por un momento en mi desconfiada locura, sabía ejercer sobre Albertina una vigilancia discreta y perspicaz. Pues hablándole a solas de lo que me había dicho de Versalles, le dije en un tono amistoso y como sin darle importancia:

–Ese paseo a Versalles de que me habló antes de ayer estuvo muy bien, usted se condujo perfectamente, como siempre. Pero, como una pequeña indicación sin importancia, le diré que, desde que madame Bontemps puso a su sobrina bajo mi cuidado, tengo tal responsabilidad, tanto miedo de que ocurra algún accidente, me reprocho tanto no acompañarla, que prefiero que sea usted, tan seguro, tan maravillosamente diestro que no le puede ocurrir ningún accidente, el que lleve a todas partes a la señorita Albertina. Así no tendré ningún miedo.

El simpático mecánico apostólico sonrió astutamente, con la mano posada sobre su rueda en forma de cruz de consagración. Luego me dijo estas palabras que (disipando las inquietudes de mi corazón, donde fueron inmediatamente sustituidas por la alegría) me dieron ganas de abrazarle:

–No tenga miedo –me dijo–. No puede ocurrirle nada, pues cuando no la pasea mi volante, la siguen mis ojos a todas partes. En Versalles, como si no hiciera nada, visité la ciudad como quien dice con ella. Del Réservoirs fue al Palacio, del Palacio a los Trianones, siguiéndola yo siempre como si no la viera, y lo más grande es que ella no me vio. Bueno, aunque me hubiera visto, la cosa no habría sido grave. Era muy natural que, teniendo todo el día libre, yo visitara también el Palacio. Sobre todo que la señorita no ha dejado de notar que yo he leído y me interesan todas las viejas curiosidades –esto era verdad, y hasta me habría sorprendido si hubiera sabido que era amigo de Morel, pues superaba mucho al violinista en inteligencia y en gusto–. Pero, en fin, no me vio.

–La señorita debió de estar con amigas, pues tiene varias en Versalles.

–No, estaba siempre sola.

–Entonces la mirarían, ¡una muchacha tan guapa y sola!

–Claro que la miran, pero ella casi ni se entera; está todo el tiempo con los ojos en la guía y luego los levanta para mirar los cuadros.

La versión del chófer me pareció aún más exacta porque, en efecto, Albertina me envió aquel día de su paseo una postal del Palacio y otra de los Trianones. La atención con que el simpático chófer había seguido cada paso de Albertina me impresionó mucho.

¿Cómo iba a suponer yo que esta rectificación –en forma de amplio complemento de lo que me había dicho la antevíspera– se debía a que, entre aquellos dos días, Albertina, alarmada de que el chófer me hubiera hablado, se había sometido, había hecho las paces con él? Esta sospecha ni siquiera se me ocurrió. Verdad es que lo que me contó el mecánico, borrando todo temor de que Albertina me hubiera engañado, me enfrió muy naturalmente en cuanto a mi amiga y le quitó para mí todo interés al día que pasó en Versalles. Sin embargo, creo que las explicaciones del chófer, que, borrando toda posible culpa de Albertina, me la hacían aún más aburrida, quizá no habrían bastado para calmarme tan pronto. Acaso influyeron más en el cambio de mis sentimientos dos granitos que mi amiga tuvo en la frente durante unos días. Y estos sentimientos me apartaron más aún de ella (hasta el punto de no acordarme de su existencia más que cuando la veía) por la singular confidencia que me hizo la doncella de Gilberta, a la que encontré por casualidad. Me dijo que cuando yo iba todos los días a casa de Gilberta amaba a un joven al que veía mucho más que a mí. Yo lo había sospechado por un momento en aquella época, y hasta había interrogado entonces a esta misma doncella. Pero como sabía que estaba enamorado de Gilberta, lo negó, jurándome que mademoiselle Swann no había visto nunca a aquel joven. Pero ahora, sabiendo que mi amor había muerto hacía ya tiempo, que llevaba años sin contestar a sus cartas –y quizá también porque ella ya no estaba al servicio de la muchacha–, me contó espontáneamente y con todo detalle el episodio amoroso que yo no había sabido. Esto me parecía muy natural. Yo, recordando sus juramentos de entonces, creí que en aquella época no lo sabía. Nada de eso: era ella misma quien, por orden de mademoiselle Swann, iba a avisar al joven en cuanto la que yo amaba estaba sola. La que yo amaba entonces... Pero me pregunté si mi antiguo amor estaba tan muerto como yo creía, pues lo que me contó la doncella me hizo daño. Como no creo que los celos puedan resucitar un amor muerto, supuse que mi triste impresión se debía, al menos en parte, a mi amor propio herido, pues varias personas a las que no quería y que en aquella época, e incluso un poco después –esto ha cambiado mucho desde entonces–, adoptaban conmigo una actitud despectiva, sabían perfectamente, cuando estaba enamorado de Gilberta, que me engañaba. Y esto llegó a hacerme pensar retrospectivamente si en mi amor por Gilberta no habría habido una parte de amor pro-

pio, puesto que ahora me dolía tanto ver que unas personas a
las que yo no quería sabían que todas aquellas horas de amor
que tan feliz me hicieron fueron un verdadero engaño por
parte de mi amiga a costa mía. En todo caso, fuera amor o
amor propio, Gilberta casi había muerto para mí, pero no
del todo, y esta contrariedad acabó de impedir que me preo-
cupara demasiado por Albertina, que tan poco lugar ocupaba en mi corazón. Sin embargo, volviendo a ella (después de
tan largo paréntesis) y a su excursión a Versalles, las postales
de Versalles (¿se puede, pues, tener simultáneamente el corazón cogido entre dos celos cruzados que se refieren a dos
personas diferentes?) me daban una impresión un poco desagradable cada vez que, arreglando papeles, caían mis ojos
sobre ellas. Y pensaba que si el mecánico no fuera tan buena
persona, la concordancia de su segunda explicación con las
postales de Albertina no significaría gran cosa, pues lo primero que se envía de Versalles es el Palacio y los Trianones, a
no ser que la postal la elija un refinado, enamorado de una
determinada estatua, o un imbécil que escoge la estación del
tranvía de caballos o la estación de Chantiers. Y hago mal en
decir un imbécil, pues este tipo de postales no siempre las
compra un imbécil, al azar, por el interés de ir a Versalles.
Durante dos años los hombres inteligentes, los artistas, dieron en decir que Siena, Venecia, Granada, eran una lata,
mientras que ante cualquier ómnibus, ante cualquier tren,
exclamaban: «¡Qué bello!» Después este gusto pasó como
los demás. No sé si no se volvió hasta el «sacrilegio que es
destruir las nobles cosas del pasado». En todo caso, se dejó
de considerar *a priori* un vagón de primera clase más bello
que San Marcos de Venecia. Sin embargo, se decía: «La vida
está aquí, la vuelta al pasado es una cosa falsa», pero sin sacar una conclusión rotunda. Por si acaso, y con plena confianza en el chófer, pero para que Albertina no pudiera plan-
tarle sin que él se atreviera a resistirse por miedo a pasar por
espía, ya no la dejaba salir si no era con el refuerzo de An-

drea, cuando, durante un tiempo, me había bastado el chófer. Hasta había permitido (lo que después no me hubiera atrevido a hacer) que se ausentara durante tres días sola con el chófer y llegara hasta cerca de Balbec, tanto le gustaba rodar por la carretera a gran velocidad sobre un simple chasis. Tres días que pasé bien tranquilo, aunque la lluvia de postales que me envió no la recibí, debido al detestable funcionamiento de los correos bretones (buenos en verano, pero sin duda desorganizados en invierno) hasta ocho días después del retorno de Albertina y del chófer, tan valientes que la misma mañana del regreso reanudaron, como si tal cosa, el paseo cotidiano. Yo estaba encantado de que Albertina fuera al Trocadero, a aquella *matinée* «extraordinaria», pero estaba sobre todo tranquilo porque iba con una compañera, con Andrea.

Dejando estos pensamientos, ahora que Albertina había salido me asomé un momento a la ventana. Rompió el silencio el silbato del tropicallero y la corneta del tranvía, haciendo resonar el aire en octavas diferentes como un afinador de pianos ciego. Después se fueron definiendo los motivos entrecruzados y sumándose a ellos otros nuevos. Se oía también otro silbato, reclamo de un vendedor que nunca supe lo que vendía, silbato este exactamente igual que el del tranvía, y, como no se lo llevaba la velocidad, producía el efecto de un solo tranvía no dotado de movimiento o averiado, gritando a pequeños intervalos, como un animal moribundo. Y me parecía que si alguna vez llegara a dejar aquel barrio aristocrático –de no hacerlo por uno verdaderamente popular–, las calles y los bulevares del centro (donde la frutería, la pescadería, etc., estabilizadas en grandes casas de alimentación, hacían inútiles los pregones de los vendedores ambulantes, que además no hubieran logrado hacerse oír) me parecerían muy tristes, inhabitables, despojados, decantados de todas aquellas letanías de los pequeños oficios y de los comestibles ambulantes, privados de la orquesta que venía a encantarme cada mañana. Pasaba por la acera una mujer poco elegante (obediente a una moda fea), demasiado clara en un abrigo saco de piel de cabra; pero no, no era una mujer, era un chófer que, envuelto en su piel de cabra, se dirigía a pie a su garaje. Los botones de los grandes hoteles, uniformados de distintos colores, se dirigían alados a las estaciones, en sus bicicletas, al encuentro de los viajeros del tren de la mañana. El sonar de un violín procedía a veces del paso de un automóvil, a veces de que yo no había puesto bastante agua en mi calentador eléctrico. En medio de la sinfonía detonaba un «aire» pasado de moda: reemplazando a la vendedora de caramelos que solía acompañar su sonsonete con una carraca, el vendedor de juguetes, que llevaba colgado del mirlitón un muñeco y que lo movía en todos sentidos, paseaba otros muñecos y, sin cuidarse de la declamación ritual de Gregorio el Grande, de la declamación reformada de Palestrina y de la declamación lírica de los modernos, entonaba a voz en cuello, partidario rezagado de la pura melodía:

> *Allons les papas, allons les mamans,*
> *Contentez vos petits enfants;*
> *C'est moi qui les fais, c'est moi qui les vends,*
> *Et c'est moi qui boulotte l'argent.*
> *Tra la la. Tra la la la laire.*
> *Tra la la la la la la.*
> *Allons les petits!*

Unos italianos pequeños, con un bonete en la cabeza, no intentaban luchar con esta *aria vivace,* y sin decir nada ofrecían estatuillas. Y un pequeño pífano obligaba al vendedor de juguetes a alejarse cantando más confusamente, aunque *presto:* «Aquí los papás, aquí las mamás». ¿Era el pequeño pífano uno de aquellos dragones que yo oía por la mañana en Doncières? No, pues lo que seguía eran estas palabras: «¡El lañador de loza y porcelana! Arreglo vidrio, mármol,

cristal, hueso, marfil y objetos antiguos. ¡El lañador!» En
una carnicería que tenía a la izquierda una aureola de sol y a
la derecha una vaca entera colgada, un carnicero muy alto y
muy delgado, rubio, con un cuello azul cielo, ponía una rapidez vertiginosa y una religiosa conciencia en separar a un
lado los filetes exquisitos y a otro la carne de tercera clase, y
–aunque después no hiciera otra cosa que disponer, para el
escaparate, riñones, solomillo, lomo– en realidad daba mucho más la impresión de un hermoso ángel que el día del juicio final estuviera preparando para Dios, según su cualidad,
la separación de buenos y de malos y el peso de las almas. Y
de nuevo ascendía en el aire el pífano tenue y fino anuncian-
do no ya las destrucciones que temía Francisca cada vez que
desfilaba un regimiento de caballería, sino «reparaciones»
prometidas por un «anticuario» ingenuo y burlón y que, en
todo caso muy ecléctico, lejos de especializarse, su arte
abarcaba las más diversas materias. Las repartidoras de
pan se apresuraban a colocar en sus cestas las «flautas»
destinadas al almuerzo, mientras las lecheras colgaban con
ligereza las botellas de leche de sus ganchos. ¿Era exacta la
visión nostálgica que yo tenía de aquellas muchachas? ¿No
sería diferente si hubiera podido mantener inmóvil junto a
mí por un momento a una de las que sólo veía, desde lo alto
de mi ventana, en la tienda o caminando de prisa por la calle? Para valorar lo que me hacía perder la reflexión, es decir,
la riqueza que el día me deparaba, habría sido preciso inter-
ceptar en el largo desfile de aquel friso animado a alguna
muchachita portadora de la ropa o de la leche, hacerla pasar
un momento, como la silueta de un decorado móvil entre los
montantes, en el marco de mi puerta, y retenerla ante mis
ojos no sin pedirle algunas señas que me permitieran volver
a encontrarla un día e igual que ahora: esa ficha definitoria
que los ornitólogos o los ictiólogos fijan en el vientre de los
pájaros o de los peces antes de ponerlos en libertad para poder seguir sus migraciones.

Por eso le dije a Francisca que tenía que mandar a un recado y que me enviara a una de aquellas muchachitas que venían continuamente a buscar y a traer la ropa, el pan o las
botellas de leche, y a las que ella solía encomendar algún encargo. En esto me parecía a Elstir, que, obligado a permanecer encerrado en su taller algunos días de primavera en los
que, sabiendo que los bosques estaban llenos de violetas, le
daban unas ganas locas de verlas, mandaba a la portera a
comprarle un ramillete; y entonces no era la mesa en la que
había posado el pequeño modelo vegetal, sino toda la alfombra del bosque donde había visto antes, a millares, los tallos
serpentinos, vencidos bajo su pico azul, lo que Elstir creía tener ante los ojos, como una zona imaginaria que ponía en su
taller el límpido olor de la flor evocadora.

La lavandera no había que pensar que viniera un domingo. En cuanto a la panadera, había llamado, mala suerte,
cuando Francisca no estaba allí, había dejado las «flautas»
en la cesta, en el descansillo, y se había marchado. La frutera
no vendría hasta más tarde. Una vez que entré en la mante-
quería a comprar queso, me llamó la atención entre las dependientas una verdadera extravagancia rubia, muy alta,
aunque infantil, y que, en medio de las demás, parecía estar
soñando, en una actitud bastante orgullosa. La vi sólo de lejos y pasó tan de prisa que no hubiera podido decir cómo
era, sólo que había debido de crecer demasiado de prisa y
que llevaba en la cabeza un toisón que daba idea, mucho más
que de las particularidades capilares, de una estilización es-
cultórica de los meandros aislados de unos ventisqueros pa-
ralelos. Sólo había distinguido esto y una nariz muy dibuja-
da (cosa rara en una niña) en un rostro flaco y que recordaba
el pico de las crías de buitre. Por otra parte, no fueron sólo
las compañeras agrupadas a su alrededor lo que me impidió
verla, sino también la incertidumbre de los sentimientos
que, a primera vista y después, podía yo inspirarle, si de orgullo arisco, o de ironía, o de un desdén que expresaría des-

pués a sus amigas. Estas suposiciones que alternativamente
hice sobre ella en un segundo, espesaron en torno suyo la atmósfera turbia en que se me perdía, como una diosa en la
nube que el rayo hace temblar. Pues la incertidumbre moral dificulta una exacta percepción visual más de lo que pudiera dificultarla un defecto material de la vista. En aquella
jovenzuela demasiado flaca que por eso llamaba más la atención, el exceso de lo que otro llamaría quizá encantos era
precisamente propio para desagradarme a mí, pero, sin embargo, su resultado fue no dejarme ver nada, y mucho menos recordar, de las otras pequeñas dependientas, que la naricilla arqueada de ésta, su mirar pensativo, personal, como
de juez –cosa tan poco agradable–, habían sumergido en la
noche, como un rayo rubio que entenebrece el paisaje cir-
cundante. Y así, de mi visita para encargar queso en la man-
tequería sólo recordaba (si «recordar» puede decirse tratándose de un rostro tan mal mirado que, no teniéndole delante
se le aplica diez veces una nariz diferente), sólo recordaba a
la pequeña que me había desagradado. Esto basta para iniciar un amor. Pero habría olvidado a la extravagancia rubia y
nunca deseara volver a verla si Francisca no me hubiera dicho que aquella pequeña, aunque muy jovenzuela, era des-
pabilada e iba a dejar a la patrona porque, demasiado coqueta, debía dinero en el barrio. Se ha dicho que la belleza es una
promesa de felicidad. Inversamente, la posibilidad del placer
puede ser un comienzo de belleza.

Me puse a leer la carta de mamá. A través de sus citas de
madame de Sévigné («Si mis pensamientos no son enteramente negros en Combray, son por lo menos de un gris oscuro; pienso en ti constantemente; te añoro con afán; tu salud, tus asuntos, tu lejanía, ¿qué crees tú que puede importar
todo esto entre perro y lobo?») notaba yo que a mi madre la
contrariaba que se prolongara la estancia de Albertina en
la casa y se afianzaran, aunque no declaradas todavía a la novia, mis intenciones de casarme con ella. No me lo decía di-

rectamente por miedo de que yo dejase sus cartas a la vista. Y, por veladas que fuesen, me reprochaba no acusarle recibo de ellas en seguida: «Ya sabes que madame de Sévigné decía: "Cuando se está lejos no se burla uno de las cartas que comienzan por: recibí la tuya".» Sin hablar de lo que más la preocupaba, se decía contrariada por mis grandes gastos: «¿Adónde va a parar todo ese dinero? Ya me duele bastante que, como Carlos de Sévigné, no sepas lo que quieres y que seas "dos o tres hombres a la vez", pero procura al menos no ser como él en el derroche y que no pueda decir yo de ti: ha encontrado el medio de gastar sin parecerlo, de perder sin jugar y de pagar sin salir de deudas.» Acababa de terminar la carta de mamá cuando entró Francisca a decirme que precisamente estaba allí la pequeña lechera un poco demasiado atrevida de que ella me había hablado.

–Podrá muy bien llevar la carta del señor y hacer los recados si no es demasiado lejos. Ya verá el señor, parece una Caperucita Roja.

Francisca fue a buscarla y oí que le decía mientras la guiaba:

–Vamos, tienes miedo porque hay un pasillo, pedazo de tonta, te creía más espabilada. ¿Es que voy a tener que llevarte de la mano?

Y Francisca, como buena y honrada sirvienta que quiere hacer respetar a su maestro como lo respeta ella misma, se envolvió en esa majestad que ennoblece a las celestinas en los cuadros de los antiguos maestros, donde, junto a ellas, se esfuman casi en la insignificancia los amantes.

Cuando Elstir miraba las violetas, no tenía que preocuparse de lo que las violetas hacían. La entrada de la lecherita me quitó en seguida mi calma de contemplador; ya no pensé más que en hacer verosímil la fábula de la carta que tenía que llevar y me puse a escribir rápidamente sin apenas atreverme a mirarla, no fuera a parecer que la había llamado para eso. Estaba para mí adornada con ese encanto de lo desco-

nocido que no tendría una profesional encontrada en esas
casas donde las profesionales nos esperan. No estaba ni des-
nuda ni disfrazada, era una auténtica lechera, una de esas
que imaginamos tan bonitas cuando no tenemos tiempo de
acercarnos a ellas; era un poco de lo que constituye el eterno
deseo, el eterno afán de la vida, cuya doble corriente es al
fin desviada, dirigida a nosotros. Doble porque se trata de lo
desconocido, de un ser que suponemos que debe de ser divino por su estatura, sus proporciones, su mirar indiferente,
su altiva calma, mientras que, por otra parte, queremos a
esta mujer bien especializada en su profesión, capaz de permitirnos la evasión en ese mundo que el disfraz nos hace ver,
novelescamente, diferente.

Por otra parte, si queremos reducir a una fórmula la ley de
nuestras curiosidades amorosas, tendríamos que buscarla
en la máxima diferencia entre una mujer vista y una mujer
tocada, acariciada. Si las mujeres de lo que en otro tiempo se
llamaban casas cerradas, si las mismas *cocottes* (siempre que
no sepamos que son *cocottes*) nos atraen tan poco, no es
que sean menos bellas que las otras, es que están siempre
dispuestas, que lo que queremos precisamente conseguir
nos lo ofrecen ya; es que no son conquistas. Aquí, la diferencia es mínima. Una prostituta nos sonríe ya en la calle lo
mismo que nos sonreirá dentro de la casa. Somos escultores.
Queremos sacar de una mujer una estatua completamente
diferente de la que ella nos ha presentado. Hemos visto una
muchacha indiferente, insolente a la orilla del mar, hemos
visto una vendedora seria y activa en su mostrador que nos
responderá secamente aunque sólo sea para que no se bur-
len de ella sus compañeras, una verdulera que apenas nos
contesta. Bueno, pues inmediatamente queremos experimentar si la orgullosa muchacha de la orilla del mar, si la
vendedora encastillada en el qué dirán, si la distraída verdulera no llegarán, como resultado de nuestros manejos, a ceder en su actitud rectilínea, a rodear nuestro cuello con

aquellos brazos que llevaban la fruta, a inclinar sobre nuestra boca, con una sonrisa consentidora, unos ojos hasta entonces fríos o distraídos –¡oh belleza de los ojos severos a las horas del trabajo en que la obrera tanto temía la maledicencia de sus compañeras, de los ojos que evitaban nuestras obsesivas miradas y que ahora que la vemos a solas contraen las pupilas bajo el soleado peso de la risa cuando hablamos de hacer el amor!–. Entre la vendedora, la lavandera que no aparta la vista de la plancha, la verdulera, la lechera y esta misma muchachita que va a ser nuestra amante se ha producido la máxima distancia, tensa aún en sus extremos límites y variada por esos gestos habituales de la profesión que, mientras dura la labor, hacen de los brazos algo tan sumamente diferente de esos leves lazos que ya, como arabescos, se enlazan cada noche a nuestro cuello mientras la boca se dispone para el beso. Por eso nos pasamos la vida en inquietos afanes constantemente repetidos tras las muchachas serias y a las que su oficio parece alejar de nosotros. Una vez en nuestros brazos, ya no son lo que eran, ha quedado suprimida la distancia que soñábamos franquear. Pero volvemos a empezar con otras mujeres, dedicamos a estas empresas todo nuestro tiempo, todo nuestro dinero, todas nuestras fuerzas, nos morimos de rabia contra el cochero demasiado lento que acaso va a hacernos perder la primera cita, estamos febriles. Sabemos, sin embargo, que esa primera cita marcará el fin de una ilusión. No importa: mientras la ilusión dura, queremos ver si se puede transformar en realidad, y entonces pensamos en la lavandera que hemos visto tan fría. La curiosidad amorosa es como la que suscitan en nosotros los nombres de países: siempre defraudada, renace y permanece siempre insaciable.

Desgraciadamente, la rubia lechera de mechones estriados, una vez junto a mí, una vez despojada de tanta imaginación y de tantos deseos despertados en mí, quedó reducida a sí misma. Ya no la envolvía en un vértigo la nube estremecida de mis suposiciones. Tomaba un aire muy avergonzado de no tener ya más que una nariz (en vez de diez, de veinte, que yo recordaba sucesivamente sin poder fijar mi recuerdo), una sola nariz más redonda de lo que yo creía, que daba una idea de estupidez y, en todo caso, había perdido la facultad de multiplicarse. Ante este vuelo capturado, inerte yo, anulado, incapaz de realzar en nada su pobre evidencia, no tenía ya imaginación para colaborar con él. Caído en la realidad inmóvil, yo intentaba resurgir; las mejillas, que no había visto en la tienda, me parecieron tan bonitas que me intimidaron, y, para darme aplomo, dije a la lecherita:

–¿Me hace el favor de darme *Le Figaro* que está ahí? Tengo que mirar el nombre del lugar a donde quiero mandarla.

Y cogiendo en seguida el periódico, descubrió la manga roja de su chaqueta y me tendió el diario conservador con un movimiento ágil y gentil que me gustó por su rapidez familiar, su apariencia suave y su color escarlata. Abriendo *Le Fígaro,* por decir algo y sin alzar los ojos, pregunté a la muchacha:

–¿Cómo se llama esa prenda de punto rojo que lleva usted? Es muy bonita.

Me contestó:

–Es un *golf.*

Pues por un descenso propio de todas las modas, los vestidos y las palabras que hace unos años parecían pertenecer al mundo relativamente elegante de las amigas de Albertina ahora los usaban las obreras.

–¿De veras no le causará mucho trastorno –le dije haciendo como que buscaba en *Le Figaro*– que la mande aunque sea un poco lejos?

En cuanto aparenté que me parecía penoso el servicio que me iba a hacer, comenzó a encontrar que era molesto para ella.

–Es que dentro de un rato voy a ir a pasear en bici. Para eso no tenemos más que el domingo.

–Pero ¿no tiene frío así, sin nada en la cabeza?

–No iré sin nada en la cabeza, llevaré mi polo, y además, con tanto pelo como tengo, podría pasar sin él.

Alcé los ojos hacia los mechones flavescentes y rizados, y sentí que su remolino me arrastraba, palpitante el corazón, en la luz y en las ráfagas de un huracán de belleza. Seguía mirando el periódico, pero aunque sólo fuera por darme aplomo y ganar tiempo, haciendo como que leía, entendía el sentido de las palabras que estaban bajo mis ojos y me impresionaban: «En el programa de la *matinée* que hemos anunciado que se celebrará esta tarde en la sala de fiestas del Trocadero, hay que añadir el nombre de mademoiselle Léa, que ha accedido a actuar en *Les fourberies de Nérine*. Hará, naturalmente, el papel de Nérine, en el que está deliciosa de gracia y de arrebatadora alegría.» Fue como si me hubieran arrancado brutalmente del corazón la venda bajo la cual había comenzado a cicatrizarse desde mi regreso de Balbec. Se desbordó a torrentes el flujo de mis angustias. Léa era la actriz amiga de las dos muchachas que Albertina, pareciendo que no las veía, había estado mirando en el espejo del casino una tarde. Verdad es que en Balbec, Albertina, al oír el nombre de Léa, tomó un tono especial de compunción para decirme, casi ofendida de que se pudiera sospechar de semejante virtud: «¡Oh, no!, no es en absoluto una mujer de ésas, es una mujer como se debe». Desgraciadamente para mí, cuando Albertina emitía una afirmación de este tipo, era siempre la primera fase de afirmaciones diferentes. Poco después de la primera, venía la segunda: «Yo no la conozco». *Tercio,* cuando Albertina me hablaba de una persona así, «libre de toda sospecha» y que *(secundo)* «ella no conocía», olvidaba luego: primero, que había dicho que la conocía, y, en una frase en la que se contradecía sin saberlo, contaba que la conocía. Consumado este primer olvido y emitida la nueva afirmación, se planteaba un segundo olvido, el de que la persona estaba libre de toda sospecha.

–¿Es que Fulana –preguntaba yo– no tiene esas costumbres?

–¡Pues claro, es sabidísimo!

En seguida volvía a tomar el tono compungido con una afirmación que era un vago eco muy atenuado de la primera:

–Debo decir que conmigo ha sido siempre de una corrección perfecta. Naturalmente, ella sabía que yo la hubiera rechazado, y de qué manera. Pero de todas maneras tengo que estarle agradecida por el verdadero respeto que siempre me ha demostrado. Se ve que sabía bien con quién trataba.

La verdad la recordamos porque tiene un nombre, raíces antiguas; pero una mentira improvisada se olvida en seguida. Albertina olvidaba aquella última mentira, la cuarta, y un día en que intentaba ganar mi confianza haciéndome ciertas confidencias, me decía de la misma persona, tan correcta al principio y de la que había dicho que no la conocía:

–Se ha encaprichado por mí. Tres o cuatro veces me ha pedido que la acompañara hasta su casa y subiera. Acompañarla, yo no veía ningún mal en ello, delante de todo el mundo, en pleno día, en la calle. Pero al llegar a su puerta siempre encontraba un pretexto y nunca subí.

Al poco tiempo, Albertina ponderaba los objetos que la misma señora tenía en su casa. De aproximación en aproximación, seguramente habría podido sacarle la verdad, una verdad que acaso no era tan grave como yo me inclinaba a creer, pues quizá, fácil con las mujeres, prefería un amante, y ahora que su amante era yo no pensaría en Léa. En todo caso, en lo que a ésta se refiere, no habíamos pasado de la primera afirmación, y yo ignoraba si Albertina la conocía[1].

_____

1. «Ya me hubiera bastado, por lo menos en cuanto a muchas mujeres, reunir ante mi amiga, en una síntesis, sus afirmaciones contradictorias para convencerla de sus faltas (faltas que, como las leyes astronómicas, son más fáciles de deducir mediante el razonamiento que de observar,

Mas para el caso era igual. Había que impedir a todo trance que Albertina pudiera encontrar en el Trocadero a aquella
persona conocida o conocerla si no la conocía. Digo que no
sabía si conocía a Léa o no; sin embargo, debía de saberlo en
Balbec por la misma Albertina. Y es que el olvido borraba
en mí, tanto como en Albertina, gran parte de las cosas que
me había dicho. Pues la memoria, en vez de un ejemplar du-
plicado, siempre presente ante nuestros ojos, de los diversos
hechos de nuestra vida, es más bien un vacío del que de
cuando en cuando una similitud actual nos permite sacar,
resucitados, recuerdos muertos; pero hay, además, mil pequeños hechos que no han caído en esa virtualidad de la memoria y que permanecerán siempre incontrolables para nosotros. No prestamos ninguna atención a lo que ignoramos
de la vida real en torno a la persona amada, olvidamos inmediatamente lo que nos ha dicho de un hecho o de unas personas que no conocemos, así como su actitud al decírnoslo.
Por eso cuando, posteriormente, esas mismas personas suscitan nuestros celos, para saber si no se engañan, si es a ellas
a quien deben achacar una impaciencia de la amada por salir, un descontento de que se lo hayamos impedido volviendo demasiado pronto, nuestros celos, hurgando en el pasado para sacar deducciones, no encuentran nada en él;

que de sorprender en la realidad). Pero mi amiga hubiera preferido decir que había mentido cuando hizo una de aquellas afirmaciones, que
una vez anulada derrumbaría todo mi sistema, antes que reconocer
que todo lo que había contado desde el principio no era más que un
amasijo de cuentos mentirosos. Parecidos los hay en *Las mil y una noches* y nos encantan. En una persona a la que amamos nos hacen sufrir, y
por eso nos permiten internarnos un poco más en el conocimiento de la
naturaleza humana en vez de contentarnos con engañarnos en su superficie. Nos penetra la pena y, por la curiosidad dolorosa, nos obliga a penetrar. De aquí ciertas verdades que no nos creemos con derecho a ocultar, y un ateo moribundo que las ha descubierto, aunque seguro de la
nada, sin la preocupación de la gloria, dedica sus últimas horas a procurar darlas a conocer» [La edición de La Pléiade incluye este fragmento a
pie de página, en el lugar señalado. *(N. de la T.)*]

siempre retrospectivos, son como un historiador que se pone a escribir una historia para la cual no hay ningún documento; siempre retrasados, se precipitan como un toro furioso allí donde no se encuentra la persona orgullosa y brillante que los irrita con sus picaduras y cuya magnificencia, cuya astucia, admira la multitud cruel. Los celos se debaten en el vacío, inciertos como lo estamos en esos sueños en los que sufrimos por no encontrar en su casa vacía a una persona que hemos conocido bien en la vida, pero que aquí acaso es otra que ha tomado solamente el exterior de otro personaje, inciertos como lo estamos más aún cuando, ya despiertos, intentamos identificar tal o cual detalle de nuestro sueño. ¿Cómo estaba nuestra amiga al decirnos aquello? ¿No parecía muy contenta, hasta silbando, cosa que hace solamente cuando tiene algún pensamiento amoroso y nuestra presencia la importuna y la irrita? ¿No nos dijo una cosa que está en contradicción con lo que nos dice ahora, que conocía o no conocía a tal persona? No lo sabemos, no lo sabremos nunca. Nos esforzamos en buscar los retazos inconsistentes de un sueño, y mientras tanto nuestra vida con nuestra amante continúa, nuestra vida distraída ante lo que ignoramos que es importante para nosotros, atenta a lo que acaso no lo es, obsesionada con seres que no tienen verdadera relación con nosotros, llena de olvidos, de lagunas, de vanas ansiedades, nuestra vida semejante a un sueño.

Me di cuenta de que la lecherita seguía allí. Le dije que, decididamente, aquello estaba muy lejos, que no la necesitaba. Entonces a ella le pareció también que hubiera sido demasiado molesto:

–Dentro de poco empieza un buen partido, no quisiera perderlo.

Me di cuenta de que aquella muchacha debía de decir ya: afición a los deportes, y que a los pocos años diría: vivir su vida. Le dije que, decididamente, no la necesitaba y le di cinco francos. Como no lo esperaba, inmediatamente pensó que si le había dado cinco francos por no hacer nada, le hubiera dado mucho por el recado, y empezó a considerar que su partido no tenía importancia.

–Hubiera podido hacerle el recado. Podemos arreglarnos.

Pero la empujé hacia la puerta, necesitaba estar solo; había que impedir a todo trance que Albertina se encontrara en el Trocadero con las amigas de Léa. Había que evitarlo, había que evitarlo a todo trance; a decir verdad, yo no sabía aún de qué manera, y en los primeros momentos abría las manos, las miraba, hacía chascar las articulaciones de los dedos, bien porque la mente que no puede encontrar lo que busca se emperaza y se concede un alto de un momento en el que las cosas más indiferentes se le aparecen claras, como esas hierbas de las laderas que desde el vagón vemos temblar al viento cuando el tren se detiene en pleno campo (inmovilidad no siempre más fecunda que la del animal capturado que paralizado por el miedo o fascinado mira sin moverse), bien porque yo tuviese ya dispuesto mi cuerpo –con mi inteligencia dentro y en ésta los medios de acción sobre tal o cual persona– como si no fuera ya más que un arma de la que partiría el disparo que iba a separar a Albertina de Léa y de sus dos amigas. Cierto que cuando Francisca vino por la mañana a decirme que Albertina iba a ir al Trocadero me dije: «Albertina puede hacer lo que le dé la gana», y creí que hasta la noche, con aquel tiempo radiante, lo que Albertina hiciera no tendría para mí importancia perceptible. Pero no era solamente el sol mañanero, como yo pensé, lo que me dio aquella indiferencia; era porque, después de obligar a Albertina a renunciar a los proyectos que acaso podía iniciar o incluso realizar con los Verdurin, y de reducirla a ir a una *matinée* que yo mismo había elegido y para la que ella no había podido preparar nada, sabía que lo que hiciera sería forzosamente inocente. De la misma manera, si Albertina había dicho poco después: «Si me mato, me importa poco», era porque estaba segura de que no se mataría. Aquella mañana había ante mí, ante Albertina (mucho más que el claro sol del día), ese medio que no vemos, pero a través del cual, traslúcido y cambiante, percibíamos: yo, sus actos; ella, la importancia de su propia vida; es decir, esas creencias invisibles, pero no más asimilables a un puro vacío de lo que lo es el aire que nos rodea; crean en torno a nosotros una atmósfera variable, excelente a veces, y respirable con frecuencia, y merecerían ser observadas y anotadas con tanto cuidado como la temperatura, la presión barométrica, la estación, pues nuestros días tienen su originalidad física y moral. La creencia –no advertida aquella mañana por mí, pero que, sin embargo, me había vuelto gozosamente hasta el momento en que abrí *Le Figaro*– de que Albertina no haría nada que no fuera inofensivo, aquella creencia acababa de desaparecer. Ya no vivía yo en el hermoso día, sino en un día creado dentro del primero por la inquietud de que Albertina reanudara relaciones con Léa, y más fácilmente aún con las dos muchachas si, como me parecía probable, iban a aplaudir a la actriz en el Trocadero, donde no les sería difícil encontrarse con Albertina en un entreacto. Ya no pensaba en mademoiselle Vinteuil; el nombre de Léa me había hecho volver a ver, renovando mis celos, la imagen de Albertina en el casino cerca de las dos muchachas. Pues yo no tenía en la memoria más que series de Albertinas separadas unas de otras, incompletas, perfiles, instantáneas; en consecuencia, mis celos se confinaban en una expresión discontinua, a la vez fugitiva y fija, y en los seres que la habían llevado al rostro de Albertina. Recordaba a ésta cuando, en Balbec, la miraban demasiado las dos muchachas u otras mujeres de este género; recordaba lo que me hacía sufrir verla recorrer con miradas activas, como las de un pintor que quiere tomar un apunte, el rostro enteramente cubierto por ella y que, sin duda debido a mi presencia, sufría aquel contacto sin aparentar que se daba cuenta de él con una pasividad acaso clandestinamente voluptuosa. Y antes de que se tranquilizara y me hablara, mediaba un segundo durante el cual Albertina no se movía, sonreía en el vacío, con el mismo aire de naturalidad fingida y de placer disimulado que si la estuvieran retratando, o incluso para elegir ante el objetivo una pose más vivaz –la misma que había adoptado en Doncières cuando paseábamos con Saint-Loup: sonriendo y pasándose la lengua por los labios, parecía estar excitando a un perro–. Desde luego en tales momentos no era en absoluto la misma que cuando miraba con interés a las muchachitas que pasaban. En este caso, por el contrario, sus ojos entornados y dulces se clavaban, se pegaban a la muchacha que pasaba, tan adherentes, tan corrosivos, que parecía que al retirarlos iban a llevarse la piel. Pero en este momento aquella mirada, que al menos le daba algo de seriedad, hasta el punto de parecer enferma, me pareció dulce comparada con la mirada atónita y feliz que dirigía a las dos muchachas, y hubiera preferido la sombría expresión del deseo que quizá sentía algunas veces a la gozosa expresión causada por el deseo que ella inspiraba. Por más que disimulara la conciencia que tenía de este deseo, esa conciencia la bañaba, la envolvía, vaporosa, voluptuosa, patente en el rosa muy vivo de su cara. Pero quién sabe si todo lo que Albertina tenía ahora en suspenso dentro de ella, lo que irradiaba en torno suyo y tanto me hacía sufrir, quién sabe si fuera de mi presencia seguiría callándolo, si, cuando no estuviera yo a su lado, no respondería audazmente a las insinuaciones de las dos muchachas. Estos recuerdos me causaban gran dolor, eran como una confesión total de los gustos de Albertina, una confesión general de su infidelidad, contra la que no podían prevalecer los juramentos particulares de Albertina en los que yo quería creer, los resultados negativos de mis incompletas averiguaciones, las seguridades de Andrea, dadas quizá en connivencia con Albertina. Albertina podía negarme sus traiciones particulares; con palabras que se le escapaban, más fuertes que las declaraciones contrarias, simplemente con aquellas miradas, había confesado lo que quería ocultar, mucho más que hechos particulares, lo que antes se hubiera dejado matar que reconocerlo: su inclinación. Pues ninguna persona quiere descubrir su alma.

A pesar del dolor que estos recuerdos me causaban, ¿cómo negar que era el programa de la *matinée* del Trocadero lo que había despertado mi necesidad de Albertina? Era de esas mujeres cuyas faltas podrían, llegado el caso, pasar por encantos, y, como sus faltas, la bondad que las sucede y nos devuelve esa dulzura que con ellas nos vemos obligados a reconquistar, como un enfermo que nunca está bien dos días seguidos. Por otra parte, más aún que sus faltas cuando las amamos, hay sus faltas antes de conocerlas, y la primera de todas su naturaleza. En efecto, lo que hace dolorosos estos amores es que les preexiste una especie de pecado original de la mujer, un pecado que nos hace amarlas, de suerte que cuando lo olvidamos las necesitamos menos y que para volver a amarlas hay que volver a sufrir. En este momento lo que más me preocupaba era que no se encontrara con las dos muchachas y saber si conocía o no a Léa, aunque no debieran interesarnos los hechos particulares sino por su significado general, y a pesar de la puerilidad, tan grande como la del viaje o la del deseo de conocer mujeres que hay en fragmentar la curiosidad en lo que del invisible torrente de las realidades crueles que siempre nos serán desconocidas ha cristalizado fortuitamente en nuestro espíritu. Por otra parte, aunque lográramos destruirlo, sería inmediatamente reemplazado por otra cosa. Ayer yo temía que Albertina fuera a casa de madame Verdurin. Ahora sólo me preocupaba Léa. Los celos, que tienen una venda en los ojos, no sólo son impotentes para ver nada en las tinieblas que los rodean, son también uno de esos suplicios en los que hay que recomenzar siempre la tarea, como la de las Danaides, como la de Ixión. Aunque no estuvieran allí las dos muchachas, ¡qué impresión podía hacerle a Albertina, embellecida por su pa-

lvertidos a nuestra propia dar cómo comenzamos a amar a una mujer, ya la amamos; en los deliquios de antes, no nos decíamos: esto es el preludio de un amor, pongamos atención; y avanzaban por sorpresa, sin que apenas los notáramos. De igual modo, salvo en casos relativamente bastante raros, puede decirse que sólo por comodidad del relato he enfrentado aquí a veces un dicho mentiroso de Albertina con su aserción primera (sobre el mismo asunto). Esta primera aserción, como yo no leía en el futuro y no adivinaba la afirmación contradictoria que la iba a acompañar después, solía pasarme inadvertida, oyéndola con los oídos, pero sin aislarla de la continuidad de las palabras de Albertina. Después, ante la mentira patente, o presa de una duda ansiosa, habría querido recordar, pero en vano: mi memoria no había sido advertida a tiempo y había creído inútil guardar copia.

Recomendé a Francisca que, cuando hiciera salir a Albertina del teatro, me avisara por teléfono y la trajera, contenta o no.

–No faltaría más que eso, que no estuviera contenta de venir a ver al señor –contestó Francisca.

–Pero yo no sé si le gusta tanto verme.

–Bien ingrata tenía que ser –replicó Francisca, en quien Albertina renovaba, al cabo de tantos años, el mismo suplicio de envidia que en otro tiempo le causara Eulalia con relación a mi tía.

Ignorando que la situación de Albertina conmigo no la había buscado ella, sino que la había querido yo (lo que yo prefería ocultarle, por amor propio y por hacerla rabiar), Francisca admiraba y execraba su habilidad, y cuando hablaba de ella a los otros criados, la llamaba «comedianta», «trapacera», que hacía de mí lo que quería. Aún no se atrevía a declararle la guerra, le ponía buena cara y hacía valer ante mí como un mérito los servicios que le hacía en sus relaciones conmigo, pensando que era inútil decirle nada y que nada conseguiría, pero al acecho de una ocasión; y si alguna vez llegaba a descubrir una fisura en la situación de Albertina, se prometía ensancharla y separarnos completamente.

–¿Ingrata? No, Francisca, soy yo el que me considero ingrato, no sabe usted lo buena que es conmigo –¡me era tan dulce pasar por ser amado!–. Vaya en seguida.

–Allá voy, y presto.

La influencia de su hija empezaba a alterar un poco el vocabulario de Francisca. Así pierden su pureza todas las lenguas por adjunción de términos nuevos. De esta decadencia del habla de Francisca, que yo había conocido en sus buenos tiempos, era yo indirectamente responsable. La hija de Francisca no habría hecho degenerar hasta la más baja de las jergas el lenguaje clásico de su madre si se hubiera limitado a hablar el dialecto con ella. Nunca se había privado de hacerlo, y cuando estaban las dos conmigo, si tenían cosas secretas que decirse, en vez de ir a encerrarse en la cocina, se buscaban, hablando en dialecto en mitad de mi cuarto, una protección más infranqueable que la puerta mejor cerrada. A lo más que llegaba yo era a suponer que madre e hija no siempre vivían en buena armonía, a juzgar por la frecuencia con que repetían la única palabra que yo podía distinguir: *m'esasperate* (a menos que fuese yo el objeto de aquella exasperación). Desgraciadamente, la lengua más desconocida acabamos por aprenderla cuando oímos hablarla siempre. Yo lamenté que fuera el dialecto, pues llegué a saberlo, y lo mismo habría aprendido el persa si Francisca hubiera tenido la costumbre de expresarse en esta lengua. Cuando se dio cuenta de mis progresos, de nada sirvió que ella y su hija hablaran más de prisa. A la madre le disgustó muchísimo que yo entendiese el dialecto, pero después estaba muy contenta de oírme hablarlo. En realidad, este contento era más bien burla, pues aunque acabé por pronunciar aproximadamente como ella, ella encontraba entre nuestras dos pronunciaciones unos abismos que la encantaban y dio en lamentar no ver ya a algunas personas de su tierra en las que no había pensado nunca desde hacía años y que, al parecer, se habrían tronchado de risa, una risa que a ella le hubiera gustado oír, al oírme hablar tan mal el dialecto. Sólo pensarlo la llenaba de alegría y de pesar, y nombraba a tal o cual paisano suyo que habría llorado de risa. En todo caso, ninguna alegría atenuó la tristeza de que, aun pronunciando mal, la entendiera bien. Las llaves resultan inútiles cuando aquel a quien se quiere impedir que entre puede servirse de una llave universal o de una ganzúa. El dialecto era ya una defensa vulnerable, y Francisca se puso a hablar con su hija un francés que al poco tiempo era el francés de las bajas épocas.

Yo estaba ya preparado y Francisca no había telefoneado todavía. ¿Debería irme sin esperar? Pero ¿y si Francisca no encontraba a Albertina, si ésta no estaba entre bastidores, si, aunque la encontrara, no accedía a venir? Pasada media hora sonó el timbre del teléfono, y en mi corazón latían tumultuosamente la esperanza y el miedo. Era, a la orden de un empleado del teléfono, un escuadrón volante de sonidos que, con una velocidad instantánea, me traían las palabras del telefonista, no las de Francisca, a quien una timidez y una melancolía ancestrales, aplicadas a un objeto desconocido por sus padres, impedían aproximarse a un receptor, aunque dispuesta a visitar a enfermos contagiosos. Había encontrado en el *promenoir* a Albertina sola, y como sólo había ido a decir a Andrea que no se iba a quedar volvió en seguida con Francisca.

–¿No estaba enfadada?

–¡Vaya! ¡Pregunte a esta señora si la señorita estaba enfadada!...

–Esta señora me dice que le diga que no, en absoluto, que todo lo contrario; por lo menos, si no estaba contenta, no se le notaba. Ahora van a ir a los Trois-Quartiers y vendrán a las dos.

Comprendí que las dos serían las tres, pues las dos habían pasado ya. Pero uno de los defectos particulares de Francisca, permanentes, incurables, de esos que llamamos enfermedades, era no poder nunca mirar ni decir la hora exacta. Cuando Francisca, mirando el reloj, si eran las dos decía: es la una, o son las tres, nunca pude comprender si el fenómeno que se producía residía en la vista de Francisca, o en su pensamiento, o en su lenguaje; lo cierto es que este fenómeno se producía siempre. La humanidad es muy vieja. La herencia, los cruces han dado una fuerza insuperable a malos hábitos, a reflejos viciosos. Una persona estornuda o jadea porque pasa cerca de un rosal; a otra le sale una erupción cuando huele pintura fresca; a muchos les da un cólico cuando tienen que salir de viaje, y hay nietos de ladrones que, siendo millonarios y generosos, no pueden resistir la tentación de robarnos cincuenta francos. En cuanto a saber por qué Francisca no podía decir nunca la hora exacta, nunca me dio ella ninguna luz al respecto. Pues a pesar de la ira que sus respuestas inexactas solían producirme, Francisca no intentaba ni disculparse de su error ni explicarlo. Permanecía muda, parecía no oírme, lo que me exasperaba más aún. Yo hubiera querido oír unas palabras de justificación, aunque sólo fuera para rebatirlas; pero nada, un silencio indiferente. En todo caso, ahora no había duda: Albertina volvería con Francisca a las tres, Albertina no vería a Léa ni a sus amigas. Y ahora que se había conjurado el peligro de que reanudara relaciones con ellas, perdió inmediatamente toda importancia para mí y, ante la facilidad con que se conjuró, me extrañaba haber creído que no se iba a conjurar. Sentí un vivo impulso de gratitud hacia Albertina que, ya lo veía, no había ido al Trocadero por las amigas de Léa y que al dejar la *matinée* y volver a una simple indicación mía me demostraba que me pertenecía, hasta para el futuro, más de lo que yo me figuraba. Y mi gratitud fue aún mayor cuando un ciclista me trajo una esquela de Albertina pidiéndome que tuviera paciencia y con las cariñosas expresiones que le eran familiares: «Mi queridísimo Marcelo, llegaré un poco después que ese ciclista al que le quisiera quitar la bicicleta para estar más pronto a tu lado. ¿Cómo puedes creer que pudiera enfadarme y que haya algo más divertido para mí que estar contigo? Sería estupendo salir los dos, y más estupendo todavía no salir nunca más que juntos. ¡Qué cosas se te ocurren! ¡Qué Marcelo! ¡Qué Marcelo! Tuya, toda tuya, Albertina.»

Hasta los vestidos que yo le compraba, el yate de que le había hablado, los vestidos de Fortuny, todo esto que tenía en aquella obediencia de Albertina, no su compensación, sino su complemento, me parecían privilegios que yo ejercía; pues los deberes y las cargas de un amo forman parte de su dominio y lo definen, lo atestiguan tanto como sus derechos. Y estos derechos que ella me reconocía daban precisamente a mis cargas su verdadero carácter: yo tenía una mujer mía que, a la primera palabra que yo le enviaba de improviso, me mandaba con deferencia un recado telefónico diciéndome que venía en seguida, que se dejaba traer en seguida. Era más dueño de lo que había creído. Más dueño, o sea, más esclavo. Ya no tenía ninguna prisa de ver a Albertina. La seguridad de que estaba haciendo una compra con Francisca, de que iba a venir con ésta dentro de un momento, un momento que yo hubiera aplazado de buena gana, alumbraba como un astro radiante y sereno un tiempo que ahora me hubiera gustado mucho más pasarlo solo. Mi amor a Albertina me había hecho levantarme y prepararme para salir, pero me impediría gozar de mi salida. Pensaba yo que, en un domingo como aquél, debían de estar paseando por el Bois las menestralas, las modistillas, las *cocottes*. Y con estas palabras de modistillas, de menestralas (como me solía ocurrir con un nombre propio, un nombre de muchacha leído en la reseña de un baile) con la imagen de una blusa blanca, de una falda corta, porque detrás de todo esto ponía yo una persona desconocida y que podría amarme, fabricaba yo solo mujeres deseables y me decía: «¡Qué bien deben de estar!» Pero ¿de qué me serviría que estuviesen muy bien, si no iba a salir solo? Aprovechando el estar solo aún, y cerrando a medias las cortinas para que el sol no me impidiera leer las notas, me senté al piano y abrí al azar la Sonata de Vinteuil, que estaba en el atril, y me puse a tocar; como la llegada de Albertina estaba todavía un poco lejos, pero, en cambio, era completamente segura, tenía a la vez tiempo y tranquilidad de espíritu. Bañado en la espera plena de seguridad de su regreso con Francisca y en la confianza en su docilidad como en la beatitud de una luz interior tan cálida como la del exterior, podía disponer de mi pensamiento, apartarlo un momento de Albertina, aplicarlo a la Sonata. Ni siquiera me paraba a observar en ésta cómo la combinación del motivo voluptuoso y del motivo ansioso respondía mejor ahora a mi amor a Albertina, tan exento de celos durante mucho tiempo que había podido confesar a Swann mi ignorancia de este sentimiento. No, tomando la Sonata de otra manera, considerándola en sí misma como obra de un gran artista, la corriente sonora me llevaba hacia los días de Combray –no quiero decir de Montjouvain y de la parte de Méséglise, sino los paseos por la parte de Guermantes– en que deseaba ser yo mismo un artista.

Al abandonar, de hecho, esta ambición, ¿había renunciado a algo real? ¿Podía la vida consolarme del arte? ¿Había en el arte una realidad más profunda en la que nuestra verdadera personalidad encuentra una expresión que no le dan las acciones de la vida? ¿Y es que todo gran artista parece tan diferente de los demás y nos da tal sensación de la individualidad que en vano buscamos en la existencia cotidiana? Mientras pensaba esto, me impresionó un compás de la Sonata, un compás que conocía bien, sin embargo, pero a veces la atención ilumina de modo diferente cosas que conocemos desde hace mucho tiempo y en las que, de pronto, vemos lo que nunca habíamos visto. Tocando este compás, y aunque

Vinteuil expresara en él un sueño completamente ajeno a Wagner, no pude menos de murmurar: *Tristán,* con la sonrisa del amigo de una familia al encontrar algo del abuelo en una entonación, en un gesto del nieto que no le ha conocido. Y como quien mira entonces una fotografía que permite precisar el parecido, coloqué en el atril, encima de la Sonata de Vinteuil, la partitura de *Tristán,* de la que precisamente tocaban aquel día unos fragmentos en el concierto Lamoureux. No tenía yo, al admirar al maestro de Bayreuth, ninguno de los escrúpulos de los que, como Nietzsche, se creen en el deber de huir, en el arte como en la vida, de la belleza que los tienta, que se arrancan de *Tristán* como reniegan de *Parsifal* y, por ascetismo espiritual, de mortificación en mortificación, siguiendo el más cruento de los caminos de cruz, llegan a elevarse hasta el puro conocimiento y a la adoración perfecta del *Postillon de Long jumeau.* Me daba cuenta de todo lo que hay de real en la obra de Wagner, al ver esos temas insistentes y fugaces que visitan un acto, que no se alejan sino para volver, y, lejanos a veces, adormecidos, desprendidos casi, en otros momentos, sin dejar de ser vagos, son tan apremiantes y tan próximos, tan internos, tan orgánicos que dijérase la reincidencia de una neuralgia más que de un motivo.

La música, muy diferente en esto a la compañía de Albertina, me ayudaba a entrar en mí mismo, a descubrir en mí algo nuevo: la variedad que en vano había buscado en la vida, en el viaje, cuya nostalgia me daba, sin embargo, aquella corriente sonora que hacía morir a mi lado sus olas soleadas. Diversidad doble. Lo mismo que el espectro exterioriza para nosotros la composición de la luz, la armonía de un Wagner, el color de un Elstir nos permiten conocer esa esencia cualitativa de las sensaciones de otro en las que el amor a otro no nos hace penetrar. Diversidad también dentro de la obra misma, por el único medio que hay de ser efectivamente diverso: reunir diversas individualidades. Allí donde un

músico cualquiera pretendería que pinta un escudero, un
caballero, cuando les hace cantar la misma música, Wagner,
por el contrario, pone bajo cada denominación una realidad
diferente, y cada vez que aparece su escudero es una figura
particular, a la vez complicada y simplista, que con un entre-
choque de líneas jocundo y feudal se inscribe en la inmensidad sonora. De aquí la plenitud de una música llena, en efecto, de tantas músicas cada una de las cuales es un ser. Un ser
o la impresión que da un aspecto momentáneo de la naturaleza. Hasta lo que es en ella lo más independiente del sentimiento que nos hace experimentar conserva su realidad exterior y perfectamente definida; el canto de un pájaro, el
toque de corneta de un cazador, el son que toca un pastor
con su flauta, perfilan en el horizonte su silueta sonora. Cierto que Wagner iba a acercarse a ella, a apoderarse de ella, a
hacerla entrar en una orquesta, a someterla a las más altas
ideas musicales, pero respetando, sin embargo, su originalidad primera como un tallista las fibras, la esencia especial de
la madera que esculpe.

Pero a pesar de la riqueza de esas obras en las que se encuentra la contemplación de la naturaleza al lado de la acción, al lado de individuos que no son solamente nombres
de personajes, pensaba yo hasta qué punto participan, sin
embargo, sus obras de ese carácter de ser siempre incompletas –aunque maravillosamente– que es el carácter de todas
las grandes obras del siglo XIX; de ese siglo XIX cuyos más
grandes escritores han fallado sus libros, pero mirándose
trabajar como si fueran a la vez el obrero y el juez, han sacado de esta autocontemplación una belleza exterior nueva y
superior a la obra, imponiéndole retroactivamente una unidad, una grandeza que no tiene. Sin detenernos en el que vio
a posteriori en sus novelas una *Comedia humana,* ni en los
que a unos poemas o a unos ensayos disparatados les llama-
ron *La leyenda de los siglos* y *La biblia de la humanidad,* ¿no
podemos, sin embargo, decir de este que tan bien encarna el

siglo XIX que las mayores bellezas de Michelet hay que bus-
carlas, más que en su obra misma, en las actitudes que toma
ante ella; no en su *Historia de Francia* o en su *Historia de la
Revolución,* sino en sus prefacios a estos dos libros? Prefacios, es decir, páginas escritas después de los libros y en los
que los juzga, y a los que hay que añadir acá y allá algunas
frases que comienzan generalmente por un «¿me atreveré a
decirlo?» que no es una precaución de sabio, sino una cadencia de músico. El otro músico, el que me embelesaba en este
momento, Wagner, sacando de sus cajones un trozo delicioso para ponerlo como tema retrospectivamente necesario en
una obra en la que no pensaba en el momento de componer-
lo, componiendo después una primera ópera mitológica,
luego otra, otras más, y dándose cuenta de pronto de que
acababa de hacer una Tetralogía, debió de sentir un poco de
la misma embriaguez que Balzac cuando éste, echando a sus
obras la mirada de un extraño y de un padre a la vez, encontrando en una la pureza de Rafael, en otra la sencillez del
Evangelio, se le ocurrió de pronto, proyectando sobre ella
una iluminación retrospectiva, que serían más bellas reuni-
das en un ciclo en el que reaparecieran los mismos personajes, y dio a su obra, así acoplada, una pincelada, la última y la
más sublime. Unidad interior, no falsa, pues se hubiera de-
rrumbado como tantas sistematizaciones de escritores mediocres que, con gran refuerzo de títulos y de subtítulos,
aparentan haber perseguido un solo y trascendental propósito. No falsa, quizá hasta más real por ser ulterior, por haber
nacido en un momento de entusiasmo, descubierta entre
fragmentos a los que no les falta más que juntarse; unidad
que se ignoraba, luego es vital y no lógica, unidad que no ha
proscrito la variedad, que no ha enfriado la ejecución. Es
como un fragmento compuesto aparte (pero aplicado esta
vez al conjunto), nacido de una inspiración, no exigido por
el desarrollo artificial de una tesis y que viene a incorporarse
al resto. Antes del gran movimiento de orquesta que prece-

de al retorno de Isolda, la misma obra ha atraído a sí el
son de flauta medio olvidado de un pastor. Y, sin duda, así
como la progresión de la orquesta al acercarse la nave, cuando se apodera de estas notas de la flauta, las transforma, las
asocia a su exaltación, rompe su ritmo, ilumina su tonalidad, acelera su movimiento, multiplica su instrumentación,
así el propio Wagner exultó de alegría cuando descubrió en
su memoria el son del pastor, lo agregó a su obra, le dio todo
su significado. Por lo demás, esta alegría no le abandonó
nunca. En él, cualquiera que sea la tristeza del poeta, queda
consolada, superada –es decir, desgraciadamente, un poco
destruida–, por el gozo del creador. Pero entonces esta habilidad vulcánica me perturbaba tanto como la identidad que
antes observara entre la frase de Vinteuil y la de Wagner.
¿Será esa habilidad la que da a los grandes artistas la ilusión
de una originalidad profunda, irreductible, reflejo, en apariencia, de una realidad sobrehumana, pero producto de un
trabajo industrioso? Si el arte no es más que esto, no es más
real que la vida, y yo no tenía por qué lamentar tanto no de-
dicarme a él. Seguía tocando *Tristán*. Separado de Wagner
por el tabique sonoro, le oía exultar, invitarme a compartir
su gozo, oía redoblar la risa inmortalmente joven y los mar-
tillazos de Sigfrido; por otra parte, cuanto más maravillosamente trazadas eran aquellas frases, la habilidad técnica del
obrero no servía más que para hacerlas dejar más libremente
la tierra, pájaros semejantes no al cisne de Lohengrin, sino a
aquel aeroplano que vi en Balbec transformar su energía en
elevación, planear sobre las olas y perderse en el cielo. Quizá,
como los pájaros que suben más alto, que vuelan más de prisa, que tienen unas alas más poderosas, hacían falta esos
aparatos verdaderamente materiales para explorar el infinito, esos ciento veinte caballos marca Mystère, en los que, sin
embargo, por alto que planeemos, no podemos del todo
gustar el silencio de los espacios porque nos lo impide el es-
truendo del motor.

No sé por qué el curso de mis pensamientos, que había seguido hasta entonces recuerdos de música, se desvió hacia los que han sido en nuestra época los mejores ejecutantes, y entre los cuales, favoreciéndole un poco, incluía a Morel. Mi pensamiento dio en seguida una vuelta brusca y me puse a pensar en el carácter de Morel, en ciertas particularidades de este carácter. Por lo demás –y esto podía coincidir, pero no confundirse con la neurastenia que le reconcomía–, Morel tenía la costumbre de hablar de su vida, pero la presentaba en una imagen tan oscura que era difícil distinguir nada en ella. Se ponía, por ejemplo, a la entera disposición de monsieur de Charlus con la condición de tener las noches libres, pues quería ir después de cenar a un curso de álgebra. Monsieur de Charlus accedía, pero quería verle después.

–Imposible, es una antigua pintura italiana –esta broma, así transcrita, no tiene ningún sentido; pero monsieur de Charlus había hecho leer a Morel *L'éducation sentimentale,* en cuyo penúltimo capítulo dice esta frase Federico Moreau, y Morel no pronunciaba nunca la palabra «imposible» sin añadir estas otras: «es una antigua pintura italiana»–, porque la clase suele acabar muy tarde, y ya es bastante molestia para el profesor, que, naturalmente, se sentiría desairado...

–Pero ni siquiera hay necesidad de ese curso, el álgebra no es la natación ni siquiera el inglés, eso se aprende lo mismo en un libro –replicaba monsieur de Charlus, que había adivinado en seguida en el curso de álgebra una de esas imágenes en las que no hay manera de ver nada claro.

Era quizá un lío con una mujer, o, si Morel quería ganar dinero con medios sucios y se había afiliado a la policía secreta, una expedición con agentes de seguridad o, quién sabe, acaso peor aún, la espera de un chulo que pudieran necesitar en una casa de prostitución.

–Hasta más fácilmente en un libro –contestaba Morel a monsieur de Charlus–, pues en la clase no se entiende nada.

–Entonces, ¿por qué no lo estudias mejor en mi casa, donde tienes mucha más comodidad? –hubiera podido contestar monsieur de Charlus, pero se libraba muy bien de hacerlo, porque sabía que el curso de álgebra imaginado se habría cambiado inmediatamente en una obligatoria lección de baile o de dibujo, sólo que conservando la misma condición necesaria de reservar las horas de la noche.

En lo que, según pudo observar monsieur de Charlus, se equivocaba, al menos en parte: Morel se dedicaba a veces en casa del barón a resolver ecuaciones. Monsieur de Charlus no dejó de objetar que el álgebra servía de muy poco para un violinista. Morel replicó que era una distracción para pasar el tiempo y combatir la neurastenia. Claro es que monsieur de Charlus hubiera podido intentar enterarse de lo que eran en realidad aquellos misteriosos e ineluctables cursos de álgebra que no se daban más que por la noche. Pero monsieur de Charlus estaba demasiado ocupado en desenredar las madejas del gran mundo para ponerse a desenredar las de las ocupaciones de Morel. Las visitas que recibía o hacía, el tiempo que pasaba en el círculo, las invitaciones a comer, el teatro le impedían pensar en aquello, así como en aquella maldad, violenta y solapada a la vez, que, según decían, había manifestado Morel y que disimulaban en los medios sucesivos, en las diferentes ciudades por donde había pasado, y en las que se hablaba de él con un estremecimiento, bajando la voz y sin atreverse a contar nada.

Desgraciadamente, me tocó oír aquel día uno de aquellos arrebatos de nerviosismo malévolo, cuando, dejando el piano, bajé al patio para ir al encuentro de Albertina, que no llegaba. Al pasar por delante del taller de Jupien, donde estaban solos Morel y la que yo creía que iba a ser pronto su mujer, Morel hablaba a voz en grito, descubriendo un acento que yo no le conocía, un acento campesino, habitualmente contenido y sumamente extraño. No lo eran menos las palabras, defectuosas como francés, pero Morel lo sabía todo imperfectamente. «¡Fuera de aquí, so zorra, so zorra, so zorra!», repetía a la pobre muchacha, que, al principio, seguramente no entendía lo que quería decir, y trémula y digna, seguía inmóvil delante de él. «¡Te he dicho que te largues, so zorra, so zorra!; anda, vete a buscar a tu tío para que yo le diga lo que eres, so puta.» En este preciso momento se oyó en el patio la voz de Jupien, que volvía hablando con un amigo, y como yo sabía que Morel era muy cobarde, me pareció innecesario sumar mis fuerzas a las de Jupien y su amigo, que en un momento estarían en el taller, y subí para no encontrarme con Morel, que aunque tanto reclamara la presencia de Jupien (probablemente para asustar y dominar a la pequeña con un chantaje sin ninguna base), se apresuró a salir en cuanto le oyó en el patio. Las palabras aquí recogidas no son nada, no explicarían mi agitación en aquel momento. En estas escenas que la vida nos ofrece juega con una fuerza incalculable lo que los militares llaman, en materia de ofensiva, la ventaja de la sorpresa, y a pesar de la serena dulzura que sentía porque Albertina, en vez de quedarse en el Trocadero, iba a volver a mi lado, me martilleaba en el oído el acento de aquellas palabras diez veces repetidas –«so zorra, so zorra»– que tanto me alteraron.

Me fui calmando poco a poco. Iba a volver Albertina. La oiría llamar a la puerta en seguida. Sentía que mi vida no era ya lo que hubiera podido ser, y que tener una mujer con la que, naturalmente, reglamentariamente, habría de salir cuando ella regresara, una mujer a cuyo embellecimiento iban a desviarse cada vez más las fuerzas y la actividad de mi ser, me convertía en una planta enriquecida, pero cargada con el peso del opulento fruto que se lleva todas sus reservas. Contrastando con la ansiedad que sentía una hora antes, la calma que me daba el regreso de Albertina era más grande que la que había sentido por la mañana, antes de que se fuera. Anticipándome al futuro del que puede decirse que era dueño, por la docilidad de mi amiga, más resistente, como colmada y estabilizada por la presencia inminente, importuna, inevitable y dulce, era la calma que nace de un sentimiento familiar y de una felicidad doméstica, dispensándonos de buscarla en nosotros mismos. Familiar y doméstica: así fue también, no menos que el sentimiento que tanta paz me dio mientras esperaba a Albertina, la felicidad que sentí luego paseando con ella. Se quitó el guante, no sé si para tocar mi mano o para deslumbrarme enseñándome en su dedo meñique, junto a la que le había regalado madame Bontemps, una sortija que ostentaba la ancha y líquida lámina de una hoja de rubíes.

–¿Otra sortija, Albertina? ¡Qué generosa es tu tía!

–No, ésta no me la ha regalado mi tía –dijo riendo–. Me la he comprado yo, porque, gracias a ti, puedo hacer grandes ahorros. Ni siquiera sé a quién pertenecía. Un viajero que no tenía dinero la dejó al dueño de un hotel de Mans donde yo me hospedé. No sabía qué hacer con ella y la hubiera vendido por mucho menos de lo que vale. Pero aun así era muy cara para mí. Ahora que, gracias a ti, me he vuelto señora elegante, le mandé a preguntar si aún la tenía. Y aquí está.

–Muchas sortijas son ésas, Albertina. ¿Dónde te vas a poner la que yo te voy a regalar? Desde luego, ésta es muy bonita; no puedo distinguir el cincelado que rodea el rubí, parece una cabeza de hombre gesticulante. Pero no veo muy bien.

–Aunque vieras muy bien no adelantarías mucho. Tampoco yo distingo nada.

Recuerdo que en otro tiempo, leyendo unas memorias, una novela, donde un hombre sale siempre con una mujer, merienda con ella, solía yo desear hacer lo mismo. A veces creí cumplir este deseo, por ejemplo, yendo a cenar con la amante de Saint-Loup. Pero por más que llamara en mi ayuda a la idea de que en aquel momento estaba representando al personaje envidiado en la novela, esta idea me convencía de que debía sentir placer al lado de Raquel, pero no lo sentía. Y es que siempre que queremos imitar algo que fue ver-

daderamente real olvidamos que ese algo nació no de la voluntad de imitar, sino de una fuerza inconsciente, y real también ella; pero esta impresión particular que no me diera
todo mi deseo de gozar un placer delicado saliendo con Raquel, la sentía ahora sin haberla buscado en absoluto, la sentía por razones muy distintas, sinceras, profundas; por citar
una, la razón de que mis celos me impedían estar lejos de Albertina, y, pudiendo yo salir, dejarla ir de paseo sin mí. No la
había sentido hasta ahora, porque el conocimiento no viene
de las cosas exteriores que queremos observar, sino de sensaciones involuntarias; pues aunque en otro tiempo una mujer estuviera en el mismo coche que yo, no estaba *realmente*
junto a mí mientras no la recreara en todo momento una necesidad de ella como la que yo sentía de Albertina, mientras
la caricia constante de mi mirada no le diera sin tregua esos
colores que hay que renovar perpetuamente, mientras los
sentidos, que aunque satisfechos se acuerdan, no ponían
bajo estos colores sabor y consistencia, mientras los celos,
unidos a los sentidos y a la imaginación, no mantienen a esa
mujer en equilibrio junto a nuestro lado por una atracción
compensada tan poderosa como la ley de la gravitación.
Nuestro coche descendía rápido los bulevares, las avenidas,
cuyos hoteles sencillos, rosada congelación de sol y de frío,
me recordaban mis visitas a madame Swann dulcemente
alumbradas por los crisantemos mientras llegaba la hora de
las lámparas.

Apenas tenía tiempo de divisar, tan separado de ella tras
el cristal del auto como lo estaría tras la ventana de mi habitación, a una joven frutera, a una lechera, de pie delante de
su puerta, iluminada por el hermoso tiempo, como una he-
roína que mi deseo bastaba para complicarla en peripecias
deliciosas, en el umbral de una novela que no iba a conocer.
Pues no podía pedir a Albertina que me dejara allí, y quedaban atrás, invisibles ya, aquellas jóvenes, sin que mis ojos
hubieran tenido apenas tiempo de distinguir sus rostros y

acariciar su lozanía en el rubio vapor que las bañaba. La emoción que me sobrecogía al ver a la hija de un tabernero en la caja o a una lavandera charlando en la calle, era como la emoción de encontrar a unas diosas. Desde que ya no existe el Olimpo, sus habitantes viven en la tierra. Y cuando los pintores pintan un cuadro mitológico, toman de modelo para Venus o Ceres a muchachas del pueblo que ejercen los oficios más vulgares, con lo que, lejos de conocer un sacrilegio, no hacen más que restituirles la caridad, los atributos divinos de que fueron despojadas.

–¿Qué te ha parecido el Trocadero, locuela?

–Estoy contentísima de haberlo dejado para venir contigo. Creo que es de Davioud.

–¡Cuánto aprende mi Albertinita! En efecto, es de Davioud, pero yo lo había olvidado.

–Mientras tú duermes, yo leo tus libros, gran perezoso. Como monumento es bastante feo, ¿verdad?

–Mira, pequeña, estás cambiando tan de prisa y te estás volviendo tan inteligente –era verdad, pero además no me disgustaba que, a falta de otras, tuviera la satisfacción de pensar que el tiempo que pasaba conmigo no era tiempo completamente perdido para ella– que te diría a lo mejor cosas que generalmente se consideran falsas, pero que corresponden a una verdad que yo busco. ¿Sabes qué es el impresionismo?

–Muy bien.

–Bueno, pues verás lo que quiero decir: ¿te acuerdas de la iglesia de Marcouville l'Orgueilleuse que a Elstir no le gustaba porque era nueva? ¿No se contradice un poco con su propio impresionismo cuando excluye así los monumentos de la impresión global en que están comprendidos, los lleva fuera de la luz en que se funden y examina como arqueólogo su valor intrínseco? ¿Acaso cuando está pintando un hospital, una escuela, un letrero en una pared no tienen el mismo valor que una catedral inestimable que está al lado, en una imagen indivisible? Recuerda aquella fachada recocida por el sol, el relieve de aquellos santos de Marcouville sobrenadando en la luz. ¿Qué importa que un monumento sea nuevo si parece viejo, y aunque no lo parezca? La poesía que contienen los viejos barrios ha sido extraída hasta la última gota, pero algunas casas recién construidas por pequeños burgueses atildados, en barrios nuevos, con su piedra demasiado blanca y recién labrada, ¿no desgarran el aire tórrido del mediodía en julio, a la hora en que los comerciantes vuelven a almorzar a las afueras, con un grito tan agrio como el olor de las cerezas esperando que se sirva el almuerzo en el comedor oscuro, donde los prismas de cristal para apoyar los cuchillos proyectan luces multicolores y tan bellas como las vidrieras de Chartres?

–¡Qué bueno eres! Si alguna vez llego a ser inteligente, será gracias a ti.

–¿Por qué, en un día hermoso, apartar los ojos del Trocadero, cuyas torres en cuello de jirafa recuerdan la cartuja de Pavía?

–También me ha recordado, dominando así sobre su alto, una reproducción de Mantegna que tú tienes, creo que es *San Sebastián,* donde hay en el fondo una ciudad en anfiteatro y donde yo juraría que está el Trocadero.

–¡Está bien observado! Pero ¿cómo has visto la reproducción de Mantegna? Eres pasmosa.

Habíamos llegado a los barrios más populares, y una Venus anciliar detrás de cada mostrador lo convertía en una especie de altar suburbano al pie del cual me hubiera gustado pasar la vida.

Como se hace la víspera de una muerte prematura hacía yo la cuenta de los placeres de que me privaba el punto final puesto por Albertina a mi libertad. En Passy fue en la calzada misma, a causa del atasco, donde me maravillaron con su sonrisa unas muchachas enlazadas de la cintura. No tuve tiempo de verlas bien, pero era poco probable que yo inventara aquella sonrisa; no es raro encontrar en toda multitud, en toda multitud joven, un perfil noble. De suerte que esas aglomeraciones populares de los días festivos son para el voluptuoso tan preciosas como para el arqueólogo el desorden de una tierra donde una excavación descubre unas medallas antiguas. Llegamos al Bois. Pensaba que, si Albertina no hubiera salido conmigo, podría estar yo en aquel momento escuchando en el circo de los Champs-Elysées la tempestad wagneriana haciendo gemir todas las cuerdas de la orquesta, atrayendo hacia ella, como ligera espuma, el son de flauta que yo había tocado hacía un momento, echándolo a volar, amasándolo, deformándolo, dividiéndolo, arrastrándolo a un torbellino *in crescendo*. Al menos procuré que el paseo fuera corto y que volviéramos temprano, pues, sin decírselo a Albertina, había decidido ir por la noche a casa de los Verdurin. Me habían mandado recientemente una invitación que eché al cesto con todas las demás. Pero cambié de intención para aquella noche, porque quería tratar de averiguar qué personas esperaba encontrar Albertina en aquella casa. A decir verdad, yo había llegado con Albertina a ese momento en que (si todo continúa lo mismo, si las cosas ocurren normalmente) una mujer ya no nos sirve más que de transición hacia otra mujer. Todavía está en nuestro corazón, pero muy poco; tenemos prisa de ir todas las noches en pos de desconocidas, y sobre todo de desconocidas conocidas de ella que podrán contarnos su vida. Y es que ya hemos poseído, ya hemos agotado todo lo que ella ha querido entregarnos de sí misma. Su vida es también ella misma, pero precisamente la parte que no conocemos, las cosas sobre las que la hemos interrogado en vano y que sólo de labios nuevos podremos recoger.

Ya que mi vida con Albertina me impedía ir a Venecia, viajar, podía al menos, si estuviera solo, conocer a las modistillas dispersas al sol de aquel hermoso domingo, y en cuya belleza ponía yo en gran parte la vida desconocida que las animaba. ¿No están los ojos que vemos transidos de una mirada de la que desconocemos las imágenes, los recuerdos, las esperas, los desdenes que lleva en sí y de los que no podemos separarlos? Esa existencia del ser que pasa ¿no da, según lo que es, un valor variable al fruncimiento de sus cejas, a la dilatación de las ventanas de su nariz? La presencia de Albertina me privaba de ir a ellas, y acaso así me impedía dejar de desearlas. El que quiere mantener en sí el deseo de seguir viviendo y la creencia en algo más delicioso que las cosas habituales, debe pasear, pues las calles, las avenidas, están llenas de diosas. Pero las diosas no se dejan abordar. Aquí y allá, entre los árboles, a la puerta de un café, una sirvienta velaba como una ninfa a la orilla del bosque sagrado, mientras en el fondo tres muchachas estaban sentadas junto al inmenso arco de sus bicicletas posadas junto a ellas, como tres inmortales acodadas en la nube o en el corcel fabuloso sobre el cual realizan sus viajes mitológicos. Observé que cada vez que Albertina miraba un instante a todas aquellas muchachas con profunda atención, se volvía en seguida a mirarme a mí. Pero a mí no me atormentaba demasiado ni la intensidad de esta contemplación ni su brevedad, que la intensidad compensaba; pues, en efecto, Albertina, fuera por fatiga, fuera su manera particular de mirar a un ser atento, miraba así con intensidad, en una especie de meditación, lo mismo a mi padre que a Francisca; y en cuanto a la rapidez con que se volvía a mirarme a mí, podía ser motivada por el hecho de que Albertina, conociendo mis sospechas, y aunque no fueran justificadas, quisiera evitar darles motivo. Por lo demás, esa atención que me hubiera parecido criminal en Albertina (y lo mismo si fuera dirigida a muchachos), la ponía yo, sin creerme culpable ni por un momento –y pensando casi que Albertina lo era al impedirme con su presencia pararme y apearme–, en todas las muchachas que pasaban. Nos parece inocente desear y atroz que el otro desee. Y este contraste entre lo que nos concierne a nosotros y lo que concierne a la que amamos no se manifiesta sólo en el deseo, sino también en la mentira. Nada más corriente que ésta, trátese, por ejemplo, de disimular los fallos cotidianos de una salud que queremos hacer pasar por fuerte, de ocultar un vicio o de ir, sin herir a otro, a la cosa que preferimos. Esa mentira es el instrumento de conservación más necesario y más empleado. Y, sin embargo, tenemos la pretensión de suprimirlo en la vida de la mujer que amamos, le espiamos, le olfateamos, le detestamos en todo. Nos subleva, basta para provocar una ruptura, nos parece que oculta las mayores faltas, a no ser que las oculte tan bien que no las sospechemos. Extraño estado este en el que hasta tal punto somos sensibles a un agente patógeno que su pululación universal hace inofensivo a los demás y tan grave para el desdichado que ya no tiene inmunidad contra él.

Como por mis largos períodos de reclusión veía tan rara vez a esas muchachas, su vida me parecía –así ocurre a todos aquellos en quienes la facilidad de las realizaciones no ha amortiguado el poder de concebir– algo tan diferente de lo que yo conocía, y tan deseable, como las ciudades más maravillosas que el viaje promete.

La decepción experimentada con las mujeres que había conocido o en las ciudades donde había estado no me impedía dejarme captar por las nuevas y creer en su realidad. Por eso, así como ver Venecia –Venecia, que aquel tiempo primaveral me hacía añorar y que la boda con Albertina me impediría conocer–, así como ver Venecia en un panorama que acaso Ski consideraría más bello de tonos que la ciudad real no reemplazaría en absoluto para mí el viaje a Venecia, cuyo trayecto determinado sin la menor intervención por mi parte me parecía indispensable recorrer, de la misma manera la muchachita que una celestina me procurara artificialmente, por bonita que fuera, no podría sustituir en modo alguno para mí a la que, desgarbada, pasaba en este momento bajo los árboles riendo con una amiga. Aunque la que podía encontrar en una casa de citas fuera más bonita, no era lo mismo, porque no miramos los ojos de una muchacha que no conocemos como miraríamos una pequeña placa de ópalo o de ágata. Sabemos que el rayito de luz que los irisa o los puntitos brillantes que les hacen centellear son lo único que podemos ver de un pensamiento, de una voluntad, de una memoria donde residen la casa familiar que no conocemos, los amigos queridos que envidiamos. Llegar a apoderarnos de todo esto, tan difícil, tan reacio, es lo que da valor a la mirada, mucho más que su sola belleza material (lo que puede explicar que un joven suscite toda una novela en la imaginación de una mujer que ha oído decir que era el príncipe de Gales, y ya no le interese nada cuando se entera de que estaba engañada). Encontrar a la muchacha en la casa de citas es encontrarla desposeída de esa vida ignorada que la penetra y que aspiramos a poseer poseyéndola a ella; es acercarnos a unos ojos que ya no son, en realidad, sino simples piedras preciosas, a una nariz cuyo gesto está tan desprovisto de significado como el de una flor. No, de lo que Albertina me privaba precisamente era de aquella muchacha desconocida que pasaba, cuando, para seguir creyendo en su realidad, me parecía tan indispensable como hacer un largo trayecto en tren para creer en la realidad de Pisa que yo veía que no sería más que un espectáculo de exposición universal, aguantar sus resistencias adaptando a ellas mis proyectos, encajando una afrenta, volviendo a la carga, esperándola a la salida del taller, conociendo episodio por episodio en la vida de aquella pequeña, atravesando lo que envolvía para ella el placer que yo buscaba y la distancia que sus hábitos diferentes y su vida especial ponían entre ella y yo, y la atención, el favor que yo quería alcanzar y captar. Pero estas mismas similitudes del deseo y del viaje me hicieron prometerme inquirir un poco más de cerca la naturaleza de esa fuerza, invisible pero tan fuerte como las creencias, o, en el mundo físico, como la presión atmosférica, que tanto realzaba las ciudades y las

mujeres mientras yo no las conocía y que al acercarme a ellas
se derrumbaban, cayendo en la más trivial realidad. Más lejos, otra muchachita estaba arrodillada arreglando su bicicleta. Una vez reparada, subió a ella, pero no a horcajadas
como un hombre. La bicicleta se tambaleó por un momento,
el cuerpo joven pareció prolongado por un velo, por una inmensa ala, y la tierna criatura medio humana, medio alada,
ángel o hada, se alejó, continuando su viaje.

De esto, precisamente de esto, me privaba la presencia de
Albertina, mi vida con Albertina. ¿Me privaba de esto? ¿No
debía pensar, por el contrario, que me regalaba esto? Si Albertina no viviera conmigo, si fuera libre, imaginaría, y con
razón, a todas aquellas mujeres como objetos posibles,
como objetos probables de su deseo, de su placer. Me parecerían como esas bailarinas que, en una danza diabólica, representando las Tentaciones para un ser, lanzan sus flechas
al corazón de otro. Las modistillas, las muchachitas, las co-
mediantas, ¡cómo las odiaría! Objeto de horror, quedarían
excluidas para mí de la belleza del universo. Esclavo de Albertina, no sufriendo por ellas, las restituía a la belleza del
mundo. Inofensivas, ya sin el aguijón que en el corazón ponen los celos, podía admirarlas, acariciarlas con la mirada,
otro día, quizá, más íntimamente. Encerrando a Albertina,
había devuelto al mismo tiempo al universo todas esas alas
irisadas que zumban en los paseos, en los bailes, en los tea-
tros, y que volvían a ser tentadoras para mí porque ella no
podía ya sucumbir a su tentación. Eran la belleza del mundo. Antes habían hecho la de Albertina. Si la encontré maravillosa fue porque la vi como un pájaro misterioso, después
como una gran actriz de la playa, deseada, conseguida quizá. Una vez cautivo en mi casa el pájaro que viera una noche
caminar a pasos contados por el malecón, rodeado de la co-
fradía de las otras muchachas como gaviotas venidas de no
se sabe dónde, Albertina perdió todos sus colores, con todas
las probabilidades que las otras tenían de ostentarlos ellas.

Albertina había ido perdiendo su belleza. Eran necesarios paseos como aquéllos, en los que yo la imaginaba, sin mí, abordada por una muchacha o por un muchacho, para que yo volviera a verla en el esplendor de la playa, por más que mis celos estaban en un plano distinto al de la declinación de los placeres de mi imaginación. Pero a pesar de estos bruscos rebrotes en los que, deseada por otros, volvía a encontrarla bella, yo podía muy bien dividir en dos períodos su estancia en mi casa: el primero cuando era aún, aunque cada día menos, la tentadora actriz de la playa; el segundo cuando, convertida en una gris prisionera, reducida a su propio y deslucido ser, sólo aquellos destellos en que yo rememoraba el pasado le devolvían algún resplandor.

A veces, en los momentos en que me era más indiferente, me volvía el recuerdo de una tarde lejana, cuando aún no la conocía: en la playa, no lejos de una dama con la que yo estaba muy mal, y con la que ahora estaba seguro de que Albertina había tenido relaciones, ésta se echaba a reír mirándome con insolencia. Rodeaba la escena el mar pulido. En el sol de la playa, Albertina, en medio de sus amigas, era la más bella. Era una muchacha espléndida quien, en el cuadro habitual de las aguas inmensas, me infligió, ella, tan cara a la dama que la admiraba, aquella afrenta. Una afrenta definitiva, pues la dama volvía quizá a Balbec, comprobaba tal vez, en la playa encendida y rumorosa, la ausencia de Albertina; pero ignoraba que la muchacha viviera en mi casa, sólo para mí. Las aguas inmensas y azules, el olvido de las preferencias que aquella dama tenía por esta muchacha y que pasaban a otras, habían caído sobre la ofensa que me hiciera Albertina, encerrándola en un deslumbrador e infrangible estuche. Entonces me mordía el corazón el odio a aquella mujer; a Albertina también, pero era un odio mezclado de admiración a la bella muchacha adulada, la de la cabellera maravillosa, y cuya carcajada en la playa era un insulto. La vergüenza, los celos, el recuerdo de los deseos primeros y del espléndido es-

cenario restituyeron a Albertina su belleza, su valor de otro
tiempo. De esta suerte alternaba, con el aburrimiento un
poco molesto que sentía junto a ella, un deseo estremecido,
lleno de imágenes magníficas y de añoranzas, según que estuviera junto a mí en mi cuarto o le devolviera su libertad en
mi memoria, en el malecón, en aquellos alegres atuendos de
playa, al son de los instrumentos de música del mar: Albertti-
na, ora fuera de su medio, poseída y sin gran valor; ora res-
tituida a él, escabulléndose en un pasado que yo no podría
conocer, hiriéndome junto a aquella dama, su amiga, tanto
como la salpicadura de la ola o el mazazo del sol, Albertina
en la playa o Albertina en mi cuarto, en una especie de amor
anfibio.

En otro lugar, una pandilla numerosa jugaba a la pelota.
Todas aquellas niñas querían aprovechar el sol, pues los días
de febrero, incluso cuando son tan brillantes, duran poco y
el esplendor de su luz no retrasa su ocaso. Antes de que se
consumara, tuvimos un tiempo de penumbra, pues llegados
hasta el Sena, donde Albertina admiró, y con su presencia
me impidió admirar, los reflejos de rojos velos sobre el agua
invernal y azul, una casa de tejas acurrucada a lo lejos como
una amapola única en el claro horizonte del que Saint-Cloud
parecía, más lejos, la petrificación fragmentaria, quebradi-
za y acanalada, bajamos del coche y anduvimos mucho
tiempo. En algunos momentos le di el brazo, y me parecía
que el anillo formado por el suyo debajo del mío unía en un
solo ser nuestras dos personas y fundía uno con otro nuestros dos destinos.

A nuestros pies, nuestras sombras paralelas, luego juntas,
formaban un dibujo precioso. Ya me parecía maravilloso, en
la casa, que Albertina viviera conmigo, que fuera ella quien
se acostara en mi cama. Pero era como la exportación de
esto al exterior, en plena naturaleza, que, junto al lago del
Bois que tanto me gustaba, al pie de los árboles, fuera precisamente su sombra, la sombra pura y simplificada de su

pierna, de su busto, lo que el sol pintara a la aguada junto a la mía sobre la arena del paseo. Y en la fusión de nuestras sombras encontraba yo un encanto sin duda más inmaterial, pero no menos íntimo que en la aproximación, en la fusión de nuestros cuerpos. Volvimos a subir al coche. Y el coche tomó para el retorno unos caminitos sinuosos donde los árboles de invierno, vestidos de hiedra y de zarzas, como ruinas, parecían conducir a la mansión de un mago. Apenas salidos de su bóveda oscura volvimos a encontrar, para salir del Bois, el pleno día, tan claro aún que creí tener tiempo bastante para hacer todo lo que quería antes de la comida, cuando, poco después, cerca ya del Arco del Triunfo, vi con sorpresa y susto, sobre París, la luna llena y prematura, como la esfera de un reloj parado que nos hace creernos en retraso. Habíamos dicho al cochero que nos volviera a casa. Para Albertina era también volver a mi casa. La presencia de las mujeres que tienen que dejarnos para volver a su casa, por amadas que sean, no da esa paz que yo gozaba en la presencia de Albertina sentada en el coche al lado mío, presencia que nos encaminaba no a las horas de separación, sino a la reunión más estable y más recogida en mi casa, que era también la suya, símbolo material de mi posesión de ella. Claro es que para poseer hay que haber deseado. Sólo poseemos una línea, una superficie, un volumen, cuando nuestro amor lo ocupa. Pero Albertina no había sido para mí, durante nuestro paseo, como fuera Raquel en otro tiempo, vano polvo de carne y de tela. En Balbec, la imagen de mis ojos, de mis labios, de mis manos, había construido tan sólidamente su cuerpo, lo había pulido tan tiernamente, que ahora, en este coche, para tocar este cuerpo, para contenerlo, no tenía necesidad de apretarme contra Albertina, ni siquiera de verla: me bastaba oírla y, si se callaba, saberla junto a mí; mis sentidos trenzados juntos la envolvían toda entera, y cuando llegada ante la casa se apeó con toda naturalidad, me detuve un momento para decir al chófer que volviera a buscarme, pero mis ojos la envolvían aún mientras ella se perdía ante mí bajo la bóveda, y era siempre aquella misma calma inerte y doméstica que yo gozaba viéndola así, grávida, colorada, opulenta y cautiva, volver tan naturalmente conmigo, como una mujer que era mía y, protegida por las paredes, desaparecer en nuestra casa. Desgraciadamente, parecía encontrarse allí presa y pensar como aquella madame de La Rochefoucault que, al preguntarle si no estaba contenta de hallarse en una mansión tan bella como Liancourt, contestó que «no hay cárcel bella», a juzgar por el talante triste y cansado que tenía aquella noche mientras cenábamos los dos solos en su cuarto. Al principio no lo noté; y era yo el que sufría pensando que, de no ser por Albertina (pues con ella me atormentarían demasiado los celos en un hotel donde estaría todo el día en contacto con tanta gente), podría en aquel momento estar comiendo en Venecia en uno de esos comedorcitos bajos de techo como la cala de un barco y desde los cuales se ve el Gran Canal por unas ventanitas ojivales rodeadas de arabescos.

Debo añadir que Albertina admiraba mucho un gran bronce de Barbedienne que a Bloch le parecía, y con mucha razón, muy feo. Quizá no tenía tanta en extrañarse de que yo lo conservara. Yo no me había propuesto nunca, como él, tener decoraciones artísticas, componer habitaciones; era demasiado perezoso para eso, demasiado indiferente para lo que tenía costumbre de tener ante mis ojos. Como no me importaba, estaba en el derecho de no matizar interiores. A pesar de esto, quizá hubiera podido retirar aquel bronce. Pero las cosas feas y relamidas son muy útiles, pues para las personas que no nos comprenden, que no comparten nuestro gusto y de las que podemos estar enamorados, tienen un prestigio que no tendría una cosa bella cuya belleza no es llamativa. Y las personas que no nos comprenden son precisamente las únicas con las que puede sernos útil ostentar un prestigio que con las personas superiores nos lo procura nuestra inteligencia. Aunque Albertina comenzaba a tener gusto, tenía aún cierto respeto por aquel bronce, y este respeto se traducía en una consideración a mí que, viniendo de Albertina, y porque la amaba, me importaba mucho más que conservar un bronce un poco deshonroso.

Pero de pronto dejaba de pesarme la idea de mi esclavitud, y deseaba prolongarla aún, porque me parecía notar que Albertina sentía duramente la suya. Claro que cada vez que yo le preguntaba si no se aburría en mi casa, me contestaba siempre que no sabía dónde podría ser más feliz. Pero muchas veces desmentía estas palabras un aire de nostalgia, de descontento.

Es claro que si tenía las aficiones que yo le atribuía, aquella imposibilidad de satisfacerlas debía de ser tan irritante para ella como tranquilizante para mí, tranquilizante hasta el punto de que la hipótesis de haberla acusado injustamente me habría parecido la más verosímil si, aceptándola, no me fuera tan difícil explicar aquel extraordinario empeño que ponía Albertina en no estar nunca sola, en no estar nunca libre, en no pararse un momento ante la puerta cuando volvía a casa, en procurar ostensiblemente que cada vez que iba a telefonear la acompañara alguien que pudiera repetir sus palabras –Francisca, Andrea–, en dejarme siempre solo con ésta, sin que pareciera que lo hacía a propósito, cuando habían salido juntas, para que pudiera contarme detalladamente su salida. Con esta maravillosa docilidad contrastaban ciertos movimientos de impaciencia, en seguida reprimidos, que me hicieron pensar si no habría formado Albertina el proyecto de sacudir su cadena. Suposición apoyada por hechos accesorios. Por ejemplo, un día en que salí solo encontré a Gisela cerca de Passy y hablamos de diversas cosas. En seguida le dije, muy contento, que veía constantemente a Albertina. Gisela me preguntó dónde podría encontrarla, pues *precisamente* tenía que decirle una cosa.

–¿Qué?

–Cosas de las compañeritas suyas.

–¿Qué compañeras? Quizá pudiera yo informar a usted, lo que no la impediría verla.

–¡Oh!, son compañeras de otro tiempo, no recuerdo los nombres –contestó Gisela vagamente, batiéndose en retirada.

Me dejó, creyendo haber hablado con tanta prudencia que no podía menos de parecerme todo muy claro. ¡Pero la mentira es tan poco exigente, necesita tan poca cosa para manifestarse! Si se hubiera tratado de compañeras de otro tiempo, de las que no sabía ni siquiera los nombres, ¿por qué tenía «precisamente» que hablar de ellas a Albertina? Este adverbio, bastante pariente de una expresión cara a madame Cottard: «esto llega a tiempo», sólo podía aplicarse a una cosa particular, oportuna, acaso urgente, relacionada con personas determinadas. Por otra parte, nada más en la manera de abrir la boca, como cuando se va a bostezar, con un aire vago, al decirme (retrocediendo casi con su cuerpo, como dando marcha atrás a partir de aquel momento en nuestra conversación): «¡Oh!, no sé, no recuerdo los nombres», esto hacía tan bien de su cara y, acoplándose a ella, de su voz, una cara de mentira, que el aire muy distinto, directo, animado, de antes, el de «precisamente tengo», significaba una verdad. No interrogué a Gisela. ¿De qué me hubiera servido? Desde luego no mentía de la misma manera que Albertina. Y las mentiras de Albertina me eran más dolorosas. Pero había entre ellas un punto común: el hecho mismo de la mentira, que en ciertos casos es una evidencia. No de la realidad que se oculta bajo esta mentira. Sabido es que cada asesino, en particular, cree haberlo combinado todo tan bien que no le descubrirán; al final, casi todos los asesinos son descubiertos. En cambio los mentirosos lo son rara vez, y, entre los mentirosos, especialmente la mujer que amamos. Ignoramos dónde ha ido, qué ha hecho. Pero en el momento mismo en que está hablando, en que está hablando de otra

cosa bajo la cual hay lo que no dice, percibimos instantáneamente la mentira y se agudizan nuestros celos, porque notamos la mentira y no llegamos a saber la verdad. En Albertina,
la sensación de mentira la daban muchas particularidades que
ya hemos visto en el transcurso de este relato, pero principalmente que, cuando mentía, su relato pecaba, bien por insuficiencia, omisión, inverosimilitud, bien, al contrario, por
exceso de pequeños hechos destinados a hacerlo verosímil.
La verosimilitud, a pesar de la idea que se hace el mentiroso,
no es enteramente la verdad. Cuando, escuchando algo verdadero, oímos algo que es solamente verosímil, que acaso lo
es más que lo verdadero, que quizá es incluso demasiado verosímil, el oído un poco músico siente que no es aquello,
como ocurre con un verso cojo, o una palabra leída en alta
voz por otro. El oído lo siente, y si estamos enamorados, el
corazón se alarma. ¡Qué no pensaremos cuando la vida se
nos cambia toda porque no sabemos si una mujer pasó por
la Rue de Berri o por la Rue Washington, qué no pensaremos
cuando esos pocos metros de diferencia y la misma mujer
queden reducidos a la cienmillonésima (es decir, a una mag-
nitud que no podemos percibir), si tenemos siquiera el
acierto de permanecer unos años sin ver a esa mujer, y lo que
era Gulliver en mucho más alto se torne un liliputiense
que ningún microscopio –al menos del corazón, pues el de la
memoria indiferente es mucho más potente y menos frágil–
podrá ya percibir! Como quiera que sea, aunque había un
punto común –la mentira misma– entre el mentir de Albertina y el de Gisela, sin embargo, Gisela no mentía de la misma manera que Albertina, ni tampoco de la misma manera
que Andrea, pero sus mentiras respectivas encajaban tan
bien unas en otras, aun siendo como eran tan diferentes, que
la camarilla tenía la impenetrable solidez de ciertas casas de
comercio, de librería o de prensa, por ejemplo, en las que el
desdichado autor no llegará jamás, pese a la diversidad de las
personalidades que las componen, a saber si le estafan o no.

El director del periódico o de la revista miente con un aspecto de sinceridad tanto más solemne porque tiene necesidad de disimular, en muchas ocasiones, que hace exactamente lo mismo y se dedica a las mismas prácticas mercantiles que las que él denunciara en los otros directores de periódico o de teatro, en los otros editores cuando tomó por bandera, levantada contra ellos, el estandarte de la Sinceridad. Haber proclamado (en calidad de jefe de un partido político, o de lo que sea) que mentir es horrible, suele obligar a mentir más que los otros, sin por eso quitarse la careta solemne, sin dejar la tiara augusta de la sinceridad. El asociado del «hombre sincero» miente de otra manera y más ingenuamente. Engaña a su autor como engaña a su mujer, con trucos de *vaudeville*. El secretario de redacción, hombre probo y grosero, miente muy sencillamente, como un arquitecto que nos promete que nuestra casa estará terminada en una época en la que ni siquiera estará comenzada. El redactor jefe, alma angélica, revolotea en torno a los otros tres, y sin saber de qué se trata les presta, por escrúpulo fraternal y tierna solidaridad, el precioso concurso de una palabra sagrada. Esas cuatro personas viven en perpetuas disensiones, que cesan cuando llega el autor. Por encima de las querellas particulares, cada uno recuerda el gran deber militar de acudir en ayuda del «cuerpo» amenazado. Sin darme cuenta, yo representaba desde hacía tiempo con la «camarilla» el papel de ese autor. Si cuando Gisela me dijo «precisamente» hubiera pensado yo en esta o en la otra compañera de Albertina dispuesta a viajar con ella cuando mi amiga, con un pretexto cualquiera, me dejara, y en decir a Albertina que había llegado la hora o que iba a llegar muy pronto, Gisela se habría dejado cortar en pedazos antes que decírmelo; luego era completamente inútil preguntarle nada.

No eran encuentros como el de Gisela lo único que acentuaban mis dudas. Por ejemplo, yo admiraba las pinturas de Albertina. Y las pinturas de Albertina, conmovedoras distracciones de la cautiva, me emocionaron tanto que la felicité.

–No, es muy malo, pero nunca he tomado ni una sola lección de dibujo.

–Pues una noche me mandaste a decir en Balbec que te habías quedado para ir a una lección de dibujo.

Le recordé el día y le dije que me había dado perfecta cuenta de que a aquella hora no se iba a lecciones de dibujo. Albertina se sonrojó.

–Es verdad –dijo–, no iba a una lección de dibujo. Al principio te mentía mucho, lo reconozco. Pero ya no te miento nunca.

¡Me hubiera gustado tanto saber cuáles eran las numerosas mentiras del principio! Pero sabía de antemano que sus confesiones serían nuevas mentiras. Así que me contenté con besarla. Le pregunté sólo una de aquellas mentiras. Me contestó:

–Pues sí, por ejemplo: que el aire del mar me hacía daño.

Ante aquella mala voluntad, no insistí.

Para que la cadena le resultase más ligera, me pareció lo más hábil hacerle creer que iba a romperla yo mismo. En todo caso, este falso proyecto no podía comunicárselo en aquel momento: había vuelto demasiado simpática del Trocadero; lejos de afligirla con una amenaza de ruptura, lo más que podía hacer era callar los sueños de perpetua vida común que concebía mi corazón agradecido. Mirándola, me costaba trabajo contenerme de comunicárselos a ella, y quizá ella lo notaba. Desgraciadamente, la expresión de esos sueños no es contagiosa. El caso de una vieja amanerada –como monsieur de Charlus, que, a fuerza de no ver en su imaginación más que a un orgulloso mancebo, cree ser él mismo un orgulloso mancebo, y más cuanto más amanerado y risible se vuelve–, este caso es más general, y es el infortunado caso de un enamorado que no se da cuenta de que mientras él ve ante sí un rostro bello su amada ve la figura de él, que no es más bella, sino al contrario, cuando la deforma el placer producido por la contemplación de la belleza. Y el amor ni siquiera agota toda la generalidad de este caso; no vemos nuestro propio cuerpo, que los otros ven, y «seguimos» nuestro pensamiento, el objeto invisible para los demás, que está delante de nosotros. Este objeto lo hace ver a veces el artista en su obra. A esto se debe que los admiradores de la obra se sientan desilusionados por el autor, en cuyo rostro se refleja imperfectamente esa belleza interior.

Todo ser amado, y, hasta en cierta medida, todo ser es para nosotros Jano: nos presenta la cara que nos place si ese ser nos deja, la cara desagradable si le sabemos a nuestra perpetua disposición. En cuanto a Albertina, su compañía duradera tenía algo de penoso de otro modo que no puedo decir en este relato. Es terrible tener la vida de otra persona atada a la propia como quien lleva una bomba que no puede soltar sin cometer un crimen. Pero tómese como comparación los altos y los bajos, los peligros, la inquietud, el temor de que se crean más tarde cosas falsas y verosímiles que no podremos ya explicar, sentimientos experimentados cuando se tiene en su intimidad un loco. Por ejemplo, yo compadecía a monsieur de Charlus por vivir con Morel (en seguida el recuerdo de la escena de la tarde me hizo sentir el lado izquierdo de mi pecho mucho más abultado que el otro); prescindiendo de las relaciones que tenían o no, monsieur de Charlus debía de ignorar, al principio, que Morel estaba loco. La belleza de Morel, su vulgaridad, su orgullo, debieron de disuadir al barón de inquirir más lejos, hasta los días de las melancolías en que Morel acusaba a monsieur de Charlus de su tristeza, sin poder dar explicaciones, le insultaba por su desconfianza con razonamientos falsos pero muy sutiles, le amenazaba con resoluciones desesperadas en medio de las cuales persistía la preocupación más sinuosa del interés más inmediato. Todo esto no es más que comparación. Albertina no estaba loca.

Me enteré de que aquel día había ocurrido una muerte que me causó mucha pena, la de Bergotte. Ya sabemos que estaba enfermo desde hacía mucho tiempo, no de la enfermedad que tuvo primero y que era natural. La naturaleza no sabe apenas dar más que enfermedades bastante cortas, pero la medicina se ha abrogado el arte de prolongarlas. Los remedios, la remisión que procuran, el malestar que su interrupción hace renacer, forman un simulacro de enfermedad que el hábito del paciente acaba por estabilizar, por estilizar, lo mismo que los niños siguen tosiendo regularmente en accesos una vez ya curados de la tos ferina. Las medicinas van produciendo menos efecto, se aumenta la dosis, y ya no hacen ningún bien, pero han comenzado a hacer mal gracias a esa indisposición duradera. La naturaleza no les hubiera permitido tan larga duración. Es una gran maravilla que la medicina, igualando casi a la naturaleza, pueda obligar a guardar cama, a seguir tomando, so pena de muerte, un medicamento. A partir de aquí, la enfermedad artificialmente injertada ha echado raíces, ha pasado a ser una enfermedad secundaria pero cierta, con la sola diferencia de que las enfermedades naturales se curan, pero nunca las que crea la medicina, pues ésta ignora el secreto de la curación.

Había años en que Bergotte ya no salía de su casa. Por lo demás, no era amigo de la sociedad, o lo fue un solo día para luego despreciarla como a todo lo demás y de la misma manera, que era su manera: no despreciar porque no se puede obtener, sino después de obtener. Vivía tan sencillamente que nadie sospechaba lo rico que era, y si lo hubieran sabido, le habrían creído avaro, cuando la verdad es que no hubo jamás persona tan generosa. Lo era, sobre todo, con mujeres, más bien con jovencitas, que se avergonzaban de recibir tanto por tan poco. Se disculpaba ante sí mismo porque sabía que nunca podía producir tan bien como en la atmósfera de sentirse enamorado. El amor es demasiado decir, el pla-

cer un poco enraizado en la carne ayuda al trabajo de las letras porque anula los demás placeres, por ejemplo, los placeres de la sociedad, que son los mismos para todo el mundo.
Y aunque este amor produzca desilusiones, al menos agita
también la superficie del alma, que sin esto podría llegar a
estancarse. El deseo no es, pues, inútil para el escritor, primero porque le aleja de los demás hombres y de adaptarse a
ellos, después porque imprime movimiento a una máquina
espiritual que, pasada cierta edad, tiende a inmovilizarse.
No se llega a ser feliz, pero se hacen observaciones sobre las
causas que impiden serlo y que sin esas bruscas punzadas de
la decepción permanecerían invisibles. Los sueños no son
realizables, ya lo sabemos; sin el deseo, acaso no los concebi-
ríamos, y es útil concebirlos para verlos fracasar y que su fracaso nos instruya. Por eso Bergotte se decía: «Yo gasto más
con las muchachitas que los multimillonarios, pero los placeres o las decepciones que me dan me hacen escribir un libro que me produce dinero». Económicamente, este razonamiento era absurdo, pero seguramente Bergotte encontraba
cierto atractivo en transmutar así el oro en caricias y las caricias en oro. Hemos visto, cuando la muerte de mi abuela,
que la vejez cansada ama el reposo. Y en el mundo no hay
más que conversación. Una conversación estúpida, pero tiene el poder de suprimir las mujeres, que no son más que preguntas y respuestas. Fuera del mundo, las mujeres tornan a
ser lo que tanto descansa al viejo cansado, un objeto de contemplación. En todo caso, ahora ya no se trata de nada de
esto. He dicho que Bergotte no salía ya de casa, y cuando pasaba una hora levantado en su cuarto, la pasaba envuelto en
chales, en mantas, en todo eso con que se tapa uno cuando
tiene mucho frío o toma el tren. Se disculpaba de esto con los
pocos amigos a los que permitía visitarle, y señalando sus
mantas y sus chales, decía jovialmente: «Qué quiere usted,
querido amigo, ya lo dijo Anaxágoras, la vida es un viaje».
Así se iba enfriando progresivamente, pequeño planeta que

ofrecía una imagen anticipada del grande cuando, poco a
poco, se vaya retirando de la tierra el calor y después, con el
calor, la vida. Entonces se habrá acabado la resurrección,
pues por mucho que brillen las obras de los hombres en las
generaciones futuras, falta que haya hombres. Si ciertas especies de animales resisten más tiempo al frío invasor, cuando ya no haya hombres, y suponiendo que la gloria de Bergotte dure hasta entonces, se extinguirá de pronto para
siempre. No serán los últimos animales quienes la lean, pues
es poco probable que, como los apóstoles en Pentecostés,
puedan entender el lenguaje de los diversos pueblos humanos sin haberlo aprendido.

En los meses que precedieron a su muerte, Bergotte pade-
cía insomnios, y, lo que es peor, cuando se dormía tenía
pesadillas, por lo cual, si se despertaba, evitaba volver a dor-
mirse. Durante mucho tiempo le habían gustado los sueños,
incluso los malos, porque gracias a ellos, gracias a la contradicción que presentan con la realidad vivida en el estado de
vigilia, nos dan, lo más tarde al despertar, la sensación profunda de haber dormido. Pero las pesadillas de Bergotte no
eran esto. Antes, cuando hablaba de pesadillas, se refería
a cosas desagradables que ocurrían en su cerebro. Ahora era
como si vinieran de fuera, como si una mujer malévola se
empeñara en despertarle pasándole por la cara un trapo mo-
jado; intolerables cosquillas en las caderas; un cochero furi-
bundo que –porque Bergotte había murmurado, dormido,
que conducía mal– se arrojaba sobre el escritor y le mordía
los dedos, se los cortaba. Y en cuanto había en su sueño bastante oscuridad, la naturaleza hacía una especie de ensayo
sin trajes del ataque de apoplejía que se lo iba a llevar: Bergotte entraba en coche al patio del nuevo hotel de los Swann
e intentaba apearse. Un vértigo fulminante le dejaba clavado
en el asiento, el portero intentaba ayudarle a bajar, pero él seguía sentado, sin poder levantarse, sin poder estirar las piernas. Procuraba agarrarse al poste de piedra que había delan-

te de él, pero no le ofrecía el suficiente apoyo para ponerse de
pie.

Consultó a los médicos, los cuales, halagados porque Bergotte los llamara, atribuyeron la causa de sus males a sus virtudes de gran trabajador, al cansancio (llevaba veinte años
sin hacer nada). Le aconsejaron que no leyera cuentos terro-
ríficos (no leía nada), que tomara más el sol, «indispensable
para la vida» (si había estado durante algunos años relativamente mejor, se lo debía a no salir de casa), que se alimenta-
ra más (lo que le hizo adelgazar y alimentó sobre todo sus
pesadillas). Uno de los médicos, que tenía espíritu de contradicción y de suspicacia, cuando Bergotte le consultaba en
ausencia de los otros y, para no molestarle, le consultaba
como cosa propia lo los otros le habían aconsejado, el
médico contradictor, creyendo que Bergotte quería que
le recetara algo que a él le gustaba, se lo prohibía inmediatamente, y muchas veces con razones tan apresuradamente fa-
bricadas para las necesidades de la causa que, ante la evidencia de las objeciones materiales alegadas por Bergotte, el
médico contradictor se veía obligado a contradecirse a sí
mismo en la misma frase, pero por razones nuevas reforzaba
la misma prohibición. Bergotte volvía a uno de los primeros
médicos, hombre que presumía de inteligencia sutil, sobre
todo ante un maestro de la pluma, y que si Bergotte insinuaba: «Pero me parece que el doctor X... me dijo –hace tiempo,
naturalmente– que eso podía congestionarme el riñón y el
cerebro...», sonreía maliciosamente, levantaba el dedo y decía: «He dicho usar, no he dicho abusar. Claro es que todo remedio, si se exagera, es un arma de dos filos.» Hay en nuestro cuerpo cierto instinto de lo que nos es beneficioso, como
en el corazón de lo que es el deber moral, instinto que no
puede suplir ninguna autorización del doctor en medicina
o en teología. Sabemos que los baños fríos nos sientan mal, y
nos gustan: siempre encontraremos un médico que nos los
aconseje, no que nos impida que nos hagan daño. De cada

uno de aquellos médicos, Bergotte tomó lo que, por prudencia, se había prohibido él desde hacía años. A las pocas semanas reaparecieron los accidentes de antes y se agravaron
los recientes. Enloquecido por un sufrimiento permanente,
al que se sumaba el insomnio interrumpido por breves pesadillas, Bergotte dejó de llamar a los médicos y probó con éxito, pero con exceso, diferentes narcóticos, leyendo con fe el
prospecto que acompañaba a cada uno de ellos, prospecto
que proclamaba la necesidad del sueño, pero insinuaba que
todos los productos que lo provocan (menos el del frasco
que el prospecto envolvía, pues éste no producía nunca into-
xicación) eran tóxicos y hacían el remedio peor que la enfermedad. Bergotte los probó todos. Algunos son de distinta
familia que aquellos a los que estamos habituados, derivados, por ejemplo, del amilo y del etilo. El producto nuevo, de
una composición completamente distinta, se toma siempre
con la deliciosa expectación de lo desconocido. Nos palpita
el corazón como cuando acudimos a una primera cita. ¿Hacia qué ignorados géneros de sueño, de sueños, nos llevará el
recién llegado? Ya está en nosotros, asume la dirección de
nuestro pensamiento. ¿De qué manera nos dormiremos? Y
una vez dormidos, ¿por qué caminos extraños, a qué cimas,
a qué abismos inexplorados nos conducirá el dueño omnipotente? ¿Qué nueva agrupación de sensaciones vamos a conocer en este viaje? ¿Nos llevará al malestar? ¿A la beatitud?
¿A la muerte? La de Bergotte sobrevino al día siguiente de
haberse entregado a uno de estos amigos (¿amigo?, ¿enemigo?) omnipotentes. Murió en las siguientes circunstancias:
por una crisis de uremia bastante ligera le habían prescrito
el reposo. Pero un crítico escribió que en la *Vista de Delft* de
Ver Meer (prestada por el museo de La Haya para una exposición holandesa), cuadro que Bergotte adoraba y creía conocer muy bien, había un lienzo de pared amarilla (que Bergotte no recordaba) tan bien pintado que, mirándole sólo,
era como una preciosa obra de arte china, de una belleza que

se bastaba a sí misma. Bergotte leyó esto, comió unas patatas y se fue a la exposición. En los primeros escalones que
tuvo que subir le dio un vértigo. Pasó ante varios cuadros y
sintió la impresión de la sequedad y de la inutilidad de un
arte tan falso que no valía el aire y el sol de un *palazzo* de Venecia o de una simple casa a la orilla del mar. Por fin llegó al
Ver Meer, que él recordaba más esplendoroso, más diferente
de todo lo que conocía, pero en el que ahora, gracias al artículo del crítico, observó por primera vez los pequeños personajes en azul, la arena rosa y, por último, la preciosa materia del pequeño fragmento de pared amarilla. Se le acentuó
el mareo; fijaba la mirada en el precioso panelito de pared
como un niño en una mariposa amarilla que quiere coger.
«Así debiera haber escrito yo –se decía–. Mis últimos libros
son demasiado secos, tendría que haberles dado varias capas de color, que mi frase fuera preciosa por ella misma,
como ese pequeño panel amarillo.» Mientras tanto, se daba
cuenta de la gravedad de su mareo. Se le aparecía su propia
vida en uno de los platillos de una balanza celestial; en el
otro, el fragmento de pared de un amarillo tan bien pintado.
Sentía que, imprudentemente, había dado la primera por el
segundo. «Pero no quisiera –se dijo– ser el suceso del día en
los periódicos de la tarde.»

Se repetía: «Detalle de pared amarilla con marquesina,
detalle de pared amarilla». Y se derrumbó en un canapé
circular; de la misma súbita manera dejó de pensar que estaba en juego su vida y, recobrando el optimismo, se dijo: «Es
una simple indigestión por esas patatas que no estaban bastante cocidas, no es nada». Sufrió otro golpe que le derribó,
rodó del canapé al suelo, acudieron todos los visitantes y los
guardianes. Estaba muerto. ¿Muerto para siempre? ¿Quién
puede decirlo? Desde luego los experimentos espiritistas no
aportan la prueba de que el alma subsista, como tampoco
la aportan los dogmas religiosos. Lo que puede decirse es
que en nuestra vida ocurre todo como si entráramos en ella

con la carga de obligaciones contraídas en una vida anterior; en nuestras condiciones de vida en esta tierra no hay ninguna razón para que nos creamos obligados a hacer el bien, a ser delicados, incluso a ser corteses, ni para que el artista ateo se crea obligado a volver a empezar veinte veces un pasaje para suscitar una admiración que importará poco a su cuerpo comido por los gusanos, como el detalle de pared amarilla que con tanta ciencia y tanto refinamiento pintó un artista desconocido para siempre, identificado apenas bajo el nombre de Ver Meer. Todas estas obligaciones que no tienen su sanción en la vida presente parecen pertenecer a otro mundo, a un mundo fundado en la bondad, en el escrúpulo, en el sacrificio, a un mundo por completo diferente de éste y del que salimos para nacer en esta tierra, antes quizá de retornar a vivir bajo el imperio de esas leyes desconocidas a las que hemos obedecido porque llevábamos su enseñanza en nosotros, sin saber quién las había dictado –esas leyes a las que nos acerca todo trabajo profundo de la inteligencia y que sólo son invisibles (¡y ni siquiera!) para los tontos–. De suerte que la idea de que Bergotte no había muerto para siempre no es inverosímil.

Le enterraron, pero durante toda la noche fúnebre sus libros, dispuestos de tres en tres en vitrinas iluminadas, velaban como ángeles con las alas desplegadas y parecían, para el que ya no era, el símbolo de su resurrección.

Como he dicho, me enteré de que Bergotte había muerto aquel día. Y admiré la inexactitud de los periódicos que –reproduciendo todos una misma nota– decían que había muerto la víspera. Y la víspera le había encontrado Albertina, según ella me contó la misma noche, y por cierto que el encuentro la retrasó, pues había hablado bastante tiempo con ella. Seguramente fue la última conversación de Bergotte. Albertina le conocía por mí, que no le veía desde hacía mucho tiempo, pero como ella tenía la curiosidad de que la presentaran al viejo maestro, yo le había escrito el año anterior para llevársela. Me concedió lo que le pedía, no sin dolerle un poco, a lo que creo, que sólo volviera a verle por dar gusto a otra persona, lo que confirmaba mi indiferencia hacia él. Estos casos son frecuentes; a veces aquel o aquella a quien imploramos no por el gusto de volver a hablar con él o con ella, sino por una tercera persona, se niega tan obstinadamente que la persona protegida sospecha que hemos presumido de un falso poder. Es más frecuente que el genio o la belleza célebre consientan, pero, humillados en su gloria, heridos en su afecto, ya no tienen para nosotros más que un sentimiento amortiguado, doloroso, un poco desdeñoso. Pasado mucho tiempo, adiviné que había acusado falsamente a los periódicos de inexactitud, pues aquel día Albertina no había encontrado a Bergotte, mas yo no lo sospeché ni por un momento, con tanta naturalidad me lo contó, y hasta mucho después no me enteré del arte encantador que tenía de mentir con sencillez. Lo que decía, lo que confesaba, tenía de tal modo los mismos caracteres que las formas de la evidencia –lo que vemos, lo que sabemos de manera irrefutable– que sembraba así en las parcelas intermedias de su vida los episodios de otra vida cuya falsedad no sospechaba yo entonces y que sólo mucho después percibí. He añadido: «cuando confesaba», y he aquí por qué. A veces, atando hilos, concebía sospechas celosas en las que, junto a ella, figuraba en el pasado –o, peor aún, en el futuro– otra persona. Para aparentar que estaba seguro de lo que decía, nombraba a la persona y Albertina contestaba: «Sí, la encontré hace ocho días a unos pasos de la casa. Por educación, contesté a su saludo. Di dos pasos con ella. Pero nunca hubo nada entre nosotros. Ni nunca habrá nada.» Ahora bien, Albertina no había ni siquiera encontrado a aquella persona, por la sencilla razón de que aquella persona no había venido a París desde hacía diez meses. Pero a mi amiga le parecía que negar completamente era poco verosímil. Por eso me encan-

tó aquel breve encuentro ficticio, y me lo contó tan sencillamente que yo veía a la dama detenerse, saludarla, dar unos
pasos con ella. Si yo hubiera estado fuera en aquel momento, acaso el testimonio de mis sentidos me habría demostrado que la dama no había dado unos pasos con Albertina.
Pero si supe lo contrario, fue por una de esas cadenas de razonamiento (en las que las palabras de las personas en quienes tenemos confianza insertan fuertes eslabones) y no por
el testimonio de los sentidos. Para invocar este testimonio
hubiera sido necesario que yo estuviera precisamente fuera,
y no había sido así. Sin embargo, podemos imaginar que semejante hipótesis no es inverosímil: yo hubiera podido salir
y pasar por la calle a la hora en que Albertina me dijo, aquella noche (sin haberme visto), que había dado unos pasos
con la dama, y entonces habría sabido que Albertina mentía.
Pero aun esto mismo, ¿es bien seguro? Podría haberse apo-
derado de mi mente una oscuridad sagrada, habría puesto
en duda que la hubiera visto sola, apenas habría intentado
comprender en virtud de qué ilusión óptica no había visto a
la dama, y no me hubiera extrañado mucho haberme equivocado, pues el mundo de los astros es menos difícil de conocer que los actos reales de las personas, sobre todo de las
personas que amamos, acorazadas como están contra nuestra duda por unas fábulas destinadas a protegerlas. ¡Durante
tantos años pueden estas fábulas hacer creer a nuestro apá-
tico amor que la mujer amada tiene en el extranjero una hermana, un hermano, una cuñada que jamás existieron!

También el testimonio de los sentidos es una operación
mental en la que la convicción crea la evidencia. Hemos visto muchas veces cómo el sentido del oído llevaba a Francisca
no la palabra que se había pronunciado, sino la que ella creía
la verdadera, lo que bastaba para que no oyera la rectificación implícita de una pronunciación mejor. No estaba constituido de diferente modo nuestro mayordomo. Monsieur de
Charlus llevaba en aquel momento –pues cambiaba mucho–

un pantalón muy claro y reconocible entre mil. Ahora bien, nuestro mayordomo, que creía que la palabra *pissotière* (palabra que designaba lo que monsieur de Rambuteau, muy enfadado, había oído al duque de Guermantes llamar un ridículo) era *pistière*[1], no oyó en toda su vida a una sola persona decir *pissotière*, aunque así se pronunciaba muy a menudo delante de él. Pero el error es más obstinado que la fe y no analiza sus creencias. El mayordomo decía constantemente: «El señor barón de Charlus ha tenido que coger una enfermedad, para estar tanto tiempo en una *pistière*. Eso les pasa a los viejos mujeriegos. Lleva el pantalón propio de ellos. Esta mañana la señora me mandó a un recado a Neuilly. Vi entrar al señor barón de Charlus en la *pistière* de la Rue de Bourgogne. Al volver de Neuilly, lo menos una hora más tarde, vi su pantalón amarillo en la misma *pistière*, en el mismo sitio, en el centro, donde se pone siempre para que no le vean». No conozco nada más bello, más noble y más joven que una sobrina de madame de Guermantes. Pero le oí decir a un conserje de un restaurante al que yo iba, al verla pasar: «Mira esa vieja tan recompuesta, ¡qué pinta!, y tiene lo menos ochenta años». En cuanto a la edad, me parece difícil que lo creyera. Pero los botones agrupados en torno a él, que se burlaban cada vez que ella pasaba delante del hotel para ir a ver, no lejos de allí, a sus dos encantadoras tías abuelas, madame de Fezensac y madame de Balleroy, vieron en la cara de aquella joven belleza los ochenta años que por burla o no había atribuido el conserje a la «vieja recompuesta». Se habrían muerto de risa si les hubieran dicho que era más distinguida que una de las cajeras del hotel, la cual, comida de eccema, gorda hasta el ridículo, les parecía una mujer hermosa. Quizá sólo el deseo sexual fuera capaz de evitarles el error, si hubiera surgido al pasar la supuesta vieja recom-

---

1. *Pissotière* significa 'urinario'. *Pistière* no significa nada; es, al parecer, una mala pronunciación de *pissotière*. (N. de la T.)

puesta y si los botones hubieran codiciado de pronto a la joven diosa. Pero, por razones desconocidas y que probablemente serían de índole social, no intervino ese deseo. De todos modos, la cosa es muy discutible. El universo es verdadero para todos nosotros y diferente para cada uno. Si no tuviéramos que limitarnos, para el orden del relato, a razones frívolas, ¡cuántas más serias nos permitirían demostrar la mentirosa fragilidad del principio de este libro, donde, desde mi cama, oía yo despertarse el mundo, ora con un tiempo, ora con otro! Sí, he tenido que aminorar la cosa y mentir, pero no es un universo el que se despierta cada mañana, son millones de universos, casi tantos como pupilas e inteligencias humanas.

Volviendo a Albertina, no he conocido nunca mujer más dotada que ella de una brillante actitud para la mentira animada, con los colores mismos de la vida, a no ser una de sus amigas, también una de mis muchachas en flor, rosada la tez como Albertina, pero que por su perfil irregular, lleno de hoyitos y de prominencias, era igual que ciertos racimos de flores color rosa cuyo nombre he olvidado y que tienen, como ellas, largos y sinuosos entrantes. Aquella muchacha era, desde el punto de vista de la fábula, superior a Albertina, pues no ponía en ella ninguno de los momentos dolorosos, de los dobles sentidos irritados que eran frecuentes en mi amiga. He dicho, sin embargo, que era encantadora cuando inventaba un relato que no dejaba lugar a dudas, pues se veía pintada en su palabra la cosa que decía –aunque era imaginada–. A Albertina la inspiraba sólo la verosimilitud, y no el deseo de darme celos. Pues, acaso sin ser interesada, le gustaba mucho recibir atenciones. Ahora bien, si en el transcurso de esta obra he tenido y tendré muchas ocasiones de demostrar cómo los celos aumentan el amor, lo he hecho desde el punto de vista del amante. Pero a poco orgullo que éste tenga, y aunque una separación hubiera de costarle la vida, no responderá a una supuesta traición con un gesto efusivo y se alejará o, sin alejarse, se esforzará por fingir frialdad. De suerte que todo lo que la amante le hace sufrir es en perjuicio de ella. Si, por el contrario, disipa ella con una palabra hábil, con tiernas caricias, las sospechas que le torturaban aunque quisiera hacerse el indiferente, seguramente el amante no experimenta esa intensificación desesperada del amor a la que los celos le llevan, sino que, dejando bruscamente de sufrir, dichoso, enternecido, con el sosiego que sentimos cuando ha pasado la tormenta y ha caído la lluvia y apenas oímos todavía, bajo los grandes castaños, caer a largos intervalos las gotas suspendidas que ya el sol colorea, no sabe cómo expresar su gratitud a la que le ha curado. Albertina sabía que me gustaba recompensarla por sus gentilezas, y acaso esto explicaba que, para demostrar su inocencia, inventara confesiones espontáneas como aquellos relatos de los que yo no dudaba, uno de los cuales fue el encuentro con Bergotte cuando éste estaba ya muerto. De las mentiras de Albertina yo sólo había sabido hasta entonces las que, por ejemplo, me contara Francisca en Balbec, y que no he dicho aunque me hicieran tanto daño. «Como no quería venir, me dijo: "¿No podría decirle al señor que no me ha encontrado, que había salido?"» Pero los «inferiores» que nos quieren como Francisca me quería a mí se complacen en herirnos en nuestro amor propio.

D espués de comer, le dije a Albertina que tenía ganas de aprovechar el estar levantado para ir a ver a unos amigos, a madame de Villeparisis, a madame de Guermantes, a los Cambremer, ya veríamos, a quienes encontrara en casa. El único nombre que callé fue el de los Verdurin, que eran los únicos a quienes pensaba ir a ver. Le pregunté si no quería ir conmigo. Alegó que no tenía vestido. «Además, llevo un peinado muy feo. ¿Quieres que siga con este peinado?» Y se despidió tendiéndome la mano de aquella manera brusca, con el brazo estirado, los hombros erguidos, que tenía en otro tiempo en la playa de Balbec y que nunca más había tenido desde entonces. Con este movimiento olvidado, el cuerpo que animó volvió a ser el de aquella Albertina que apenas me conocía aún. Restituyó a Albertina, ceremoniosa bajo un aire brusco, su novedad prístina, su atractivo de ser desconocido y hasta su escenario. Vi el mar detrás de esta mucha-cha a la que nunca había visto saludarme así desde que ya no estaba a la orilla del mar. «Mi tía dice que éste me envejece», añadió de mal talante. «¡Ojalá fuera verdad lo que dice su tía!», pensé. Que Albertina, con su aspecto de niña, hiciera parecer más joven a madame Bontemps era lo que ésta deseaba, esto y que Albertina no le costara nada, mientras llegaba el día en que, casándose conmigo, le rentaría. En cambio yo, lo que deseaba era que Albertina pareciera menos joven, menos bonita, que se volvieran menos en la calle para mirarla. Pues la vejez de una dueña no tranquiliza tanto a un amante celoso como la vejez de la cara de la amada. Lo único que sentía era que el peinado que Albertina había adoptado a instancias mías pudiera parecerle una reclusión más. Y este nuevo sentimiento doméstico contribuyó también, aun lejos de Albertina, a atarme a ella.

Dije a Albertina, poco animada, según me dijo, a acompañarme a casa de los Guermantes o de los Cambremer, que no estaba seguro de a dónde iría, y salí con intención de ir a casa de los Verdurin. Pensando en el concierto que iba a oír en ella. Este pensamiento me recordó la escena de la tarde: «¡So zorra, gran zorra!» –escena de amor defraudado, quizá de amor celoso, pero tan bestial como la que, aparte la palabra, puede hacer a una mujer un orangután enamorado de ella, si así puede decirse–; cuando ya en la calle iba a llamar a un *fiacre,* oí unos sollozos que un hombre sentado en un poyete procuraba reprimir. Me acerqué a él; el hombre, con la cabeza entre las manos, parecía joven, por la blancura que emergía del abrigo, se suponía que iba de frac y con corbata blanca. Al oírme descubrió el rostro inundado de lágrimas, pero al reconocerme miró a otro lado. Era Morel. Comprendió que le había reconocido y, conteniendo las lágrimas, me dijo que se había detenido un momento porque estaba desesperado.

–Hoy mismo –me dijo– he insultado brutalmente a una persona a la que he querido mucho. Es una cobardía, porque me ama.

–Quizá lo olvide con el tiempo –repuse, sin pensar que hablando así daba a entender que había oído la escena de la tarde. Pero Morel estaba tan embargado por su preocupación que ni siquiera se le ocurrió que yo hubiera podido oír algo.

–Quizá lo olvide ella –me dijo–, pero yo no podré olvidarlo. Estoy avergonzado, asqueado de mí mismo. Pero lo dicho dicho queda, nada puede hacer que no haya sido dicho. Cuando me encolerizan ya no sé lo que hago. ¡Y es tan malsano para mí!, tengo los nervios trastornados –pues Morel, como todos los neurasténicos, se preocupaba mucho por su salud.

Así como aquella tarde yo había presenciado la cólera amorosa de un animal furioso, esta noche, a las pocas horas, habían pasado siglos, y un sentimiento nuevo, un sentimiento de vergüenza, de pesar, de dolor, demostraba que se había recorrido una gran etapa en la evolución de la bestia destinada a transformarse en criatura humana. A pesar de todo, yo seguía oyendo aquel «¡gran zorra!» y temía un próximo retroceso al estado salvaje. Además, entendía muy mal lo que había ocurrido, y era muy natural, pues el propio monsieur de Charlus ignoraba por completo que desde hacía unos días, y especialmente aquel día, incluso antes del vergonzoso episodio que no tenía relación directa con el estado del violinista, Morel había recaído en su neurastenia. El mes anterior, Morel había adelantado todo lo posible, mucho más despacio de lo que él hubiera querido, en la seducción de la sobrina de Jupien, con la que, en calidad de novio, podía salir a su gusto. Pero en cuanto llegó un poco lejos en sus proyectos de violación, y sobre todo cuando habló a su novia de liarse con otras muchachas que ella le proporcionaría, encontró resistencias que le exasperaron. Inmediatamente (ya porque fuera demasiado casta o, por el contrario, porque se hubiera entregado) a Morel se le pasó el deseo. Decidió romper, pero pensando que el barón, aunque vicioso, era mucho más moral, temió que, si rompía, monsieur de Charlus rompiera con él. En consecuencia, decidió, quince días antes, no volver a ver a la muchacha, dejar que monsieur de Charlus y Jupien se las arreglaran entre ellos (empleaba un verbo más *cambronnesco*), y antes de anunciar la ruptura «salir de naja» con destino desconocido.

Amor cuyo desenlace le dejaba un poco triste, de suerte que, aunque su conducta con la sobrina de Jupien coincidiera exactamente, en los menores detalles, con la que había expuesto en teoría al barón cuando estaban cenando en Saint-Mars-le-Vêtu, es probable que fueran muy diferentes y que unos sentimientos menos atroces, no previstos en su conducta teórica, embellecieran su conducta real. El único punto en que, por el contrario, la realidad era peor que el proyecto es que en el proyecto no le parecía posible permanecer en París después de semejante traición. Ahora, salir huyendo le parecía mucho para una cosa tan sencilla. Era dejar al barón, que seguramente estaría furioso, y malograr su situación. Perdería todo lo que le sacaba a monsieur de Charlus. La idea de que esto era inevitable le daba ataques de nervios, se pasaba las horas gimoteando, para no pensar tomaba morfina, aunque con prudencia. Después se le ocurrió de repente una idea que seguramente fue tomando poco a poco vida y forma desde hacía algún tiempo, y era que la alternativa, la elección entre la ruptura y el enfado completo con monsieur de Charlus quizá no era forzada. Perder todo el dinero del barón era mucho perder. Durante algunos días, Morel estuvo indeciso y sumido en ideas negras, como las que le daba ver a Bloch; después decidió que Jupien y su sobrina habían intentado hacerle caer en una trampa, que debían darse por contentos de haber escapado tan bien. Consideraba que, después de todo, la culpa era de la muchacha, tan torpe que no supo sujetarle con los sentidos. No sólo le parecía absurdo sacrificar su situación con monsieur de Charlus, sino que lamentaba hasta las dispendiosas comidas que había ofrecido a la muchacha desde que eran novios, cuyo costo hubiera podido decir exactamente, como hijo que era de un criado que todos los meses presentaba a mi tío el «libro» de cuentas. Pues libro, en singular, que para el común de los mortales significa obra impresa, pierde este sentido para las altezas y para los criados. Para éstos significa el libro de cuentas; para las altezas, el registro en que se inscribe a las personas. (Una vez que la princesa de Luxembourg me dijo en Balbec que no había traído el libro, yo iba a prestarle *Le Pêcheur d'Islande* y *Tartarin de Tarascon,* cuando comprendí lo que había querido decir: no que iba a pasar el tiempo menos agradablemente, sino que me iba a ser más difícil incluir mi nombre en su casa.)

A pesar del cambio del punto de vista de Morel en cuanto a las consecuencias de su conducta, y aunque ésta le hubiera parecido abominable dos meses antes, cuando amaba apasionadamente a la sobrina de Jupien, y desde hacía quince días no cesara de repetirse que esta misma conducta era natural y loable, no dejaba de agravar en él el estado de nerviosismo que hacía poco había significado la ruptura. Y estaba muy inclinado a «traspasar su ira» si no (salvo en un acceso momentáneo) a la joven que le inspiraba todavía aquel resto de miedo, último rastro del amor, al menos al barón. Pero se guardó de decirle nada antes de la comida, pues poniendo sobre todas las cosas su propio virtuosismo profesional, cuando tenía que tocar piezas difíciles (como aquella noche en casa de los Verdurin) evitaba (en lo posible, y ya era bastante con la escena de la tarde) todo lo que podía alterar su ejecución. De la misma manera, un cirujano apasionado por el automovilismo deja de conducir cuando tiene que operar. Esto explicaba que mientras estaba hablándome moviera suavemente los dedos, uno tras otro para ver si habían recuperado su agilidad. Un esbozado fruncimiento del entrecejo parecía significar que aún persistía un poco de nerviosismo. Mas, para no aumentarlo, Morel distendía el rostro, como quien evita ponerse nervioso por no dormir o por no poseer fácilmente a una mujer, de miedo de que la misma fobia retarde más aún el momento del sueño o del placer. Y deseoso de recuperar la serenidad al entregarse como de costumbre, mientras tocaba, a lo que iba a tocar en casa de los Verdurin y deseoso a la vez, mientras le viera, de que pudiese compro-

bar su dolor, le pareció lo más sencillo rogarme que me fuera
inmediatamente. El ruego era inútil, pues irme era para mí
un alivio. Temía que, yendo como íbamos a la misma casa,
con pocos minutos de intervalo, me pidiera que le llevara, y
yo recordaba demasiado la escena de la tarde para no sentir
cierta repugnancia de llevar a Morel a mi lado en el trayecto.
Es muy posible que el amor y después la indiferencia o el
odio de Morel hacia la sobrina de Jupien fueran sinceros.
Desgraciadamente no era la primera vez (ni sería la última)
que obraba así, que plantaba bruscamente a una muchacha
a la que había jurado amor eterno llegando hasta mostrarle
un revólver cargado y decirle que se pegaría un tiro si era lo
bastante cobarde para abandonarla. No por eso dejaba de
abandonarla en seguida y de sentir, en vez de remordimiento, una especie de rencor. No era la primera vez que obraba
así ni iba a ser la última, de suerte que muchas cabezas de
muchachas –menos olvidadizas de él que de ellas mismas–
sufrieron –como sufrió mucho tiempo todavía la sobrina de
Jupien, que siguió amando a Morel sin dejar de despreciar-
le–, dispuestas a estallar bajo el arrebato de un dolor interno,
porque cada una de ellas llevaba clavado en el cerebro, como
un fragmento de una escultura griega, un aspecto del rostro
de Morel, duro como el mármol y bello como la antigüedad,
con sus cabellos en flor, sus ojos penetrantes, su nariz recta
–formando protuberancia en un cráneo no destinado a recibirla, y que no se podía operar–. Pero, a la larga, estos fragmentos tan duros acaban por caer a un lugar donde no cau-
san demasiados estragos, de donde ya no se mueven; ya no
se nota su presencia: es el olvido, o el porvenir indiferente.

Yo llevaba en mí dos productos de mi jornada. Por una
parte, gracias a la calma producida por la docilidad de Albertina, la posibilidad y, en consecuencia, la resolución de
romper con ella. Por otra parte, resultado de mis reflexiones
durante el tiempo que pasé esperándola sentado ante el piano, la idea de que el arte, al que procuraría dedicar mi liber-

tad reconquistada, no era algo que valiera la pena de dedi-
carle un sacrificio, algo exterior a la vida, ajeno a su vanidad
y a su vacío, pues la apariencia de individualidad real que
dan las obras de arte no es más que el efecto engañoso de la
habilidad técnica. Si aquella tarde dejó en mí otros residuos,
acaso más profundos, sólo mucho más tarde llegarían a mi
conocimiento. En cuanto a los dos que yo pesaba claramente, no iban a ser duraderos; pues aquella misma noche mis
ideas sobre el arte iban a recobrarse de la disminución experimentada por la tarde, mientras que, en cambio, iba a perder la calma y, en consecuencia, la libertad que me permitiría consagrarme a él.

Cuando mi coche, siguiendo el muelle, estaba cerca de
casa de los Verdurin, le hice parar. Y es que vi a Brichot
apearse del tranvía en la esquina de la Rue Bonaparte, lim-
piarse los zapatos con un periódico viejo y ponerse unos
guantes gris perla. Me dirigí a él. Desde hacía algún tiempo
había empeorado su afección de la vista y había sido dotado
–como un laboratorio– de lentes nuevos. Potentes y compli-
cados como instrumentos astronómicos, parecían atornilla-
dos a sus ojos; enfocó sobre mí sus luces excesivas y me reco-
noció. Los lentes eran maravillosos. Pero detrás de ellos
percibí, minúscula, pálida, convulsa, expirante, una mirada
lejana colocada bajo aquel potente aparato como, en los la-
boratorios demasiado generosamente subvencionados para
lo que en ellos se hace, se coloca un insignificante animalillo
agonizante bajo los aparatos más perfeccionados. Ofrecí el
brazo al semiciego para que pudiera andar seguro.

–Esta vez no nos encontramos junto al gran Cherburgo
–me dijo–, sino junto al pequeño Dunkerque –frase que me
pareció muy tonta, pues no entendí lo que quería decir, pero
no me atreví a preguntárselo a Brichot por miedo, más que a
su desprecio, a sus explicaciones. Le contesté que tenía ganas
de ver el salón donde Swann se encontraba en otro tiempo
todas las noches con Odette–. Pero ¿conoce usted esas viejas

historias? –me dijo–. Sin embargo, ha pasado desde entonces lo que el poeta llama bien llamado: *grande spatium mortalis aevi.*

Por entonces me impresionó mucho la muerte de Swann.
¡La muerte de Swann! Swann no representa en esta frase el
papel de un simple genitivo. Me refiero a la muerte particular, a la muerte enviada por el destino al servicio de Swann.
Pues decimos la muerte para simplificar, pero hay casi tantas muertes como personas. No poseemos un sentido que
nos permita ver, corriendo a toda velocidad, en todas las direcciones, a las muertes, a las muertes activas dirigidas por
el destino hacia éste o hacia el otro. Muchas veces son muertes que no quedarán enteramente liberadas de su misión
hasta pasados dos o tres años. Se apresuran a poner un cáncer en el costado de un Swann, después se van a otros queha-
ceres y no vuelven hasta que, realizada la operación de los ci-
rujanos, hay que poner de nuevo el cáncer. Después llega el
momento de leer en *Le Gaulois* que la salud de Swann ha inspirado inquietud, pero que su indisposición está en perfec-
tas vías de curación. Entonces, minutos antes del último suspiro, la muerte, como una religiosa que nos cuidara en vez
de destruirnos, viene a asistir a nuestros últimos momentos
y corona con una aureola suprema al ser helado para siempre cuyo corazón ha dejado de latir, y es esta diversidad de
muertes, el misterio de sus circuitos, el color de su fatal
echarpe lo que da algo tan impresionante a las líneas de los
periódicos: «Con gran pesar nos enteramos de que ayer, en
su hotel de París, ha fallecido monsieur Charles Swann a
consecuencia de una dolorosa enfermedad. Parisiense de
una inteligencia apreciada por todos, estimado por sus relaciones tan selectas como fieles, será unánimemente llorado,
tanto en los medios artísticos y literarios, en los que se complacía su exquisito gusto, que, a su vez, a todos encantaba,
como en el Jockey-Club, del que era uno de los miembros
más antiguos y más considerados. Pertenecía también al

Círculo de la Unión y al Círculo Agrícola. Había presentado recientemente su dimisión de miembro del Círculo de la Rue Royale. Su fisonomía inteligente y su destacada notoriedad suscitaban la curiosidad del público en todo *great event* de la música y de la pintura, y especialmente en los *vernissages,* a los que asistía fielmente hasta sus últimos años, cuando ya salía muy poco de casa. Los funerales tendrán lugar, etc.»

En este punto, si no se es «alguien», la falta de título conocido acelera aún más la descomposición de la muerte. Desde luego se es duque de Uzès de una manera anónima, sin distinción de individualidad. Pero la corona ducal mantiene unidos por algún tiempo los elementos de esa individualidad, como los de esos helados de formas bien definidas que le gustaban a Albertina, mientras que los nombres de burgueses ultramundanos se disgregan y se funden, «pierden el molde» en cuanto mueren. Hemos visto a madame de Guermantes hablar de Cartier como del mejor amigo del duque de La Trémoïlle, como de un hombre muy buscado en los medios aristocráticos. Para la generación siguiente, Cartier es ya una cosa tan informe que casi se le engrandecería emparentándole con el joyero Cartier, cuando él hubiera sonreído de que unos ignorantes pudieran confundirle con éste. En cambio Swann era una notable personalidad intelectual y artística, y aunque no «creó» nada, tuvo la suerte de durar un poco más. Y, sin embargo, querido Charles Swann, a quien tan poco conocí cuando yo era tan joven y usted estaba ya cerca de la tumba, si se vuelve a hablar de usted y si pervivirá quizá, es porque el que usted debía de considerar como un pequeño imbécil le ha erigido en héroe de una de sus novelas. Si en el cuadro de Tissot que representa el balcón del Círculo de la Rue Royale, donde está usted entre Galliffet, Edmundo de Polignac y Saint-Maurice, se habla tanto de usted, es porque hay algunos rasgos suyos en el personaje de Swann.

Volviendo a realidades más generales, de esta muerte predicha y, sin embargo, imprevista de Swann le oí hablar a él

mismo en casa de la duquesa de Guermantes, la noche en
que tuvo lugar la fiesta de la prima de ésta. Es la misma
muerte cuya singularidad específica y sobrecogedora volví a
encontrar una noche ojeando el periódico y cuya noticia me
paró en seco, como trazada en misteriosas líneas inoportunamente intercaladas. Bastaban para hacer de un vivo algo
que ya no podía responder a lo que se le dijera, nada más que
un *nombre,* un *nombre* escrito, trasladado de pronto del
mundo real al reino del silencio. Me daba todavía entonces
el deseo de conocer mejor la morada donde antaño vivieron
los Verdurin y donde Swann, que entonces no era solamente
unas letras escritas en un periódico, tantas veces había comido con Odette. Debemos añadir (y por esto la muerte de
Swann fue para mí más dolorosa que otras, aunque estos
motivos fueran ajenos a la singularidad individual de *su*
muerte) que yo no había de ver a Gilberta, como le prometí
en casa de la princesa de Guermantes; que Swann no llegó a
decirme aquella «otra razón» a la que aludió aquella noche y
por la que me eligió como confidente de su conversación con
el príncipe; que emergían en mí mil preguntas (como burbu-
jas subiendo del fondo del agua) que quería hacerle sobre las
cosas más dispares: sobre Ver Meer, sobre el mismo monsieur
de Mouchy, sobre un tapiz de Boucher, sobre Combray, preguntas seguramente poco urgentes, puesto que las había ido
aplazando de un día a otro, pero que me parecían capitales
desde que, ya sellados sus labios, no recibiría respuesta.

–Pues no –continuó Brichot–, no era aquí donde Swann se
encontraba con su futura mujer, o al menos no fue aquí hasta los últimos tiempos, después del siniestro que destruyó
parcialmente la primera casa de madame Verdurin.

Desgraciadamente, por miedo a ostentar ante Brichot un
lujo que le parecía inoportuno, puesto que el universitario
no participaba de él, me había apeado del coche demasiado
precipitadamente, y el cochero no comprendió que le despa-
ché a toda prisa para poder alejarme de él antes de que Bri-

chot me viera. La consecuencia fue que el cochero se acercó a preguntarme si tenía que venir a recogerme; le dije muy de prisa que sí y redoblé mis respetos con el universitario que había venido en ómnibus.

–¡Ah!, ha venido en coche –me dijo con gesto grave.

–Por pura casualidad; no me ocurre nunca, voy siempre en ómnibus o a pie. Pero acaso esto me valdrá el gran honor de llevarle esta noche si accede por mí a subir a este cacharro. Iremos un poco apretados, pero es usted tan amable conmigo.

«No me privo de nada proponiéndole esto –pensé–, pues de todas maneras tendré que volver por causa de Albertina.» Su presencia en mi casa a una hora donde nadie podía ir a verla me permitía disponer de mi tiempo tan libremente como por la tarde, cuando, sabiendo que iba a volver del Trocadero, no tenía prisa de volver a verla. Pero, en fin, también como por la tarde, sentía que tenía una mujer y que al volver a casa no disfrutaría la exaltación fortificante de la soledad.

–Acepto con mucho gusto –me contestó Brichot–. En la época a que usted se refiere, nuestros amigos vivían en la Rue Montalivet, en un magnífico piso bajo con entresuelo que daba a un jardín, desde luego menos suntuoso, pero que yo prefiero al hotel de los Embajadores de Venecia.

Brichot me informó de que aquella noche había en el «Quai Conti» (así decían los fieles hablando del salón Verdurin desde que se trasladó allí) un gran «tra la la» musical organizado por monsieur de Charlus. Añadió que en la época antigua de que yo hablaba el pequeño núcleo era otro y el tono diferente, y no sólo porque los fieles eran más jóvenes. Me contó algunas bromas de Elstir (lo que él llamaba «puras pantalonadas»), como un día en que, a última hora, fingió que desertaba, acudió disfrazado de camarero y, al pasar las fuentes, le dijo al oído ciertas cosas picantes a la mojigata baronesa Putbus, que enrojeció de espanto y de ira; después desapareció antes de terminar la comida e hizo llevar al salón una bañera llena de agua; cuando los comensales se levantaron de la mesa, Elstir emergió de la bañera completamente desnudo diciendo palabrotas; hubo otras comidas a las que los invitados asistían con trajes de papel dibujados, cortados y pintados por Elstir, que eran obras maestras; Brichot se vistió una vez de gran señor de la corte de Carlos VII, con zapatos de punta retorcida, y otra de Napoleón I, con el gran cordón de la Legión de Honor hecho por Elstir con lacre. En fin, Brichot, evocando en su mente el salón de entonces, con sus grandes ventanas, con sus canapés bajos desteñidos por el sol del mediodía y que había habido que reemplazar, declaraba, sin embargo, que lo prefería al de hoy. Naturalmente, yo comprendía muy bien que Brichot entendía por «salón» –como la palabra iglesia no significa solamente el edificio religioso, sino la comunidad de los fieles– no sólo el entresuelo, sino las personas que lo frecuentaban, las diversiones especiales que iban a buscar allí, diversiones que, en su memoria, adoptaban la forma de aquellos canapés en los que, cuando iban a ver a madame Verdurin por la tarde, esperaban los visitantes a que ella saliera, mientras fuera las flores rosa de los castaños de Indias, y en la chimenea los claveles en jarrones parecían espiar fijamente, en un pensamiento de graciosa simpatía para el visitante, expresado por la sonriente bienvenida de sus colores rosas, la entrada tardía de la dueña de la casa. Pero si aquel «salón» le parecía superior al actual, era quizá porque nuestro espíritu es el viejo Proteo: no puede permanecer esclavo de ninguna forma y, hasta en los dominios mundanos, se marcha pronto de un salón que ha llegado lenta y difícilmente a su punto de perfección y se va a otro menos brillante, como las fotografías «retocadas» que Odette había encargado al fotógrafo Otto, en las que estaba vestida de princesa y ondulada por Lenthéric, no le gustaban a Swann tanto como una pequeña «foto de álbum» hecha en Niza en la que Odette, con una capelina de paño, el pelo mal peinado saliendo de un sombrero de paja bordado de pensamientos con un lazo de terciopelo negro, elegante con veinte años menos, parecía una criadita de veinte años más (pues las mujeres parecen más viejas cuanto más antiguas son las fotografías). Quizá también se complacía en alabarme lo que yo no iba a conocer, en demostrarme que él había gozado placeres que yo no podría gozar. Y, desde luego, lograba su propósito con sólo citar los nombres de dos o tres personas que ya no vivían y a las que, con su manera de hablar de ellos, daba algo de misterioso; yo sentía que todo lo que me habían contado de los Verdurin era demasiado burdo; y hasta hablando de Swann, al que conocí, me reprochaba no haber puesto más atención en él, no haberla puesto con bastante desinterés, no haberle escuchado bien cuando me recibía mientras su mujer volvía para el almuerzo y él me enseñaba cosas bellas, ahora que yo sabía que era comparable a uno de los más exquisitos conversadores de otro tiempo.

Al llegar a casa de madame Verdurin, divisé a monsieur de Charlus navegando hacia nosotros con todo su enorme cuerpo, arrastrando tras él, sin querer, a uno de esos apaches o mendigos que a su paso surgían ahora infaliblemente hasta de los rincones que parecían más desiertos, donde aquel poderoso monstruo, bien a su pesar, iba siempre escoltado, aunque a alguna distancia, como el tiburón por su piloto, contrastando, en fin, de tal manera con el altivo forastero del primer año de Balbec, con su aspecto sereno, su afectación de virilidad, que me pareció descubrir un astro, acompañado de su satélite, en una fase muy distinta de su revolución y cerca ya de su apogeo, o un enfermo ya invadido por el mal que hace unos años era sólo un granito fácilmente disimulado y cuya gravedad no se sospechaba. Aunque la operación sufrida por Brichot le había devuelto un poquito de la vista que había creído perder para siempre, no sé si vio al granuja que le seguía los pasos al barón. De todos modos importaba poco, pues desde la Raspelière, y a pesar de la amistad

que el universitario tenía con él, la presencia de monsieur de
Charlus le producía cierto malestar. Para cada hombre, la vida
de cualquier otro hombre prolonga, en la oscuridad, senderos
insospechados. La mentira, de la que están hechas todas las
conversaciones, aunque tan a menudo logre engañar, no oculta un sentimiento de inamistad, o de interés, o una visita que se
quiere aparentar no deseada, o una escapada con una querida
sin que lo sepa la mujer, tan perfectamente como una buena
fama tapa unas malas costumbres sin dejarlas adivinar. Pueden permanecer ignoradas toda la vida; hasta que una noche
la casualidad de un encuentro las descubre; y aun a veces no se
entiende bien la cosa, y es preciso que un tercero enterado nos
dé la incógnita palabra que todos ignoran. Pero sabidas esas
costumbres, nos asustan porque vemos en ellas la locura, mucho más que por razones morales. Madame de Surgis le Duc
no tenía en absoluto un sentimiento moral desarrollado, y hubiera admitido en sus hijos cualquier cosa envilecida y expli-
cada por el interés, comprensible para todos los hombres. Pero
les prohibió seguir tratando a monsieur de Charlus cuando se
enteró de que, en cada visita, el barón era fatalmente impulsa-
do como por una especie de relojería de repetición, a pellizcar-
les la barbilla y a que, el uno y el otro, se la pellizcaran a él. Madame Surgis experimentó esa inquieta sensación del misterio
físico que nos hace preguntarnos si el vecino con el que estamos en buenas relaciones no es antropófago, y a las reiteradas
preguntas del barón: «¿Veré pronto a los muchachos?», contestaba la madre, consciente de los rayos que acumulaba contra
ella, que estaban muy ocupados con sus estudios, los preparativos de viaje, etc. La irresponsabilidad, dígase lo que se diga,
agrava las faltas y hasta los crímenes. Landrú, suponiendo que
realmente haya matado a mujeres, si lo ha hecho por interés,
contra el que se puede resistir, puede ser indultado, pero no si
lo ha hecho por un sadismo irresistible.

Las pesadas bromas de Brichot al principio de su amistad
con el barón, cuando ya se trató, no de soltar lugares comu-

nes, sino de comprender, fueron sustituidas por un sentimiento penoso disfrazado de jovialidad. Se tranquilizaba re-
citando páginas de Platón, versos de Virgilio, porque, ciego
también de espíritu, no comprendía que entonces amar a un
joven era (las eutrapelias de Sócrates lo revelan mejor que las
teorías de Platón) como hoy sostener a una bailarina y después casarse. Ni el mismo monsieur de Charlus lo hubiera
comprendido, él que confundía su manía con la amistad,
que no se le parece en nada, y a los atletas de Praxiteles con
dóciles boxeadores. No quería ver que desde hacía mil nove-
cientos años («un cortesano devoto bajo un príncipe devoto
hubiera sido un ateo bajo un príncipe ateo», ha dicho La
Bruyère) toda la homosexualidad de costumbre –la de los
efebos de Platón como la de los pastores de Virgilio– ha desaparecido, que sólo sobrevive y se multiplica la involuntaria,
la nerviosa, la que se oculta a los demás y se disfraza a sí misma. Y monsieur de Charlus hubiera hecho mal en no renegar
francamente de la genealogía pagana. A cambio de un poco
de belleza plástica, ¡cuánta superioridad moral! El pastor de
Teócrito que suspira por un zagal no tendrá después ninguna razón para ser menos duro de corazón y más fino de espíritu que el otro pastor cuya flauta suena por Amarilis. Pues
el primero no padece un mal, obedece a las modas del
tiempo. Es la homosexualidad sobreviviente a pesar de los
obstáculos, avergonzada, humillada, la única verdadera, la
única a la que pueda corresponder en el mismo ser un refinamiento de las cualidades morales. Temblamos ante la
relación que lo físico pueda tener con éstas cuando pensamos en el pequeño cambio del gusto puramente físico, en la
ligera tara de un sentido, que explican que el universo de los
poetas y de los músicos, tan cerrado para el duque de Guermantes, se entreabra para monsieur de Charlus. Que ésta
tenga gusto en su casa, el gusto de un ama de casa amiga de
los *bibelots,* no es sorprendente; ¡pero la estrecha brecha que
se abre hacia Beethoven y hacia el Veroneso! Mas esto no dis-

pensa a las personas sanas de tener miedo cuando un loco que ha compuesto un sublime poema les explica con las razones más convincentes que está encerrado por error, por maldad de su mujer, les suplica que intervengan cerca del director del asilo y, lamentándose de las promiscuidades que le imponen, concluye así: «Mire, ese que va a venir a hablarme en el recreo, y que no tengo más remedio que rozarme con él, cree que es Jesucristo. Bastaría esto para demostrarme con qué locos rematados me encierran; ése no puede ser Jesucristo, porque Jesucristo soy yo.» Un momento antes, el visitante estaba dispuesto a ir a denunciar el error al médico alienista. Al oír estas palabras, y aun pensando en el admirable poema en que aquel hombre trabaja cada día, el visitante se aleja, como se alejaban de monsieur de Charlus los hijos de madame de Surgis, no porque les hiciera ningún mal, sino por tantas invitaciones que acababan pellizcándoles la barbilla. El poeta es de compadecer por tener que atravesar, y sin que le guíe ningún Virgilio, los círculos de un infierno de azufre y de pez y arrojarse al fuego que cae del cielo, para salvar a algunos habitantes de Sodoma. Ningún encanto en su obra; la misma severidad en su vida que en los clérigos exclaustrados que siguen la regla del más casto celibato para que no digan que han colgado los hábitos por otra causa que la pérdida de una creencia. Y ni siquiera es siempre así cuando se trata de escritores. ¿Qué médico de locos no habrá tenido, a fuerza de tratarlos, su crisis de locura? Y menos mal si puede afirmar que no es una locura anterior y latente lo que le había llevado a ocuparse de ellos. En el psiquiatra, el objeto de sus estudios suele reflejarse en él. Pero antes de esto, ¿qué oscura inclinación, qué fascinador espanto le hizo elegir ese objeto?

Haciendo como que no veía al turbio individuo que le seguía de cerca (cuando el barón se aventuraba por los bulevares o atravesaba los andenes de la estación de Saint-Lazare, se contaban por docenas esos buscones que, con la esperanza de conseguir una moneda, no le soltaban), y por miedo a

que el otro no se animara a hablarle, el barón bajaba devota-
mente sus negras cejas que, contrastando con sus mejillas
empolvadas, le daban la traza de un gran inquisidor pintado
por el Greco. Pero este clérigo daba miedo y parecía un sacerdote privado de las licencias, porque los diversos compromisos a que le había obligado la necesidad de ejercer su
afición y de ocultarla produjeron el efecto de que se le viera
en la cara precisamente lo que quería esconder, una vida de
crápula contada por la degeneración moral. En efecto, ésta
se lee fácilmente cualquiera que sea su causa, pues no tarda
en materializarse y prolifera en un rostro, especialmente en
las mejillas y en torno a los ojos, tan físicamente como el
amarillo ocre cuando se padece del hígado, o las repugnantes rojeces de una enfermedad de la piel. Además, no era sólo
en las mejillas colgantes de aquella cara pintada, en el pecho
tetudo, en la grupa saliente de aquel cuerpo descuidado e invadido por el opulento abdomen donde sobrenadaba ahora,
extendido como el aceite, el vicio que monsieur de Charlus
guardara antes tan íntimamente en lo más secreto de sí mismo. Ahora se desbordaba en sus palabras.

–¿De modo, amigo Brichot, que se pasea usted de noche
con un buen mozo? –dijo abordándonos, ahora que se alejaba el canallita defraudado–. ¡Muy bonito! Les diremos a sus
discipulitos de la Sorbona lo poco serio que es usted. Y la
verdad es que la compañía de la juventud le sienta muy bien,
señor profesor, está usted lozano como una rosa. Los he im-
portunado, parecían tan contentos como dos muchachuelas,
y maldita la falta que les hacía una abuela aguafiestas como
yo. Pero no tendré que ir a confesarme de esto, porque casi
habían llegado ya[1]. –El barón estaba de buen humor, pues

1. «–¿Veremos a su prima esta noche? ¡Oh!, es muy bonita. Y lo sería
más aún si cultivara más el arte tan raro, que posee naturalmente, de
vestirse bien.
    Aquí debo decir que monsieur de Charlus "poseía", y en esto era exac-
tamente lo contrario, el antípoda de mí, el don de observar minuciosa-

ignoraba por completo la escena de la tarde, ya que Jupien
consideró más conveniente proteger a su hija contra una
nueva ofensa que ir a avisar a monsieur de Charlus. De
modo que éste seguía creyendo en la boda y se congratulaba
de ella. Dijérase que para esos grandes solitarios es un con-

mente, de distinguir los detalles de una *toilette* lo mismo que de una
"tela". En cuanto a los vestidos y a los sombreros, algunas malas lenguas
o algunos teóricos demasiado absolutos dirán que en un hombre la inclinación hacia los atractivos masculinos tiene como compensación el
gusto innato, el estudio, la ciencia de la *toilette* femenina. Y, en efecto,
esto ocurre a veces, como si al acaparar los hombres todo el deseo físico,
toda la ternura profunda de un Charlus, recayera, en cambio, en el otro
sexo todo lo que es gusto «platónico» (adjetivo muy impropio) o, simplemente, todo lo que es gusto, con los más sabios y los más seguros refinamientos. En esto monsieur de Charlus merecería el apodo que le
pusieron más adelante, *la Modista*. Pero su gusto, su espíritu de observación, se extendía a otras muchas cosas. Hemos visto que la noche en
que fui a verle después de una comida en casa de la duquesa de Guermantes no me di cuenta de las obras maestras que tenía en su casa sino a
medida que él me las fue enseñando. El barón advertía en seguida detalles en los que no hubiera reparado nadie, y esto lo mismo en las obras de
arte que en los platos de una comida (y entre la pintura y la cocina se incluía todo lo que media entre una y otra). Siempre he lamentado que
monsieur de Charlus, en vez de limitar sus dotes artísticas a pintar un
abanico para regalárselo a su cuñada (hemos visto a la duquesa de Guermantes llevarlo en la mano y abrirlo, más que para abanicarse, para presumir con él, haciendo ostentación del afecto de Palamède) y al perfeccionamiento de su ejecución pianística para acompañar al violín de
Morel sin cometer faltas, siempre he lamentado, digo, y todavía lamento,
que monsieur de Charlus no haya escrito nada. Claro que de la elocuencia de su conversación, ni siquiera de su correspondencia, no puedo sacar la conclusión de que hubiera sido un escritor de talento. Son méritos
que no están en el mismo plano. Hemos visto casos de aburridos deci-
dores de trivialidades y autores de obras maestras, y reyes de la conversación que, puestos a escribir, eran peores que el más mediocre. De todos modos, creo que si monsieur de Charlus hubiera intentado la prosa,
comenzando por los temas artísticos que conocía bien, habría brotado
la llama, habría brillado la chispa, y el hombre de mundo habría llegado a ser un maestro de las letras. Se lo dije muchas veces, pero nunca quiso probar, quizá simplemente por pereza, o porque le acaparaban el

suelo dar a su celibato trágico el lenitivo de una paternidad ficticia–. Palabra de honor, Brichot –añadió volviéndose hacia nosotros riendo–, siento escrúpulos al verle en tan galante compañía. Parecían dos enamorados. Cogiditos del brazo, ¡qué libertades se toma usted, Brichot!

tiempo las fiestas brillantes y las diversiones sórdidas, o por la necesidad Guermantes de prolongar indefinidamente los charloteos. Lo lamento más porque, en su más brillante conversación, nunca la inteligencia se separaba del carácter, nunca los hallazgos de aquélla de las insolencias de éste. Si hubiera escrito libros, en vez de detestarle sin dejar de admirarle, como ocurría en un salón donde, en sus momentos más curiosos de inteligencia, maltrataba a la vez a los débiles, se vengaba de quien no le había ofendido, intentaba bajamente indisponer a unos amigos; si hubiera escrito libros, su valor espiritual habría quedado aislado, decantado del mal, nada habría estorbado a la admiración y muchos rasgos habrían hecho surgir la amistad.

En todo caso, aun cuando me equivoque sobre lo que hubiera podido realizar en la menor página, habría hecho un raro servicio escribiendo, pues además de distinguirlo todo, sabía el nombre de todo lo que distinguía. Si hablando con él no aprendí a ver (la tendencia de mi pensamiento y de mi sentimiento estaba en otra parte), al menos he visto cosas que sin él me hubieran pasado inadvertidas; pero su nombre, que me habría ayudado a encontrar su perfil, su color, ese nombre lo he olvidado siempre bastante pronto. Si hubiera escrito libros, aunque fueran malos, que no lo creo, ¡qué delicioso diccionario, qué inagotable repertorio! Después de todo, ¿quién sabe? En vez de aplicar su saber y su gusto, quizá, por ese demonio que suele oponerse a nuestros destinos, hubiera escrito insípidas novelas de folletín, inútiles relatos de viajes y de aventuras.

–Sí, sabe vestirse –prosiguió monsieur de Charlus refiriéndose a Albertina–. Mi única duda es si se viste como corresponde a su belleza particular, y además soy un poco responsable de eso, por unos consejos no bastante pensados. Lo que le he dicho algunas veces yendo a la Raspelière y que era dictado –y de ello me arrepiento– por el carácter del país, por la proximidad de las playas, más bien que por el carácter individual del tipo de su prima, la ha llevado un poco excesivamente al estilo ligero. Le he visto, lo reconozco, unas tarlatanas muy bonitas, unas preciosas echarpes de gasa, un sombrerito rosa al que no le iba mal una pequeña pluma rosa. Pero creo que su belleza, que es real y sólida, exige más que cositas graciosas. ¿Le va bien el sombrerito a esa enorme cabellera que un *kakochnyk* realzaría? A pocas mujeres les van bien los vestidos antiguos que dan un aire de disfraz y de teatro. Pero la belleza de esa

¿Había que atribuir estas palabras a que su pensamiento, envejecido, era menos dueño de sus reflejos y en momentos de automatismo dejaba escapar un secreto tan celosamente guardado durante cuarenta años? ¿O sería más bien aquel desprecio que tenían en el fondo todos los Guermantes por la opinión de los plebeyos y que en el hermano de monsieur de Charlus, el duque, presentaba otra forma cuando, sin importarle nada que mi madre pudiera verle, se afeitaba, con la camisa abierta, frente a su ventana? ¿Habría contraído monsieur de Charlus, en los calurosos trayectos de Doncières a Doville, la peligrosa costumbre de ponerse cómodo y, cuando se echaba hacia atrás el sombrero de paja para refrescarse la enorme frente, aflojarse, al principio sólo unos momentos, la careta que, desde tanto tiempo hacía, llevaba rigurosamente fija sobre su verdadero rostro? Las maneras conyugales de monsieur de Charlus con Morel hubieran sor-

muchacha ya mujer es una excepción y merecería un vestido antiguo de terciopelo de Génova –pensé en seguida en Elstir y en los vestidos de Fortuny– que yo no temería enriquecer más aún con incrustaciones o colgantes de maravillosas piedras pasadas de moda (es el mayor elogio que se puede hacer de ellas), como el peridoto, la marcasita y el incomparable labrador. Por otra parte, ella misma parece tener el instinto del contrapeso que reclama una belleza un poco sólida. Recuerde, para ir a comer a la Raspelière, todo aquel acompañamiento de cajas bonitas, de bolsos pesados en los que, cuando se case, podrá meter más que el blanco de los polvos o el carmín de la cara; también –en un cofrecillo de lapislázuli no demasiado índigo– el blanco de las perlas y el carmín de los rubíes, supongo que no reconstituidos, pues puede hacer una buena boda.

–Bueno, barón –interrumpió Brichot, temiendo que a mí me disgustaran las últimas palabras, pues tenía ciertas dudas sobre la pureza de mis relaciones y la autenticidad de mi parentesco con Albertina–, ¡cómo se ocupa usted de las señoritas!

–¿Quiere callarse delante de este niño, mala persona? –bromeó monsieur de Charlus bajando, como para imponer silencio a Brichot, una mano que no dejó de poner sobre mi hombro.»

[En la edición de La Pléiade se intercala, a pie de página, este fragmento con la aclaración de que se encuentra en el cuaderno IX –del manuscrito– en páginas sueltas no numeradas. *(N. de la T.)*]

prendido justificadamente a quien supiera que ya no le amaba. Pero a monsieur de Charlus le había cansado la monotonía de los placeres que su vicio ofrece. Buscó instintivamente nuevas experiencias, y, cansado también de lo desconocido que encontraba, pasó al polo opuesto, a lo que había creído que detestaría siempre, a la imitación de un «matrimonio» o de una «paternidad». A veces tampoco le bastaba esto y, en busca de la novedad, iba a pasar la noche con una mujer, de la misma manera que un hombre normal puede querer una vez en su vida acostarse con un mancebo, por una curiosidad semejante, aunque a la inversa, y en ambos casos igualmente malsana. La vida del barón como «fiel» del pequeño clan, a la que se sumó únicamente por Charlie, dio al traste con los esfuerzos durante tanto tiempo sostenidos para guardar las falsas apariencias, de la misma manera que un viaje de exploración o una temporada en las colonias hace perder a algunos europeos los principios que los guiaban en Francia. Y, sin embargo, la interna revolución de un espíritu que al principio ignorase la anomalía que llevaba en sí, aterrado luego cuando la reconoce y familiarizado, por último, con ella hasta el punto de no darse cuenta de que no puede confesar a los demás lo que ha acabado por confesarse a sí mismo, fue aún más eficaz, para liberar a monsieur de Charlus de los últimos miramientos sociales, que el tiempo pasado en casa de los Verdurin. Y es que no hay destierro en el Polo Sur, en la cumbre del Mont-Blanc que nos aleje de los demás tanto como una estancia prolongada en el seno de un vicio interior, es decir, de un pensamiento diferente del de aquéllos. Vicio (así lo calificaba en otro tiempo monsieur de Charlus) al que el barón prestaba ahora la figura inofensiva de un simple defecto, muy extendido, más bien simpático y casi gracioso, como la pereza, la distracción o la glotonería. Dándose cuenta de las curiosidades que suscitaba la singularidad de su persona, monsieur de Charlus sentía cierto placer en satisfacerlas, en incitarlas, en mantenerlas. De la

misma manera que un determinado publicista judío se eri-
ge cada día en campeón del catolicismo, probablemente no
con la esperanza de que le tomen en serio, sino para no de-
fraudar la espera de los burlones benévolos, monsieur de
Charlus fustigaba humorísticamente en el pequeño clan las
malas costumbres, como quien habla en inglés macarrónico
o imitando a Mounet-Sully, sin esperar a que se lo pidan y
por pagar su escote espontáneamente ejerciendo en sociedad un talento de aficionado; y así, monsieur de Charlus
amenazaba a Brichot con denunciar a la Sorbona que ahora
se paseaba con mancebos, de la misma manera que el cro-
nista circunciso habla sin venir a cuento de la «hija primogé-
nita de la Iglesia» y del «Sagrado Corazón de Jesús», es decir,
sin sombra de tartufismo, sino con un poquito de histrionis-
mo. Y sería curioso buscar la explicación no sólo en el cambio de las palabras mismas, tan diferentes de las que se permitía antes, sino también en el de las entonaciones y los
gestos, ahora muy parecidos unas y otros y lo que más duramente fustigaba antes monsieur de Charlus; ahora casi lanzaba involuntariamente los grititos que voluntariamente
lanzan los invertidos cuando se interpelan llamándose «querida» –más auténticos en él precisamente por involunta-
rios–; como si esas afectadas carantoñas, durante tanto
tiempo combatidas por monsieur de Charlus, no fueran en
realidad sino una genial y fiel imitación de las maneras que
los Charlus, cualesquiera que las suyas fueran, acaban por
adoptar cuando llegan a cierta fase de su mal, como un pa-
ralítico general o un atáxico acaban fatalmente por presentar determinados síntomas. En realidad –y esto era lo que revelaba aquel amaneramiento puramente interior–, entre el
severo Charlus todo vestido de negro, con el pelo en cepillo,
que yo había conocido, y los jóvenes pintados, llenos de alhajas, no había más que la diferencia puramente exterior que
hay entre una persona agitada que habla de prisa y se mueve
sin parar y un neurópata que habla despacio y conserva una

calma perpetua, pero padece la misma neurastenia a los ojos de un clínico que sabe que uno y otro están devorados por las mismas angustias y adolecen de las mismas taras. De todos modos, en otras señales muy diferentes se veía que monsieur de Charlus había envejecido, como en la frecuencia con que empleaba en su conversación ciertas expresiones que habían proliferado y surgían a cada momento (por ejemplo, «la concatenación de circunstancias») y en las cuales se apoyaba la palabra del barón de frase en frase como en un rodrigón.

–¿Ha llegado ya Charlie? –preguntó Brichot a monsieur de Charlus cuando íbamos a llamar a la puerta del hotel.

–¡Ah!, no lo sé –contestó el barón levantando las manos y entornando los ojos, como quien no quiere que le acusen de indiscreción, tanto más cuanto que, probablemente, Morel había reprochado al barón cosas dichas por éste y que él, tan cobarde como vanidoso y tan inclinado a renegar de monsieur de Charlus como a presumir de su amistad, creía graves aunque fueran insignificantes–. Yo no sé nada de lo que hace Morel.

Si las conversaciones de dos personas que tienen entre sí una relación amorosa están llenas de mentiras, éstas surgen no menos naturalmente en las conversaciones de un tercero con un amante sobre la persona amada por éste, y eso cualquiera que sea el sexo de esta persona.

–¿Hace mucho tiempo que le ha visto? –pregunté a monsieur de Charlus con la doble intención de no parecer que rehuía hablarle de Morel y que creía que vivía completamente con éste.

–Vino por casualidad cinco minutos esta mañana, cuando yo estaba todavía medio dormido, a sentarse a los pies de mi cama, como si quisiera violarme.

Pensé inmediatamente que monsieur de Charlus había visto a Charlie hacía una hora, pues cuando se le pregunta a una querida cuánto tiempo hace que ha visto al hombre que se sabe que es su amante –y que ella quizá supone que sólo se cree que lo es–, si ha merendado con él, contesta: «Le vi un momento antes de almorzar». Entre estos dos hechos no hay más que una diferencia: que el uno es falso y el otro cierto. Pero el primero es tan inocente, o, si se prefiere, tan culpable como el otro. Por eso no se comprendería por qué la querida (y aquí monsieur de Charlus) elige siempre el hecho falso, si no se supiera que esas respuestas son determinadas, independientemente de la persona que las da, por cierto número de factores tan desproporcionado, al parecer, con la insignificancia del hecho, que se renuncia a consignarlos. Mas, para un físico, el lugar que ocupa la más pequeña bola de saúco se explica por el conflicto o el equilibrio de leyes de atracción y de repulsión que gobiernan unos mundos mucho más grandes. Recordemos el deseo de parecer naturales y audaces, el gesto instintivo de ocultar una cita secreta, una mezcla de pudor y de ostentación, la necesidad de confesar lo que nos es tan agradable y de demostrar que nos aman, una penetración de lo que sabe o supone –y no dice– el interlocutor, penetración que, rebasando la suya o no llegando a ella, nos hace sobrestimarla unas veces y subestimarla otras, el deseo involuntario de jugar con el fuego y la voluntad de asumir la parte del fuego. De la misma manera, leyes diferentes, actuando en sentido contrario, dictan las respuestas más generales relacionadas con la inocencia, el «platonismo» o, por el contrario, la realidad carnal de las relaciones que se tienen con la persona a quien se dice haber visto por la mañana cuando la verdad es que se la vio por la noche. No obstante, diremos, en general, que monsieur de Charlus, a pesar de la agravación de su mal, agravación que le impulsaba constantemente a revelar, a insinuar, a veces simplemente a inventar detalles comprometedores, durante este período de su vida procuraba afirmar que Charlie no era de la misma clase de hombres que era él, Charlus, y que entre ellos no había más que amistad. Esto no impedía (aunque acaso fuera verdad) que a veces se contradijera (como sobre la hora a que le había visto la última vez), bien diciendo entonces, por olvido, la verdad, o profiriendo una mentira, por presumir, o por sentimentalismo, o porque le pareciera inteligente despistar al interlocutor.

–Para mí –continuó el barón– es un buen compañerito al que tengo mucho afecto, como estoy seguro –¿es que lo dudaba y por eso sentía la necesidad de decir que estaba seguro?– de que él me lo tiene a mí, pero entre nosotros no hay nada más, no hay eso, entiéndanlo bien, no hay eso –recalcó el barón tan naturalmente como si se tratara de una mujer–. Sí, fue esta mañana a tirarme de los pies. Y, sin embargo, sabe muy bien que me revienta que me vean en la cama. ¿A usted no? ¡Oh!, es horrible, es una cosa desagradable, está uno tan feo que da miedo, yo sé muy bien que ya no tengo veinticinco años y no voy a presumir de doncellita, pero de todos modos siempre conserva uno su poco de coquetería.

Es posible que el barón fuera sincero cuando hablaba de Morel como de un compañerito, y que dijera la verdad, quizá creyendo mentir, cuando decía: «Yo no sé lo que hace, no conozco su vida». En efecto, debemos decir (anticipándonos en una semana en el relato que emprenderemos al terminar este paréntesis abierto mientras monsieur de Charlus, Brichot y yo nos dirigimos a casa de madame Verdurin), debemos decir que, poco después de aquella noche, al barón le causó gran sorpresa y gran dolor una carta que abrió por error y que iba dirigida a Morel. Esta carta, que de rechazo me iba a causar a mí terribles disgustos, era de la actriz Léa, célebre por su afición excesiva a las mujeres. Y su carta a Morel (del que monsieur de Charlus ni siquiera sospechaba que la conociera) estaba escrita en el tono más apasionado. Su grosería nos impide reproducirla aquí, pero podemos decir que Léa le hablaba sólo en femenino, diciéndole: «¡Vamos, tontísima!», «queridita mía», «tú por lo menos lo eres», etc. Y en aquella carta se aludía a otras varias mujeres que pare-

cían ser tan amigas de Morel como de Léa. Por otra parte, la
burla de Morel sobre monsieur de Charlus y de Léa sobre un
oficial que la sostenía y del que decía: «¡Me suplica en sus
cartas que sea juiciosa! ¡Vamos!, mi gatito blanco», revelaba
a monsieur de Charlus una realidad no menos insospechada
por él que las relaciones tan especiales de Morel con Léa. Al
barón le perturbaban sobre todo aquellas palabras «tú lo
eres». Después de haberlo ignorado al principio, por fin,
desde hacía ya bastante tiempo, sabía que él mismo «lo era».
Y ahora esta noción que había adquirido estaba de nuevo en
tela de juicio. Cuando descubrió que él «lo era», creyó enterarse de que su gusto, como dice Saint-Simon, no era gusto
por las mujeres. Y ahora resultaba que, para Morel, esta expresión, «serlo», se extendía a un sentido que monsieur
de Charlus no conocía, pues, según aquella carta, Morel demostraba que él «lo era» teniendo el mismo gusto que ciertas mujeres con las mujeres mismas. En consecuencia, los
celos de monsieur de Charlus ya no tenían por qué limitarse
a los hombres que Morel conocía, sino que alcanzarían también a las mujeres. Es decir, que los seres que «lo eran» no
eran sólo los que él había creído, sino toda una inmensa parte del planeta compuesta de mujeres y de hombres, de hombres que amaban no sólo a los hombres, sino también a las
mujeres, y el barón, ante el nuevo significado de una palabra
que le era tan familiar, se sentía torturado por una inquietud
de la inteligencia tanto como del corazón, ante este doble
misterio, que representaba a la vez la prolongación de sus celos y la insuficiencia repentina de una definición.

Monsieur de Charlus no había sido nunca en la vida más
que un aficionado. Es decir, que los incidentes de este tipo no
podían serle de ninguna utilidad. La penosa impresión que
podían producirle la traducía en escenas violentas en las
que sabía ser elocuente, o en intrigas taimadas. Pero para
una persona del valor de Bergotte, por ejemplo, hubieran
podido ser muy valiosos. Y aun es posible que esto explique

en parte (puesto que obramos a ciegas, pero buscando, como los animales, la planta que nos conviene) que personas como Bergotte vivan generalmente en compañía de personas mediocres, falsas y malas. La belleza de estas personas le basta a la imaginación del escritor, exalta su bondad, pero no transforma en nada la naturaleza de su compañera, cuya vida situada a miles de metros más abajo, cuyas relaciones inverosímiles, cuyas mentiras que llegan más allá y sobre todo en otra dirección distinta de lo que se hubiera podido creer, aparecen en chispazos de cuando en cuando. La mentira, la mentira perfecta, sobre las personas que conocemos, las relaciones que hemos tenido con ellas, nuestro móvil en una determinada acción formulado por nosotros de manera muy diferente; la mentira sobre lo que somos, sobre lo que amamos, sobre lo que sentimos respecto a la persona que nos ama y que cree habernos formado semejantes a ella porque nos besa todo el día; esa mentira es una de las pocas cosas del mundo que puedan abrirnos perspectivas a algo nuevo, a algo desconocido, que pueden despertar en nosotros sentidos dormidos para la contemplación de un universo que jamás hubiéramos conocido. En cuanto a monsieur de Charlus, debemos decir que, estupefacto al enterarse de cierto número de cosas que Morel le ocultara cuidadosamente, hizo mal en deducir que es un error liarse con gente del pueblo. En efecto, en el último volumen de esta obra veremos a monsieur de Charlus hacer cosas que hubieran asombrado a las personas de su familia y a sus amigos más de lo que a él le asombrara la vida revelada por Léa.

Pero ya es hora de que volvamos al barón dirigiéndose, con Brichot y conmigo, a la puerta de los Verdurin.

–¿Y qué es de aquel amiguito suyo, hebreo, que veíamos en Doville? –dijo volviéndose a mí–. He pensado que, si a usted le es grato, podríamos invitarle una noche.

Y es que monsieur de Charlus, contentándose con vigilar los hechos y los gestos de Morel a través de una agencia poli-

cíaca, exactamente igual que lo haría un amigo o un amante, no dejaba de prestar atención a los otros jóvenes. Esta vigilancia que un viejo doméstico encargaba a la agencia era
tan poco discreta que los criados creían que los seguían y
que una doncella ya no vivía, ya no se atrevía a salir a la calle, pensando siempre que le seguía los pasos un policía.
«¡Que haga lo que le dé la gana! ¡Como si fuéramos a perder
el tiempo y el dinero en seguirle la pista! ¡Como si nos im-
portara algo lo que haga!», exclamaba irónicamente, pues
era tan apasionadamente fiel a su amo que, aunque no compartiera en absoluto los gustos del barón, acababa por hablar como si los compartiera, tan caluroso ardor ponía en
servirlos. «Es la flor y nata de las buenas personas», decía
monsieur de Charlus de aquel viejo criado, pues a nadie se
aprecia tanto como a los que unen a otras grandes virtudes
la de ponerlas sin regatear a disposición de nuestros vicios.
De todos modos, monsieur de Charlus sólo de los hombres
podía sentir celos con relación a Morel. Las mujeres no se los
inspiraban en absoluto. Y esto es regla general en los Charlus. El amor que sienta por una mujer el hombre al que aman
es otra cosa, una cosa que ocurre en otra especie animal (el
león deja tranquilos a los tigres), otra cosa que no les molesta y más bien los tranquiliza. Verdad es que, a veces, a los que
hacen de la inversión un sacerdocio, ese amor les repugna.
Entonces reprochan a su amigo que se entregue a él, pero se
lo reprochan no como una traición, sino como una degeneración. A un Charlus que no fuera el barón le indignaría ver
a Morel en relaciones con una mujer, como le indignaría
ver anunciado en un cartel que él, el intérprete de Bach y de
Haendel, iba a tocar Puccini. A esto se debe, por lo demás,
que los jóvenes que condescienden por interés al amor de los
Charlus les digan que los *cartons* no les inspiran más que
asco, como dirían a un médico que no beben jamás alcohol
y que sólo les gusta el agua del grifo. Pero, en este punto,
monsieur de Charlus se apartaba un poco de la regla habi-

tual. Como lo admiraba todo en Morel, sus éxitos con las mujeres no le hacían sombra, y aun le causaban la misma satisfacción que sus triunfos en los conciertos o en el juego del *écarté*. «Pero, ¿sabe, amigo mío?, es un mujeriego –decía en un tono de revelación, de escándalo, quizá de envidia, sobre todo de admiración–. Es extraordinario –añadía–. Las furcias más famosas no tienen ojos más que para él. Eso se ve en todas partes, lo mismo en el Metro que en el teatro. ¡Es un fastidio! Cada vez que voy con él a un restaurante, el camarero le trae cartitas tiernas de tres mujeres por lo menos. Y siempre bonitas, además. Y no es extraño. Ayer le estaba mirando y las comprendo, está guapísimo, parece una especie de Bronzino, es verdaderamente admirable.» Pero a monsieur de Charlus le gustaba mostrar que amaba a Morel, convencer a los demás, quizá convencerse a sí mismo, de que Morel le amaba. Ponía una especie de amor propio en tenerle todo el tiempo con él, a pesar del daño que aquel mozo podía infligir al prestigio mundano del barón. Pues (y es frecuente el caso de hombres bien situados y *snobs* que, por vanidad, rompen todas sus relaciones por que los vean en todas partes con una querida, semimundana o dama tarada, a la que no se recibe, y con la que, sin embargo, les parece halagador estar en relaciones) monsieur de Charlus había llegado hasta ese punto en que el amor propio pone toda su perseverancia en destruir los fines que ha logrado, bien sea porque bajo la influencia del amor se encuentre un prestigio, que nadie más percibe, en relaciones ostentosas con esa querida, bien porque pierdan interés las relaciones mundanas alcanzadas, y la marea ascendente de las curiosidades famulares, tanto más absorbentes cuanto más platónicas, no sólo haya alcanzado, sino hasta rebasado el nivel en que a las otras les era difícil mantenerse.

En cuanto a los demás jóvenes, monsieur de Charlus pensaba que la existencia de Morel no era un obstáculo para que le gustaran, y que su misma resonante fama de violinista o

su naciente notoriedad de compositor y de periodista podrían, en ciertos casos, ser para ellos un incentivo. Si al barón le presentaban un joven compositor de facha agradable,
buscaba ocasión en los talentos de Morel para hacer una cortesía al recién llegado. «Debería usted traerme alguna composición suya –le decía– para que Morel la toque en el concierto o en gira. ¡Hay tan poca música agradable escrita para
violín que es una suerte encontrar alguna nueva! Y los extranjeros aprecian mucho esto. Hasta en provincias hay pequeños círculos musicales que aman la música con un fervor
y una inteligencia admirables.» Con no más sinceridad
(pues todo esto sólo servía de cebo, y era raro que Morel se
prestara a realizaciones), como Bloch dijera que era un poco
poeta –«a sus horas», añadió con la risa sarcástica con que
acompañaba una trivialidad cuando no encontraba una frase original–, monsieur de Charlus me dijo:

–Oiga, ¿por qué no le dice a ese joven israelita, ya que hace
versos, que me traiga algunos para dárselos a Morel? Para un
compositor siempre es difícil encontrar algo bonito que poner en música. Hasta se podría pensar en un libreto. No dejaría de ser interesante y le daría cierto valor el mérito del
poeta, mi protección, toda una serie de circunstancias auxiliares, la primera de las cuales es el talento de Morel. Pues
ahora compone mucho y escribe también y muy bonitamente, ya le hablaré a usted de eso. En cuanto a su talento de ejecutante (en esto ya sabe usted que es ya todo un maestro), ya
verá esta noche cómo toca ese chico la música de Vinteuil. A
mí me pasma; ¡tener a su edad una comprensión como la
suya sin dejar de ser tan crío, tan colegial! Bueno, esta noche
no es más que un pequeño ensayo. La gran fiesta será dentro
de unos días. Pero hoy será mucho más elegante. De modo
que nos encantará que venga –dijo, empleando este *nos* sin
duda porque el rey dice: *queremos*–. Como el programa es
tan magnífico, he aconsejado a madame Verdurin que dé
dos fiestas: una dentro de unos días, con todas sus relacio

nes, y la otra esta noche, en que la patrona está, como se dice
en términos judiciales, incapacitada. Las invitaciones las
hago yo, ya he convocado a algunas personas agradables de
otro medio, que pueden ser útiles a Charlie y que a los Verdurin les gustará conocer. Está muy bien hacer tocar las cosas más bellas a los mejores artistas, pero la fiesta queda asfi-
xiada como entre algodón si el público se compone de la
mercera de enfrente y del tendero de la esquina. Ya sabe usted lo que yo pienso del nivel intelectual de la gente del gran
mundo, pero pueden desempeñar ciertos papeles bastante
importantes, entre otros el asignado a la prensa en lo que se
refiere a los acontecimientos públicos, el de ser un órgano de
divulgación. Ya comprende usted lo que quiero decir. He invitado, por ejemplo, a mi cuñada Oriana; no es seguro que
venga, pero, en cambio, sí lo es que, si viene, no entenderá
absolutamente nada. Pero no se le pide que entienda, cosa
que está por encima de sus facultades, sino que hable, cosa admirablemente apropiada al caso y que no dejará de hacer. Consecuencia: al día siguiente, en lugar del silencio de la
mercera y del tendero, conversación animada en casa de los
Mortemart, donde Oriana cuenta que ha oído cosas maravillosas, que un tal Morel, etcétera; indescriptible rabia de las
personas no invitadas, que dirán: «Seguramente a Palamède
le pareció que no éramos dignos; de todos modos, vaya una
gente la de la casa donde ocurrió el suceso», contrapartida
tan útil como las alabanzas de Oriana, porque el nombre
«Morel» se repite constantemente y acaba por grabarse en la
memoria como una lección leída diez veces seguidas. Todo
esto constituye una serie de circunstancias que puede tener
su importancia para el artista, para la dueña de la casa, servir, en cierto modo, de megáfono a una manifestación que
así podrá resultar audible para un público lejano. Verdaderamente vale la pena: ya verá usted cuánto ha adelantado. Y,
además, ha revelado un nuevo talento, amigo mío, escribe
como un ángel. Le digo que como un ángel.

Lo que no contaba monsieur de Charlus es que desde hacía algún tiempo hacía hacer a Morel, como los grandes señores del siglo XVII que no se dignaban firmar ni siquiera escribir, sus libelos, unos pequeños sueltos bajamente calumniosos y dirigidos contra la condesa Molé. Si ya parecían insolentes a quienes los leían, cuánto más crueles no serían para la mujer que encontraba, tan hábilmente colados que nadie más que ella podía notarlos, pasajes de cartas suyas, textualmente citados, pero tomados en un sentido en que podían enloquecerla como la más terrible venganza. La pobre mujer se quedó muerta. Pero, como diría Balzac, en París se hace todos los días una especie de periódico hablado más terrible que el otro. Más adelante veremos que esta prensa verbal aniquiló el poder de un Charlus pasado de moda, y erigió muy por encima de él a un Morel que no valía ni la millonésima parte de su antiguo protector. Al menos esta moda intelectual es inocente y cree de buena fe en la insignificancia de un genial Charlus y en la indiscutible autoridad de un estúpido Morel. El barón era menos inocente en sus implacables venganzas. De aquí, sin duda, aquel amargo veneno que, cuando estaba furioso, le invadía la boca y le ponía cara de ictericia.

–Usted que conoce a Bergotte, yo había pensado que quizá podría, refrescándole la memoria sobre las prosas de ese jovenzuelo, colaborar conmigo, ayudarme a crear una cadena de circunstancias que pueda favorecer un talento doble, de músico y de escritor, hasta llegar algún día a tener tanto prestigio como Berlioz. Ya comprende usted lo que convendría decir a Bergotte. Los ilustres suelen tener otra cosa en qué pensar, la gente los adula y no se interesan más que por ellos mismos. Pero Bergotte, que es verdaderamente sencillo y servicial, debe hacer publicar en *Le Gaulois,* o qué sé yo dónde, esas croniquitas, mitad de humorista y mitad de músico, que son verdaderamente muy bonitas, y me gustaría mucho que Charlie añadiera a su violín esa brizna de pluma de Ingres. Ya sé que exagero fácilmente cuando se trata de él, como todas las viejas madrazas del Conservatorio. Pero ¿no lo sabía usted, querido? Es que usted no conoce mi lado papanatas. Me estoy de plantón horas enteras a la puerta de los tribunales de exámenes. Lo paso de primera. En cuanto a Bergotte, me aseguró que estaba verdaderamente muy bien.

En efecto, monsieur de Charlus, que le conocía desde hacía mucho tiempo por Swann, había ido a verle y a pedirle que le consiguiera a Morel publicar en un periódico una especie de crónicas medio humorísticas sobre música. Esta visita le produjo a monsieur de Charlus cierto remordimiento, pues, admirando mucho a Bergotte, se daba cuenta de que nunca iba a verle por él mismo, sino para aprovechar en beneficio de Morel, de madame Molé o de otros la consideración, medio intelectual, medio social, en que Bergotte le tenía. Servirse del gran mundo sólo para esto no le chocaba a monsieur de Charlus, pero servirse así de Bergotte le parecía peor, porque se daba cuenta de que Bergotte no era utilitario como la gente del gran mundo y merecía más consideración. Sólo que estaba muy ocupado y sólo encontraba tiempo libre cuando deseaba mucho una cosa, por ejemplo, tratándose de Morel. Además, muy inteligente, le interesaba poco la conversación de un hombre inteligente, sobre todo la de Bergotte, que era para su gusto demasiado hombre de letras y de otro clan y no se situaba en su punto de vista. En cuanto a Bergotte, se daba perfectamente cuenta de aquel utilitarismo de las visitas de monsieur de Charlus, pero no se lo reprochaba; pues era incapaz de una bondad sostenida, pero amigo de dar gusto, comprensivo, incapaz de gozar dando una lección. En cuanto al vicio de monsieur de Charlus, él no lo compartía en ningún grado, pero encontraba en él más bien un elemento que daba color al personaje, considerando que, para un artista, el *fas et nefas* consiste no en ejemplos morales, sino en recuerdos de Platón o de Sodoma.

–Me hubiera gustado mucho que viniera esta noche, pues

habría oído a Charlie en las cosas que mejor toca. Pero creo que no sale, no quiere que le molesten, y tiene razón. Y a usted, hermosa juventud, no se le ve apenas en el Quai Conti. ¡La verdad es que no abusa! –le dije que salía sobre todo con mi prima–. ¡Mírenle, sale sólo con su prima, qué casto! –dijo monsieur de Charlus a Brichot. Y dirigiéndose nuevamente a mí–: Pero no le pedimos cuentas de lo que hace, hijito. Es usted libre de hacer lo que le divierte. Lo único que sentimos es no tomar parte en ello. Además, tiene usted muy buen gusto, su prima es encantadora, pregúntele a Brichot, no le quitaba ojo en Doville. La vamos a echar de menos esta noche. Pero quizá ha hecho bien en no traerla. La música de Vinteuil es admirable, pero esta mañana me dijo Charlie que iban a venir la hija del autor y su amiga, dos personas de malísima reputación. Eso es siempre desagradable para una muchacha. Y hasta me molesta un poco por mis invitados, pero como casi todos están en edad canónica, la cosa no traerá consecuencias para ellos. A menos que esas dos señoritas no puedan venir, pues tenían que estar sin falta toda la tarde en un ensayo de estudios que madame Verdurin daba y al que no ha invitado más que a los pelmazos, a la familia, a la gente que no debía venir esta noche. Y hace un momento, antes de la comida, Charlie me dijo que las que llamamos las dos señoritas Vinteuil, y a las que esperaban sin falta, no habían venido.

A pesar del horrible dolor que me causaba relacionar (como el efecto, lo único conocido antes, con su causa por fin descubierta) el deseo de Albertina de ir a aquella reunión con la presencia anunciada (pero que yo ignoraba) de mademoiselle Vinteuil y de su amiga, conservé la claridad mental de observar que a monsieur de Charlus, que unos minutos antes nos había dicho que no había visto a Charlie desde la mañana, ahora se le escapó decir que le había visto antes de la comida. Pero mi sufrimiento era visible.

–¿Qué le pasa? –me dijo el barón–. Está usted verde, vamos a entrar, está cogiendo frío, tiene usted mala cara.

No era mi primera duda sobre la virtud de Albertina la que acababan de despertar en mí las palabras de monsieur de Charlus. Otras me habían punzado ya; cada una nos hace creer que se ha colmado la medida, que ya no podremos soportarla, pero le encontramos sitio, y una vez introducida en nuestro medio vital, entra en colisión con tantos deseos de creer, con tantas razones para olvidar, que nos acomodamos a esa nueva duda bastante pronto y acabamos por no ocuparnos de ella. Queda sólo como un dolor a medio curar, una simple amenaza de sufrimiento y que, frente al deseo, del mismo orden que él, ha llegado a ser como el centro de nuestros pensamientos, irradia en ellos, a distancias infinitas, sutiles tristezas, y, como el deseo, placeres de un origen incognoscible, donde quiera que algo pueda asociarse a la idea de la persona amada. Pero cuando entra en nosotros una nueva duda, el dolor se despierta todo entero, y es inútil que nos digamos casi inmediatamente: «Ya me las arreglaré, habrá un sistema para no sufrir, eso no debe de ser cierto»; por lo pronto ha habido un primer momento en que hemos sufrido como si creyésemos. Si no tuviéramos más que miembros, como las piernas y los brazos, la vida sería soportable. Desgraciadamente llevamos en nosotros ese pequeño órgano que llamamos corazón sujeto a ciertas enfermedades en el curso de las cuales es infinitamente impresionable en todo lo que se refiere a la vida de una determinada persona y en las que una mentira –esa cosa tan inofensiva con la que vivimos tan alegremente, sea nuestra o de los demás–, si viene de esa persona, produce crisis intolerables en este pequeño corazón, que debiera ser posible extirpar quirúrgicamente. No hablemos del cerebro, pues por más que nuestro pensamiento se ponga a razonar sin fin en esas crisis, no influye en ellas más que lo que puede influir nuestra atención en un dolor de muelas. Verdad es que esa persona es capaz de habernos mentido, pues nos había jurado decirnos siempre la verdad. Pero sabemos por nosotros mismos lo que valen esos juramentos cuando se los hacemos a otros. Y hemos querido darles crédito cuando venían de ella, que tenía precisamente el mayor interés en mentirnos y que, por otra parte, no la elegimos por sus virtudes. Cierto también que, pasado el tiempo, ya casi no necesitaría mentirnos, precisamente cuando al corazón no le importaría ya la mentira, porque ya no nos interesa su vida. Lo sabemos y, a pesar de saberlo, nos matamos por esa persona, bien porque nos hagamos condenar a muerte asesinándola, bien porque gastemos con ella en unos años toda nuestra fortuna, lo que nos obliga a suicidarnos porque ya no nos queda nada. Además, por tranquilos que nos creamos cuando estamos enamorados, siempre tenemos el amor en nuestro corazón en estado de equilibrio inestable. La menor cosa basta para situarlo en la posición de felicidad; estamos radiantes, colmamos de ternura no a la persona que amamos, sino a los que nos han realzado ante ella, a los que la han protegido contra toda mala tentación; nos creemos tranquilos, y basta una palabra –«Gilberta no vendrá», «mademoiselle Vinteuil está invitada»– para que se derrumbe toda la felicidad preparada hacia la que nos lanzábamos, para que el sol se ponga, para que gire la rosa de los vientos y estalle la tempestad interior a la que un día ya no seremos capaces de resistir. Ese día, el día en que el corazón se ha tornado tan frágil, los amigos que nos admiran sufren porque tales naderías, porque ciertos seres puedan hacernos daño, hacernos morir. Pero ¿qué pueden hacer? Si un poeta se está muriendo de una neumonía infecciosa, ¿nos imaginamos a esos amigos explicando al neumococo que ese poeta tiene talento y que debe dejarle que se cure? La duda, en lo que se refería a mademoiselle Vinteuil, no era absolutamente nueva. Pero incluso en esta medida, mis celos de la tarde, suscitados por Léa y sus amigas, la habían abolido. Una vez excluido este peligro del Trocadero, yo sentí, yo creí haber reconquistado para siempre una paz completa. Pero lo nuevo para mí era, sobre todo, cierto paseo del que Andrea me dijo: «Fuimos acá y allá, no encontramos a nadie», cuando la verdad era que mademoiselle Vinteuil había citado a Albertina en casa de madame Verdurin. Ahora yo habría dejado con mucho gusto a Albertina salir sola, ir a donde quisiera, con tal de que pudiera yo recluir en alguna parte a mademoiselle Vinteuil y a su amiga y estar seguro de que Albertina no las vería. Y es que los celos son generalmente parciales, con localizaciones intermitentes, bien porque sean la prolongación dolorosa de una ansiedad provocada tan pronto por una persona como por otra a quien nuestra amiga pudiera amar, bien por la exigüidad de nuestro pensamiento, que sólo puede realizar lo que se representa y deja el resto en una vaguedad que, relativamente, no puede hacer sufrir.

Cuando íbamos a entrar en el patio del hotel nos alcanzó Saniette, que en el primer momento no nos había reconocido.

–Y los estaba mirando desde hacía un momento –nos dijo con una voz jadeante–. ¿No es curioso que haya dudado? Ustedes son personas a las que podemos confesar como amigas –su rostro grisáceo parecía iluminado por el reflejo plomizo de una tormenta. Su respiración jadeante, que todavía aquel verano sólo se producía cuando monsieur Verdurin se metía con él, ahora era permanente–. Por lo visto vamos a oír una obra inédita de Vinteuil ejecutada por artistas excelentes, y singularmente por Morel.

–¿Por qué singularmente? –preguntó el barón, que interpretó este adverbio como una crítica.

–Nuestro amigo Saniette –se apresuró a explicar Brichot asumiendo el papel de intérprete– gusta de hablar, como excelente literato que es, el lenguaje de una época en la que «singularmente» equivale a nuestro «muy especialmente».

Al entrar en la antesala de madame Verdurin, monsieur de Charlus me preguntó si trabajaba, y al decirle que no, pero que en aquel momento me interesaban mucho los objetos

antiguos de plata y porcelana, me dijo que en ninguna parte
los encontraría tan bellos como en casa de los Verdurin; que,
por lo demás, ya había podido verlos en la Raspelière, puesto
que, so pretexto de que los objetos son también amigos, hacían la tontería de llevarlo todo consigo; que sacármelo todo
un día de recepción sería menos cómodo, pero que, sin embargo, él pediría que me enseñaran lo que yo quisiera. Le ro-
gué que no lo hiciese. Monsieur de Charlus se desabrochó el
abrigo y se quitó el sombrero; observé que se le iba encane-
ciendo el pelo en algunos sitios. Pero como un arbusto precioso que el otoño no sólo colorea, sino que protege algunas
de sus hojas con envolturas de guata o aplicaciones de yeso,
aquellos mechones blancos salteados en lo alto de la cabeza
no hacían sino acentuar el abigarramiento que ya tenía en la
cara. Y, sin embargo, esta cara de monsieur de Charlus seguía ocultando a casi todo el mundo, aun bajo las capas de
expresiones diferentes, de afeites y de hipocresía que tan mal
le maquillaban, el secreto que a mí me parecía manifestarse a
gritos. Me sentía casi azorado por miedo de que monsieur de
Charlus me sorprendiera leyéndolo en sus ojos como en un
libro abierto, en su voz, que parecía repetirlo en todos los tonos con pertinaz impudicia. Pero las personas guardan bien
sus secretos porque todos los que las rodean son sordos y
ciegos. Los que se enteraban de la verdad por uno o por otro,
por los Verdurin, por ejemplo, la creían, pero, sin embargo, la
creían solamente cuando no conocían a monsieur de Charlus.
Su rostro, lejos de confirmar las malas referencias, las disipa-
ba. Pues nos hacemos una idea tan grande de ciertas entida-
des que no podemos identificarla con los rasgos familiares de
una persona conocida. Y creeremos difícilmente en los vicios,
como no creeremos nunca en el genio de una persona con la
que ayer mismo hemos ido a la ópera.

Monsieur de Charlus estaba dando su abrigo con recomendaciones propias de un habitual. Pero el criado al que se
lo daba era nuevo, muy joven. Y ahora a monsieur de Char-

lus le ocurría a menudo eso que se llama perder el norte y ya no se daba cuenta de lo que se hace y lo que no se hace. El laudable deseo que tenía en Balbec de demostrar que ciertos sujetos no le asustaban, de no recatarse de decir sobre alguien: «Es un guapo mozo», de decir, en una palabra, las mismas cosas que hubiera podido expresar cualquiera que no fuese como él, ahora solía traducir este deseo diciendo, por el contrario, cosas que nunca habría podido decir alguien que no fuera como él, cosas tan dentro de él que olvidaba que no forman parte de la preocupación habitual de todo el mundo. Por eso, mirando al criado nuevo, levantó el índice con gesto amenazador, y creyendo hacer una excelente gracia:

–Le prohíbo que me guiñe el ojo así –dijo el barón, y volviéndose a Brichot–: Tiene una cara monilla este pequeño, una nariz graciosa –y completando la broma, o cediendo a un deseo, le apuntó con el índice, vaciló un momento y luego, sin poder contenerse, le adelantó irresistiblemente hacia el criadito y le tocó la punta de la nariz diciendo–: ¡Pif!

Después, seguido por Brichot, por mí y por Saniette, quien nos dijo que la princesa Sherbatoff había muerto a las seis, entró en el salón. «¡Vaya casa!», se dijo el muchacho, y preguntó a sus compañeros si el barón era carne o pescado.

–Son sus maneras –le contestó el mayordomo, que le creía un poco «chalado», un poco «dingo»–, pero es uno de los amigos de la señora que siempre he estimado más, tiene buen corazón.

–¿Volverá usted este año a Incarville? –me pregutó Brichot–. Creo que nuestra patrona ha vuelto a alquilar la Raspelière, aunque ha tenido sus más y sus menos con los propietarios. Pero todo eso no es nada, nubes de verano –añadió en el mismo tono optimista que los periódicos que dicen: «Ha cometido faltas, desde luego, pero ¿quién no las comete?»

Ahora bien, yo recordaba el estado de sufrimiento en que dejé Balbec y no deseaba de ninguna manera volver.

Aplazaba siempre para el día siguiente mis proyectos con Albertina.

–Claro que volverá, queremos que vuelva, nos es indispensable –declaró monsieur de Charlus con el autoritario e incomprensivo egoísmo de la amabilidad.

Monsieur Verdurin, a quien dimos el pésame por la princesa Sherbatoff, nos dijo:

–Sí, ya sé que está muy mal.

–No, es que ha muerto a las seis –exclamó Saniette.

–Usted siempre exagera –dijo brutalmente a Saniette monsieur Verdurin, que, como no se había suspendido la reunión, prefería la hipótesis de la enfermedad, imitando así sin saberlo al duque de Guermantes. Saniette, aunque con miedo de tener frío, pues la puerta exterior se abría continuamente, esperaba con resignación que le cogieran sus prendas–. ¿Qué hace usted ahí, en esa actitud de perro doméstico? –le interpeló monsieur Verdurin.

–Estaba esperando que alguno de los que cuidan los abrigos se hiciera cargo del mío.

–¿Qué dice usted? –preguntó severamente monsieur Verdurin–. ¿Qué es eso de «cuidar los abrigos»? ¿Se está volviendo tonto? Se dice «cuidar de los abrigos». ¡A ver si va a haber que volverle a enseñar el francés como a las personas que han sufrido un ataque!

–Cuidar una cosa es la verdadera forma –murmuró Saniette con voz entrecortada–; el abate Le Batteux...

–Me irrita usted –gritó monsieur Verdurin con voz terrible–. ¡Qué manera de jadear! ¿Acaso ha tenido usted que subir seis pisos?

La grosería de monsieur Verdurin produjo el efecto de que los criados del guardarropa hicieran pasar a otros antes que a Saniette, y cuando quiso darles su abrigo y su sombrero, le dijeron:

–Cuando le toque, señor, no tenga tanta prisa.

–Éstos son hombres ordenados, competentes. Muy bien,

muchachos –dijo monsieur Verdurin con una sonrisa de simpatía, para animarlos en su resolución de dejar a Saniette el último–. Vengan –nos dijo–, ese tipo quiere que cojamos la muerte en su querida corriente de aire. Vamos a calentarnos un poco al salón. ¡Cuidar los abrigos! –repitió cuando estábamos ya en el salón–. ¡Qué imbécil!

–Cae en el preciosismo, no es mal muchacho –dijo Brichot.

–Yo no he dicho que sea mal muchacho, he dicho que es un imbécil –replicó con acritud monsieur Verdurin.

Mientras tanto, madame Verdurin estaba en gran conferencia con Cottard y Ski. Morel acababa de rehusar (porque monsieur de Charlus no podía ir) una invitación en casa de unos amigos a los que, sin embargo, había prometido el concurso del violinista. La razón que Morel alegó para no tocar en la fiesta de los amigos de los Verdurin –razón a la que, como luego veremos, se sumarán otras mucho más graves– resultó importante por las costumbres propias en general de los medios ociosos, pero muy especialmente del pequeño núcleo. Si madame Verdurin sorprendía, entre un nuevo y un asiduo, unas palabras dichas a media voz y que pudieran hacer suponer que se conocían o tenían ganas de tratarse («Bueno, hasta el viernes en casa de los Tal» o «Venga al taller el día que quiera, estoy siempre hasta las cinco, me dará una alegría»), la patrona, nerviosa, suponiéndole al nuevo una «posición» que podía hacer de él una adquisición brillante para el pequeño clan, haciendo como que no había oído nada y conservando en sus bellos ojos, entornados por el hábito de Debussy más que pudieran estarlo por el de la cocaína, la expresión extenuada que sólo le daban las embriagueces de la música, no dejaba por eso de abrigar bajo su hermosa frente, abombada por tantos *quatuors* y tantas jaquecas consiguientes, unos pensamientos que no eran exclusivamente polifónicos; y sin poder aguantar más, sin poder esperar ni un segundo más la inyección, se lanzaba sobre los dos conversadores, les llevaba aparte y decía al nuevo señalando al fiel: «¿No querrá usted venir a comer con *él*, el sábado, por ejemplo, o el día que usted quiera, con unas personas tan simpáticas? No hable muy fuerte, porque no pienso invitar a toda esta turba» (palabra que designaba por cinco minutos al pequeño núcleo, desdeñado momentáneamente por el nuevo en el que tantas esperanzas se ponían).

Pero esta necesidad de entusiasmarse, de adquirir así relaciones, tenía su contrapartida. La asistencia asidua a los miércoles provocaba en los Verdurin una disposición opuesta, el deseo de indisponer, de separar. Este deseo se había intensificado, hasta ser casi un deseo furioso, en los meses pasados en la Raspelière, donde la gente se veía de la mañana a la noche. Monsieur Verdurin se las arreglaba para coger a alguno en falta, para tender telas de araña en las que ésta, su compañera, pudiese atrapar alguna mosca inocente. A falta de agravios, se inventaban pasos ridículos. Tan pronto como salía por media hora un asiduo, se burlaban de él con los demás, fingían extrañarse de que no hubiesen notado lo sucios que tenía siempre los dientes, o de que, al contrario, se los limpiara, por manía, veinte veces al día. Si uno se permitía abrir la ventana, el patrón y la patrona cruzaban una mirada de escándalo ante semejante falta de educación. Al cabo de un momento, madame Verdurin pedía un chal, y esto daba pretexto a monsieur Verdurin para decir en tono furioso: «Eso sí que no, voy a cerrar la ventana, no sé quién se ha permitido abrirla», y esto delante del culpable, que se sonrojaba hasta las orejas. Le reprochaban a uno indirectamente la cantidad de vino que había bebido. «¿No le hace daño? Eso se queda para un obrero.» Si dos fieles iban juntos de paseo sin haber pedido previamente autorización a la patrona, provocaban comentarios infinitos por muy inocentes que tales paseos fueran. Los de monsieur de Charlus con Morel no lo eran. Sólo el hecho de que el barón no residía en la Raspelière (debido a la vida de guarnición de Morel) retardó el

momento de la saciedad, de los gestos de asco, de las náu-
seas. Pero este momento no iba a tardar.

Madame Verdurin estaba furiosa y decidida a hacer saber
a Morel el papel ridículo y odioso que le hacía representar
monsieur de Charlus. «Y además –continuó madame Verdurin (que cuando creía deber a alguien un agradecimiento
que le iba a pesar, y no podía matarle por esta obligación, le
descubría un defecto grave que la eximía honestamente de
demostrarle tal agradecimiento)–, además se da en mi casa
unos aires que no me gustan.» Y es que madame Verdurin
tenía otra razón, más grave que la de haber faltado Morel a la
reunión de sus amigos, para estar contra monsieur de Charlus. El barón, muy penetrado del honor que hacía a la patrona llevándole al Quai Conti a unas personas que por ella no
habrían ido, ante los primeros nombres propuestos por madame Verdurin como posibles invitados, reclamó la exclusiva más categórica, en un tono perentorio que aunaba el orgullo rencoroso del gran señor caprichoso y el dogmatismo
del artista experto en materia de fiestas y que retiraría del
juego su moneda y negaría su concurso antes que acceder a
concesiones que, según él, comprometían el resultado armó-
nico. Monsieur de Charlus sólo había dado su autorización,
y eso con muchas reservas, a Saintine, con el cual madame
de Guermantes, por no cargar con su mujer, había pasado de
una intimidad cotidiana a un corte radical de relaciones,
pero al que monsieur de Charlus, que le encontraba inteligente, seguía tratando. Verdad es que Saintine, antes la flor
de la camarilla Guermantes, fue a buscar fortuna y, creía él,
punto de apoyo en un medio burgués híbrido de pequeña
nobleza en el que todo el mundo es muy rico y está empare-
tado con una aristocracia que la gran aristocracia no conoce. Pero madame Verdurin, que conocía las pretensiones no-
biliarias del medio de la mujer y no se daba cuenta de la
posición del marido (pues lo que nos da impresión de altura
es lo que está casi inmediatamente por encima de nosotros y

no lo que nos es casi invisible, hasta tal punto se pierde en el cielo), creyó que debía justificar una invitación a Saintine alegando que se trataba con mucha gente, «que se había casado con mademoiselle...». La ignorancia que este aserto, exactamente contrario a la realidad, demostraba en madame Verdurin puso en los labios pintados de monsieur de Charlus una sonrisa de indulgente desdén y de amplia comprensión. No se dignó contestar directamente, pero como era amigo de levantar en materia mundana teorías en las que unía la fertilidad de su inteligencia y la altivez de su orgullo con la frivolidad hereditaria de sus preocupaciones, dijo:

–Saintine hubiera debido consultarme antes de casarse; hay una eugenesia social como hay una eugenesia fisiológica, y en esto soy yo quizá el único doctor. El caso de Saintine no suscitaba ninguna discusión: era claro que, al hacer la boda que hizo, cargaba con un peso muerto y metía la candela bajo el celemín. Su vida social quedaba terminada. Si se lo hubiera explicado lo habría comprendido, pues es inteligente. En cambio, había una persona que tenía todo lo necesario para alcanzar una posición elevada, dominante, universal; pero estaba amarrada al suelo por un cable fuertísimo. Yo le ayudé a romper la ligadura, mitad por presión, mitad por fuerza, y ahora esa persona ha conquistado, con un gozo triunfal, la libertad, el supremo poder que me debe. Quizá ha sido necesario poner un poco de voluntad, pero ¡qué recompensa! Cuando sabe escucharme a mí, partero de su destino, una persona llega a ser lo que ha de ser. –Era demasiado evidente que monsieur de Charlus no había sabido actuar en el suyo, en su propio destino; actuar es distinto que hablar, aunque sea con elocuencia, y que pensar, aunque sea con ingenio–. Pero yo soy un filósofo que asiste con curiosidad a las reacciones sociales que he predicho, mas no ayudo a ellas. Por eso he seguido tratando a Saintine, que siempre tuvo conmigo la calurosa deferencia que me debe. Hasta he comido en su casa, en su nueva casa, donde ahora, con todo ese lujo, se aburre uno tanto como se divertía antes cuando Saintine, con muchos apuros, reunía en su buhardilla a la mejor sociedad. De modo que se le puede invitar, lo autorizo. Pero a los demás nombres que me proponen les pongo el veto. Y me lo agradecerán ustedes, pues si soy experto en bodas, no lo soy menos en cuestión de fiestas. Sé cuales son las personalidades ascendentes que levantan una reunión, le dan impulso, altura; y sé también el nombre que tira al suelo, que hace caer de narices.

Estas exclusiones de monsieur de Charlus no siempre se fundaban en resentimientos de maniático o en refinamientos de artista, sino en habilidades de actor. Cuando le salía una tirada sobre alguien, sobre algo, deseaba que lo oyera el mayor número posible de personas, pero excluía de la segunda hornada a los invitados de la primera que hubieran podido observar que la copla no había cambiado. Renovaba la sala precisamente porque no renovaba el cartel, y cuando lograba un éxito en la conversación, hubiera sido capaz de organizar giras y de dar representaciones en provincias. Cualesquiera que fueran los variados motivos de estas exclusiones, las de monsieur de Charlus no sólo molestaban a madame Verdurin, que veía en ellas un atentado a su autoridad de patrona, sino que le causaban, además, gran perjuicio mundano, y esto por dos razones. La primera, que monsieur de Charlus, más susceptible aún que Jupien, rompía, sin que ni siquiera se supiese por qué, con las personas más adecuadas para ser amigas suyas. Naturalmente, uno de los primeros castigos que podía infligirles era no dejar que los invitaran a una fiesta en casa de los Verdurin, y estos parias eran muchas veces personas preeminentes, pero que, para monsieur de Charlus, habían dejado de serlo desde el día en que rompió con ellos. Pues su imaginación se las ingeniaba no sólo para atribuir culpas a las personas con quienes rompía, sino para quitarles toda importancia desde el momento en que ya no eran amigos suyos. Si el culpable era, por ejemplo, un hombre de una familia muy antigua, pero cuyo ducado se remonta sólo al siglo XIX, los Montesquiou, por ejemplo, de pronto lo que contaba para monsieur de Charlus era la antigüedad del ducado, y la familia no era nada. «Ni siquiera son duques –exclamaba–. Es el título del abate de Montesquiou que pasó indebidamente a un pariente, no hace ni siquiera ochenta años. El duque actual, si es que hay duque, es el tercero. A mí que me hablen de familias como los Uzès, los La Trémoïlle, los Luynes, que son los décimos, los catorcenos duques, como mi hermano, que es el duque de Guermantes número doce y príncipe de Condom número diecisiete. Los Montesquiou descienden de una antigua familia, bueno, pero ¿qué demostraría eso, aunque fuera verdad? Descienden tanto que están en el número catorce, pero por abajo.» Si, por el contrario, estaba en malos términos con un noble titular de un ducado antiguo, emparentado con lo más ilustre, y hasta con familias soberanas, pero cuyo encumbramiento había sido muy rápido sin que la familia se remontara muy atrás, un Luynes, por ejemplo, entonces cambiaba todo: sólo contaba la familia. «¡Dígame, ese monsieur Alberti que no salió de la nada hasta el reinado de Luis XIII! ¿Qué cuernos nos importa que el favor de la corte les permitiera acumular ducados a los que no tenían ningún derecho?» Además, monsieur de Charlus pasaba muy rápidamente del favor al abandono, por aquella inclinación que tenían los Guermantes a exigir a la conversación, a la amistad, lo que no pueden dar, y por el miedo sintomático de ser objeto de maledicencias. Y la caída era tan irremisible como grande había sido el favor. Ahora bien, nunca tan grande por parte del barón como el que tan ostensiblemente dispensara a la condesa Molé. ¿Qué pecado de indiferencia demostró un buen día que era indigna de él? La condesa dijo siempre que nunca había podido llegar a descubrirlo. El caso es que sólo oír su nombre provocaba en el barón las iras más violentas, las filípicas más elocuentes pero más terribles. Madame Verdurin, con quien madame Molé había sido muy amable y que, como veremos, ponía en ella grandes esperanzas, gozaba de antemano con la idea de que la condesa la consideraría entre las personas más nobles, como decía la patrona, «de Francia y de Navarra». Y, en efecto, madame Verdurin propuso en seguida invitar a «madame de Molé». «¡Ah bueno!, el gusto es libre –exclamó monsieur de Charlus–, y si usted, señora, tiene gusto en charlar con madame Pipelet, madame Gibouet, madame Joseph Prudhomme, yo encantado, pero que sea una noche en que yo no esté. Veo desde las primeras palabras que no hablamos la misma lengua, pues yo daba nombres de la aristocracia y usted me cita lo más oscuro de los nombres de la magistratura, de plebeyos astutos, chismosos, de señoruelas que se creen protectoras de las artes porque reproducen en octava baja las maneras de mi cuñada Guermantes, como el grajo que cree imitar al pavo real. Añadiré que es una especie de indecencia introducir en una fiesta que yo me presto a dar en casa de madame Verdurin a una persona que yo he excluido, con motivo, de mi familiaridad, a una pécora sin estirpe, sin lealtad, sin ingenio, que tiene la locura de creer que puede hacer de duquesa de Guermantes y de princesa de Guermantes, acumulación que es ya en sí misma una estupidez, pues la duquesa de Guermantes y la princesa de Guermantes son exactamente lo contrario. Es como una persona que pretendiera ser a la vez Reichenberg y Sarah Bernhardt. En todo caso, aun cuando no fuera contradictorio, sería profundamente ridículo. Que yo pueda sonreírme alguna vez de las exageraciones de la una y entristecerme por las limitaciones de la otra es distinto, estoy en mi derecho. Pero esa ranita burguesa que se infla para igualarse a esas dos grandes damas que en todo caso ostentan la incomparable distinción de la raza es como para morirse de risa. ¡La Molé! Ése es un nombre que no hay que volver a pronunciar, o me veré obligado a retirarme», añadió sonriendo y en el tono de un médico que, queriendo curar al enfermo contra el enfermo mismo, está decidido a no dejarse imponer la colaboración de un homeópata. Por otra parte, algunas personas que monsieur de Charlus desdeñaba podían en realidad ser desdeñables para él y no para madame Verdurin. Monsieur de Charlus, desde la cima de su linaje, podía prescindir de unas personas muy distinguidas cuya asistencia habría situado el salón de madame Verdurin entre los primeros de París. Y madame Verdurin comenzaba a pensar que había perdido ya muchas oportunidades, sin contar el enorme retraso que el error mundano del asunto Dreyfus le había infligido. Aunque no sin beneficiarla. «No sé si les he hablado de lo que disgustaban a la duquesa de Guermantes algunas personas de su mundo que, subordinándolo todo al *Affaire,* y, por aquello del revisionismo y el antirrevisionismo, excluían a mujeres elegantes y recibían en cambio a otras que no lo eran, y de cómo la criticaban, a su vez, aquellas mismas damas por tibia, mal pensante y dispuesta a subordinar a las etiquetas humanas los intereses de la Patria», podría yo preguntar al lector como a un amigo al que, después de tantas conversaciones, no recordamos si se nos ha ocurrido o hemos encontrado la ocasión de contarle una determinada cosa. Les haya hablado o no de todo esto, la actitud de la duquesa de Guermantes en este momento se puede imaginar fácilmente, y hasta, pasando a un período posterior, puede parecer, en el aspecto mundano, perfectamente justo. Monsieur de Cambremer consideraba el asunto Dreyfus como una máquina extranjera destinada a destruir el Servicio de Información, a quebrantar la disciplina, a debilitar el ejército, a dividir a los franceses, a preparar la invasión. Como la literatura, aparte algunas fábulas de La Fontaine, era ajena al marqués, delegaba en su mujer el cuidado de proclamar que la literatura cruelmente observadora, causante de la pérdida del respeto, había provocado el consiguiente derrumbamiento. «Monsieur Reinach y monsieur Hervieu están en connivencia», decía. No se podrá acusar al

asunto Dreyfus de haber premeditado tan negros designios
contra el mundo. Pero ciertamente ha roto los cuadros. Las
personas del gran mundo que no quieren que la política se
introduzca en él son tan previsoras como los militares que
no quieren permitir que penetre en el ejército. Con el gran
mundo ocurre como con la inclinación sexual: no se sabe
hasta qué perversiones puede llegar una vez que se ha dejado
la elección a las razones estéticas. El Faubourg Saint-Ger-
main tomó la costumbre de recibir a señoras de otra sociedad por la razón de que eran nacionalistas; con el naciona-
lismo desapareció la razón, pero subsistió la costumbre.
Madame Verdurin, a favor del dreyfusismo, atrajo a su casa a
escritores de valía que momentáneamente no elevaron su situación social porque eran dreyfusistas. Pero las pasiones
políticas son como las demás: no duran. Vienen generaciones nuevas que no las comprenden; la misma generación
que las ha sentido cambia aquellas pasiones políticas por
otras que, al no ser exactamente calcadas de las anteriores,
rehabilitan a una parte de los excluidos, porque la causa de
exclusivismo ha variado. Durante el asunto Dreyfus, a los
monárquicos ya no les importaba que alguno fuera republicano, hasta radical, incluso anticlerical, con tal que fuera an-
tisemita y nacionalista. Si llegara a sobrevenir una guerra, el
patriotismo tomaría otra forma, y si un escritor era patrio-
tero, no se fijarían en si había sido o no había sido dreyfusista. Análogamente, madame Verdurin, de cada crisis política,
de cada renovación artística, fue cogiendo poco a poco,
como el pájaro para su nido, las briznas sucesivas, provisionalmente inútiles, de lo que llegaría a ser su salón. El asunto
Dreyfus pasó, Anatole France quedó. La fuerza de madame
Verdurin era su sincero amor al arte, el trabajo que se tomaba por sus fieles, las maravillosas comidas que daba para
ellos solos, sin que entre los invitados figurasen personas del
gran mundo. Todos eran tratados en su casa como lo fue
Bergotte en casa de madame Swann. Cuando uno de estos

familiares llega un buen día a ser un hombre ilustre y el gran
mundo desea verle, su presencia en casa de una madame
Verdurin no tiene nada de ese aspecto artificial, adulterado,
cocina de banquete oficial o de Saint-Charlemagne hecha
por Potel y Chabot, sino de un delicioso menú habitual que habría resultado igualmente perfecto cualquier día en que no
hubiera invitados. En casa de madame Verdurin la compañía era excelente, preparada, de primer orden el repertorio;
sólo faltaba el público. Y cuando el gusto de éste se apartaba
del arte razonable y francés de un Bergotte y se encaprichaba
sobre todo con músicas exóticas, madame Verdurin, una especie de representante oficial en París de todos los artistas
extranjeros, no tardaría en servir a los bailarines rusos, junto con la deslumbradora princesa Yurbeletieff, de vieja pero
omnipotente hada Carabosse. Esta encantadora invasión,
contra cuyas seducciones no protestaron más que los críticos sin gusto, trajo a París, como se sabe, una fiebre de curiosidad menos agria, más puramente estética, pero quizá no
menos viva que el asunto Dreyfus. También aquí, pero con
un resultado mundano muy distinto, iba a estar madame
Verdurin en primera fila. Como en la vista del proceso se la
vio junto a madame Zola al pie mismo del tribunal, cuando
la nueva humanidad que aclamaba a los bailes rusos se aglo-
meró en la ópera, ornada de grandes galas y bellas plumas
desconocidas, se veía siempre a madame Verdurin con la
princesa Yurbeletieff en una platea. Y así como después de
las emociones del palacio de Justicia se iba por la noche a
casa de madame Verdurin a ver de cerca a Picquart o a Labori, y sobre todo a enterarse de las últimas noticias, a saber lo
que se podía esperar de Zurlinden, de Loubet, del coronel
Jouaust, ciertos espectadores de los bailes rusos, poco dispuestos a irse a la cama después del entusiasmo desencade-
nado por *Shehrazada* o las danzas del *Príncipe Igor,* se iban a
casa de madame Verdurin, donde unas cenas exquisitas, pre-
sididas por la princesa Yurbeletieff y por la patrona, reunían

cada noche a los bailarines, que no habían comido para poder saltar mejor, a su director, a sus decoradores, a los grandes compositores Igor Stravinski y Ricardo Strauss, pequeño núcleo inmutable en torno al cual, como en las cenas de
monsieur y de madame Helvétius, no desdeñaban rozarse
con otra gente las damas más ilustres de París y las altezas
extranjeras. Hasta las gentes del gran mundo que hacían
profesión de buen gusto y establecían distinciones ociosas
entre los bailes rusos, considerando la escenografía de *Las
Sílfides* más «delicada» que la de *Shehrazada,* que no estaban
lejos de comparar con el arte negro, se mostraban encantados de ver de cerca a aquellos grandes renovadores del gusto,
del teatro, que, en un arte quizá un poco más artificioso que
la pintura, hicieron una revolución tan profunda como el
impresionismo.

Volviendo a monsieur de Charlus, quizá madame Verdurin no habría sufrido demasiado si el barón no hubiera puesto en el índice más que a madame Bontemps, a quien ella había distinguido en casa de Odette por su amor a las artes y
que durante el asunto Dreyfus había ido a su casa algunas
veces a cenar con su marido, motejado de tibio por madame
Verdurin porque no se pronunciaba por la revisión del proceso, sino que, muy inteligente y muy amigo de estar bien
con todos los partidos, le encantaba demostrar su independencia comiendo con Labori, al que escuchaba sin decir
nada comprometedor, pero colocando a tiempo un home-
naje a la lealtad de Jaurès, reconocida en todos los partidos.
Pero el barón proscribió igualmente a algunas damas de la
aristocracia con las que madame Verdurin había entrado recientemente en relación con motivo de solemnidades musicales, de colecciones, de caridad, y que, pensara monsieur de
Charlus lo que pensara de ellas, hubieran sido, mucho más
que él mismo, elementos esenciales para formar en casa de
madame Verdurin un nuevo núcleo, aristocrático éste. Precisamente madame Verdurin contaba con aquella fiesta, a la

que monsieur de Charlus le llevaría señoras del mismo mundo, para reunirlas con sus nuevas relaciones, y gozaba de antemano con la sorpresa que recibirían al encontrar en el Quai Conti a sus amigas o parientes invitadas por el barón. Estaba decepcionada y furiosa por su veto. Y faltaba saber si, en estas condiciones, la fiesta sería para ella un beneficio o una pérdida. Pérdida no demasiado grave si al menos las invitadas de monsieur de Charlus asistieran con disposiciones tan calurosas para madame Verdurin que llegaran a ser para ella sus amigas del futuro. En este caso, el mal sería sólo un mal a medias, y un día no lejano madame Verdurin reuniría, aunque para ello hubiera de renunciar al barón, aquellas dos mitades del gran mundo que él quiso separar. Madame Verdurin esperaba, pues, con cierta emoción a las invitadas de monsieur de Charlus. No iba a tardar en conocer el estado de ánimo en que acudían y hasta dónde podrían llegar sus relaciones con ellas. Mientras tanto, madame Verdurin hablaba con los fieles, pero al ver entrar a Charlus con Brichot y conmigo, cortó en seco la conversación.

Con gran asombro nuestro, cuando Brichot le habló de su tristeza por la grave enfermedad de su amiga, madame Verdurin contestó:

–Mire, tengo que confesar que no siento ninguna tristeza. Y es inútil fingir sentimientos que no se tienen...

Seguramente hablaba así por falta de energía, porque la fatigaba la idea de tener que poner cara triste en toda la recepción; por orgullo, porque no pareciera que buscaba disculpas por no haberla suspendido; por respeto humano, sin embargo, y por habilidad, porque no mostrarse apenada era más honorable, si esto se atribuía a una antipatía particular, revelada de pronto, hacia la princesa, que a una insensibilidad universal, y porque era forzoso quedar desarmado por una sinceridad que no era cosa de poner en duda: si madame Verdurin no fuera verdaderamente indiferente a la muerte de la princesa, ¿iba a acusarse, para explicar que recibiera,

de una falta mucho más grave? Se olvidaba que madame
Verdurin habría podido confesar, al mismo tiempo que su
pena, que no había tenido valor para renunciar a un placer;
pero si la dureza de la amiga era más chocante, más inmoral,
era también menos humillante; por consiguiente, más fácil
de confesar que la frivolidad de una anfitriona. En materia de delito, cuando hay peligro para el culpable, es el interés el que dicta las confesiones. En las faltas sin sanción las
dicta el amor propio. Por otra parte, fuera porque madame
Verdurin, encontrando seguramente muy gastado el pretexto de las gentes que, para que las penas no interrumpan su
vida de placeres, van repitiendo que les parece vano llevar
exteriormente un luto que llevan en el corazón, prefiriera
imitar a esos culpables inteligentes a quienes repugnan los
clichés de la inocencia, y cuya defensa –semiconfesión sin
saberlo– consiste en decir que no ven ningún mal en hacer lo
que les reprochan, y que, además, por casualidad, no han tenido ocasión de hacerlo; o bien porque madame Verdurin,
adoptada la tesis de la indiferencia para explicar su conducta
y una vez lanzada por la pendiente de su mal sentimiento,
encontrara que había cierta originalidad en él, una rara
perspicacia en haber sabido aclararlo y una curiosa desfa-
chatez en proclamarlo así, madame Verdurin tuvo empeño
en insistir en que no estaba apenada, no sin cierta orgullosa
satisfacción de psicóloga paradójica y de dramaturga audaz.

–Sí, es curioso –dijo–, no me ha afectado casi nada. Claro,
no puedo decir que no hubiera preferido que viviera, no era
mala persona.

–Sí lo era –interrumpió monsieur Verdurin.

–¡Ah!, él no la quería porque pensaba que me perjudicaba
recibirla, pero es que eso le ciega.

–Me harás la justicia de reconocer –dijo monsieur Verdurin– que yo no aprobé nunca ese trato. Siempre te dije que
tenía mala fama.

–Pues yo nunca lo he oído decir –protestó Saniette.

-¡Cómo que no! -exclamó madame Verdurin-, era universalmente sabido; mala no, sino vergonzosa, deshonrosa. Pero no, no es por eso. Ni yo misma sabría explicar mi sentimiento; no la quería mal, pero me era tan indiferente que, cuando nos enteramos de que estaba muy grave, mi mismo marido se sorprendió y me dijo: «Se diría que no te importa nada». Pero miren, esta noche me propuso suspender el ensayo, y yo he querido, por el contrario, hacerlo, porque me hubiera parecido una comedia mostrar una pena que no siento.

Decía esto porque le parecía que era curiosamente «teatro libre», y también porque era muy cómodo; porque la insensibilidad o la inmoralidad confesada simplifica la vida tanto como la moral fácil; convierte acciones censurables y para las cuales ya no se necesita buscar disculpas en un deber de sinceridad. Y los fieles escuchaban las palabras de madame Verdurin con esa mezcla de admiración y de malestar que antes causaban ciertas obras teatrales comúnmente realistas y de una observación penosa; y más de uno, sin dejar de maravillarse de la nueva forma de su rectitud y de su independencia que daba la querida patrona, y diciéndose que, después de todo, no sería lo mismo, pensaba en su propia muerte y se preguntaba si, el día que sobreviniera, se lloraría o se daría una fiesta en el Quai Conti.

-Me alegro mucho, por mis invitados, de que no se haya suspendido la fiesta -dijo monsieur de Charlus sin darse cuenta de que hablando así molestaba a madame Verdurin.

Mientras tanto a mí, como a todo el que aquella noche se acercó a madame Verdurin, me había chocado un olor bastante poco agradable de rinogomenol. He aquí la explicación. Ya sabemos que madame Verdurin no expresaba nunca sus emociones artísticas de una manera moral, sino física, para que pareciesen más inevitables y más profundas. Ahora bien, si le hablaban de la música de Vinteuil, su preferida, permanecía indiferente, como si no esperara de ella ninguna emoción. Pero al cabo de unos minutos de mirada inmóvil, casi distraída, respondía en un tono preciso, práctico, casi descortés, como si dijera: «No me importaría que fumara usted, pero es por la alfombra, que es muy bonita –lo que tampoco me importaría–, pero muy inflamable; me da mucho miedo el fuego y, la verdad, no me gustaría que ardieran todos ustedes porque dejara usted caer una colilla mal apagada». Lo mismo ocurría con Vinteuil: si se hablaba de él, madame Verdurin no manifestaba ninguna admiracion, y al cabo de un momento expresaba fríamente su contrariedad de que se tocara aquella noche su música: «No tengo nada contra Vinteuil; a mi juicio, es el músico más grande del siglo. Pero no puedo escuchar esas cosas sin llorar todo el tiempo –y el tono con que decía "llorar" no tenía nada de patético: con la misma naturalidad hubiera dicho "dormir", y aun algunas malas lenguas pretendían que este último verbo hubiera sido más verídico, pero sin que nadie pudiera asegurarlo, pues madame Verdurin escuchaba esta música con la cabeza entre las manos, y ciertos ruidos que parecían ronquidos podían, después de todo, ser sollozos–. Llorar no me hace daño, llorar, todo lo que se quiera, pero después me agarran unos catarros imponentes, se me congestiona la mucosa y, pasadas cuarenta y ocho horas, parezco una vieja borracha, y para que funcionen mis cuerdas vocales tengo que pasarme días enteros haciendo inhalaciones. En fin, un discípulo de Cottard...»

–¡Oh!, a propósito, no le había dado el pésame, se ha ido bien pronto, el pobre profesor.

–Sí, qué le vamos a hacer, ha muerto, como todo el mundo; había matado a bastante gente para que le llegara la vez de dirigir sus golpes contra sí mismo. Bueno, le iba diciendo que un discípulo suyo, un muchacho delicioso, me trató esta afección. Profesa un axioma bastante original: «Más vale prevenir que curar». Y me engrasa la nariz antes de que empiece la música. Es radical. Ya puedo llorar como un ejército de madres que hubieran perdido a sus hijos: ni el menor catarro. A veces un poco de conjuntivitis, pero nada más: la eficacia es absoluta. Si no fuera por eso, no habría podido seguir escuchando música de Vinteuil. No hacía más que ir de una bronquitis a otra.

No pude contenerme de hablar de mademoiselle Vinteuil.

–¿No está aquí la hija del autor –pregunté a madame Verdurin– con una amiga suya?

–No, precisamente acabo de recibir un telegrama –me dijo evasivamente madame Verdurin–; han tenido que quedarse en el campo.

Y por un momento tuve la esperanza de que quizá ni siquiera habían pensado venir y de que madame Verdurin no había anunciado a aquellas representantes del autor más que para impresionar favorablemente a los intérpretes y al público.

–Pero ¿no han venido siquiera al ensayo de hace un rato? –preguntó con falsa curiosidad el barón, queriendo aparentar que no había visto a Charlie.

Éste se acercó a saludarme. Yo le pregunté al oído sobre la excusa de mademoiselle Vinteuil. Parecía muy poco enterado. Le hice seña de que no hablara alto y le advertí que volveríamos a hablar del asunto. Se inclinó prometiéndome que estaría con mucho gusto a mi entera disposición. Observé que estaba mucho más atento, mucho más respetuoso que antes. En este sentido le hablé bien de él –de él, que podría quizá ayudarme a esclarecer mis sospechas– a monsieur de Charlus, que me contestó:

–No hace más que lo que debe; no valdría la pena de que viviera con personas distinguidas, para tener malas maneras.

Las buenas eran para monsieur de Charlus las viejas maneras francesas, sin sombra de rigidez británica. Por eso cuando Charlie, al volver de una gira por provincias o por el extranjero, se presentaba con traje de viaje en casa del barón, éste, si no había mucha gente, le besaba sin ceremonia en

ambas mejillas, un poco, quizá, para disipar, con tanta ostentación de su cariño, cualquier idea de que pudiera ser un
cariño culpable, o quizá por no privarse de un placer, pero,
seguramente, más aún por literatura, por conservar y honrar las antiguas maneras de Francia, y de la misma manera
que habría protestado contra el estilo muniqués o el estilo
moderno conservando los viejos sillones de su bisabuela, o
poniendo en la flema británica la ternura de un padre sensible del siglo XVIII que no disimula su alegría de ver a un hijo.
¿Había, en fin, una sombra de incesto en aquel afecto paternal? Más probable es que la manera con que monsieur de
Charlus contenía habitualmente su vicio, y sobre la cual re-
cibiremos más adelante algunas aclaraciones, no bastaba a
sus necesidades afectivas, vacantes desde la muerte de su
mujer; el caso es que, después de haber pensado varias veces
en volver a casarse, le hurgaba ahora un maniático afán de
adoptar, y ciertas personas de su círculo temían que este afán
lo realizara con Charlie. Y no es extraordinario. El invertido
que sólo ha podido alimentar su pasión con una literatura
escrita para los hombres a los que les gustan las mujeres, que
piensa en los hombres leyendo *Les Nuits,* de Musset, siente la
necesidad de entrar de la misma manera en todas las funcio-
nes sociales del hombre que no es invertido, de sostener a un
amante, como el viejo aficionado a las bailarinas de la Ópera
siente la necesidad de formalizarse, de casarse o de amance-
barse, de ser padre.

Monsieur de Charlus se alejó con Morel, so pretexto de
que le explicara lo que iba a tocar, encontrando sobre todo
una gran dulzura, mientras Charlie le mostraba su música,
en exhibir así públicamente su secreta intimidad. Mientras
tanto yo estaba encantado. Pues aunque en el pequeño clan
había habitualmente pocas muchachas, en compensación
invitaban a bastantes los días de grandes veladas. Había varias, y algunas muy guapas, que yo conocía. Me dirigían desde lejos una sonrisa de bienvenida. Así, de cuando en cuan-

do, se decoraba el aire con una bella sonrisa de muchacha. Es el ornamento múltiple y espaciado de las fiestas nocturnas, como lo es de los días. Recordamos una atmósfera porque en ella sonrieron muchachas.

Por otra parte, habrían sorprendido, de haberlas notado, las palabras furtivas cruzadas por monsieur de Charlus con varios hombres importantes de aquella velada. Estos hombres eran dos duques, un general eminente, un gran escritor, un gran médico, un gran abogado. Y las palabras fueron:

–A propósito, ¿ha sabido usted si el ayuda de cámara, no, me refiero al pequeño que monta en el coche...? Y en casa de su prima Guermantes, ¿no conoce usted a nadie?

–Por ahora no.

–Delante de la puerta de entrada, en el sitio de los coches, había una personilla joven y rubia, de pantalón corto, que me ha parecido muy simpática. Llamó muy graciosamente a mi coche, me hubiera gustado prolongar la conversación.

–Sí, pero la creo completamente hostil, y además hace muchos remilgos; a usted, que quiere que le salgan las cosas al primer golpe, le fastidiaría mucho. Además yo sé que no hay nada que hacer, uno de mis amigos probó.

–Es una lástima, tiene un perfil muy fino y un cabello soberbio.

–¿De veras le parece tan bien? Creo que si la hubiera visto un poco más, le habría desilusionado. No, en el *buffet* sí que habría visto no hace más de dos meses una verdadera maravilla, un gran mozo de dos metros, con una piel preciosa, y que además le gusta eso. Pero se fue a Polonia.

–¡Ah, un poco lejos!

–¿Quién sabe?, quizá vuelva. En la vida siempre nos volvemos a encontrar.

No hay gran fiesta mundana, observada detenidamente, que no se parezca a esas reuniones a las que los médicos invitan a sus enfermos, los cuales dicen cosas muy sensatas, tienen muy buenas maneras y no se notaría que están locos si no le dijeran a uno al oído señalando a un señor viejo que pasa: «Es Juana de Arco».

–Creo que tenemos el deber de aclararlo –dijo madame Verdurin a Brichot–. Esto que hago no es contra Charlus, al contrario. Es un hombre agradable, y en cuanto a su fama, le diré a usted que es de un tipo que a mí no puede perjudicarme. Ni siquiera yo, que en nuestro pequeño clan, en nuestras comidas de conversación, detesto los *flirts,* los hombres que dicen tonterías a una mujer en un rincón en vez de hablar de cosas interesantes, con Charlus no tengo que temer lo que me ocurrió con Swann, con Elstir, con tantos otros. Con él estaba tranquila, venía a mis comidas y ya podía haber en ellas todas las mujeres del mundo, se estaba seguro de que la conversación general no iba a ser turbada con *flirts,* con cuchicheos. Charlus es aparte, con él se está tranquilo, es como un cura. Pero no debe permitirse regentar a los jóvenes que vienen aquí y alborotar nuestro pequeño núcleo, porque entonces sería todavía peor que un hombre mujeriego –y madame Verdurin era sincera al proclamar así su indulgencia con el *charlismo.* Como todo poder eclesiástico, juzgaba las debilidades humanas menos graves que lo que podía debilitar el principio de autoridad, perjudicar a la ortodoxia, modificar el antiguo credo en su pequeña Iglesia–. Entonces, enseñaré los dientes. Es un señor que impidió a Charlie venir a un ensayo porque él no estaba invitado. De modo que le voy a hacer una advertencia seria, y espero que le baste; si no, no tendrá más que tomar la puerta. Le tiene encerrado, palabra –y empleando exactamente las mismas expresiones que hubiera empleado casi todo el mundo, pues hay algunas, no habituales, que un tema especial, una determinada circunstancia, traen casi necesariamente a la memoria del conversador que cree expresar libremente su pensamiento y no hace sino repetir maquinalmente la lección universal, madame Verdurin añadió–: Ya no hay manera de verle sin que lleve pegado a él esa gran estantigua, esa especie de guardia de corps.

Monsieur Verdurin propuso llamar un momento a Charlie para hablarle, con el pretexto de preguntarle algo, pero madame Verdurin temió que aquello le alterara y después tocara mal. «Sería mejor aplazar esa ejecución para después de la música. Y quizá hasta para otra vez.» Pues por mucho que le interesara a madame Verdurin la deliciosa emoción que sentiría sabiendo a su marido en trance de cantarle la cartilla a Charlie en una estancia vecina, tenía miedo de que, si fallaba el golpe, Charlie se enfadara y renunciara al 16.

Lo que perdió a monsieur de Charlus aquella noche fue la mala educación –tan frecuente en ese mundo– de las personas a las que había invitado y que comenzaban a llegar. Concurriendo a la vez por amistad a monsieur de Charlus y por la curiosidad de entrar en un sitio como aquél, cada duquesa iba derecha al barón como si fuera él quien recibía y, a un paso justo de los Verdurin, que lo oían todo, decía: «Dígame dónde está la vieja Verdurin; ¿cree usted que será indispensable que me presenten? Espero que, por lo menos, no saldrá mañana mi nombre en el periódico, sería como para indisponerme con todos los míos. Pero ¿es esa mujer de pelo blanco? Pues no tiene muy mala pinta.» Al oír hablar de mademoiselle Vinteuil, ausente por lo demás, más de una decía: «¡Ah!, ¿la hija de la Sonata? ¿Cuál es?» Y como se encontraban con muchas amigas, formaban banda aparte, espiaban, rebosantes de curiosidad, la entrada de los fieles, encontraban a lo sumo la ocasión de señalar unas a otras con el dedo el tocado un poco extraño de una persona que, unos años después, lo pondría de moda en el mundo más encopetado, y, en resumen, lamentaban no encontrar aquel salón tan diferente como esperaban de los que ellas conocían, sintiendo la decepción de una persona del gran mundo que fuera a la *boîte* Bruant con la esperanza de que el *chansonnier* se metiera con ella y viera que los recibían a la entrada con un saludo correcto en vez del estribillo esperado: «*Ah! voyez c'te gueule, c'te binette. Ah! voyez c'te gueule qu'elle a.*»

En Balbec, monsieur de Charlus había criticado aguda-
mente delante de mí a madame de Vaugoubert, que a pesar
de su gran inteligencia causó, después de la inesperada fortuna, la irremediable caída en desgracia de su marido. Los
soberanos ante los cuales estaba acreditado, el rey Teodosio
y la reina Eudosia, vinieron a París, pero esta vez en una visita corta; se dieron en su honor fiestas cotidianas, en las cuales la reina, relacionada con madame de Vaugoubert, a la que
veía desde hacía diez años en su capital, y que no conocía ni a
la esposa del presidente de la República ni a las esposas de
los ministros, se apartó de ellas para hacer banda aparte con
la embajadora. A la embajadora, que creía inatacable su posición, porque monsieur de Vaugoubert era el autor de la
alianza entre el rey Teodosio y Francia, la preferencia que le
dispensaba la reina le produjo una satisfacción de orgullo,
pero ninguna inquietud por el peligro que la amenazaba y
que se cumplió a los pocos meses: el brutal cese de monsieur
de Vaugoubert, que, erróneamente, el matrimonio, demasiado confiado, consideraba imposible. Monsieur de Charlus, comentando en el trenecillo la caída de su amigo de la
infancia, se extrañaba de que una mujer inteligente no hubiera puesto en juego en semejantes circunstancias toda su
influencia sobre los soberanos para obtener de éstos que hicieran ver que no tenían ninguna y para que dedicaran a la
esposa del presidente de la República y a las de los ministros
una amabilidad que las complacería doblemente si creyeran
que era una amabilidad espontánea y no aconsejada por los
Vaugoubert, con lo que estarían muy cerca de sentirse agra-
decidas a éstos. Pero ¿quién ve el error de los demás?; a poco
que las circunstancias ofusquen a una persona, ella misma
sucumbe al error. Y a monsieur de Charlus, mientras sus invitados se abrían camino para acercarse a felicitarle, para
darle las gracias como si fuera el anfitrión, no se le ocurrió
pedirles que dijeran algo a madame Verdurin. Sólo la reina
de Nápoles, en quien vivía la misma noble sangre que en sus

hermanas la emperatriz Isabel y la duquesa de Alençon, se puso a hablar con madame Verdurin como si hubiera ido por el gusto de ver a ésta más que por la música y por monsieur de Charlus; hizo mil declaraciones a la patrona, le dijo, muy efusiva, que hacía mucho tiempo que deseaba conocerla, la felicitó por la casa y le habló de los temas más diversos como si estuviera de visita. Le hubiera gustado mucho –decía– traer a su sobrina Isabel (la que poco después se iba a casar con el príncipe Alberto de Bélgica) y a la que tanto iba a echar de menos. Al ver instalarse a los músicos en el estrado, se calló y pidió que le señalaran a Morel. No debía de engañarse en cuanto a los motivos de monsieur de Charlus para tener tanto empeño en rodear de tanta gloria al joven virtuoso. Pero su viejo tacto de soberana que llevaba una de las sangres más nobles de la historia, más ricas en experiencia, en escepticismo y en orgullo, le hacía considerar las taras inevitables de las personas que más quería, como su primo Charlus (hijo, como ella, de una duquesa de Baviera), sólo como infortunios que hacían para ellas más valioso el apoyo que ella podía prestarles, y, en consecuencia, le placía más aún prestárselo. Sabía que a monsieur de Charlus le conmovería doblemente que ella se molestara en tal circunstancia. Sólo que esta mujer heroica que, reina soldado, disparó personalmente en las fortificaciones de Gaeta, tan buena ahora como valiente antes, dispuesta siempre a ponerse caballerescamente al lado de los débiles, al ver a madame Verdurin sola y desdeñada, y que, por otra parte, ignoraba que no hubiera debido dejar a la reina, fingió que para ella, la reina de Nápoles, el centro de la velada, el punto atractivo que la hizo asistir a la fiesta, era madame Verdurin. Se disculpó mil veces de no poder quedarse hasta el final, pues, aunque no salía nunca, tenía que ir a otra velada, insistiendo en que, cuando se fuera, no se molestara nadie por ella, renunciando así a unos honores que, por lo demás, madame Verdurin no sabía que había que rendirle.

Sin embargo, hay que hacer a monsieur de Charlus la justicia de reconocer que, si olvidó por completo a madame
Verdurin y dejó que la olvidaran hasta el escándalo las personas «de su mundo» que él había invitado, comprendió, en
cambio, que, ante la «manifestación musical» misma, no debía permitirles las malas maneras con que se comportaban
respecto a la patrona. Ya había subido Morel al estrado y se
habían agrupado los artistas, y todavía se oían conversaciones, hasta risas, expresiones, tales como «parece ser que hay
que estar iniciado para entender».

Inmediatamente, monsieur de Charlus, muy erguido,
como si hubiera entrado en otro cuerpo distinto del que yo
le había visto al llegar, andando penosamente, a casa de madame Verdurin, adoptó una expresión de profeta y miró a la
concurrencia con una seriedad que significaba que no era
momento de reír, con lo que hizo enrojecer súbitamente a
más de un invitado cogido en falta como un escolar por su
profesor en plena clase. Para mí, la actitud de monsieur de
Charlus, tan noble por lo demás, tenía algo de cómica; pues
tan pronto fulminaba a sus invitados con miradas flamíge-
ras, como para indicarles como en un *vade mecum* el religioso silencio que convenía observar, el abandono de toda
preocupación mundana, ofrecía él mismo, elevando hacia
su hermoso rostro sus manos enguantadas de blanco, un
modelo (al que había que adaptarse) de gravedad, casi ya de
éxtasis, sin contestar a los saludos de los retrasados, lo bastante indecentes como para no comprender que había llegado la hora del gran arte. Todos quedaron hipnotizados, sin
atreverse a proferir un sonido, sin mover una silla; súbitamente –por el prestigio de Palamède– se había infundido a
una multitud tan mal educada como elegante el respeto a la
música.

Al tomar posición en el pequeño estrado no sólo Morel y
un pianista, sino otros instrumentistas, creí que iban a empezar por obras de otros músicos que no fueran Vinteuil.

Pues yo creía que sólo había de él una sonata para piano y violín.

Madame Verdurin se sentó aparte, los hemisferios de su frente blanca y ligeramente rosada magníficamente abombados, separado el cabello, mitad a imitación de un retrato del siglo XVIII, mitad por necesidad de frescor de una calenturienta a la que cierto pudor impide decir su estado, aislada, divinidad que presidía las solemnidades musicales, diosa del wagnerismo y de la jaqueca, especie de Norna casi trágica, evocada por el genio en medio de aquellos aburridos ante los que, menos aún que de costumbre, no se dignaría expresar impresiones esperando una música que conocía mejor que ellos. Comenzó el concierto; yo no conocía lo que tocaban, me encontraba en país incógnito. ¿Dónde situarlo? ¿En la obra de qué autor me encontraba? Bien hubiera querido saberlo, y, no teniendo cerca de mí nadie a quien preguntárselo, hubiera querido ser un personaje de aquellas *Mil y una noches* que yo leía constantemente y donde, en los momentos de incertidumbre, surgía de pronto un genio o una adolescente de arrebatadora belleza, invisible para los demás, pero no para el héroe en trance difícil, al que revela exactamente lo que desea saber. Y en aquel momento fui precisamente favorecido por una de esas apariciones mágicas. Como cuando, en un país que creemos no conocer y que, en efecto, hemos abordado por un lado nuevo, doblamos un camino y nos encontramos de pronto en otro cuyos menores rincones nos son familiares, pero al que no tenemos costumbre de llegar por allí, nos decimos: «Pero si es el caminito que lleva a la puerta del jardín de mis amigos...; estoy a dos minutos de su casa»; y, en efecto, ahí está su hija que viene a saludarnos al paso; así, de pronto, me reconocí yo en medio de aquella música nueva para mí, en plena Sonata de Vinteuil; y la pequeña frase, más maravillosa que una adolescente, envuelta, enjaezada de plata, toda rezumante de brillantes sonoridades, ligeras y suaves como echarpes, vino a

mí, reconocible bajo sus nuevas galas. Mi gozo de haber
vuelto a encontrarla era mayor por el acento tan amicalmen-
te conocido que tomaba para dirigirse a mí, tan persuasivo,
tan simple, pero no sin ostentar aquella su belleza resplandeciente. Por otra parte, esta vez no tenía otra significación que
la de indicar el camino, y este camino no era el de la Sonata;
se trataba de una obra inédita de Vinteuil en la que éste tuvo
el simple capricho de reproducir por un momento la pequeña frase con una alusión, justificada en este lugar por unas
palabras del programa, que hubiéramos debido tener al mismo tiempo ante los ojos. Apenas recordada así, desapareció
la pequeña frase y yo volví a encontrarme en un mundo desconocido; pero ahora ya sabía, y todo no hizo ya sino confir-
marme que aquel mundo era uno de los que yo ni siquiera
hubiera podido concebir que creara Vinteuil, pues cuando,
cansado de la Sonata, que era un universo agotado para mí,
quería imaginar otros igualmente bellos pero diferentes, hacía solamente lo que los poetas que llenan su supuesto paraíso de praderas, de flores, de ríos iguales a los de la Tierra. Lo
que tenía ante mí me daba el mismo goce que me habría
dado la Sonata si no la hubiera conocido; por consiguiente,
siendo igualmente bello, era distinto. Mientras que la Sonata
surgía en una aurora lilial y campestre, dividiendo su candor
vaporoso, mas para suspenderse en la maraña tenue y, sin
embargo, consistente de una rústica cuna de madreselvas
sobre geranios blancos, la obra nueva nacía, una mañana de
tormenta, sobre superficies lisas y planas como las del mar,
en medio de un silencio agresivo, en un vacío infinito, y del
silencio y de la noche surgía un universo desconocido que,
en un rosa de alborada, se iba construyendo progresivamente ante mí. Aquel rojo tan nuevo, tan ausente en la tierna,
campestre y cándida Sonata, teñía, como la aurora, todo el
cielo de una esperanza misteriosa. Y un canto taladraba el
aire, un canto de siete notas, pero el más desconocido, el más
diferente de cuantos yo pudiera nunca imaginar, a la vez ine-

fable y chillón, ya no zureo de paloma como en la Sonata, sino que desgarraba el aire algo así como un místico canto del gallo, tan vivo como el matiz escarlata en el que el comienzo estaba sumergido, una llamada, inefable pero sobreaguda, del eterno amanecer. La atmósfera fría, lavada de lluvia, eléctrica –de una calidad tan diferente, a presiones tan distintas, en un mundo tan alejado del de la Sonata, virginal y amueblado de vegetales–, cambiaba a cada instante, borrando la promesa purpúrea de la aurora. Pero al mediodía, con un sol ardiente y pasajero, esta promesa parecía cumplirse en una dicha ordinaria, pueblerina y casi rústica, donde la vacilación de las campanas resonantes y escandalosas (semejantes a las que incendiaban de calor la plaza de la iglesia en Combray, y que Vinteuil, que había debido de oírlas a menudo, quizá las encontró en aquel momento en su memoria como un color llevado de la mano a la paleta) parecía materializar la más densa alegría. A decir verdad, estéticamente no me gustaba este motivo de alegría; le encontraba casi feo, el ritmo se arrastraba tan penosamente por el suelo que se hubiera podido imitarlo, en casi todo lo esencial, sólo con ruidos, golpeando de cierta manera con unos palillos en una mesa. Me parecía que a Vinteuil le había faltado inspiración, y, en consecuencia, a mí me faltó también un poco de fuerza de atención.

Miré a la patrona, cuya inmovilidad huraña parecía protestar contra las damas del *Faubourg* que marcaban el compás con sus ignaras cabezas. Madame Verdurin no decía: «Ya comprenderán ustedes que esta música la conozco, ¡y bastante! Si tuviera que expresar todo lo que siento, tendrían ustedes para rato.» No lo decía, pero sus ojos sin expresión, sus mechones erizados, lo decían por ella. Decían también su coraje, que los músicos podían despacharse a su gusto, no andar con contemplaciones con sus nervios, que no se entregaría en el andante, que no gritaría en el allegro. Miré a los músicos. El violoncellista dominaba el instrumento que apretaba entre las rodillas, inclinando la cabeza, a la que unos rasgos vulgares daban, en los momentos de manierismo, una involuntaria expresión de desagrado; se inclinaba sobre el contrabajo, lo palpaba con la misma paciencia doméstica que si estuviera limpiando una col, mientras que junto a él, la arpista, niña aún, de falda corta, rebasada en todos los sentidos por los rayos horizontales del cuadrilátero de oro, semejantes a los que en la cámara mágica de una sibila figuraban arbitrariamente el éter según las formas consagradas, parecía buscar acá y allá, en el punto asignado, un sonido delicioso, como una pequeña diosa alegórica que, erguida ante el enrejado de oro de la bóveda celeste, estuviera cogiendo estrellas una a una. En cuanto a Morel, un mechón, hasta entonces invisible y confundido en su cabello, acababa de desprenderse y de formar un bucle sobre su frente.

Me volví imperceptiblemente hacia el público para ver lo que monsieur de Charlus parecía pensar de aquel mechón. Pero mis ojos no encontraron más que la cara, o más bien que las manos, puesto que aquélla la tenía hundida por completo en éstas. ¿Quería la patrona demostrar con esta actitud que se consideraba como en la iglesia y esta música no le parecía diferente de la más sublime de las plegarias? ¿Quería, como ciertas personas en la iglesia, hurtar a las miradas indiscretas, ya, por pudor, su fervor supuesto, ya, por respeto humano, su distracción culpable o un sueño invencible? Un ruido regular que no era musical me hizo pensar por un instante que la última hipótesis era la verdadera, pero en seguida me di cuenta de que el ruido lo producían los ronquidos, no de madame Verdurin, sino de su perra...

Pero en seguida, expulsado, dispersado por otros el motivo triunfal de las campanas, volvió a captarme aquella música; y me di cuenta de que si en aquel *septuor* se exponían sucesivamente elementos distintos que al final se combinaban, de la misma manera la Sonata y, según supe más tarde,

las demás obras de Vinteuil no habían sido, comparadas con
este *septuor,* más que tímidos ensayos, deliciosos pero muy
frágiles al lado de la triunfal y completa obra maestra que en
aquel momento se me revelaba. Y, por comparación, no podía menos de recordar que, incluso entonces, había pensado
en los demás mundos que hubiera podido crear Vinteuil
como en universos cerrados, los mismos universos cerrados
que fueron todos mis amores; mas, en realidad, yo debía reconocer que, igual que las primeras veleidades de mi último
amor, el de Albertina (en Balbec muy al principio, luego después del juego a las prendas, luego la noche en que durmió
en el hotel, después el domingo de bruma en París, y la noche de la fiesta Guermantes, y de nuevo en Balbec, y por último en París con mi vida estrechamente unida a la suya),
ahora, si consideraba no ya mi amor a Albertina, sino toda
mi vida, mis otros amores no habían sido más que pequeños
y tímidos ensayos precursores de las llamadas que reclama-
ban este amor más grande: el amor a Albertina. Y dejé de seguir la música para volver a preguntarme si Albertina habría
visto o no a mademoiselle Vinteuil aquellos días, como inte-
rrogamos de nuevo a un sufrimiento interno que la distracción nos ha hecho olvidar por un momento. Pues era en mí
donde tenían lugar los posibles actos de Albertina. De todos
los seres que conocemos, poseemos un doble. Pero, generalmente, situado en el horizonte de nuestra imaginación, de
nuestra memoria, permanece relativamente exterior a nosotros, y lo que ha hecho o pudo hacer no tiene para nosotros
más elemento doloroso que el que puede tener un objeto situado a cierta distancia y que sólo puede darnos las sensaciones indoloras de la vista. Lo que afecta a esos seres lo percibimos de una manera contemplativa, podemos deplorarlo
en términos adecuados que dan a los demás la idea de nuestro corazón, pero no lo sentimos. Mas desde mi herida de
Balbec, el doble de Albertina estaba en mi corazón a una
gran profundidad, difícil de extraer. Lo que yo veía de ella

me dejaba como un enfermo que tiene los sentidos tan lamentablemente traspuestos que la vista de un color le produciría el efecto de una incisión en plena carne. Afortunadamente, no había cedido aún a la tentación de romper con Albertina; la aburrida perspectiva de tener que encontrarla al volver a casa como a una mujer amada era muy poca cosa comparada con la ansiedad que habría sufrido si la separación se hubiera realizado en aquel momento en que tenía una duda sobre ella y sin dar tiempo a que me fuera indiferente. Y cuando me la representaba así en la casa, haciéndosele largo el tiempo, durmiéndose quizá un momento en su cuarto, me acarició de paso una tierna frase familiar y doméstica del *septuor*. Acaso –que así se entrecruza y se superpone todo en nuestra vida interior– esta frase se la inspiró a Vinteuil el sueño de su hija –de su hija, causante hoy de todas mis cuitas– cuando este sueño rodeaba de dulzura, en las tranquilas veladas, el trabajo del músico, esa frase que tanto me calmó con el mismo suave segundo plano de silencio que pacifica ciertas *rêveries* de Schumann, en las cuales, hasta cuando «el poeta habla», se adivina que «el niño duerme». Dormida, despierta, la volvería a encontrar aquella noche cuando me placiera volver a casa, a Albertina, a mi pequeña. Y, sin embargo, pensé, algo más misterioso que el amor de Albertina parecía prometer el principio de aquella obra, aquellos primeros gritos de alborada. Intenté dejar de pensar en mi amiga para pensar sólo en el músico. Precisamente el músico parecía estar allí. Dijérase que el autor, reencarnado, vivía para siempre en su música; se sentía el gozo con que elegía el color de tal timbre, con que lo combinaba con los demás. Pues Vinteuil unía a otros dones más profundos el que pocos músicos y aun pocos pintores han poseído: emplear colores no sólo tan permanentes, sino tan personales que ni el tiempo altera su frescor, ni los alumnos que imitan a quien los encontró, ni los mismos maestros que le superan, hacen palidecer su originalidad. La revolución

que se produce cuando aparece uno de esos artistas no in-
corpora anónimamente sus resultados a la época siguiente;
la revolución se desencadena, estalla de nuevo, y sólo cuando se vuelven a tocar las obras del innovador a perpetuidad.
Cada timbre iba subrayado de un color que todas las reglas
del mundo, aprendidas por los músicos más sabios, no podrían imitar, de suerte que Vinteuil, aunque llegado a su
hora y establecido en su lugar en la evolución musical, lo dejaría siempre para ir a ponerse a la cabeza en cuanto se tocara una de sus producciones, que debería parecer surgida
después de la de músicos más recientes, con ese carácter,
aparentemente contradictorio y realmente engañoso, de duradera novedad. Una página sinfónica de Vinteuil, ya conocida en piano y oída luego en orquesta, descubría, como un
tesoro oculto y multicolor, todas las piedras preciosas de *Las
mil y una noches,* como el prisma de la ventana descompone
un rayo de luz del verano antes de entrar en un comedor oscuro. Pero ¿cómo comparar con este inmóvil deslumbramiento de la luz lo que era vida, movimiento perpetuo y dichoso? Aquel Vinteuil al que yo había conocido tan tímido y
tan triste, cuando había que elegir un timbre, unirle a otro,
tenía unas audacias y, en todo el sentido de la palabra, una
alegría de la que, al oír una obra suya, no quedaba la menor
duda. El gozo que le causaban tales sonoridades, la nueva
fuerza que ese gozo le daba para descubrir otras, llevaban
también al oyente de hallazgo en hallazgo, o más bien era el
mismo creador quien le conducía, sacando de los colores
que acababa de encontrar un exaltado júbilo que le daba el
poder de descubrir, de lanzarse a otros nuevos que éstos podían suscitar, exultante, estremecido como al choque de una
chispa cuando lo sublime nace por sí mismo del encuentro
de los cobres, jadeante, ebrio, enloquecido, vertiginoso,
mientras pinta su gran fresco musical, como Miguel Ángel
atado a su escalera cabeza abajo, lanzando tumultuosos bro-
chazos al techo de la capilla Sixtina. Vinteuil había muerto

hacía bastantes años; pero, en medio de los instrumentos que amó, le fue dado continuar, por tiempo ilimitado, al menos una parte de su vida. ¿De su vida de hombre solamente? Si el arte no fuera más que una prolongación de la vida, ¿valdría la pena de sacrificarle nada? ¿No era tan irreal como la vida misma? Escuchando mejor aquel *septuor,* yo no podía pensarlo. Sin duda el rojeante *septuor* difería singularmente de la blanca Sonata; la tímida interrogación a la que respondía la pequeña frase, de la súplica ansiosa para que se cumpliera la extraña promesa, que tan agria, tan sobrenatural, tan breve había resonado, haciendo vibrar el rojo inerte todavía del cielo matinal sobre la mar. Y, sin embargo, aquellas frases tan diferentes estaban hechas de los mismos elementos; pues así como había cierto universo, perceptible para nosotros en esas parcelas dispersas acá y allá, en determinadas casas, en determinados museos, y que era el universo de Elstir, el que él veía, el que habitaba, así la música de Vinteuil extendía, nota a nota, tecla a tecla, las coloraciones desconocidas, inestimables, de un universo insospechado, fragmentado por las lagunas que dejaban entre ellas las audiciones de su obra; esas dos interrogaciones tan disímiles que presidían el movimiento tan diferente de la Sonata y del *septuor,* rompiendo una en cortas llamadas una línea continua y pura, volviéndola a soldar la otra en una armazón indivisible de los fragmentos dispersos, una tan calmosa y tímida, casi diferente y como filosófica, otra tan acuciante, tan ansiosa, tan implorante, eran, sin embargo, una misma plegaria, surgida ante diferentes auroras interiores, y sólo refractada a través de los medios diversos de otros pensamientos, de búsquedas de arte progresivas en el transcurso de los años en que quiso crear algo nuevo. Plegaria, esperanza que era en el fondo la misma, reconocible bajo sus disfraces en las diversas obras de Vinteuil y que, por otra parte, sólo se encontraba en las obras de Vinteuil. Los musicógrafos podrían muy bien encontrar a aquellas frases su parentesco, su genealogía, en las

obras de otros grandes músicos, pero sólo por razones acce-
sorias, semejanzas exteriores, analogías ingeniosamente halladas por el razonamiento más bien que sentidas por impresión directa. La que daban estas frases de Vinteuil era
diferente de cualquier otra, como si, pese a las conclusiones
que parecen desprenderse de la ciencia, existiera lo individual. Y precisamente cuando trataba con empeño de ser
nuevo, se reconocían, bajo las diferencias aparentes, las similitudes profundas y las semejanzas deliberadas que había
en su obra; cuando Vinteuil volvía, en diversas repeticiones,
a una misma frase, la diversificaba, se recreaba en cambiar
su ritmo, en hacerla reaparecer bajo su primera forma, y estas semejanzas, buscadas, obra de la inteligencia, forzosamente superficiales, no llegaban nunca a ser tan patentes
como las semejanzas disimuladas, involuntarias, que estallaban bajo colores diferentes entre las dos distintas obras
maestras; pues entonces Vinteuil, esforzándose por ser nuevo, se interrogaba a sí mismo y, con todo el poder de su esfuerzo creador, llegaba a su propia esencia en esas profundidades donde, a cualquier interrogación que se le haga,
responde con el mismo acento, el suyo propio. Un acento,
ese acento de Vinteuil, separado del acento de los demás músicos por una diferencia mucho mayor que la que percibimos entre la voz de dos personas, hasta entre el balido y el
grito de dos especies animales; una verdadera diferencia la
que había entre el pensamiento de este o del otro músico y
las eternas investigaciones de Vinteuil, la pregunta que se
planteó bajo tantas formas, su habitual especulación, pero
tan exenta de las formas analíticas del razonamiento como si
se ejerciera en el mundo de los ángeles, de suerte que podemos medir su profundidad, pero no traducirla al lenguaje
humano, como no pueden hacerlo los espíritus desencarna-
dos cuando, evocados por un *medium,* los interroga éste sobre los secretos de la muerte. Un acento, pues aun teniendo
en cuenta esa originalidad adquirida que me había impre-

sionado por la tarde, también ese parentesco que los musicógrafos pudieran encontrar entre músicos, es sin duda un acento único al que se elevan, al que vuelven sin querer esos grandes cantores que son los músicos originales y que es una prueba de la existencia irreductiblemente individual del alma. Tratara de hacer algo más solemne, más grande, o algo vivo y alegre, de hacer lo que veía embellecido al reflejarse en el espíritu del público, Vinteuil, sin quererlo, sumergía todo esto bajo una lámina de fondo que hace su canto eterno e inmediatamente reconocido. Este canto, diferente del de los demás, semejante a todos los suyos, ¿dónde lo aprendió, dónde lo oyó Vinteuil? Cada artista parece así como el ciudadano de una patria desconocida, por él mismo olvidada, diferente de aquella de donde vendrá, aparejando con destino a la tierra, otro gran artista. A lo sumo, Vinteuil parecía haberse aproximado a esa patria en sus últimas obras. En ellas la atmósfera no era ya la misma que en la Sonata, las frases interrogativas eran más apremiantes, más inquietas, las respuestas más misteriosas, el aire deslabazado de la mañana y de la noche parecía influir hasta en las cuerdas de los instrumentos. Por más que Morel tocara maravillosamente, los sonidos de su violín me parecieron muy penetrantes, casi chillones. Aquel agror placía y, como en ciertas voces, se sentía en él una especie de cualidad moral y de superioridad intelectual. Pero esto podía chocar. Cuando se modifica, cuando se depura la visión del universo, resulta más adecuada al recuerdo de la patria interior, y es muy natural que esto se traduzca en el músico en una alteración general de las sonoridades, como del color en el pintor. Y el público más inteligente no se equivoca en esto, puesto que más tarde se consideraron las últimas obras de Vinteuil las más profundas. Pero ningún programa, ningún tema aportaba un elemento intelectual de juicio. Se adivinaba, pues, que se trataba de una trasposición, en el orden sonoro, de la profundidad.

Los músicos no se acuerdan de esa patria perdida, pero

todos permanecen siempre inconscientemente armoniza-
dos al unísono con ella en cierto modo; cada uno delira de
alegría cuando canta al modo de su patria, la traiciona a veces por amor a la gloria, pero entonces, buscando la gloria,
la huye, y sólo desdeñándola la encuentra, cuando entona
ese canto singular cuya monotonía –pues cualquiera que sea
el tema que trata permanece idéntico a sí mismo– demuestra en el músico la fijeza de los elementos que componen su
alma. Pero entonces, ¿no es verdad que esos elementos, todo
ese residuo real que nos vemos obligados a guardar para
nosotros mismos, que la conversación no puede transmitir
ni siquiera del amigo al amigo, del maestro al discípulo, del
amante a la amada, esa cosa inefable que diferencia cualitati-
vamente lo que cada uno ha sentido y que tiene que dejar en
el umbral de las frases donde no puede comunicar con otro
si no limitándose a puntos exteriores comunes a todos y sin
interés, el arte, el arte de un Vinteuil como el de un Elstir, le
hace surgir, exteriorizando en los colores del espectro la
composición íntima de esos mundos que llamamos los individuos y que sin el arte no conoceríamos jamás? Unas alas,
otro aparato respiratorio, que nos permitiesen atravesar la
inmensidad, no nos servirían de nada, pues trasladándonos
a Marte o a Venus con los mismos sentidos, darían a lo que
podríamos ver el mismo aspecto de las cosas de la tierra. El
único viaje verdadero, el único baño de juventud, no sería ir
hacia nuevos paisajes, sino tener otros ojos, ver el universo
con los ojos de otro, de otros cien, ver los cien universos que
cada uno de ellos ve, que cada uno de ellos es; y esto podemos hacerlo con un Elstir, con un Vinteuil, con sus semejantes, volamos verdaderamente de estrella en estrella.

La frase con que acaba de terminar el andante era de una
ternura a la que yo me entregué por entero; antes del movimiento siguiente hubo un momento de descanso en el que
los ejecutantes dejaron sus instrumentos y los oyentes inter-
cambiaron impresiones. Un duque, para demostrar que era

entendido, dijo: «Es muy difícil tocar el violín». Algunas personas más agradables hablaron un momento conmigo. Pero ¿qué eran sus palabras, que, como toda palabra humana exterior, me dejaban tan indiferente, al lado de la celestial frase musical con la que yo acababa de hablar? Yo era verdaderamente como un ángel que, arrojado de las delicias del paraíso, cae en la más insignificante realidad. Y así como algunos seres son los últimos testigos de una forma de vida que la naturaleza ha abandonado, me preguntaba si no sería la música el ejemplo único de lo que hubiera podido ser la comunicación de las almas de no haberse inventado el lenguaje, la formación de las palabras, el análisis de las ideas. La música es como una posibilidad que no se ha realizado; la humanidad ha tomado otros caminos, el del lenguaje hablado y escrito. Pero este retorno a lo no analizado era tan fascinante que, al salir de tal paraíso, el contacto de los seres más o menos inteligentes me parecía de una insignificancia extraordinaria. De los seres podía haberme acordado durante la música, mezclarlos con ella; o más bien había unido a ella el recuerdo de una sola persona, de Albertina. Y la frase que terminaba en andante me parecía tan sublime que pensaba cuán lamentable era que Albertina no supiera, y, de saberlo, no lo comprendiera, qué honor era para ella estar incorporada a algo tan grande que nos unía y cuya patética voz parecía haber tomado ella. Pero una vez interrumpida la música, los seres que allí estaban parecían muy insignificantes. Se sirvieron refrescos. Monsieur de Charlus interpelaba de cuando en cuando a un criado: «¿Cómo está? ¿Recibió mi neumático[1]? ¿Vendrá usted?» En estas interpelaciones había sin duda la libertad del gran señor que cree honrar a un inferior y que es más pueblo que el burgués, pero también la

---

1. Así se llama en París a un mensaje escrito, entre carta y telegrama, que, enviado a través de un tubo de una a otra estafeta de correos, llega rápidamente al destinatario. *(N. de la T.)*

pillería del culpable que cree que si hace ostentación de una
cosa le juzgarán por eso mismo inocente de ella. Y añadía, en
el tono Guermantes de madame de Villeparisis: «Es un buen
chico, tiene muy buen carácter, yo le suelo emplear en mi
casa». Pero estas precauciones se volvían contra el barón,
pues sus amabilidades tan íntimas con los criados, los neu-
máticos que les mandaba llamaban la atención. Y para éstos,
el halago era menor que el azoramiento con sus compañeros.

Mientras tanto, los músicos habían reanudado el *septuor*.
De cuando en cuando reaparecía alguna frase de la Sonata,
pero, variada cada vez con un ritmo y con un acompañamiento diferentes, aun siendo la misma era distinta, como
las cosas que vuelven en la vida; y era una de esas frases que,
sin que se pueda comprender qué afinidad les asigna como
residencia única y necesaria el pasado de un determinado
músico, sólo se encuentran en su obra, y aparecen constantemente en ella, de la que son como las hadas, las driadas, las
divinidades familiares; yo distinguí primero en el *septuor*
dos o tres que me recordaron la Sonata. Después –envuelta
en la neblina violeta que se levantaba, sobre todo en el último período de la obra de Vinteuil, hasta el punto de que, incluso cuando introducía en algún pasaje una danza permanecía cautiva en un ópalo– percibí otra frase de la Sonata,
tan lejana aún que apenas la reconocía; se acercó vacilante,
desapareció como asustada, volvió luego, se unió con otras,
procedentes, como más tarde supe, de otras obras, atrajo a
otras que resultaban a su vez atrayentes y persuasivas una
vez domeñadas, y entraban en la ronda, en la ronda divina
pero invisible para la mayoría de los oyentes, quienes, sin
otra cosa ante ellos que un velo confuso a través del cual no
veían nada, puntuaban arbitrariamente con exclamaciones
admirativas un aburrimiento continuo que creían mortal.
Después aquellas frases se alejaron, menos una que vi pasar
de nuevo hasta cinco o seis veces, sin poder verle el rostro,

pero tan tierna, tan diferente –sin duda como la pequeña
frase de la Sonata para Swann– de lo que ninguna mujer me
había hecho desear, que aquella frase, aquella frase que
me ofrecía con una voz tan dulce una felicidad que verdaderamente hubiera valido la pena obtener, es quizá –criatura
invisible cuyo lenguaje no conocía yo, pero entendía muy
bien– la única desconocida que jamás me fue dado encontrar. Después aquella frase se esfumó, se transformó, como
la pequeña frase de la Sonata, y volvió a ser la misteriosa llamada del principio. A él se opuso otra frase de carácter doloroso, pero tan profundo, tan vago, tan interno, casi tan or-
gánico y visceral, que en cada una de sus reapariciones no se
sabía si lo que reaparecía era un tema o una neuralgia. En seguida los dos motivos lucharon entre sí en un cuerpo a cuerpo en el que a veces desaparecía por completo uno de ellos y
luego ya no se veía más que un trozo del otro. En realidad,
sólo cuerpo a cuerpo de energías; pues si aquellos seres se
enfrentaban, lo hacían libres de su ser físico, de su apariencia, de su nombre, y teniendo en mí un espectador interior
–despreocupado también él de los nombres y del particular–
para interesarse por su combate inmaterial y dinámico y seguir con pasión sus peripecias sonoras. Por fin triunfó el
motivo jubiloso; ya no era una llamada casi inquieta lanzada detrás de un cielo vacío, era un gozo inefable que parecía
venir del paraíso, un gozo tan diferente del de la Sonata que
de un ángel dulce y grave de Bellini tocando la tiorba podría
pasar a ser, vestido de una túnica escarlata, un arcángel de
Mantegna tocando un buccino. Yo sabía que este nuevo matiz del gozo, esa llamada a una alegría supraterrestre, no la
olvidaría nunca. Pero ¿sería alguna vez realizable para mí?
Esta cuestión me parecía tanto más importante cuanto que
aquella frase era lo que mejor podría caracterizar –por-que
rompía con el resto de la vida, con el mundo visible– las impresiones que a lejanos intervalos volvía a encontrar yo en
mi vida como puntos de referencia, como piedras miliares

para la construcción de una verdadera vida: la impresión que sintiera ante los campanarios de Mairtinville, ante una hilera de árboles cerca de Balbec. En todo caso, volviendo al acento particular de aquella frase, ¡cuán singular era que el presentimiento más diferente de lo que asigna la vida vulgar, la aproximación más atrevida a las alegrías del más allá se hubiera materializado precisamente en el triste pequeño burgués de buenas costumbres con el que nos encontramos en Combray en el mes de María! Pero, sobre todo, ¿por qué aquella revelación, la más extraña que yo recibiera hasta entonces, de un tipo de gozo desconocido la recibí de él, puesto que, según decían, cuando murió no dejó más que su Sonata, pues el resto permanecía inexistente en notaciones indescifrables? Indescifrables, pero que, sin embargo, a fuerza de paciencia, de inteligencia y de respeto, acababan por ser descifrables para la única persona que había vivido cerca de Vinteuil lo suficiente para conocer bien su manera de trabajar, para adivinar sus indicaciones de orquesta: la amiga de mademoiselle Vinteuil. En vida misma del gran músico, aprendió de la hija el culto que ésta tenía por su padre. Y por este culto las dos jóvenes, en esos momentos en que se vive en contra de las verdaderas inclinaciones, las dos muchachas pudieron encontrar un placer demencial en las profanaciones que se han contado. (La adoración a su padre era la condición misma del sacrilegio de la hija; y, sin duda, hubieran debido privarse de la voluptuosidad de este sacrilegio, pero esa voluptuosidad no las definía por entero.) Y, por otra parte, las profanaciones se fueron rarificando, hasta desaparecer por completo, a medida que aquellas relaciones carnales y enfermizas, aquel turbio y humoso fuego fue siendo reemplazado por la llama de una amistad elevada y pura. A la amiga de mademoiselle Vinteuil la punzaba a veces el importuno pensamiento de que quizá había precipitado la muerte de Vinteuil. Al menos, pasando años en poner en limpio el galimatías que dejó Vinteuil, indagando la lectura

verdadera de aquellos jeroglíficos desconocidos, la amiga de
Vinteuil tuvo el consuelo de asegurar una gloria inmortal y
compensadora al músico cuyos últimos años ensombrecie-
ra ella. De relaciones no consagradas por las leyes nacen lazos de parentesco tan múltiples, tan complejos, como los
que crea el matrimonio y más sólidos. Aun sin detenernos
en unas relaciones de índole tan especial, ¿no vemos todos
los días que el adulterio, cuando se funda en el verdadero
amor, no altera los sentimientos de familia, los deberes de
parentesco, sino que los vivifica? En este caso, el adulterio
introduce el espíritu en la letra, que en muchos casos el matrimonio habría matado. Una buena hija que, por simple
conveniencia, lleve luto por el segundo marido de su madre
no tendrá lágrimas bastantes para llorar al hombre que su
madre había elegido por amante. Por lo demás, mademoiselle Vinteuil no obró por sadismo, lo que no la disculpaba,
pero más tarde sentí cierta dulzura en pensarlo. Me decía
que mademoiselle Vinteuil, cuando profanaba con su amiga
el retrato de su padre, debía de darse cuenta de que todo
aquello era enfermizo, insania, y no la verdadera y gozosa
perversidad que ella había querido. Esta idea de que era sólo
una simulación de maldad le malograba el placer. Pero si pasado el tiempo se le pudo ocurrir tal idea, debió de disminuir
su sufrimiento en la medida en que había aminorado su placer. «No era yo –debió de decirse–, estaba enajenada. Yo, yo
misma, todavía puedo rezar por mi padre, no desesperar de
su bondad.» Pero es posible que esta idea, que seguramente
se le había ocurrido en el placer, no se le ocurriera en el sufrimiento. Yo hubiera querido meterla en su mente. Estoy seguro de que le habría hecho bien y de que yo hubiera podido
restablecer entre ella y el recuerdo de su padre una comunicación bastante dulce.

Como en los ilegibles cuadernos donde un químico genial, sin saber tan próxima la muerte, hubiera anotado descubrimientos que quizá permanecerían siempre ignorados,

así la amiga de mademoiselle Vinteuil sacó, de papeles más
ilegibles que papiros cubiertos de escritura cuneiforme, la
fórmula eternamente verdadera, fecunda para siempre, de
aquel gozo desconocido, la esperanza mística del ángel escarlata de la mañana. Y yo, para quien, aunque quizá menos
que para Vinteuil, había sido también mademoiselle Vinteuil causa de tantos sufrimientos y acababa de serlo aquella
misma noche despertando de nuevo mis celos por Albertina, y sobre todo iba a serlo en el futuro, en compensación,
gracias a ella pude recibir la extraña llamada que ya nunca
dejaría de oír como la promesa de que existía algo más, sin
duda realizable por el arte, que el vacío que había encontrado en todos los placeres y hasta en el amor mismo, y que si
mi vida me parecía tan vana, al menos no lo había cumplido
todo.

Lo que, gracias a la labor de mademoiselle Vinteuil, pudi-
mos conocer de Vinteuil, era en realidad toda la obra de Vinteuil; al lado del *septuor,* algunas frases de la Sonata, las únicas que el público conocía, resultaban tan triviales que no
era fácil comprender cómo habían podido suscitar tanta admiración. Así nos sorprende que, durante algunos años, trozos tan insignificantes como la *Romanza de la estrella,* la
Oración de Isabel pudieran tener un concierto de entusiastas
fanáticos que se extenuaban aplaudiendo y gritando *bis*
cuando terminaba lo que, sin embargo, para nosotros, que
conocemos *Tristán, El oro del Rin, Los maestros cantores,* no
es más que insípida pobreza. Hay que suponer que estas me-
lodías sin carácter contenían ya, sin embargo, en cantidades
infinitesimales, y por esto mismo quizá más asimilables,
algo de la originalidad de las obras maestras que sólo retrospectivamente cuentan para nosotros, pero que, por su misma perfección, acaso no podían ser comprendidas entonces;
han podido prepararles el camino en los corazones. El caso
es que, aunque ofrecieran un anticipo confuso de las bellezas futuras, dejaban éstas completamente inéditas. Lo mis-

mo ocurría con Vinteuil; si al morir no hubiera dejado –exceptuando ciertas partes de la Sonata– más que lo que había podido terminar, lo que se hubiera conocido de él habría sido, comparado con su verdadera grandeza, tan poca cosa como para Victor Hugo, por ejemplo, si hubiera muerto después de *Le pas d'armes du roi Jean, La fiancée du timbalier* y *Sarah la baigneuse,* sin haber escrito nada de *La légende des siècles* y de *Les contemplations;* lo que es para nosotros su verdadera obra habría permanecido puramente virtual, tan desconocido como esos universos a los que no llega nuestra percepción, de los que no tendremos jamás idea.

Por lo demás, este aparente contraste, esta profunda unión entre el genio (también el talento, y hasta la virtud) y la envoltura de los vicios donde, como ocurrió con Vinteuil, suele estar contenido, conservado, se podían leer, como en una vulgar alegoría, en la misma reunión de los invitados entre los que volví a encontrarme cuando acabó la música. Aquella reunión, aunque limitada entonces al salón de madame Verdurin, se parecía a otras muchas cuyos ingredientes ignora el público grueso y que los periodistas filósofos, si están un poco enterados, llaman parisienses, o *panamistes* [1], o dreyfusistas, sin saber que se pueden ver lo mismo en San Petersburgo, en Berlín, en Madrid y en todos los tiempos; si aquella noche estaban en casa de madame Verdurin personalidades como el subsecretario de Bellas Artes, hombre verdaderamente artista, bien educado y *snob,* algunas duquesas y tres embajadores con sus mujeres, el motivo próximo, inmediato, de su presencia radicaba en las relaciones existentes entre monsieur de Charlus y Morel, relaciones que inspiraban al barón el deseo de dar la mayor resonancia posible a los triunfos artísticos de su joven ídolo y de obtener para él la cruz de la Legión de Honor; la causa más lejana que

1. De *Paname,* París en argot. *(N. de la T.)*

hizo posible aquella reunión era que una muchacha que sostenía con mademoiselle Vinteuil unas relaciones paralelas a las de Charlie y el barón dio a la luz toda una serie de obras geniales y que fueron tan sensacional revelación que no tardó en abrirse una suscripción, bajo el patrocinio del ministro de Instrucción Pública, para levantar una estatua a Vinteuil. Por otra parte, sirvieron a estas obras, tanto como las relaciones de mademoiselle Vinteuil con su amiga, las del barón con Charlie, una especie de atajo por el cual iba el mundo a llegar a esas obras sin el rodeo, si no de una incomprensión que persistiría durante mucho tiempo, al menos de una ignorancia total que hubiera podido durar años. Cada vez que se produce un hecho accesible a la vulgaridad de espíritu del periodista filósofo, es decir, generalmente un hecho político, los periodistas filósofos están convencidos de que algo ha cambiado en Francia, de que ya no se volverán a ver tales veladas, de que ya no se admirará a Ibsen, a Renan, a Dostoievsky, a D'Annunzio, a Tolstói, a Wagner, a Strauss. Pues los periodistas filósofos sacan argumentos de los entretelones equívocos de esas manifestaciones oficiales para encontrar algo de decadente en el arte que ellas glorifican, y que generalmente es el más austero de todos. Pues entre los nombres más venerados por el periodista filósofo no hay ninguno que no haya dado lugar, con toda naturalidad, a esas fiestas extrañas, aunque su extrañeza fuera menos flagrante y más oculta. En cuanto a aquella fiesta, los elementos impuros que en ella se conjugaban me impresionaban desde otro punto de vista: cierto que yo estaba en mejor situación que nadie para disociarlos, porque aprendí a conocerlos separadamente; pero sobre todo unos, los que se referían a mademoiselle Vinteuil y a su amiga, al hablarme de Combray, me hablaban también de Albertina, es decir, de Balbec, ya que por haber visto en otro tiempo a mademoiselle Vinteuil en Montjouvain y haberme enterado de la intimidad de su amiga con Albertina, iba a encontrar ahora, al

volver a casa, en lugar de la soledad, a Albertina esperándo-
me; y los que se referían a Morel y a monsieur de Charlus, al
hablarme de Balbec, donde vi nacer sus relaciones en el an-
dén de Doncières, me hablaban de Combray y de sus dos lados, pues monsieur de Charlus era uno de aquellos Guermantes, condes de Combray, que vivían en Combray sin
tener allí alojamiento, entre cielo y tierra, como Gilberto el
Malo en su vidriera, y Morel era hijo de aquel viejo criado
que me hizo conocer a la dama de rosa y, tantos años después, reconocer en ella a madame Swann[1].

1. «–Bien interpretado, ¿verdad? –dijo monsieur Verdurin a Saniette.
    –Pero temo –contestó éste tartamudeando– que el mismo virtuosis-
mo de Morel oscurezca un poco el sentimiento general de la obra.
    –¡Oscurecer! ¿Qué quiere usted decir con eso? –bramó monsieur Ver-
durin, mientras los invitados se aglomeraban, dispuestos, como leones,
a devorar al hombre derribado.
    –¡Oh!, no me refiero sólo a él...
    –Ya no sabe ni lo que dice. ¿Referirse a qué?
    –Tendría que..., que... oír... otra vez para juzgar rigurosamente.
    –¡Rigurosamente! ¡Está loco! –dijo monsieur Verdurin llevándose las
manos a la cabeza–. Habría que llevárselo.
    –Quiero decir con exactitud; usted... tiene razón... con una exactitud
rigurosa. Digo que no puedo juzgar en rigor.
    –Y yo le digo a usted que se marche –gritó monsieur Verdurin ciego
de ira, señalándole la puerta con el dedo, echando llamas por los ojos–.
¡No permito que se hable así en mi casa!
    Saniette se marchó haciendo eses como un borracho. Algunas perso-
nas pensaron que no había sido invitado para echarle de aquella manera.
Y una señora muy amiga suya hasta entonces, a quien Saniette había
prestado la víspera un libro precioso, se lo devolvió al día siguiente sin
una palabra, apenas envuelto en un papel en el que mandó a su mayordomo escribir, sin más, la dirección de Saniette; no quería "deber nada"
a una persona que estaba visiblemente lejos de gozar del favor del pequeño núcleo. Por lo demás, Saniette ignoró esta impertinencia, pues no habían transcurrido cinco minutos desde la algarada de monsieur Verdurin, cuando un criado llegó a decir al patrón que monsieur Saniette
había caído fulminado por un ataque en el patio del hotel. Pero la velada
no terminó. "Diga que le lleven a su casa, no será nada", ordenó el patrón, cuyo hotel "particular", como diría el director del hotel de Balbec,

Terminada la música, y al despedirse de él los invitados, monsieur de Charlus repitió el mismo error que cuando llegaron. No les dijo que se acercaran a la patrona, hicieran extensivo a ella y a su marido el agradecimiento que le expresaban a él. Fue un largo desfile, pero un desfile solamente ante el barón, y no es que él no se diera cuenta, pues me dijo a los pocos minutos:

–La forma misma de la manifestación artística ha tomado después un aspecto «sacristía» bastante curioso.

Y hasta se prolongaban las gracias con diferentes comentarios que permitían quedarse un poco más con el barón, mientras que los que no le habían felicitado todavía por el éxito de *su* fiesta esperaban impacientes. (Más de un marido tenía ganas de marcharse; pero su mujer, *snob* aunque duquesa, protestaba: «No, no, aunque tuviéramos que esperar una hora, no podemos marcharnos sin dar las gracias a Palamède, que tanto trabajo se ha tomado. Hoy en día no hay nadie más que él que pueda dar fiestas así.» A nadie se le hubiera ocurrido hacerse presentar a madame Verdurin, como no se les ocurriría hacerse presentar a la acomodadora de un teatro en el que una gran dama recibiera una noche a toda la aristocracia.)

–¿Estuvo ayer en casa de Eliana de Montmorency, primo? –preguntó madame de Mortemart, con el deseo de prolongar la conversación.

–Pues no; quiero bien a Eliana, pero no comprendo el sentido de sus invitaciones. Debo de ser un poco obtuso –añadió monsieur de Charlus con una sonrisa satisfecha, mien-

quedó así asimilado a esos grandes hoteles donde se apresuran a ocultar las muertes repentinas para no impresionar a la clientela y donde meten provisionalmente al difunto en una despensa para sacarlo después clandestinamente, así fuera en vida el más brillante y el más generoso de los hombres, por la puerta de servicio. De todos modos, tanto como muerto no lo estaba Saniette. Vivió todavía unas semanas, pero sin recobrar el conocimiento más que pasajeramente.» [Fragmento añadido aquí, a pie de página, en la edición de La Pléiade. *(N. de la T.)*]

tras madame de Mortemart presentía que iba a tener las primicias de «una de Palamède» como las solía tener de Oriana–. Sí que recibí hace unos quince días una tarjeta de la simpática Eliana. Sobre el nombre, discutido, de Montmorency, había esta amable invitación: «Primo, hágame el honor de pensar en mí el viernes próximo a las nueve y media». Debajo, estas dos palabras, no tan graciosas: «Quatuor Checo». Me parecieron ininteligibles, en todo caso sin más relación con la frase precedente que esas cartas al dorso de las cuales se ve que el autor había empezado otra carta con las palabras: «Querido amigo», sin más, y no tomó otro papel, bien por distracción, bien por economía. Quiero bien a Eliana y no se lo tuve en cuenta: me limité a no hacer caso de las palabras, extrañas e inoportunas, de «quatuor checo», y como soy hombre de orden, puse encima de la chimenea la invitación a pensar en madame de Montmorency el viernes a las nueve y media. Aunque tengo fama de obediente, puntual y pacífico, como dice Buffon del camello –y la risa aumentó en torno a monsieur de Charlus, quien sabía que, al contrario, le tenían por el hombre más difícil de tratar–, me retrasé unos minutos (el tiempo de cambiar de traje), y sin demasiado remordimiento, pensando que las nueve y media querían decir las diez. Y a las diez en punto, vistiendo una buena bata, calzado con unas gruesas zapatillas, me senté a la chimenea a pensar en Eliana como ella me pedía, y con una intensidad que no empezó a disminuir hasta las diez y media. Díganle, por favor, que obedecí estrictamente a su audaz petición. Supongo que quedará contenta.

Madame de Mortemart estaba muerta de risa, y monsieur de Charlus con ella.

–¿Irá usted mañana –añadió, sin pensar que había rebasado, y con mucho, el tiempo que podían concederle– a casa de nuestros primos La Rochefoucauld?

–¡Oh, imposible!, me han invitado, como a usted, lo veo, a la cosa más imposible de concebir y de realizar que se llama, a creer en la tarjeta de invitación, un *thé dansant*. Cuando era joven tenía fama de diestro, pero dudo que pudiera tomar el té bailando sin faltar a las conveniencias. Y nunca me ha gustado comer ni beber suciamente. Me dirá usted que ya no tengo que bailar. Pero aun confortablemente sentado para tomar el té –de cuya calidad desconfío, además, desde el momento en que lo titulan danzante–, temería que otros invitados más jóvenes que yo, y quizá menos diestros que lo era yo a su edad, derramasen su taza sobre mi frac, lo que me quitaría el placer de vaciar la mía.

Y monsieur de Charlus ni siquiera se contentaba con omitir en la conversación a madame Verdurin y hablar de toda clase de temas (que parecía complacerse en desarrollar y en variar, por el cruel placer, placer que siempre había sentido, de tener indefinidamente de pie, «haciendo cola», a los amigos que esperaban su turno con una paciencia agotadora). Hasta criticaba toda la parte de la velada que había corrido a cargo de madame Verdurin:

–Pero, a propósito de taza, ¿qué tazas semiesféricas son ésas, parecidas a las que traían con los sorbetes de casa de Poiré Blanche cuando yo era muchacho? Alguien me dijo hace un momento que eran para «café helado». Pero en cuanto a eso de café helado, yo no he visto ni café ni helado. ¡Qué cositas más curiosas con un destino mal definido!

Para decir esto, monsieur de Charlus colocó en torno a su boca las manos enguantadas de blanco y redondeó prudentemente los ojos señaladores como si temiera que le oyeran y hasta que le vieran los dueños de la casa. Pero no era fingimiento, pues al poco rato fue a hacer a la misma patrona las mismas críticas, y aun añadió insolente:

–¡Y sobre todo nada de tazas de café helado! Déselas a una amiga suya si quiere estropearle la casa. Pero que no las ponga en el salón, pues pudiera ocurrir que en un apuro alguien creyera que se había equivocado de habitación, porque son exactamente unos orinales.

–Pero, primo –decía la invitada, bajando ella también la voz y mirando a monsieur de Charlus con gesto interrogativo no por miedo de molestar a madame Verdurin, sino de molestarle a él–, quizá esa señora no sabe todavía muy bien todas esas cosas...

–Se las enseñaremos.

–¡Oh! –reía la invitada–, no podría encontrar mejor profesor. ¡Tiene suerte! Con usted se puede estar seguro de que no habrá una nota falsa.

–En todo caso, no la ha habido en la música.

–¡Oh, ha sido sublime! Estos goces no se olvidan jamás. A propósito de ese violinista genial –continuó, creyendo, en su inocencia, que monsieur de Charlus se interesaba por el violín «en sí»–, ¿conoce usted a uno al que oí el otro día tocar maravillosamente una sonata de Fauré y que se llama Frank?

–Sí, es un horror –contestó monsieur de Charlus, sin importarle la grosería de una respuesta que significaba que su prima no tenía el menor gusto–. En cuestión de violinistas, le aconsejo que se atenga al mío.

Iban a recomenzar entre monsieur de Charlus y su prima las miradas, a la vez bajas e inquisitivas, pues madame de Mortemart, sonrojada y queriendo reparar con su celo su coladura, iba a proponer a monsieur de Charlus dar una fiesta para que tocara Morel. Mas para ella el fin de aquella velada no era dar a conocer un talento, aunque ella lo pretendiera así, como era, en realidad, el que se propusiera monsieur de Charlus. Madame de Mortemart sólo buscaba una ocasión para dar una fiesta muy elegante, y ya calculaba a quién iba a invitar y a quién no. Esta selección, cuidado predominante de las gentes que dan fiestas (incluso aquellos que los periódicos mundanos tienen el atrevimiento o la estupidez de llamar «la crema»), altera en seguida la mirada –y la letra– más profundamente de lo que pudiera hacerlo la sugestión de un hipnotizador. Incluso antes de pensar en lo que Morel tocaría (preocupación considerada secundaria, y con razón, pues aun cuando todo el mundo tuviera, por monsieur de Charlus, el cuidado de callarse durante la música, en cambio a nadie se le ocurriría escucharla), madame de Mortemart, decidida a no incluir a madame de Valcourt entre las «elegidas», tomó por esto mismo el aire de conjura, de conspiración, que tanto rebaja hasta a las mujeres del gran mundo que más fácilmente podrían reírse del qué dirán.

–¿No podría dar yo una fiesta para que oyeran a su amigo? –dijo en voz baja madame de Mortemart, que mientras hablaba a monsieur de Charlus no pudo menos de mirar, como fascinada, a madame de Valcourt (la excluida) con el fin de cerciorarse de que ésta se encontraba a suficiente distancia para no oírla. «No, no puede entender lo que digo», concluyó mentalmente madame de Mortemart, tranquilizada por su propia mirada, que había tenido, en cambio, sobre madame de Valcourt un efecto por completo diferente del que se proponía: «Vaya –se dijo madame de Valcourt viendo aquella mirada–, María Teresa debe de estar preparando con Palamède algo en lo que yo no debo tomar parte».

–Querrá usted decir mi protegido –rectificó monsieur de Charlus, que no tenía más piedad para el saber gramatical que para los dones musicales de su prima. Después, sin hacer caso de las tácitas súplicas de ésta, que se disculpaba ella misma sonriendo–. Pues sí... –dijo con voz fuerte y que podía ser oída por todo el salón–, aunque siempre es peligroso ese género de exportación de una personalidad fascinante a un medio que por fuerza le hace sufrir una depreciación de su poder trascendental y que, en todo caso, habría que apropiarse.

Madame de Mortemart pensó que el *mezzo voce*, el *pianissimo*, habían sido trabajo perdido, después del vozarrón por el que había pasado la respuesta. Se equivocó, porque madame de Valcourt no oyó nada, por la sencilla razón de que no entendió una sola palabra. Su inquietud disminuyó, y se habría esfumado rápidamente si madame de Mortemart, te-

miendo que le hubiera salido mal la combinación y tuviera
que invitar a madame de Valcourt, con la que tenía una relación demasiado estrecha para darle de lado si la otra se enteraba «de antemano», no hubiese levantado de nuevo los párpados en dirección a Edith, como para no perder de vista un
peligro amenazador, pero bajándolos de nuevo en seguida
para no comprometerse demasiado. Esperaba escribirle al
día siguiente de la fiesta una de esas cartas, complemento de
la mirada reveladora, que se creen hábiles y que son como
una confesión sin reticencias y firmada. Por ejemplo: «Querida Edith, estoy enojada con usted, no estaba muy segura de
que viniera anoche (¿cómo lo iba a estar, se diría Edith, si no
me había invitado?), pues ya sé que no le gustan mucho esta
clase de reuniones, que más bien le aburren. Pero nos hubiera honrado mucho tenerla con nosotros (madame de Mortemart no empleaba nunca este término, "honrado", a no ser
en las cartas en que procuraba dar a una mentira una apariencia de verdad). Ya sabe que en esta casa está siempre en
la suya. Por otra parte, hizo bien en no venir, pues fue un
verdadero fracaso, como todas las cosas improvisadas en
dos horas, etc.» Pero ya la mirada furtiva lanzada sobre ella
había hecho comprender a Edith todo lo que ocultaba el
complicado lenguaje de monsieur de Charlus. Una mirada
tan fuerte que, después de caer sobre madame de Valcourt,
el secreto evidente y la intención de tapujo que contenía re-
botaron sobre un joven peruano a quien sí pensaba invitar
madame de Mortemart. Pero el peruano, notando hasta la
evidencia los misterios que se tramaban, sin fijarse en que
no eran por él, sintió en seguida un odio tremendo hacia
madame de Mortemart y se juró hacerle mil malas pasadas,
tales como mandar que le enviaran cincuenta cafés helados
a su casa un día que no recibiera, hacer publicar en los periódicos, un día en que recibiera, una nota diciendo que la fiesta
se había aplazado y unas falsas reseñas de las siguientes con
nombres, conocidos por todos, de personas a las que, por di-

versas razones, no sólo no las reciben en el gran mundo, sino
que ni siquiera permiten que se las presenten. Madame de
Mortemart hacía mal en preocuparse por madame de Valcourt. Monsieur de Charlus iba a encargarse de desnaturali-
zar, mucho más de lo que lo hubiera hecho la presencia de
ésta, la fiesta proyectada.

–Pero, primo –dijo contestando aquello del «medio»,
cuyo sentido le había permitido adivinar su estado momentáneo de hiperestesia–, le evitaremos todo trabajo. Yo me encargo de pedir a Gilberto que se ocupe de todo.

–No, de ninguna manera, y mucho menos porque no se le
va a invitar. No se hará nada sin mí. Se trata, ante todo, de las
personas que tienen oídos y no oyen.

La prima de monsieur de Charlus, que contaba con la
atracción de Morel para dar una fiesta en la que podría decir
que, a diferencia de tantos parientes, «había tenido a Palamède», trasladó bruscamente su pensamiento de este prestigio de monsieur de Charlus a muchas personas con las que
iba a indisponerla si él se ponía a excluir y a invitar. La idea
de que no iba a ser invitado el príncipe de Guermantes (por
el cual, en parte, deseaba ella excluir a madame de Valcourt,
a la que él no recibía) la asustaba. El susto se le notó en los
ojos.

–¿Le hace daño la luz un poco demasiado viva? –preguntó
monsieur de Charlus con una aparente seriedad cuya profunda ironía no percibió madame de Mortemart.

–No, nada de eso, estaba pensando en la dificultad que
podría provocar, no para mí, naturalmente, sino para los
míos, que Gilberto supiera que yo había dado una fiesta sin
invitarle, cuando él no reúne nunca cuatro gatos sin...

–Pero, precisamente, empezaremos por suprimir los cuatro gatos, que no harían más que maullar; creo que el ruido
de las conversaciones le ha impedido comprender que no se
trataba de quedar bien con una fiesta, sino de proceder a los
ritos propios de toda verdadera celebración.

Dicho esto, monsieur de Charlus, juzgando no que la persona siguiente había esperado demasiado, sino que no estaba bien exagerar los favores otorgados a la que había pensado mucho menos en Morel que en sus propias «listas» de invitación, como un médico que da por terminada la consulta cuando cree que ha esperado el tiempo suficiente, hizo ver a su prima que debía retirarse no diciéndole adiós, sino dirigiéndose a la persona que venía inmediatamente después.

–Buenas noches, madame de Montesquiou, ha sido maravilloso, ¿verdad? No he visto a Elena; dígale que toda abstención general, aun la más noble, lo que equivale a decir la suya, tiene excepciones, si son extraordinarias, como en el caso de hoy. Lo raro está bien, pero anteponer a lo raro, que no es más que negativo, lo precioso, está mejor aún. Para su hermana, cuya sistemática *ausencia* estimo yo más que nadie cuando lo que la espera no la merece, en cambio, en una manifestación memorable como ésta su presencia hubiera sido una precedencia y hubiera dado a su hermana de usted, ya tan prestigiosa, un prestigio más.

Después pasó a otra. Me sorprendió ver allí, tan amable y adulador con monsieur de Charlus como seco estuviera con él otras veces, pidiéndole que le presentara a Charlie y diciéndole que esperaba que fuera a verle, a monsieur d'Argencourt, aquel hombre tan terrible para la especie de hombres a que pertenecía monsieur de Charlus. El caso es que ahora vivía rodeado de ellos. No, ciertamente, porque se hubiera convertido. Pero desde hacía algún tiempo había casi abandonado a su mujer por una del gran mundo a la que adoraba. Esta mujer, inteligente, le hacía compartir su inclinación hacia las personas inteligentes y tenía muchas ganas de que monsieur de Charlus fuera a su casa. Pero, sobre todo, monsieur d'Argencourt, muy celoso y un poco impotente, dándose cuenta de que satisfacía mal a su conquista y queriendo a la vez preservarla y distraerla, sólo podía hacerlo sin peligro rodeándola de hombres inofensivos, que desempeñaban para él el cometido de guardianes del serrallo. Éstos pensaban que se había vuelto muy simpático y le proclamaban mucho más inteligente de lo que antes creyeran, con gran satisfacción de su amante y de él.

Las invitadas de monsieur de Charlus se fueron bastante pronto. Muchas decían: «Yo no quisiera ir a la sacristía (el saloncito donde el barón, con Charlie a su lado, recibía las felicitaciones), pero convendría que me viera Palamède para que sepa que me he quedado hasta el final». Ninguna se ocupaba de madame Verdurin. Algunas fingieron no reconocerla y despedirse por error de madame Cottard, diciéndome de la mujer del médico: «Desde luego es madame Verdurin, ¿verdad?» Madame d'Arpajon me preguntó al alcance del oído de la dueña de la casa: «Pero ¿ha existido alguna vez un monsieur Verdurin?» Las duquesas rezagadas, al no encontrar ninguna de las cosas raras que esperaban ver en aquel lugar suponiéndole más diferente de lo que ellas conocían, se desquitaban, a falta de cosa mejor, ahogándose de risa ante los cuadros de Elstir; en cuanto a lo demás, más conforme de lo que ellas habían creído a lo que ya conocían, atribuían el honor a monsieur de Charlus diciendo: «¡Qué bien sabe Palamède arreglar las cosas! Sería capaz de organizar una fiesta de hadas en una cochera o en un cuarto de baño, y resultaría precioso.» Las más nobles eran las que felicitaban con mayor fervor a monsieur de Charlus por el éxito de una fiesta cuyo secreto resorte no ignoraban algunas, y sin que ello les produjera la menor violencia, pues aquella sociedad –quizá por recuerdo de ciertas épocas de la historia en la que su familia había llegado ya a una identidad de impudor plenamente consciente– llevaba el desprecio de los escrúpulos casi tan lejos como el respeto a la etiqueta. Varias de ellas comprometieron allí mismo a Charlie para tocar en sus casas el *septuor* de Vinteuil, pero a ninguna de ellas le pasó ni siquiera por la mente la idea de invitar a madame Verdurin. Había llegado ésta al colmo de la ira, cuando monsieur de

Charlus, que estaba en las nubes y no se daba cuenta, quiso, por decencia, invitar a la patrona a compartir su alegría. Y acaso más por inclinación a la literatura que por un desbordamiento del orgullo, este doctrinario de las fiestas artísticas dijo a madame Verdurin:

–Bueno, ¿está contenta? Creo que no haría falta tanto para estarlo. Ya ve que cuando yo me pongo a dar una fiesta no sale bien a medias. No sé si sus nociones heráldicas le permiten apreciar exactamente la importancia de esta manifestación, el peso que yo he levantado, el volumen de aire que he desplazado por usted. Ha tenido en su casa a la reina de Nápoles, al hermano del rey de Baviera, a los tres pares más antiguos. Si Vinteuil es Mahoma, podemos decir que hemos movido por él las montañas menos movibles. Piense que la reina de Nápoles ha venido desde Neully para asistir a su fiesta, lo que es para ella mucho más difícil que venir de las Dos Sicilias –dijo con una intención sarcástica, a pesar de su admiración por la reina–. Es un acontecimiento histórico. Piense que quizá no había salido nunca desde la toma de Gaeta. Es probable que en los diccionarios se ponga como fechas culminantes el día de la toma de Gaeta y el de la fiesta Verdurin. El abanico que posó para aplaudir mejor a Vinteuil merece llegar a ser más célebre que el que rompió madame de Metternich porque silbaban a Wagner.

–Y hasta lo ha olvidado, ese abanico –dijo madame Verdurin, momentáneamente calmada por el recuerdo de la simpatía que le manifestó la reina, y señaló a monsieur de Charlus el abanico en un sillón.

–¡Oh, es emocionante! –exclamó monsieur de Charlus acercándose con veneración a la reliquia–. Y más emocionante porque es horrible; ¡esa violetita es increíble! –y le sacudieron alternativamente espasmos de emoción y de ironía–. No sé si usted siente estas cosas como yo. Swann se habría muerto de espanto si hubiera visto esto. Ya sé que, cueste lo que cueste, compraré este abanico en la subasta de

la reina. Porque, como no tiene un céntimo, se subastará
–añadió, pues el barón no dejaba nunca de mezclar la maledicencia cruel con la veneración más sincera, aunque una y
otra partían de dos naturalezas opuestas, pero que en él se
juntaban. Y hasta podían recaer sucesivamente en un mismo hecho. Pues monsieur de Charlus, que en su bienestar de
hombre rico se burlaba de la pobreza de la reina, era el mismo que a menudo exaltaba esta pobreza y, cuando hablaban
de la princesa Murat, reina de las Dos Sicilias, respondía:
«No sé a quién se refiere usted. No hay más que una reina de
Nápoles, que es sublime y no tiene coche. Pero en su ómnibus aplasta todos los carruajes de lujo y hasta se arrodillaría
la gente en el polvo al verla pasar.»

    –Lo dejaré a un museo. Mientras tanto habrá que man-
dárselo para que no tenga que pagar un *fiacre* para mandar
a buscarlo. Lo más inteligente, dado el interés histórico de
semejante objeto, sería robar este abanico. Pero sería un
trastorno para ella, porque es probable que no tenga otro
–añadió echándose a reír–. En fin, ya ve usted que he conse-
guido que venga. Y no es el único milagro que he hecho. No
creo que nadie pueda hoy movilizar a las personalidades que
yo he traído aquí. Pero a cada uno lo suyo: Charlie y los demás músicos han tocado como los ángeles. Y a usted, mi
querida patrona –añadió condescendiente–, también le corresponde su parte en esta fiesta. No faltará en ella su nombre. La historia ha conservado el del paje que armó a Juana
de Arco cuando partió[1]   ; en realidad, usted
ha servido de enlace, ha permitido la fusión entre la música
de Vinteuil y su genial ejecutante, ha tenido la inteligencia de
comprender la capital importancia de todo un encadena-
miento de circunstancias gracias al cual el ejecutante iba a
beneficiarse de todo el peso de una personalidad importan-

---

1. En la edición de La Pléiade se advierte que Proust dejó un blanco al
final de la frase. (*N. de la T.*)

te, providencial diría yo si no se tratara de mí, a quien usted tuvo la feliz ocurrencia de pedir que asegurara el prestigio de la reunión trayendo ante el violín de Morel los oídos directamente unidos a las lenguas más escuchadas; no, no, esto no es una minucia. Nada es una minucia en una realización tan completa. Todo contribuye a ello. La Durás estaba maravillosa. En fin, todo; por eso –añadió, porque le gustaba morigerar– me opuse a que invitara usted a esas personas-divisores que, ante las personalidades eminentes que yo le traía, hubieran hecho de comas en un número, reduciendo las otras a no ser más que simples décimas. Yo tengo un sentido muy exacto de estas cosas. Comprenderá usted que hay que evitar un mal paso cuando damos una fiesta que debe ser digna de Vinteuil, de su genial intérprete, de usted y, me atrevo a decirlo, de mí. Nada más con que usted hubiera invitado a la Molé, se habría estropeado todo. Era la gotita contraria, neutralizante, que quita toda virtud a una poción. Se habría apagado la electricidad, las pastas no habrían llegado a tiempo, la naranjada le habría dado cólico a todo el mundo. Era precisamente la persona que no podía venir. Simplemente su nombre habría impedido, como en una sesión de magia, que saliera ningún sonido de los cobres; la flauta y el oboe habrían enmudecido súbitamente. El mismo Morel, aunque lograra dar algunas notas, ya no sería el mismo, y en vez del *septuor* de Vinteuil hubiéramos oído la parodia de Vinteuil por Beckmesser, y la cosa hubiera terminado en abucheo. Yo, que creo mucho en la influencia de las personas, me di perfecta cuenta, en la eclosión de cierto largo que se abría hasta el fondo como una flor, en la satisfacción acrecentada del final, que no era solamente *allegro,* sino incomparablemente alegre, que la ausencia de la Molé inspiraba a los músicos y dilataba de alegría hasta a los mismos instrumentos de música. De todos modos, el día en que se recibe a los soberanos no se invita a la portera. –Llamándola la Molé (como decía, aunque con simpatía en este caso, la

Durás), monsieur de Charlus le hacía justicia. Pues todas aquellas mujeres eran actrices del gran mundo, y la verdad es que la condesa Molé, aun considerada desde este punto de vista, no tenía la inteligencia tan extraordinaria que le atribuía la fama y que hacía pensar en esos actores o en esos novelistas mediocres que en ciertas épocas ocupan una situación de genio, bien por la mediocridad de sus colegas, entre los que no hay ningún artista superior capaz de demostrar lo que es el verdadero talento, o bien por la mediocridad del público, que, aunque existiera una individualidad extraordinaria, sería incapaz de comprenderla. En el caso de madame Molé, es preferible, si no del todo exacto, atenerse a la primera explicación. Siendo el gran mundo el reino de la nada, entre los méritos de las diferentes mujeres del gran mundo no hay más que grados insignificantes, que sólo los rencores o la imaginación de monsieur de Charlus pueden agrandar desorbitadamente. Y la verdad es que si el barón hablaba, como acababa de hacerlo, en ese lenguaje que era una lujosa mezcla de las cosas del arte y del gran mundo, es porque sus rabietas de señora anciana y su cultura de mundano no suministraban a su verdadera elocuencia más que temas insignificantes. Si en la superficie de la tierra no existe el mundo de las diferencias entre todos los países, que nuestra percepción uniformiza, existe mucho menos en el «gran mundo». Pero ¿es que existe en alguna parte? El *septuor* de Vinteuil parecía haberme dicho que sí. Pero ¿dónde? Como a monsieur de Charlus le gustaba también llevar y traer de uno a otro, indisponer, dividir para reinar, añadió–: No invitando a madame Molé le ha quitado usted la ocasión de decir: «No sé por qué me ha invitado madame Verdurin. Yo no sé qué gente es ésa, no los conozco.» Ya el año pasado dijo que la estaba usted aburriendo con su persecución. Es una tonta, no la invite más. Después de todo no es una persona tan extraordinaria. Puede muy bien venir a su casa sin hacer dengues, puesto que vengo yo. En fin –concluyó–, me parece que puede usted darme las gracias, pues, tal como ha salido, ha quedado muy bien. No ha venido la duquesa de Guermantes, pero puede que haya sido mejor así. No le guardaremos rencor y pensaremos en ella, de todos modos, para otra vez; por otra parte, no hay más remedio que acordarse de ella, sus mismos ojos nos dicen: «no me olvides», pues son dos miosotis –y yo pensé para mí lo fuerte que tenía que ser el espíritu de los Guermantes (la decisión de ir a este sitio y no ir al otro) para haber podido más en la duquesa que el miedo a Palamède–. Ante un éxito tan completo, se siente uno tentado, como Bernardin de Saint-Pierre, a ver en todo la mano de la providencia. La duquesa de Durás estaba encantada. Tanto que me encargó que se lo dijera a usted –añadió monsieur de Charlus subrayando las palabras, como si madame Verdurin debiera considerar aquello un honor suficiente. Suficiente y hasta casi increíble, pues a monsieur de Charlus le pareció necesario decir para ser creído–: Se lo aseguro –arrastrado por la demencia de aquellos a quienes Júpiter quiere perder–. Ha comprometido a Morel para ir a su casa, donde repetirá el mismo programa, y pienso hasta pedirle una invitación para monsieur Verdurin.

Esta atención al marido sólo era, sin que a monsieur de Charlus se le pasara siquiera por la mente, el ultraje más sangriento para la esposa, la cual, creyéndose en el derecho de prohibir al ejecutante, en virtud de una especie de decreto de Moscú vigente en el pequeño clan, tocar en ningún sitio sin su autorización expresa, estaba absolutamente decidida a prohibirle que tomara parte en la fiesta de madame Durás.

Sólo por hablar con tal facundia, monsieur de Charlus irritaba a madame Verdurin, a quien no le gustaba que se hiciera capilla aparte en el pequeño clan. Cuántas veces, y ya en la Raspelière, oyendo al barón hablar continuamente a Charlie en vez de limitarse a interpretar su parte en el coro del clan, había exclamado, señalando al barón: «¡Qué charlatán! En clase de charlatanes, ¡éste lo es de los buenos!» Pero esta vez era mucho peor. Monsieur de Charlus, emborrachándose con sus propias palabras, no comprendía que reconociendo el papel de madame Verdurin y fijándole unas estrechas fronteras suscitaba ese sentimiento de odio que no era en ella más que una forma especial, una forma social de la envidia. Madame Verdurin quería verdaderamente a los asiduos, a los fieles del pequeño clan, y quería que fueran enteramente para su patrona. Como esos celosos que permiten que les engañen, pero bajo su propio techo, incluso ante sus propios ojos, es decir, que no los engañen, concedía a los hombres que tuvieran una amante, o un amante, siempre que esto no tuviera ninguna consecuencia social fuera de casa de ella, siempre que se anudara y se perpetuara al abrigo de los miércoles. En otro tiempo, cualquier risa furtiva de Odette con Swann le arañaba el corazón; desde hacía poco le ocurría lo mismo con cualquier aparte entre Morel y Charlus; sólo encontraba un consuelo para sus penas: matar la felicidad de los demás. No hubiera podido soportar mucho tiempo la del barón. Y este imprudente precipitaba la catástrofe restringiendo, al parecer, el papel de la patrona en su propio pequeño clan. Ya estaba viendo a Morel ir al gran mundo sin ella, bajo la égida del barón. Sólo había un remedio: hacerle a Morel optar entre el barón y ella, y aprovechando el ascendiente que ella había tomado sobre Morel dando prueba, a sus ojos, de una clarividencia extraordinaria, gracias a los informes que se procuraba, a las mentiras que inventaba, todo lo cual le servía a ella para corroborar lo que Morel se inclinaba a creer por sí mismo y lo que iba a ver hasta la evidencia, gracias a las trampas por ella preparadas y en las que iban a caer los incautos, aprovechando este ascendiente, hacer que optara por ella en vez de por el barón. En cuanto a las mujeres del gran mundo que asistieron a su fiesta y que ni siquiera se hicieron presentar, cuando se dio cuenta de sus vacilaciones o de su desparpajo, dijo: «¡Ah!, ya veo de lo que se trata, es una clase de viejas brujas que no nos conviene, aquí no vuelven más». Pues antes se hubiera muerto que decir que habían estado con ella menos atentas de lo que esperaba.

–¡Ah, mi querido general! –exclamó bruscamente monsieur de Charlus dejando plantada a madame Verdurin al ver al general Deltour, secretario de la presidencia de la República, que podía tener gran importancia para la cruz de Charlie, y que, después de pedir consejo a Cottard, se eclipsaba rápidamente–: Buenas noches, mi querido y encantador amigo. ¿De modo que se me escapa así sin decirme adiós? –dijo el barón con una sonrisa de llaneza y de suficiencia, pues sabía muy bien que para la gente era siempre una satisfacción hablar con él un momento más. Y como en el estado de exaltación en que se hallaba hacía él solo, en un tono sobreagudo, las preguntas y las respuestas–: ¿Qué tal, está usted contento? ¿Verdad que ha sido hermoso? El andante, ¿verdad?, es lo más emocionante que se ha escrito jamás. Desafío a cualquiera a escucharlo hasta el final sin lágrimas en los ojos. Muy simpático por su parte haber venido. Dígame, esta mañana he recibido un telegrama perfecto de Froberville comunicándome que, por parte de la Gran Cancillería, han quedado allanadas las dificultades, como dicen.

Monsieur de Charlus seguía levantando la voz, una voz tan penetrante, tan diferente de su voz habitual como lo es de su hablar corriente la de un abogado informando con énfasis: fenómeno de amplificación vocal por sobreexcitación y euforia nerviosa, análogo al que subía a un diapasón tan alto la voz y la mirada de madame de Guermantes en las comidas que daba.

–Pensaba enviarle mañana por la mañana unas letras para decirle mi entusiasmo, a la espera de poder expresárselo de viva voz, pero estaba usted tan acaparado... El apoyo de Froberville no es nada desdeñable, pero yo, por mi parte, tengo la promesa del ministro –dijo el general.

–¡Ah, perfecto! Por lo demás, ya ha visto usted qué es lo que merece un talento como éste. Hoyos estaba encantado; no he podido ver a la embajadora; ¿estaba contenta? Quién no lo estaría, a no ser los que tienen oídos y no oyen, cosa que no importa teniendo como tienen lengua para hablar.

Madame Verdurin, aprovechando que el barón se había alejado para interpelar al general, hizo seña a Brichot. Brichot, que no sabía lo que iba a decirle madame Verdurin, quiso hacerle reír y, sin sospechar lo que iba a hacerle sufrir, dijo a la patrona:

–El barón está encantado de que no hayan venido mademoiselle Vinteuil y su amiga. Le escandalizan muchísimo. Ha dicho que las costumbres que tienen son como para dar miedo. No se imagina usted lo pudibundo y severo que es el barón en cuestión de costumbres.

Contra lo que esperaba Brichot, madame Verdurin no se rió.

–Es inmundo –repuso–. Propóngale que venga a fumar un cigarrillo con usted para que mi marido pueda llevarse a su Dulcinea sin que Charlus lo note, y le haga ver el abismo que le amenaza –Brichot parecía vacilar un poco–. Le diré –continuó madame Verdurin para disipar los últimos escrúpulos de Brichot– que no me siento segura con eso en mi casa. Sé que ha tenido historias sucias y que la Policía le vigila –y como tenía cierto don de improvisación cuando la inspiraba la malevolencia, madame Verdurin no se conformó con esto–: Parece ser que ha estado en la cárcel. Sí, sí, me lo han dicho personas bien enteradas. Además sé, por alguien que vive en su calle, que no nos imaginamos los forajidos que lleva a su casa –y como Brichot, que iba a menudo a casa del barón, protestara, madame Verdurin, animándose, exclamó–: ¡Se lo aseguro! ¡Se lo digo yo! –expresión con la que solía reforzar una afirmación lanzada un poco al azar–. Un día u otro morirá asesinado, como todos sus congéneres. Acaso no llegue a eso porque está en las garras de ese Jupien

que ha tenido el desparpajo de enviarme y que es un antiguo
forzado, le digo que lo sé, y de buena tinta. Parece ser que tiene agarrado a Charlus por unas cartas horribles. Lo sé por
una persona que las ha visto, y que me dijo: «Si usted llega a
ver eso, se desmaya». De esa manera le hace andar Jupien derecho y le hace soltar todo el dinero que quiere. Yo preferiría
mil veces la muerte antes que vivir en el terror en que vive
Charlus. En todo caso, si la familia de Morel se decide a de-
nunciarle, no me haría ninguna gracia que me acusaran
de complicidad. Si sigue, allá él, pero yo habré cumplido mi
deber. ¿Qué quiere usted? No siempre es divertido –y exalta-
da ya a la espera de la conversación que su marido iba a tener
con el violinista, madame Verdurin me dijo–: Pregúntele a
Brichot si yo no soy una amiga valerosa y si no sé sacrificar-
me por salvar a los compañeros.

Aludía a las circunstancias en que ella había hecho que
Brichot rompiera con su planchadora, luego con madame de
Cambremer, rupturas tras las cuales Brichot se había quedado casi completamente ciego y, según decían, se había hecho
morfinómano.

–Una amiga incomparable, inteligente y valiente –repuso
el universitario con ingenua emoción–. Madame Verdurin
me impidió cometer una gran estupidez –me dijo Brichot
cuando ella se alejó–. No vacila en cortar por lo sano. Es in-
tervencionista, como diría nuestro amigo Cottard. Pero
confieso que pensar que el pobre barón ignora todavía el
golpe que le espera me da mucha pena. Está completamente
loco por ese mozo. Si madame Verdurin se sale con la suya,
será un hombre desgraciadísimo. Pero no es seguro que no
fracase. Me temo que sólo va a conseguir que se peleen, unas
peleas que al final no los separarán y no harán más que in-
disponerlos con ella.

Esto le había ocurrido a menudo a madame Verdurin con
los fieles. Pero era visible que, en ella, sobre la necesidad de
conservar la amistad de los fieles predominaba cada vez más

la de que esta amistad no fuera nunca amenazada por la que
pudieran sentir unos por otros. El homosexualismo no la
desagradaba, siempre que no afectara a la ortodoxia, pero
ella, como la Iglesia, prefería todos los sacrificios a una con-
cesión a expensas de la ortodoxia. Empecé a temer que su
irritación contra mí procediera de que se hubiera enterado
de que yo impedí a Albertina ir aquel día a su casa, y que em-
prendiera con ella, si es que no lo había iniciado ya, la misma labor para separarla de mí que iba a realizar su marido
con el violinista para separarle de Charlus.

–Vamos, vaya a buscar a Charlus, invente un pretexto, ya
es hora –dijo madame Verdurin–, y sobre todo procure no
dejarle volver antes de que yo le mande a buscar a usted. ¡Ah,
qué nochecita! –añadió madame Verdurin, revelando así la
verdadera causa de su ira–. ¡Haber hecho tocar esas obras
maestras delante de esos leños! No me refiero a la reina de
Nápoles, que es inteligente, una mujer agradable –léase: ha
estado muy amable conmigo–. ¡Pero las otras! ¡Ah, es para
ponerse furiosa! Qué quiere usted, yo no tengo ya veinte
años. Cuando era joven me decían que había que saber aburrirse, y yo me forzaba; pero ahora, eso sí que no, es más
fuerte que yo, ya estoy en edad de hacer lo que quiero, la vida
es muy corta; aburrirme, alternar con imbéciles, fingir, hacer como que los encuentro inteligentes, ¡eso sí que no, no
puedo! Vamos, Brichot, no hay tiempo que perder.

–Ya voy, señora, ya voy –acabó por decir Brichot cuando
el general Deltour se marchaba. Pero primero el universitario me llevó un momento aparte–: El deber moral –me dijo–
no es tan claramente imperativo como nos enseñan nuestras
éticas. Que los cafés teosóficos y las cervecerías kantianas digan lo que quieran: ignoramos deplorablemente la naturaleza del bien. Yo mismo que, sin jactancia alguna, he comenta-
do para mis alumnos, con toda inocencia, la filosofía del
llamado Emmanuel Kant, no veo ninguna indicación preci-
sa, para el caso de casuística mundana ante el que me en-

cuentro, en esa *Crítica de la razón práctica* en la que el gran
exclaustrado del protestantismo platonizó, al modo de Ger-
mania, para una Alemania prehistóricamente sentimental y
áulica, para todos los fines útiles de un misticismo pomeria-
no. Sigue siendo *El banquete,* pero esta vez dado en Koenigs-
berg, a la manera de allá, indigesto y casto, con *chucrut* y sin
niños bonitos. Es evidente, por una parte, que yo no puedo
negar a nuestra excelente anfitriona el pequeño favor que me
pide, de conformidad plenamente ortodoxa con la moral
tradicional. Tendremos que evitar ante todo, pues no hay
muchos que hagan decir más tonterías, dejarnos engañar
con palabras. Pero, en fin, no vacilemos en confesar que si
las madres de familia tomaran parte en el voto, el barón co-
rrería el peligro de ser lamentablemente derrotado como
profesor de virtud. Desgraciadamente, su vocación de peda-
gogo la sigue con el temperamento de un corrompido. Ob-
serve que no hablo mal del barón; ese hombre tan simpático,
que sabe trinchar un asado como nadie, tiene, con el genio
del anatema, tesoros de bondad[1]. Pero temo que gaste con
Morel un poco más de lo que la sana moral manda, y, sin
saber en qué medida se muestra el joven penitente dócil o re-
belde a ejercicios especiales que su catecismo le impone
como mortificación, no hay necesidad de ser un gran teólo-
go para estar seguro de que pecaríamos, como dice el otro,
por mansedumbre ante ese Rosa Cruz que parece venirnos
de Petróneo después de pasar por Saint-Simon, si le otorgá-
ramos con los ojos cerrados, en buena y debida forma, permiso para satanizar. Sin embargo, entreteniendo a ese hombre mientras madame Verdurin, por el bien del pecador y
muy justamente tentada por semejante curación, me parece

---

1. «Puede ser divertido como un magnífico payaso, mientras que con
alguno de mis colegas, académico si se tercia, me aburro a cien dracmas
por hora, como diría Jenofonte.» [La edición de La Pléiade intercala este
pasaje a pie de página. *(N. de la T.)*]

que le tiendo una trampa, como quien diría, y me resisto a
ello como ante una especie de cobardía –dicho esto, no vaciló en tenderla, y cogiéndome por el brazo–: Vamos, barón,
¿y si fuéramos a fumar un cigarrillo? Este joven no conoce
todavía todas las maravillas del hotel.

Yo me disculpé diciendo que tenía que volver a casa.

–Espere un momento más –dijo Brichot–. Ya sabe que tiene que llevarme, no olvido su promesa.

–¿De veras no quiere que mande enseñarle la plata? Sería
sencillísimo –me dijo monsieur de Charlus–. Ya sabe lo que
me prometió: ni una palabra a Morel de su condecoración.
Quiero darle la sorpresa de anunciárselo más tarde, cuando
la gente haya empezado a marcharse, aunque él diga que eso
no es importante para un artista, pero que su tío lo desea –yo
me sonrojé, pues los Verdurin sabían por mi abuelo quién
era el tío de Morel–. ¿De modo que no quiere usted que diga
que le enseñen la plata? –me dijo monsieur de Charlus–.
Pero usted la conoce, la ha visto diez veces en la Raspelière.

No me atreví a decirle que lo que hubiera podido inte-
resarme no eran los vulgares cubiertos de una vajilla burguesa, aunque fuera la más rica, sino algún *specimen,* aunque sólo fuera un buen grabado de los de madame Du Barry.
Yo estaba demasiado preocupado y –aun cuando no lo hubiera estado por aquella revelación relativa a la venida de
mademoiselle Vinteuil–, en la alta sociedad, me encontraba
siempre demasiado distraído y nervioso para poner mi
atención en unos objetos más o menos bonitos. Sólo hubiera
podido fijarla la llamada de alguna realidad que se dirigiera
a mi imaginación, como habría podido hacerlo aquella noche una vista de Venecia, en la que tanto había pensado por
la tarde, o algún elemento general, común a varias apariencias y más verdadero que ellas, que despertara por sí mismo
en mí un espíritu interior y habitualmente adormecido, pero
cuya ascensión a la superficie de mi conciencia me daba una
gran alegría. Ahora bien, al salir del salón llamado sala de

teatro y atravesar con Brichot y monsieur de Charlus los
otros salones, volví a ver, mezclados con otros, ciertos muebles que había visto en la Raspelière sin prestarles ninguna
atención, y entre la disposición del hotel y la del castillo, encontré cierto aire de familia, una identidad permanente, y
comprendí a Brichot cuando me dijo sonriendo:

–Fíjese en ese fondo de salón, por lo menos eso puede, en
rigor, dar la idea de la Rue Montalivet, hace veinticinco años,
grande mortalis aevi spatium...

Por su sonrisa, dedicada al difunto salón que evocaba,
comprendí que lo que Brichot prefería, quizá sin darse cuenta, en el antiguo salón, más que los grandes ventanales, más
que la alegre juventud de los patronos y de sus fieles, era
aquella parte irreal (que yo mismo deducía de algunas similitudes entre la Raspelière y el Quai Conti) de la que, en un
salón como en todo, lo exterior, lo actual, lo controlable por
todo el mundo, no es más que una prolongación, aquella
parte que se ha desprendido del mundo exterior para refu-
giarse en nuestra alma, a la que da una plusvalía, donde se ha
asimilado a su sustancia habitual, trasmutándose en ese
traslúcido alabastro de nuestros recuerdos –casas destrui-
das, personas de antaño, compoteros de fruta de las cenas
que recordamos– cuyo color somos incapaces de indicar,
porque sólo nosotros lo vemos, lo que nos permite decir verídicamente a los demás, cuando se habla de esas cosas pasadas, que no pueden hacerse idea de las mismas, que aquello
no se parece en nada a lo que ellos han visto, y no podemos
considerarlo dentro de nosotros mismos sin cierta emoción,
pensando que su supervivencia por algún tiempo aún, el reflejo de las lámparas que se extinguieron y el olor de las ramas que ya no han de florecer depende de la existencia de
nuestro pensamiento. Y seguramente por esto el salón de la
Rue Montalivet le restaba valor, para Brichot, a la mansión
actual de los Verdurin. Mas, por otra parte, le daba a éste,
para el profesor, una belleza que no podía tener para un re-

cién llegado. La parte de los antiguos muebles que habían traído aquí, a veces en la misma disposición de la Raspelière, daba al salón actual ciertos aspectos del antiguo que a veces lo revivían hasta la alucinación y en seguida parecían casi irreales al evocar, en el seno de la realidad ambiente, fragmentos de un mundo destruido que parecíamos ver en otra parte. Canapé surgido del sueño entre los sillones nuevos y muy reales, unas sillas pequeñas tapizadas de seda rosa, tapete brochado a juego elevado a la dignidad de persona desde el momento en que, como una persona, tenía un pasado, una memoria, conservando en la sombra fría del salón del Quai Conti el halo de los rayos de sol que entraban por las ventanas de la Rue Montalivet (a la hora que él conocía tan bien como la propia madame Verdurin) y por las encristaladas puertas de Doville, a donde la habían llevado y desde donde miraba todo el día, más allá del florido jardín, el profundo valle de la[1]   mientras llegaba la hora de que Cottard y el violinista jugaran su partida; ramo de violetas y de pensamientos al pastel, regalo de un gran artista amigo ya muerto, único fragmento superviviente de una vida desaparecida sin dejar huella, resumen de un gran talento y de una larga amistad, recuerdo de su mirada atenta y dulce, de su bella mano llena y triste cuando pintaba; un arsenal bonito, desorden de los regalos de los fieles que siguió por doquier a la dueña de la casa y acabó por adquirir la marca y la fijeza de un rasgo de carácter, de una línea del destino; profusión de ramos de flores, de cajas de bombones que, aquí como allí, sistematizaba su expansión con arreglo a un modo de floración idéntico: curiosa interpolación de los objetos singulares y superfluos que aún parecen salir de la caja en la que fueron ofrecidos y que siguen siendo toda la vida lo que en su origen fueron, regalos de Año Nuevo; en

---

1. En la edición de La Pléiade se advierte que Proust dejó en blanco el nombre. (N. de la T.)

fin, todos esos objetos que no sabríamos diferenciar de los demás, pero que para Brichot, veterano de las fiestas de los Verdurin, tenían esa pátina, ese aterciopelado de las cosas a las que añade su doble espiritual, dándoles así una especie de profundidad; todo esto, disperso, hacía cantar para él, como teclas sonoras que despertaran en su corazón semejanzas amadas, reminiscencias confusas y que en el salón mismo, muy actual, donde ponían su toque acá y allá, definían, delimitaban muebles y tapices como lo hace en un día claro un cuadrado de sol seccionando la atmósfera, los muebles, los tapices, y de un cojín a un jarrón, de un taburete al rastro de un perfume, perseguían con un modo de iluminación en el que predominaban los colores, esculpían, evocaban, espiritualizaban, daban vida a una forma que era como la figura ideal, inmanente en sus viviendas sucesivas, del salón de los Verdurin.

–Vamos a procurar –me dijo Brichot al oído– llevar al barón a su tema favorito. Está en él prodigioso.

Por una parte, yo deseaba pedirle a monsieur de Charlus noticias relativas a la venida de mademoiselle Vinteuil y de su amiga, pues por estas noticias me había decidido a dejar a Albertina. Por otra parte, no quería dejar a ésta sola por mucho tiempo, no porque (no sabiendo cuándo iba a volver yo, y además a unas horas en que una visita para ella o una salida suya habrían llamado mucho la atención) pudiera hacer mal uso de mi ausencia, sino por que no le pareciera demasiado larga.

–Venga de todos modos –me dijo el barón, cuya excitación mundana comenzaba a amainar, pero que sentía esa necesidad de prolongar, de hacer durar las conversaciones, que yo había notado ya en la duquesa de Guermantes como en él, y que, muy característica de esta familia, se extiende más generalmente a los que por no ofrecer a su inteligencia otra realización que la conversación, es decir, una realización imperfecta, se quedan insatisfechos aun después de haber pasado juntos varias horas y se agarran cada vez más ávidamente al interlocutor agotado, reclamando de él, por error, una saciedad que los placeres sociales no pueden dar–. Venga –repitió–. Éste es el momento agradable de la fiesta, cuando todos los invitados se han ido, la hora de doña Sol; esperemos que ésta acabe menos tristemente. Lástima que tenga usted prisa, prisa probablemente para hacer cosas que haría mejor en no hacer. Todo el mundo tiene siempre prisa, y nos vamos en el momento en que deberíamos llegar. Somos en esto como los filósofos de Couture, sería el momento de hacer balance de la velada, de hacer lo que en estilo militar se llama la crítica de las operaciones. Le pediríamos a madame Verdurin que nos sirvieran una pequeña cena a la que nos cuidaríamos de no invitarla y le pediríamos a Charlie –siempre *Hernani*– que volviera a tocar para nosotros solos el sublime adagio. ¡Qué hermoso es el tal adagio! Pero ¿dónde está el joven violinista? Quisiera felicitarle, es el momento de las expansiones tiernas y de los abrazos. Reconozca, Brichot, que han tocado como los ángeles, sobre todo Morel. ¿Reparó usted en el momento en que se separa el mechón? Pues entonces, querido, no ha visto usted nada. Hubo un *fa* sostenido que puede hacer morir de envidia a Enesco, a Capet y a Thibaud; yo soy muy sereno, pero confieso que ante una sonoridad como ésa se me encogió de tal modo el corazón que tenía que contener las lágrimas. La sala jadeaba; era sublime, mi querido Brichot –exclamó el barón, sacudiendo violentamente al universitario por el brazo–. Sólo el joven Charlie conservaba una inmovilidad de piedra, no se le oía ni respirar, parecía esas cosas del mundo inanimado de que habla Théodore Rousseau, que hacen pensar pero no piensan. Y de pronto –exclamó monsieur de Charlus con énfasis y mimando como en una escena de teatro– entonces…, ¡el mechón! Y mientras tanto, la pequeña contradanza, tan graciosa, del *allegro vivace*. Sabe usted que este mechón fue el signo de la revelación hasta para los más obtusos.

La princesa de Taormina, sorda hasta entonces, pues no hay peores sordos que los que tienen oídos y no oyen, la princesa de Taormina, ante la evidencia del mechón milagroso, comprendió que se trataba de música y no de una partida de póker. ¡Ah, fue un momento solemnísimo!

–Perdone que le interrumpa, monsieur de Charlus –le dije para llevarle al tema que me interesaba–; me dijo usted que iba a venir la hija del autor. Me hubiera interesado mucho. ¿Está usted seguro de que se contaba con ella?

–¡Ah!, no lo sé –con esto monsieur de Charlus obedecía, quizá sin querer, a esa consigna universal de no informar a los celosos, bien sea por mostrarse absurdamente «buen compañero», por regla de honor, y aunque se la deteste, hacia la que suscita los celos, bien por maldad, adivinando que los celos redoblarían el amor, bien por esa necesidad de ser desagradable a los demás que consiste en decir la verdad a la mayor parte de los hombres, pero callársela al celoso, pensando que la ignorancia aumentará su suplicio; y para mortificar a las personas se guían por lo que ellos, acaso equivocadamente, creen más doloroso–. Mire –continuó–, ésta es un poco la casa de las exageraciones, son unas personas encantadoras, pero al fin y al cabo les gusta inventar celebridades del tipo que sea. Pero no tiene usted buena cara y va a coger frío en esta sala tan húmeda –dijo acercándome una silla–. Como no está usted bien, debe tener cuidado, voy a buscarle su abrigo. No, no vaya usted, se perderá y cogerá frío. Así se cometen las imprudencias; usted no tiene ya cuatro años, pero necesitaría una vieja doncella como yo para cuidarle.

–No se moleste, barón, yo iré –dijo Brichot, y se alejó en seguida: como quizá no se daba exacta cuenta del afecto muy sincero que me tenía monsieur de Charlus y de las encantadoras remisiones de sencillez, de amabilidad que comportaban sus crisis delirantes de grandeza y de persecución, temía que monsieur de Charlus, encomendado por madame Verdurin a su vigilancia como un preso, se propusiera simplemente, con el pretexto de pedir mi abrigo, reunirse con Morel y malograra así el plan de la patrona[1].

Le dije a monsieur de Charlus que sentía que monsieur Brichot se hubiera molestado.

–No, no, está encantado, le quiere a usted mucho, todo el mundo le quiere mucho. El otro día decían: ya no se le ve nunca, se aísla. De todos modos, Brichot es muy buena persona –añadió monsieur de Charlus, seguramente sin sospechar, al ver la manera afectuosa y franca con que le hablaba el profesor de moral, que en su ausencia no se recataba de burlarse de él–. Es un hombre de gran valía que sabe muchísimo, y eso no le ha apergaminado, no le ha convertido en un ratón de biblioteca como a tantos otros que huelen a tinta. Ha conservado una amplitud de espíritu, una tolerancia nada frecuente en los de su clase. A veces, al ver cómo comprende la vida, cómo sabe dar con gracia a cada cual lo que se le debe, se pregunta uno dónde ha podido aprender todo eso un simple profesorcillo de la Sorbona, un antiguo regente de colegio. A mí mismo me asombra.

1. «Entre tanto Ski había vuelto a sentarse al piano, sin que nadie se lo pidiera, y, componiendo, con un sonriente fruncimiento de cejas, una mirada lejana y una ligera mueca de la boca (lo que para él era el aire artista), insistía con Morel para que tocase algo de Bizet. "Pero ¿no le gusta eso, ese lado infantil de la música de Bizet? Pero, querido –añadió arrastrando la *erre* a su modo característico–, es delicioso." Morel, al que no le gustaba Bizet, lo manifestó con exageración, y (como en el pequeño clan, cosa increíble, tenía fama de ingenio) Ski fingió tomar por paradojas las diatribas del violinista y se echó a reír. Su risa no era, como la de monsieur Verdurin, el ruido asmático de un fumador. Ski empezaba por adoptar un aire perspicaz, después dejaba escapar como sin querer un solo toque de risa, como un primer toque de campanas, seguido de un silencio en el que la mirada parecía sopesar concienzudamente la gracia de lo que decían, luego una segunda campanada de risa, para acabar a continuación en un jubiloso ángelus.» [En la edición de La Pléiade se añade, a pie de página, este fragmento. *(N. de la T.)*]

Más me asombraba a mí ver cómo la conversación de aquel Brichot, que el menos refinado de los invitados de madame de Guermantes hubiera encontrado tan tonto y tan basto, le gustaba al más difícil de todos, a monsieur de Charlus. Pero habían contribuido a este resultado, entre otras influencias, aquéllas, distintas por lo demás, en virtud de las cuales Swann se había sentido a gusto durante mucho tiempo en el pequeño clan, cuando estaba enamorado de Odette, mientras que, por otra parte, desde que se casó, encontraba agradable a madame Bontemps, que fingía adorar al matrimonio Swann, iba continuamente a ver a la mujer, se deleitaba con las historias del marido y hablaba de ellos con desdén. Como el escritor que da la palma de la inteligencia no al hombre más inteligente, sino al hombre de mundo que hace una reflexión atrevida y tolerante sobre la pasión de un hombre por una mujer, reflexión que lleva a la amante literata del escritor a coincidir con él en que, de todos los que van a su casa, el menos tonto es, después de todo, aquel viejo verde que tiene experiencia en cosas de amor, así monsieur de Charlus encontraba a Brichot más inteligente que a sus otros amigos, porque no sólo era amable con Morel, sino que sacaba oportunamente de los filósofos griegos, de los poetas latinos, de los cuentistas orientales, unos textos que decoraban la inclinación del barón con un florilegio extraño y encantador. Monsieur de Charlus había llegado a esa edad en que un Victor Hugo gusta de rodearse sobre todo de Vacqueries y de Meurices. El barón prefería a los que aceptaban su punto de vista sobre la vida.

–Yo le veo mucho –añadió con una voz aguda y cadenciosa, sin que un solo movimiento, excepto el de los labios, le alterara el rostro grave y enharinado, en el que había bajado adrede sus párpados de eclesiástico–. Voy a sus clases, esa atmósfera de barrio latino es para mí un cambio de vida, hay allí una adolescencia estudiosa, pensante, de jóvenes burgueses más inteligentes, más cultos que, en nuestro medio, mis compañeros. Es otra cosa, que seguramente conoce usted mejor que yo, son jóvenes *burgueses* –dijo destacando la palabra, anteponiéndole varias *b* y subrayándola con una especie de hábito de elocución que correspondía a una inclinación a los matices propia de monsieur de Charlus, pero que quizá lo aplicaba, además, por no resistir al placer de manifestarme cierta insolencia. En todo caso, esta insolencia no disminuyó en nada la grande y afectuosa piedad que me inspiraba monsieur de Charlus (desde que madame Verdurin descubriera su propósito delante de mí), más bien me hizo gracia, y aun en una circunstancia en que yo no hubiese sentido por él tanta simpatía no me habría molestado. Yo había heredado de mi madre la condición de carecer de amor propio hasta un grado fácilmente rayano en falta de dignidad. Seguramente no me daba apenas cuenta, y a fuerza de ver, ya en el colegio, que mis compañeros más estimados no toleraban que les faltaran, no perdonaban un mal proceder, acabé por mostrarme, en mis palabras y en mis actos, bastante orgulloso. Hasta tenía fama de serlo en extremo, porque, como no era nada miedoso, me veía con frecuencia metido en duelos, pero como rebajaba su prestigio moral burlándome yo mismo de ellos, inclinaba a la gente a creerlos ridículos. Pero la naturaleza que combatimos no deja por eso de persistir en nosotros. Por eso a veces, leyendo la nueva obra maestra de un hombre de talento, nos complacemos en encontrar en ella todas las reflexiones nuestras que habíamos despreciado, alegrías, tristezas que habíamos contenido, todo un mundo de sentimientos desdeñado por nosotros y de cuyo valor nos informa de pronto el libro donde los reconocemos. Había acabado por aprender de la experiencia de la vida que estaba mal sonreír afectuosamente, y no tenérselo en cuenta, cuando alguien se burlaba de mí. Pero aunque había dejado de expresar esta falta de amor propio y de rencor hasta el punto de ignorar casi completamente esa condición mía, no por eso dejaba de estar inmerso en el medio vital primitivo.

La cólera y la maldad las sentía de manera muy distinta en crisis furibundas. Además, el sentimiento de justicia me era desconocido hasta una absoluta carencia de sentido moral. Yo era por entero, en el fondo de mi corazón, del más débil, del más desdichado. No tenía ninguna opinión sobre la medida en que el bien y el mal podían entrar en las relaciones de Morel y de monsieur de Charlus, pero me resultaba intolerable la idea de los sufrimientos que le preparaban al barón. Hubiera querido prevenirle y no sabía cómo hacerlo–. Ver todo ese pequeño mundo laborioso es muy entretenido para un viejo como yo. No los conozco –añadió levantando la mano en un gesto de reserva, para que no pareciera que se jactaba, para demostrar su pureza y que no planeara sobre los estudiantes la sospecha–, pero son muy correctos, a veces llegan hasta reservarme un asiento, como a un viejo caballero que soy. Sí, sí, querido, no proteste, tengo más de cuarenta años –dijo el barón, que había rebasado los sesenta–. En ese anfiteatro donde habla Brichot hace un poco de calor, pero siempre es interesante.

Aunque el barón prefería mezclarse con la juventud de las escuelas, y hasta verse empujado por ella, a veces Brichot, para evitarle las largas esperas, le hacía entrar con él. Por más que Brichot estuviera en su casa en la Sorbona, cuando el bedel encargado de abrir las aulas le precedía y el maestro admirado por la juventud avanzaba, no podía contener cierta timidez, y a la vez que deseaba aprovechar aquel momento en que se sentía tan importante para mostrarse amable con Charlus, estaba, sin embargo, un poco azorado; para que el bedel le dejara pasar, decía con una voz amanerada y un aire apresurado: «Sígame, barón, ya le colocaremos», y luego, sin ocuparse más de él, se dirigía al estrado avanzando solo alegremente por el pasillo entre una doble fila de jóvenes profesores que le saludaban; Brichot, para que no pareciese que presumía ante aquellos jóvenes, sabiendo que era para ellos un gran pontífice, les dirigía muchos guiños, muchos gestos

de connivencia, a los que su preocupación por ser marcial y
buen francés daba el aspecto de una especie de estímulo cor-
dial, de *sursum corda* de un viejo gruñón que dice: «¡Mil diablos, sabremos batirnos!» Y estallaban los aplausos de los
alumnos. A veces Brichot aprovechaba la presencia de monsieur de Charlus en sus clases para tener una atención con alguien, casi para corresponder a finezas recibidas por él. Decía a un pariente o a uno de sus amigos burgueses: «Por si le
puede interesar a su mujer o a su hija, le diré que el barón de
Charlus, príncipe de Agrigente, descendiente de los Condé,
asistirá a mi clase. Para un niño es un recuerdo digno de
conservar haber visto a uno de los últimos descendientes
de nuestra aristocracia que tienen categoría. Si vienen, le reconocerán en el que estará sentado al lado de mi cátedra. Además, no habrá otro: un hombre grueso, con el pelo blanco, bi-
gote negro y la medalla militar.» «¡Ah, se lo agradezco!», decía
el padre. Y aunque su mujer tuviera que hacer, por no desai-
rar a Brichot, la obligaba a ir a aquella clase, y la muchacha,
aunque molesta por el calor y la multitud, devoraba curiosamente con los ojos al descendiente de los Condé, extrañándo-
se de que no llevara gorguera y no se pareciese a los hombres
de nuestros días. Monsieur de Charlus no tenía ojos para ella;
pero a más de un estudiante, que no sabía quién era el caballero, le chocaba su amabilidad y se tornaba importante y seco, y
el barón salía transido de sueños y de melancolía.

–Perdóneme que vuelva a lo mío –me apresuré a decir a
monsieur de Charlus al oír los pasos de Brichot–, pero ¿podría usted avisarme por neumático si se entera de que mademoiselle Vinteuil y su amiga vienen a París, diciéndome
exactamente cuánto tiempo van a estar y sin decir a nadie
que yo se lo he pedido?

Yo ya no creía apenas que fuera a venir, pero quería preca-
verme para el futuro.

–Sí, haré eso por usted. En primer lugar porque le debo un
gran agradecimiento. Al no aceptar lo que le propuse hace

tiempo, me hizo un gran favor a costa suya, me dejó mi libertad. Verdad es que he abdicado de ella de otro modo –añadió en un tono melancólico que trascendía el deseo de hacer confidencias–; hay en esto lo que yo considero siempre el hecho principal, una concatenación de circunstancias que usted descuidó aprovechar, quizá porque el destino le advirtió en aquel preciso momento que no debía desviar mi camino. Pues siempre «el hombre propone y Dios dispone». Si el día que salimos juntos de casa de madame de Villeparisis hubiera aceptado usted, quién sabe si no habrían ocurrido nunca muchas cosas que han pasado –yo, azorado, desvié la conversación agarrándome al nombre de madame de Villeparisis y diciendo la tristeza que me había causado su muerte–. ¡Ah!, sí –murmuró secamente monsieur de Charlus en el tono más insolente, tomando nota de mis condolencias sin aparentar que creía ni por un segundo en su sinceridad.

Pero yo, al ver que en todo caso el tema de madame de Villeparisis no le era doloroso, quise saber por él, tan calificado en todos los aspectos, por qué razón el mundo aristocrático había tenido tan apartada a madame de Villeparisis. No sólo no me dio la solución de este pequeño problema mundano, sino que ni siquiera parecía conocerlo. Entonces comprendí que la situación de madame de Villeparisis, si grande había de parecerle más adelante a la posteridad, y hasta, en vida de la marquesa, a la ignorante plebe, no menos grande pareció a toda la otra parte del mundo, a la que correspondía madame de Villeparisis, a los Guermantes. Era su tía, veían sobre todo el nacimiento, los entronques, la importancia que su familia conservaba por su ascendiente sobre esta o la otra cuñada. Veían aquello más por el «lado familia» que por el «lado gran mundo». Y aquél era más brillante en madame de Villeparisis de lo que yo había creído. Me impresionó enterarme de que el nombre de Villeparisis era falso. Pero hay otros ejemplos de grandes damas que han hecho una boda desigual y han conservado una situación preponderante. Monsieur de Charlus empezó por decirme que madame de Villeparisis era sobrina de la famosa duquesa de ***, la persona más célebre de la gran aristocracia durante la monarquía de julio, pero que no había querido tratar al rey ciudadano y a su familia. ¡Había deseado yo tanto saber de aquella duquesa! Y madame de Villeparisis, la buena madame de Villeparisis, con aquellas mejillas que me parecían mejillas de burguesa; madame de Villeparisis, que tantos regalos me mandaba y a la que hubiera podido ver fácilmente todos los días; madame de Villeparisis era su sobrina, educada por ella, en su casa, en el hotel de ***.

–Le preguntaban al duque de Doudeauville –me dijo monsieur de Charlus hablando de las tres hermanas–: «¿A cuál de las tres prefiere usted?» Y como Doudeauville contestara: «A madame de Villeparisis», la duquesa de *** le replicó: «¡Cochino!» Pues la duquesa era muy *ingeniosa* –dijo monsieur de Charlus dando a la palabra la importancia y la pronunciación acostumbradas en los Guermantes. En cuanto a que a él le pareciera tan «ingeniosa» esta palabra, no me extrañaba, pues en otras muchas ocasiones había observado la tendencia centrífuga, objetiva, de los hombres que les lleva a abdicar, cuando aprecian el ingenio de los demás, de las severidades que tendrían para el propio, y a observar, a anotar como algo precioso lo que ellos desdeñarían crear–. Pero ¿qué es eso? Si lo que trae es mi abrigo –dijo monsieur de Charlus al ver que Brichot había tardado tanto para tal resultado–. Debía haber ido yo mismo. En fin, póngaselo sobre los hombros. ¿Sabe que eso es muy comprometido, amiguito? Es como beber en el mismo vaso, sabré sus pensamientos. Pero no, así no, vamos, déjeme a mí –y al ponerme el abrigo me lo ceñía a los hombros, me lo subía por el cuello y me rozaba con la mano la barbilla, pidiéndome perdón–. A su edad no sabe taparse, hay que arreglarle como a un niño; he errado la vocación, Brichot, nací para niñera.

Yo quería marcharme, pero monsieur de Charlus manifestó la intención de ir a buscar a Morel y Brichot nos retuvo a los dos. Por otra parte, como estaba tan seguro de encontrar en casa a Albertina, como lo estuve aquella misma tarde de que volvería del Trocadero, no tenía ninguna prisa por verla, como no la tuve entonces sentado al piano después de haberme telefoneado Francisca. Y aquella calma me permitió, cada vez que en el transcurso de la conversación hacía ademán de levantarme, obedecer a la instancia de Brichot, el cual temía que, si yo me marchaba, Charlus no se quedara allí hasta que madame Verdurin viniera a llamarnos.

–Vamos –dijo al barón–, quédese un poco con nosotros, ya le dará el espaldarazo un poco más tarde –añadió Brichot clavando en mí su ojo casi muerto, al que las numerosas operaciones sufridas habían hecho recobrar un poco de vida, pero que, sin embargo, no tenía ya la movilidad necesaria en la expresión oblicua de la malignidad.

–¡El espaldarazo, qué bruto! –exclamó el barón en un tono agudo y entusiasmado–. Le digo, querido, que se cree siempre en un reparto de premios, sueña con sus estudiantitos. Me pregunto si no se acostará con ellos.

–Usted desea ver a mademoiselle Vinteuil –me dijo Brichot, que había oído el final de nuestra conversación–. Le prometo que le avisaré si viene, lo sabré por madame Verdurin –añadió Brichot, previendo sin duda que el barón estaba a punto de ser excluido del pequeño clan.

–¿Es que me cree menos bien que usted con madame Verdurin para enterarme sobre la venida de esas personas de tan terrible fama? –dijo monsieur de Charlus–. Es archisabido. Madame Verdurin hace mal en dejarlas venir, eso se queda para los medios equívocos. Son amigas de una banda terrible, deben de reunirse todas en unos lugares nefandos.

A cada una de estas palabras, un nuevo sufrimiento se añadía a mi sufrimiento, cambiándolo de forma. Y de pronto, recordando ciertas impaciencias de Albertina, impaciencias que, por otra parte, disimulaba en seguida, me espantó la idea de que hubiera concebido el propósito de dejarme. Esta sospecha me hacía más necesario aún prolongar nuestra vida común hasta que yo recobrara la calma. Y para quitarle a Albertina la calma, si acaso se le ocurría, de adelantarse a mi proyecto de ruptura y para que su cadena le pareciese más ligera hasta que yo pudiera realizarlo sin sufrir, me pareció lo más hábil (quizá estaba contagiado por la presencia de monsieur de Charlus, por el recuerdo inconsciente de las comedias que le gustaba representar), me pareció lo más hábil hacer creer a Albertina que tenía la intención de dejarla; al volver a casa iba a simular la despedida, la ruptura.

–Desde luego, no; no me creo mejor situado que usted con madame Verdurin –declaró Brichot recalcando las palabras, pues temía haber despertado las sospechas del barón. Y al ver que yo quería marcharme, quiso retenerme con el cebo de la diversión prometida–: Cuando el barón habla de la mala fama de esas dos señoras, parece no haber pensado en una cosa: que una reputación puede ser a la vez malísima e inmerecida. Por ejemplo, en la serie más notoria que llamaré paralela, es indudable que se producen muchos errores judiciales y que la historia ha registrado sentencias de condena por sodomía contra hombres ilustres que eran completamente inocentes. El reciente descubrimiento de un gran amor de Miguel Ángel por una mujer es un hecho nuevo que debería valer al amigo de León X el beneficio de una instancia de revisión póstuma. El asunto Miguel Ángel me parece muy indicado para apasionar a los *snobs* y movilizar a la Villette cuando haya pasado otro asunto en el que la anarquía ha estado bien considerada y ha llegado a ser el pecado de moda de nuestros buenos *dilettantes [sic]*, pero cuyo nombre no se puede pronunciar por miedo a las disputas.

Desde que Brichot comenzó a hablar de las reputaciones masculinas, a monsieur de Charlus le salió a la cara esa clase especial de impaciencia que vemos en un experto médico o militar cuando personas que no entienden nada de terapéutica o de estrategia se ponen a decir tonterías sobre terapéutica o sobre estrategia.

–No sabe usted nada de eso de que habla –acabó por decirle a Brichot–. Cíteme una sola reputación inmerecida. Diga nombres. Sí, ya lo sé, conozco todo eso –replicó violentamente monsieur de Charlus a una tímida interrupción de Brichot–: los que en otro tiempo hicieron eso por curiosidad, o por afecto único a un amigo muerto, y el que, temiendo haber ido demasiado lejos si le hablan de la belleza de un hombre contesta que eso es chino para él, que él no sabe distinguir un hombre guapo de un hombre feo, como no sabe distinguir dos motores de automóvil porque la mecánica no es lo suyo. Todo eso son tonterías. Bueno, no quiero decir que una reputación mala (o que se ha convenido en llamar así) e injustificada sea una cosa absolutamente imposible. Pero es tan excepcional, tan rara, que prácticamente no existe. Sin embargo, yo, que soy un curioso, un averíqualotodo, he conocido algunos casos, y no eran mitos. Sí, en el transcurso de mi vida he comprobado (quiero decir científicamente comprobado, no me conformo con palabras) dos reputaciones injustificadas. Generalmente surgen por una similitud de nombres, o por ciertas señales exteriores, la abundancia de sortijas, por ejemplo, que las personas incompetentes creen absolutamente característico de eso que usted dice, como creen que un campesino no dice dos palabras sin añadir *jorniguié* o un inglés *goddam*. Eso son convencionalismos para teatro de los bulevares[1]. Lo que le extrañará es que esas reputaciones injustificadas son para el público las más seguras. Usted mismo, Brichot, que pondría

---

1. «Me extrañó mucho que monsieur de Charlus citara entre los invertidos al "amigo de la actriz" que yo había visto en Balbec y que era el jefe de la pequeña sociedad de los cuatro amigos. "Pero, entonces, ¿esa actriz? –Le sirve de pantalla, y por otra parte tiene relaciones con ella, quizá más que con hombres, con los que apenas las tiene–. ¿Las tiene con los otros tres?" "¡En absoluto! ¡No son amigos para eso! Dos de ellos son muy mujeriegos. Uno es lo otro, pero en cuanto a su amigo no es seguro, y en todo caso se ocultan uno de otro".» [La edición de La Pléiade inserta en nota a pie de página este fragmento. *(N. de la T.)*]

la mano en el fuego por la virtud de este o del otro hombre que viene aquí y que los enterados conocen como el lobo blanco, debe de creer, como todo el mundo, lo que se dice de tal hombre destacado que encarna esas aficiones para la masa, cuando la verdad es que no tiene ni dos *sous* de eso. Digo dos *sous* porque si pusiéramos veinticinco luises veríamos descender hasta cero el número de los santitos. No siendo así, la proporción de santos, si usted ve santidad en eso, oscila, por regla general, entre tres y cuatro de cada diez.

Así como Brichot había aplicado al sexo masculino la cuestión de las malas reputaciones, yo, inversamente apliqué al sexo femenino, pensando en Albertina, las palabras de monsieur de Charlus. Estaba aterrado por su estadística, aun teniendo en cuenta que debía de haber aumentado las cifras a la medida de lo que él deseaba, y también por los informes de gentes chismosas, acaso mentirosas, en todo caso engañadas por su propio deseo, que, sumado al de monsieur de Charlus, falseaba sin duda los cálculos del barón.

–¡Tres de cada diez! –exclamó Brichot–. Invirtiendo la proporción, yo habría tenido que multiplicar por cien el número de culpables. Si es el que usted dice, barón, y si no se equivoca, tendremos que confesar que es usted uno de esos raros videntes de una verdad que nadie en torno a ellos sospecha. Así hizo Barrès sobre la corrupción parlamentaria unos descubrimientos que fueron comprobados posteriormente, como la existencia del planeta de Leverrier. Madame Verdurin citaría de preferencia a ciertos hombres que yo prefiero no nombrar y que han adivinado en el Servicio de Información del Estado Mayor ciertas actuaciones, inspiradas, quiero creerlo, por un celo patético, pero que de todos modos yo no me imaginaba. ¡Tres de cada diez! –repitió Brichot estupefacto. Y hay que decir que monsieur de Charlus incluía entre los invertidos a la mayor parte de sus contemporáneos, pero exceptuando a los hombres con los que él había tenido relaciones y cuyo caso, a poco que hubiera habido de romántico en estas relaciones, le parecía

más completo. De la misma manera, algunos libertinos que no
creen en la virtud de las mujeres sólo le atribuyen un poco a la
que fue querida suya, diciendo de ella sinceramente y en tono
misterioso: «No, no, se equivoca usted, no es una furcia». Esta
inesperada estima se la dicta en parte su amor propio, más satisfecho de que tales favores hayan sido reservados a ellos solos, en parte su ingenuidad, que se traga fácilmente todo lo que
su amante ha querido hacerle creer, en parte ese sentido de la
vida en virtud del cual cuando nos aproximamos a los seres, a
las existencias, las etiquetas y los compartimientos hechos de
antemano son demasiado simplistas–. ¡Tres de cada diez! Pero
cuidado, barón, si usted quisiera presentar a la posteridad el
cuadro que nos ha dicho, menos afortunado usted que esos
historiadores que el futuro ratificará, podría rechazarlo la posteridad, que no juzga más que con documentos a la vista y querría conocer su atestado. Y como ningún documento auten-
tifica ese género de fenómenos colectivos que los únicos
enterados tienen mucho interés en dejar en la sombra, se produciría gran indignación en el campo de las buenas almas y usted pasaría sin remisión por calumniador o por loco. Después
de haber obtenido en este mundo el máximo y el principado en
el concurso de las elegancias, conocería las tristezas de un
blackboulage de ultratumba. No vale la pena, como dijo, ¡Dios
me perdone!, nuestro Bossuet.

   –Yo no trabajo para la historia –contestó monsieur de
Charlus–, me basta con la vida, que es muy interesante,
como decía el pobre Swann.

   –¡Ah!, ¿conoció usted a Swann? No lo sabía. ¿Tenía esas
aficiones? –preguntó, inquieto, Brichot.

   –¡Será grosero! ¿Cree usted que yo no conozco más que
gente de ésa? Pues no, no creo –dijo Charlus bajando los ojos y
tratando de pesar el pro y el contra. Y pensando que, puesto
que se trataba de Swann, cuyas tendencias, tan opuestas, habían sido siempre conocidas, una semiconfesión tenía que ser
inofensiva para el interesado y halagüeña para el que la deja-

ba escapar en una insinuación–: No digo que allá en tiempo
lejano, en el colegio, una vez por casualidad –dijo el barón
como sin querer, como si pensara en voz alta; luego, recogiendo velas, concluyó riendo–: Pero de eso hace ya doscientos
años, ¿cómo quiere usted que me acuerde?, déjeme en paz.

–En todo caso, guapo, lo que se dice guapo, no lo era –dijo
Brichot, que siendo feísimo se creía bien parecido y fácilmente encontraba feos a los demás.

–Cállese –le replicó el barón–, no sabe usted lo que dice;
en aquel tiempo tenía una tez de melocotón y –añadió poniendo cada sílaba en otra nota distinta– era hermoso como
un amor. Y siguió siendo encantador. A las mujeres les gustaba con locura.

–Pero ¿conoció usted a la suya?

–¡Vamos, él la conoció por mí! Yo la había encontrado encantadora, en su semidisfraz, una noche que representó
Miss Sacripant; yo estaba con unos compañeros de club, todos habíamos llevado una mujer, y aunque yo no tenía ganas
más que de dormir, las malas lenguas dijeron, pues la gente
del gran mundo es malísima, que me había acostado con
Odette. Lo que pasó es que ella aprovechó la ocasión para
venir a fastidiarme y yo creí librarme de ella presentándosela
a Swann. Desde aquel día ya no me soltó, no sabía una palabra de ortografía y tenía yo que escribirle las cartas. Y además fui yo después el encargado de pasearla. Ya ve usted,
hijo mío, lo que es tener buena reputación. Por lo demás, yo
sólo la merecía a medias. Odette me obligaba a organizarle
unas partidas terribles, de cinco, de seis.

Y monsieur de Charlus se puso a enumerar, con tanta seguridad como si recitara la lista de los reyes de Francia, los sucesivos amantes de Odette (había estado con Fulano, después con
Mengano). Y en realidad el celoso está, como los contemporáneos, demasiado cerca, no sabe nada, y es para los extraños
para quienes la crónica de los adulterios toma la precisión de la
historia y se alarga en listas, por lo demás indiferentes y que

sólo resultan tristes para otro celoso como yo, que no puede menos de comparar su propio caso con aquel de que oye hablar y se pregunta si no existirá una lista tan ilustre para la mujer de la que duda. Pero no puede averiguar nada, es como una conspiración universal, una novatada en la que todos participan cruelmente y que consiste en taparle los ojos mientras su amiga va de uno a otro, con una venda que él se esfuerza perpetuamente en arrancar, sin conseguirlo, pues todo el mundo se empeña en que siga ciego el desdichado, los buenos por bondad, los malos por maldad, los groseros por afición a las burlas malévolas, los educados por buena educación y todos por uno de esos convencionalismos que llaman principios.

–Pero ¿llegó a saber Swann alguna vez que usted había gozado de los favores de Odette?

–¡Vamos, hombre, qué horror! ¡Contar eso a Carlos! Es como para ponérsele a uno los pelos de punta. Pero, querido, me habría matado, sencillamente; era celoso como un tigre. Como tampoco le hubiera dicho yo a Odette, a quien, por lo demás, le habría dado lo mismo, que..., bueno, no me haga decir tonterías. Y lo más fuerte es que fue ella quien le disparó unos tiros de revólver que estuve a punto de recibir yo. La verdad es que me he divertido con ese matrimonio; y, naturalmente, tuve que ser testigo suyo contra D'Osmond, que nunca me lo perdonó. D'Osmond se había llevado a Odette, y Swann, para consolarse, tomó por amante, o por falsa amante, a la hermana de Odette. En fin, no va usted a hacerme contar la historia de Swann, tendríamos para diez años, ¿sabe?, la conozco como nadie. Era yo el que sacaba a Odette cuando no quería ver a Carlos. La cosa me fastidiaba todavía más porque tengo un pariente muy cercano que se llama Crécy, sin ninguna especie de derecho, naturalmente, pero que, en fin, aquello no le gustaba nada. Pues ella se hacía llamar Odette de Crécy, y con todo derecho, pues estaba sólo separada de un Crécy con el que se había casado, un Crécy de verdad, un caballero muy bien, al que le había sacado hasta el último céntimo... Pero usted lo que quiere es hacerme hablar, le vi con él en el trenecillo de Balbec, usted le invitaba allí a comer, y buena falta le debe de hacer al pobre: vivía de una pensión muy pequeña que le pasaba Swann, y supongo que desde la muerte de mi amigo habrán dejado de pagarle esa renta. No comprendo –me dijo monsieur de Charlus– que habiendo estado usted tan a menudo en casa de Carlos no me pidiera antes que le presentara a la reina de Nápoles. Veo que a usted no le interesan las *personas* como curiosidades, y es cosa que me extraña siempre en cualquiera que haya conocido a Swann, que tenía ese interés tan desarrollado, hasta el punto de que no se puede decir si fui yo en esto su iniciador o él el mío. Me extraña tanto como si viera a una persona que hubiese conocido a Whistler y no supiera lo que es el gusto. Era interesante conocerla sobre todo para Morel, y lo deseaba con pasión, pues Morel es inteligentísimo. Lástima que la reina se haya marchado. Pero, en fin, los reuniré uno de estos días. Es inevitable que la conozca. A no ser que la reina se muriera mañana, y es de esperar que no ocurra así.

De pronto Brichot, que seguía rumiando la proporción de «tres de cada diez» que le había revelado monsieur de Charlus, preguntó a éste en un tono sombrío y con una brusquedad que recordaba la de un juez de instrucción empeñado en hacer confesar a un acusado, pero que en realidad respondía al deseo que tenía el profesor de parecer perspicaz y a la turbación que le producía lanzar una acusación tan grave:

–¿Ski es de ésos?

Para impresionar con sus pretendidas dotes de intuición, eligió a Ski, diciéndose que, puesto que no había más que tres inocentes de cada diez *(sic)*, corría poco peligro de equivocarse nombrando a Ski, que le parecía un poco raro, tenía insomnios, se perfumaba, en fin, se salía de lo normal.

–*Nada de eso* –exclamó el barón con una ironía amarga, dogmática y exasperada–. ¡Lo que usted dice es tan falso, tan

absurdo, tan superficial! Ski es eso precisamente para las personas que no le conocen. Si lo fuera, no lo parecería tanto como
lo parece, dicho sea sin ninguna intención de crítica, pues tiene
atractivo y hasta le encuentro algo muy interesante.

–Pues díganos algunos nombres –insistió Brichot.

Monsieur de Charlus replicó con aire aburrido:

–Yo, querido, vivo en lo abstracto, todo eso no me interesa
más que desde un punto de vista trascendental –contestó
con la recelosa susceptibilidad propia de los de su género y la
afectación de grandilocuencia que caracterizaba su conversación–. A mí sólo me interesan las generalidades, le hablo
de esto como pudiera hablarle de la ley de la gravedad –pero
estos momentos de reacción irritada, cuando el barón quería ocultar su verdadera vida, duraban muy poco comparados con las horas de progresión continua en que hacía adivi-
narla, exhibiéndola con una complacencia molesta, pues la
necesidad de la confidencia era en él más fuerte que el temor
a la divulgación–. Quería decir –continuó– que para una
mala reputación justificada hay centenares de buenas reputaciones no menos justificadas. Claro es que el número de
los que no las merecen varía según que nos basemos en lo
que dicen los de su cuerda o en lo que dicen los otros. Y la
verdad es que si la malevolencia de los segundos queda limitada por la gran dificultad que éstos deben de tener para
creer en el vicio, tan terrible para ellos como el robo o el asesinato, practicado por unas personas cuya delicadeza y cuyo
corazón desconocen ellos, la malevolencia de los primeros la
estimula exageradamente el deseo de creer…, ¿cómo lo diré?,
de creer accesibles a unas personas que les gustan por referencias que les han dado otras personas a quienes ha engañado un deseo semejante, en fin, por el mismo alejamiento
en que generalmente les tienen. Yo he oído decir a un hombre, bastante mal visto por causa de esa afición, que creía
que cierto caballero del gran mundo tenía ese mismo vicio.
¡Y la única razón para creerlo era que aquel hombre del gran

mundo había estado amable con él! En el cálculo del número entran las mismas razones de *optimismo*. Pero la verdadera razón de la enorme diferencia que existe entre ese número calculado por los profanos y el calculado por los iniciados está en el misterio con que éstos rodean sus aventuras con el fin de ocultarlas a los demás, que, sin ningún medio de información, se quedarían literalmente estupefactos si se enteraran solamente de la cuarta parte de la verdad.

–Entonces, en nuestra época es como en la de los griegos –dijo Brichot.

–¿Como en la de los griegos? ¿Se figura usted que eso no siguió después? Fíjese en tiempo de Luis XIV: Monsieur, el pequeño Vermandois, Molière, el príncipe Luis de Baden, Brunswick, Charolais, Boufflers, el Grand Condé, el duque de Brissac.

–¡Pare el carro! Yo sabía Monsieur, Brissac por Saint-Simon, Vendôme, naturalmente, y otros muchos. Pero ese mala lengua de Saint-Simon habla a menudo del Grand Condé y del príncipe Luis de Baden y nunca lo dice.

–También es una pena que tenga yo que enseñarle historia a un profesor de la Sorbona. Pero, mi querido maestro, es usted ignorante como un pez.

–Es usted duro, barón, pero justo. Pues mire, le voy a dar gusto, ahora recuerdo una canción de la época que hicieron en latín macarrónico sobre cierta tormenta que sorprendió al Grand Condé cuando bajaba por el Ródano en compañía de su amigo el marqués de La Moussaye. Condé dijo:

> *Carus Amicus Mussaeus,*
> *Ah! Deus bonus! quod tempus!*
> *Landerirette,*
> *Imbres sumus perituri.*

Y La Moussaye le tranquilizó diciendo:

> *Securae sunt nostrae vitae.*
> *Sumus enim Sodomitae,*
> *Igne tantum perituri,*
>   *Landeriri.*

–Retiro lo que he dicho –dijo Charlus con voz aguda y amanerada–, es usted un pozo de ciencia; me lo escribirá, ¿verdad?, quiero guardar eso en mis archivos de familia, pues mi bisabuela en tercer grado era hermana del príncipe.

–Sí, barón, pero sobre el príncipe Luis de Baden no veo nada. Además, yo creo que, en general, el arte militar...

–¡Qué tontería! En esa época, Vendôme, Villars, el príncipe Eugenio, el príncipe de Conti, y si le hablara de nuestros héroes de Tonkín, de Marruecos, y hablo de los verdaderamente sublimes, y piadosos, y «nueva generación», se quedaría pasmado. ¡Ah!, tendría yo mucho que enseñar a los que hacen investigaciones sobre la nueva generación, que ha echado por la borda las vanas complicaciones de sus mayores, dice monsieur Bourget. Tengo un amiguito ahí, del que se habla mucho, que ha hecho cosas admirables...; pero, en fin, no quiero ser malo, volvamos al siglo XVII. Sabrá usted que Saint-Simon dice del mariscal D'Huxelles –entre tantos otros–: «... voluptuoso en orgías griegas de las que no se tomaba el trabajo de recatarse, y reclutaba jóvenes oficiales que se llevaba a casa, además de criadillos muy bien formados, y sin disimulos, en el ejército y en Estrasburgo». Probablemente habrá leído usted las cartas de Madame; los hombres no la llamaban más que «Putana». Ella habla de esto con bastante claridad.

–Y podía saberlo de buena fuente, por su marido.

–Madame es un personaje muy interesante –dijo monsieur de Charlus–. Se la podría tomar por modelo para hacer el retrato *ne varietur,* la síntesis lírica de *La femme d'une Tante.* Primero virago; generalmente la mujer de una *Tante* es un hombre, por lo que le es tan fácil hacerle hijos. Además, Madame no habla de los vicios de Monsieur, pero sí habla continuamente de ese mismo vicio en los demás, como persona enterada y por esa inclinación que tenemos a encontrar en las familias ajenas las mismas taras que padecemos en la nuestra, para demostrarnos a nosotros mismos que no tienen nada de excepcional ni de deshonroso. Le decía que siempre fue así en todo tiempo. Pero el nuestro se distingue muy especialmente en este aspecto. Y a pesar de los ejemplos que he tomado del siglo XVII, si viviera ahora mi bisabuelo Francisco de la Rochefoucauld podría decir, con más razón aún que en el suyo..., vamos, Brichot, ayúdeme: «Los vicios son de todos los tiempos; pero si en los primeros siglos hubieran aparecido ciertas personas que todo el mundo conoce, ¿se hablaría ahora de las prostituciones de Heliogábalo?» *Que todo el mundo conoce* me gusta mucho. Veo que mi sagaz pariente conocía «las soflamas» de sus contemporáneos más célebres como yo conozco las de los míos. Pero gentes como ésas tampoco abundan hoy. Tienen también algo especial.

Vi que monsieur de Charlus iba a decirnos de qué manera había evolucionado ese género de costumbres. Y mientras él hablaba, mientras hablaba Brichot, no se apartó de mí la imagen más o menos consciente de mi casa, donde me esperaba Albertina, imagen unida al motivo acariciante e íntimo de Vinteuil. Volvía siempre a Albertina, como tendría que volver efectivamente a ella al cabo de un momento como a una especie de grillete al que, de una manera o de otra, estaba encadenado, que me impedía salir de París y que en aquel momento, mientras en el salón Verdurin evocaba mi casa, me la hacía sentir no como un espacio vacío, exaltante para la personalidad y un poco triste, sino lleno –semejante en esto al hotel de Balbec cierta noche– de aquella presencia que no se movía, que duraba allí por mí y que estaba seguro de encontrar en el momento que yo quisiera. La insistencia con que monsieur de Charlus volvía siempre al tema –para el cual, por lo demás, su inteligencia, siempre ejercitada en el mismo sentido, tenía cierta penetración– tenía algo de bastante complejamente penoso. Era latoso como un sabio que no ve nada fuera de su especialidad, irritante como un enterado que presume de los secretos que conoce y está deseando divulgarlos, antipático como los que, cuando se trata de sus defectos, se pavonean sin darse cuenta de que desagradan, fijo como un maniático e irresistiblemente imprudente como un culpable. Estas características, que en ciertos momentos se tornaban tan obsesivas como las de un loco o un criminal, me daban, por otra parte, cierta tranquilidad. Pues sometiéndolas a la trasposición necesaria para poder sacar de ellas deducciones respecto a Albertina y recordando la actitud de ésta con Saint-Loup, conmigo, por penoso que fuera para mí uno de estos recuerdos y por melancólico que fuese el otro, me decía que parecían excluir el tipo de deformación tan acusada, de especialización forzosamente exclusiva, al parecer, que con tanta fuerza se desprendía de la conversación y de la persona de monsieur de Charlus. Pero desgraciadamente éste se apresuró a destruir estas razones mías de esperanza de la misma manera que me las había dado, es decir, sin saberlo.

–Sí –dijo–, ya no tengo veinticinco años y he visto cambiar muchas cosas en torno mío; ya no reconozco ni la sociedad, en la que se han roto las barreras, en la que una turbamulta sin elegancia y sin decencia baila el tango hasta en mi familia, ni las modas, ni la política, ni las artes, ni la religión, ni nada. Pero confieso que lo que más ha cambiado es lo que los alemanes llaman la homosexualidad. Dios santo, en mi tiempo, dejando a un lado los hombres que detestaban a las mujeres y los que, gustándoles sólo las mujeres, sólo por interés hacían otra cosa, los homosexuales eran unos buenos padres de familia y no solían tener amante más que como tapadera. Si yo hubiera tenido una hija que casar, habría buscado un yerno entre ellos para estar seguro de que no sería desgraciada. Desgraciadamente, todo ha cambiado. Ahora se reclutan también entre los hombres más mujeriegos. Yo creía tener cierto olfato, y cuando me decía: seguramente no, creía no engañarme. Pues bien, me doy por vencido. Un amigo mío muy conocido por eso tenía un cochero que le proporcionó mi cuñada Oriana, un mozo de Combray que había hecho más o menos todos los oficios, pero sobre todo el de levantar faldas, y que yo habría jurado de los más hostiles a esas cosas. Hacía sufrir a su querida engañándola con dos mujeres a las que adoraba, sin contar las otras, una actriz y una camarera. Mi primo el príncipe de Guermantes, que tiene precisamente la inteligencia irritante de esas gentes que se lo creen todo, me dijo un día: «Pero ¿por qué no se acuesta X... con su cochero? A lo mejor le gustaría a Teodoro (era el nombre del cochero) y quién sabe si hasta no le duele que su patrón no le diga nada.» No pude menos de imponer silencio a Gilberto; me molestaba a la vez esa pretendida perspicacia que, cuando se aplica indistintamente, es una falta de perspicacia, y también la tosca malicia de mi primo, que hubiera querido que nuestro amigo X se arriesgara a poner el pie en el pontón para, si era viable, avanzar él a su vez.

–¿Es que el príncipe de Guermantes tiene esas aficiones? –preguntó Brichot con una mezcla de sorpresa y de malicia.

–Caramba –contestó monsieur de Charlus encantado–, es tan sabido que no creo cometer una indiscreción diciéndole que sí... Bueno, pues al año siguiente fui a Balbec y allí me enteré, por un marinero que me llevaba algunas veces a pescar, que mi Teodoro, el cual, entre paréntesis, es hermano de la doncella de una amiga de madame Verdurin, la baronesa Putbus, iba al puerto a levantar, ya a un marinero, ya a otro, con un descaro infernal, para dar una vuelta en barca y para «otra cosa» –ahora fui yo quien preguntó si aquel patrón, en el que reconocí al señor que jugaba a las cartas todo el día con su amante, era como el príncipe de Guermantes–. Pero, hombre, todo el mundo lo sabe, y él ni siquiera se recata.

–Pero estaba con su querida.

–Bueno, ¿y qué importa eso? ¡Cuidado que son inocentes estos niños! –me dijo en un tono paternal, sin sospechar lo que me dolían sus palabras pensando en Albertina–. Su querida es encantadora.

–Pero entonces ¿sus amigos son como él?

–Nada de eso –exclamó tapándose los oídos como si yo, tocando un instrumento, hubiera dado una nota falsa–. Ahora salimos por el otro extremo. ¿Es que no hay derecho a tener amigos? ¡Ah, la juventud todo lo confunde! Habrá que rehacer su educación, hijo mío. Sin embargo –continuó–, confieso que este caso, y conozco otros muchos, por muy tolerante que me empeñe en ser con todas las osadías, me perturba. Soy muy antiguo, pero no comprendo –dijo en el tono de un viejo galicano hablando de ciertas formas de ultramontanismo, o de un monárquico liberal hablando de la Acción Francesa, o de un discípulo de Claude Monet refiriéndose a los cubistas–. No censuro a esos innovadores, más bien los envidio, procuro entenderlos, pero no lo consigo. Si aman tanto a la mujer, ¿por qué, y sobre todo en ese mundo obrero donde está mal visto, donde se esconden por amor propio, tienen necesidad de eso que ellos llaman un *môme*[1]? Es que eso representa para ellos otra cosa. ¿Qué?

«¿Qué otra cosa puede representar la mujer para Albertina?», pensé yo, y en esto radicaba, en efecto, mi sufrimiento.

–Decididamente, barón –dijo Brichot–, si alguna vez el Consejo de Facultades propone crear una cátedra de homosexualidad, le propongo a usted en primer lugar. O no, más bien le cuadraría un instituto de psicología especial. Y como mejor le veo es en un sillón del Colegio de Francia que le per-

---

1. Los diccionarios no dan de esta palabra popular, *môme,* otra acepción que la de 'muchacho', 'chaval'. *(N. de la T.)*

mitiera entregarse a unos estudios personales para luego
ofrecer los resultados, como hace el profesor de tamul o de
sánscrito, ante el reducido número de personas que se in-
teresarían por esto. Tendría usted dos oyentes y el bedel,
dicho sea sin intención de echar la más ligera sombra sobre nuestro cuerpo de bedeles, al que creo fuera de toda
sospecha.

–No sabe usted nada de eso –replicó el barón en un tono
duro y tajante–. Por lo demás, se equivoca al creer que eso
interesa a tan pocas personas. Muy al contrario –y sin darse
cuenta de la contradicción que había entre la dirección que
tomaba invariablemente su conversación y el reproche
que iba a dirigir a los demás, dijo a Brichot con un aire es-
candalizado y contrito–: Todo lo contrario, es alarmante, no
se habla más que de eso. Es una vergüenza, pero es tal como
le digo, querido. Parece ser que antes de ayer, en casa de la
duquesa de Ayen, no se habló de otra cosa en dos horas. Figúrese si ahora se ponen a hablar de eso las mujeres, ¡un verdadero escándalo! Lo más innoble es que están enteradas
–añadió con una energía y un calor extraordinarios– por
unos indecentes, unos verdaderos cerdos, como ese mente-
catito de Châtellerault, del que habría que decir más que de
nadie, y que les cuenta las historias de los demás. Me han dicho que habla de mí como para matarle, pero me tiene sin
cuidado; pienso que el cieno y las inmundicias que le eche a
uno un individuo que ha estado a punto de ser expulsado del
Jockey por haber trucado un juego de naipes no pueden caer
más que sobre él. Claro es que si yo fuera Juana de Ayen res-
petaría lo suficiente mi salón para que no entraran en él sujetos semejantes y no se arrastrara por el fango en mi casa a
personas de mi propia familia. Pero ya no hay sociedad, ya
no hay reglas, ya no hay conveniencias para la conversación,
como no las hay para el vestir. ¡Ah, querido, es el fin del
mundo! Todo el mundo se ha vuelto malo, todos rivalizan a
quién hablará peor de los demás. ¡Es horrible!

Yo, cobarde como ya lo era de niño en Combray cuando escapaba para no tener que ofrecer coñac a mi abuelo, ante los vanos esfuerzos de mi madre suplicándole que no bebiera, no tenía ahora más que un pensamiento: irme de casa de los Verdurin antes de que se realizara la ejecución de Charlus.

–No tengo más remedio que marcharme –le dije a Brichot.

–Le acompaño –contestó–, pero no podemos marcharnos a la inglesa. Vamos a despedirnos de madame Verdurin –concluyó el profesor, y se dirigió al salón como quien, en ciertos juegos de sociedad, va a preguntar: ¿puedo volver ya?

Mientras nosotros hablábamos, monsieur Verdurin, a una señal de su mujer, había traído a Morel. Y el caso es que madame Verdurin, aun cuando, después de pensarlo bien, hubiera juzgado que era más prudente aplazar las revelaciones a Morel, no habría podido. Hay deseos, a veces circunscritos a la boca, que una vez que se les ha dejado crecer exigen su cumplimiento, cualesquiera que puedan ser las consecuencias; no hay manera de resistirse a besar un hombro desnudo que se está mirando desde hace mucho tiempo y sobre el que caen los labios como el pájaro sobre la serpiente, a clavar en un pastel el diente fascinado por el hambre canina, a privarse del asombro, de la perturbación, del dolor o de la alegría que con unas palabras imprevistas vamos a provocar en un alma. Así madame Verdurin, ebria de melodrama, había mandado a su marido a buscar a Morel para hablarle, costara lo que costara. Morel comenzó por deplorar que se hubiera ido la reina de Nápoles sin que le presentaran a ella. Monsieur de Charlus le había repetido tantas veces que era hermana de la emperatriz Isabel y de la duquesa de Alencon, que la soberana tenía para Morel una importancia extraordinaria. Pero el patrón le explicó que no estaban allí para hablar de la reina de Nápoles y fue derecho al tema. «Bueno –decidió al cabo de algún tiempo–, si quiere vamos a pedir consejo a mi mujer. Palabra de honor que no le he dicho nada. Vamos a ver qué le parece. Mi opinión no vale, pero ya sabe lo que pienso de ella, y además le quiere a usted muchísimo; vamos a someter la causa a su juicio.» Y mientras madame Verdurin esperaba con impaciencia las emociones que pronto iba a saborear hablando con el virtuoso, y después, cuando éste se marchara, escuchando de su marido un detallado informe del diálogo sostenido entre éste y el violinista, sin dejar de repetir entre tanto: «Pero ¿qué diablos estarán haciendo?; espero que Gustavo, ya que le entretiene tanto tiempo, sabrá por lo menos prepararle», monsieur Verdurin volvió a bajar con Morel, que parecía muy impresionado.

–Morel quiere pedirte un consejo –dijo monsieur Verdurin a su mujer como quien no sabe si su proposición será atendida.

Madame Verdurin, en todo el calor de su pasión, en lugar de contestar a monsieur Verdurin, se dirigió a Morel:

–Pienso exactamente lo mismo que mi marido, creo que no puede usted tolerar eso por más tiempo –exclamó con violencia, olvidando la fútil ficción convenida entre ella y su marido: hacer como que no sabía nada de lo que éste había dicho al violinista.

–¿Qué? ¿Tolerar qué? –balbució monsieur Verdurin procurando fingir sorpresa y tratando, con una torpeza justificada por su desconcierto, de defender su mentira.

–Lo he adivinado, he adivinado lo que le has dicho –contestó madame Verdurin sin preocuparse lo más mínimo de la verosimilitud de la explicación y muy poco de lo que el violinista pudiera pensar, cuando recordara esta escena, sobre la veracidad de la patrona–. No –añadió madame Verdurin–, creo que no debe usted soportar más esa vergonzosa promiscuidad con un personaje tan malfamado, al que ya no reciben en ninguna parte –añadió sin importarle que esto no fuera verdad y olvidando que ella le recibía casi a diario–.

Es usted la comidilla del Conservatorio –añadió dándose cuenta de que éste era el argumento más eficaz–; un mes más de esa vida, y su porvenir artístico se malogra, mientras que sin Charlus podría usted ganar más de cien mil francos al año.

–Pero yo no había oído nunca decir nada, me deja estupefacto; se lo agradezco mucho –murmuró Morel con lágrimas en los ojos.

Pero obligado a la vez a fingir la sorpresa y a disimular la vergüenza, estaba más sofocado y sudaba más que si acabara de tocar todas las sonatas de Beethoven una tras otra, y le asomaban a los ojos lágrimas que con toda seguridad no le arrancara el maestro de Bonn. El escultor interesado por aquellas lágrimas sonrió y me señaló a Charlie con el rabillo del ojo.

–Si no ha oído decir nada, es usted el único. Ese señor tiene una fama malísima y ha estado metido en unas historias muy feas. Yo sé que la Policía le vigila, y después de todo es lo mejor que puede ocurrirle para no acabar como todos sus congéneres, asesinado por algún apache –añadió madame Verdurin, pues al pensar en Charlus le vino el recuerdo de madame de Durás y, ciega de rabia, procuraba ahondar más aún las heridas que estaba infligiendo al desdichado Charlie y vengar las que ella había recibido aquella noche–. Además, ni siquiera materialmente le puede servir de nada, está completamente arruinado desde que se encuentra en las manos de un agente que le saca el dinero con chantajes y que ni siquiera podrá sacar el precio de su música, y menos podrá sacar usted el de la suya[1], pues todo es hipotético: hotel, castillo, etc.

Morel dio fácilmente crédito a esta mentira porque monsieur de Charlus le solía tomar por confidente de sus relaciones con apaches, raza esta que al hijo de un criado, por muy

1. Esto, que, traducido, resulta incongruente, responde en francés a un juego de palabras (un poco forzado): se dice *faire chanter* ('hacer cantar') o 'hacer un *chantage*'; de aquí lo del precio de la música. *(N. de la T.)*

libertino que sea, le produce un sentimiento de horror equivalente a su adhesión a las ideas bonapartistas.

En su astuta mente había germinado ya una combinación análoga a lo que en el siglo XVIII se llamó un trueque de alianzas. Decidido a no volver a hablar a monsieur de Charlus, volvería al día siguiente por la noche a ver a la sobrina de Jupien, con el propósito de ir a arreglarlo todo. Desgraciadamente para él, este proyecto iba a fracasar, pues monsieur de Charlus tenía aquella misma noche con Jupien una cita a la que el antiguo chalequero no se atrevió a faltar a pesar de lo sucedido. Otros se precipitaron en cuanto a Morel, como se verá, y cuando Jupien contó al barón, llorando, sus cuitas, éste, no menos afligido, le dijo que iba a adoptar a la pequeña abandonada, que le daría uno de los títulos de que disponía, probablemente el de mademoiselle d'Oloron, que perfeccionaría su educación y le proporcionaría una buena boda. Estas promesas entusiasmaron a Jupien y dejaron indiferente a su sobrina, porque seguía enamorada de Morel, el cual, por estupidez o por cinismo, entraba bromeando en la tienda cuando Jupien estaba ausente. «¿Qué te pasa? –le decía–, ¿por qué tienes esas ojeras? ¿Penas de amor? Mira, los años pasan, y pasan distintos. Después de todo, si se pueden probar unos zapatos, con mayor razón se puede probar una mujer, y si no le va a uno a la medida del pie...» Morel no se enfadó más que una vez, y fue porque ella lloró, lo que le pareció cobarde, un proceder indigno. No siempre soportamos bien las lágrimas que hacemos derramar.

Pero nos hemos anticipado mucho, pues todo esto no ocurrió hasta después de la fiesta de los Verdurin, que interrumpimos y a la que tenemos que volver en el punto en que estábamos.

–Nunca lo hubiera pensado... –suspiró Morel respondiendo a madame Verdurin.

–Naturalmente, no se lo dicen a la cara, pero eso no impide que sea la comidilla del Conservatorio –replicó malévolamente madame Verdurin, queriendo dar a entender a Morel que no se trataba únicamente de monsieur de Charlus, sino también de él–. Quiero creer que usted lo ignora, y, sin embargo, la gente no se recata de hablar. Pregúntele a Ski lo que estaban diciendo el otro día en la función de Chevillard, a dos pasos de nosotros, cuando entró usted en mi palco. Vamos, que le señalan con el dedo. Debo decirle que, por mi parte, no me importa mucho. Lo que me parece, sobre todo, es que eso hace a un hombre ridiculísimo, el hazmerreír de todo el mundo para toda la vida.

–No sé cómo agradecérselo –dijo Charlie como se lo diríamos a un dentista que acaba de hacernos muchísimo daño y no queremos que se nos note, o a un testigo demasiado sanguinario que nos ha obligado a un duelo por unas palabras insignificantes diciéndonos: «No puede usted tragarse eso».

–Creo que usted tiene carácter, que es usted un hombre –siguió madame Verdurin– y que sabrá hablar alto y claro, por más que él diga a todo el mundo que usted no se atreverá, que le tiene bien seguro.

Charlie, buscando una dignidad prestada para cubrir la suya hecha jirones, encontró en su memoria, por haberlo leído o haber oído decirlo, y declaró en seguida:

–No me criaron a mí para comer ese pan. Esta misma noche romperé con monsieur de Charlus... La reina de Nápoles se ha marchado, ¿verdad? Si no fuera así, antes de romper con él le habría pedido...

–No es necesario romper por completo con él –dijo madame Verdurin, con el deseo de no desorganizar el pequeño núcleo–. No hay inconveniente en que le vea aquí, en nuestro pequeño grupo, donde le apreciamos a usted, donde no hablarán mal de usted. Pero exija su libertad y no se deje arrastrar por él a todas esas pécoras que son muy amables cuando está delante; me gustaría que oyera usted lo que dicen detrás. De todos modos, no lo lamente: no sólo se quita usted una mancha que le quedaría para toda la vida, hasta desde el punto de vista artístico; aunque no mediara esa vergonzosa presentación por mano de Charlus, yo diría que rebajarse así en ese medio de falso gran mundo le daría un tono poco serio, una fama de aficionado, de pequeño músico de salón, cosa terrible a su edad. Comprendo que para todas esas bellas damas es muy cómodo quedar bien con sus amigas exhibiéndole a usted, pero lo pagaría su porvenir de artista. No digo que no vaya a casa de una o de dos. Hablaba usted de la reina de Nápoles –que, en efecto, se ha marchado, tenía una velada–, y ésa sí que es una excelente mujer. Y le diré que, a mi parecer, hace poco caso de Charlus, creo que ha venido sobre todo por mí. Sí, sí, tenía ganas de conocernos a monsieur Verdurin y a mí. Ése sí es un sitio donde usted podrá tocar, y además le diré que, llevado por mí, como los artistas me conocen y han sido siempre muy simpáticos conmigo, y me consideran un poco como de los suyos, como su patrona, es diferente. Pero sobre todo ¡no se le ocurra ir a casa de madame Durás! ¡No vaya a cometer semejante pifia! Conozco a artistas que han venido a hacerme sus confidencias sobre ella. Claro, saben que pueden fiarse de mí –dijo en el tono suave y sencillo que sabía tomar súbitamente dando a sus rasgos una expresión de modestia, a sus ojos una expansión adecuada–. Vienen a contarme sus pequeñas historias; hasta los que tienen fama de más callados se pasan a veces horas charlando conmigo, y no sabe usted lo interesantes que son. El pobre Chabrier decía siempre: «La única que sabe hacerles hablar es madame Verdurin». Pues bien, a todos, a todos sin excepción, los he visto llorar por haber ido a tocar en casa de madame Durás. En esa casa se reían de las humillaciones que, por indicación de la dueña, les infligen los criados, y después no podían encontrar quien los contratara. Los directores decían: «¡Ah, sí!, es el que toca en casa de madame Durás». ¡Se acabó! Nada como eso para cortar una carrera. El gran mundo no da a los artistas un tono serio; ya se puede tener todo el talento que se quiera, es triste decirlo, pero basta una madame Durás para dar fama de *amateur*. Y para los artistas –ya sabe usted que los conozco, que llevo cuarenta años tratándolos, lanzándolos, interesándome por ellos–, para un artista, si se dice de él un *amateur*, se acabó. Y en el fondo comenzaban a decirlo de usted. ¡Cuántas veces he tenido que ponerme seria, asegurar que usted no tocaría en este o en el otro salón ridículo! ¿Sabe lo que me contestaban?: «No tendrá más remedio, Charlus ni siquiera le consultará, no le pide su opinión». Sé de una persona que quiso halagarle diciéndole: «Admiramos mucho a su amigo Morel». ¿Sabe usted lo que contestó, con ese tono insolente que usted conoce? Pues le contestó: «Pero ¿cómo quiere usted que sea amigo mío? No somos de la misma clase. Diga usted que es obra mía, mi protegido» –en este momento bullía bajo la abombada frente de la diosa música lo único que algunas personas no pueden guardar para ellas, una palabra que no sólo es abyecta, sino que es imprudente repetirla. Pero la necesidad de repetirla es más fuerte que el honor, que la prudencia. A esta necesidad cedió la patrona, previos unos ligeros movimientos de la frente esférica y preocupada–. Y hasta le han contado a mi marido que había dicho «mi doméstico», pero esto no puedo asegurarlo –añadió. Necesidad pareja a la que llevó a monsieur de Charlus, poco después de haber jurado a Morel que nunca sabría nadie de dónde había salido, a decir a madame Verdurin: «Es hijo de un criado». Ahora, ya pronunciada esta palabra, la misma necesidad la haría circular de unas personas a otras, que la confiarían bajo el sello de un secreto que sería prometido y no guardado, como ellas mismas habían hecho. Estas palabras acababan, como en el juego de prendas, por volver a madame Verdurin, indisponiéndola con el interesado, que había acabado por enterarse. Ella lo sabía, pero no podía retener la palabra que le quemaba la lengua. «Doméstico» no podía menos de molestar a Morel. Sin embargo, madame

Verdurin dijo «doméstico», y si añadió que no podía asegurarlo, fue porque con este matiz daba apariencia de verdad al resto y por parecer imparcial. Esta imparcialidad la impresionó a ella misma hasta tal punto que comenzó a hablar tiernamente a Charlie–. Pues mire usted –dijo–, yo no se lo reprocho, le arrastra a usted a su abismo, pero no es culpa suya, puesto que él mismo cae en él, él mismo cae en él –repitió bastante alto, maravillada del acierto de la imagen que le había salido más de prisa que su atención, la cual sólo después de dicha la cogía y procuraba sacarle partido–. No, lo que le reprocho –dijo en un tono dulce, como una mujer embriagada con su éxito– es su falta de delicadeza con usted. Hay cosas que no se dicen a todo el mundo. Por ejemplo, hace un momento apostó que le iba a hacer sonrojarse de gusto anunciándole (por jactancia, naturalmente, pues su recomendación bastaría para impedirle obtenerla) que le iban a dar la cruz de la Legión de Honor. Todavía esto puede pasar, aunque nunca me gustó mucho –añadió con un gesto delicado y digno– que se engañe a los amigos; pero, mire usted, hay naderías que nos dan pena. Por ejemplo, cuando nos cuenta, muerto de risa, que si usted desea la cruz es por su tío, y que su tío era un criado.

–¡Le ha dicho eso! –exclamó Charlie creyendo, por estas palabras hábilmente traídas, que era verdad todo lo que había dicho madame Verdurin.

La patrona estaba rebosante de alegría, la alegría de una antigua querida que a punto de ser abandonada por su joven amante consigue romper su boda. Y quizá no había calculado la mentira, ni siquiera mentido a sabiendas. Quizá una lógica sentimental, algo más elemental aún, una especie de reflejo nervioso que la impulsaba, para animar su vida y proteger su felicidad, a «mezclar las cartas» en el pequeño clan, hacía subir impulsivamente a sus labios, sin que ella tuviera tiempo de controlar su veracidad, aquellas afirmaciones diabólicamente útiles, ya que no rigurosamente exactas.

–Si nos lo hubiera dicho a nosotros solos no importaría –repuso la patrona–; nosotros ya sabemos que de lo que él dice hay que tomar y dejar, y además todos los oficios son buenos, cada uno tiene su valor, cada cual es lo que vale. Pero lo que nos duele es que vaya con esas cosas a madame de Portefin –madame Verdurin la citaba adrede, porque sabía que Charlie quería a madame de Portefin–. Cuando le oyó, mi marido me dijo: «Hubiera preferido que me dieran una bofetada». Pues Gustavo le quiere a usted tanto como yo –así se supo que monsieur Verdurin se llamaba Gustavo–. En el fondo es un sentimental.

–Pero yo no te he dicho nunca que le quería –murmuró monsieur Verdurin fingiendo una hosquedad bonachona–. El que le quiere es el Charlus.

–¡Oh!, no, ahora comprendo la diferencia; vivía traicionado por un miserable, mientras que usted, usted sí que es bueno –exclamó Charlie con sinceridad.

–No, no –murmuró madame Verdurin para consolidar su victoria (pues veía salvados sus miércoles) sin abusar de ella–, miserable es mucho decir; hace daño, mucho daño, pero inconscientemente; le advierto que esa historia de la Legión de Honor no duró mucho. Y sería muy desagradable para mí repetirle todo lo que ha dicho de su familia –dijo madame Verdurin, que se hubiera visto muy apurada para hacerlo.

–¡Oh!, aunque no dudara más que un instante, basta para probar que es un traidor –exclamó Morel.

En este momento volvimos al salón.

–¡Ah! –exclamó monsieur de Charlus viendo a Morel y dirigiéndose hacia el músico con la animación de los hombres que han organizado sabiamente toda la noche con vistas a una cita con una mujer y que, muy exaltados, no sospechan que ellos mismos han armado la trampa donde van a cogerlos y apalearlos, delante de todo el mundo, unos hombres apostados por el marido–. Vaya, no es demasiado pronto.

¿Está usted contento, joven gloria, y sin tardar mucho joven caballero de la Legión de Honor? Pues va a ostentar en seguida su cruz –dijo monsieur de Charlus a Morel en un tono tierno y triunfante, pero refrendando, con estas mismas palabras alusivas a la condecoración, las mentiras de madame Verdurin, que a Morel le parecieron así una verdad indiscutible.

–Déjeme, le prohíbo acercarse a mí –gritó Morel al barón–. Esto no debe de ser para usted un ensayo, no soy el primero que intenta pervertir.

Lo único que me consolaba era pensar que iba a ver cómo monsieur de Charlus pulverizaba a Morel y a los Verdurin. Por muchísimo menos había sido yo objeto de sus iras de loco, nadie estaba libre de ellas, no le intimidaría ni un rey. Pero ocurrió algo extraño. Vimos a monsieur de Charlus mudo, estupefacto, midiendo su desgracia sin comprender la causa, no encontrando una palabra, mirando sucesivamente a todos los presentes con gesto interrogador, indignado, suplicante, y que parecía preguntarles, más que lo que había ocurrido, lo que él debía contestar. Quizá lo que le enmudecía (al ver que madame Verdurin volvía los ojos y que nadie acudía en su ayuda) era el sufrimiento presente y, sobre todo, el terror de los sufrimientos que le esperaban; o bien que, no habiéndose exaltado de antemano con la imaginación y forjado una furia, no teniendo dispuesta la ira (pues, sensitivo, nervioso, histérico, era un verdadero impulsivo, pero un falso valiente, y hasta, como siempre había querido yo, y esto me lo hacía bastante simpático, un falso malévolo, y no tenía las reacciones normales del hombre de honor ultrajado), le habían sorprendido y herido bruscamente cuando estaba sin armas; o bien, en un medio que no era el suyo, se sentía menos a sus anchas y menos valiente que en el Faubourg. El caso es que, en aquel salón que él despreciaba, el gran señor (al que la superioridad sobre los plebeyos no era más esencialmente inherente que lo fuera a un antepasado suyo ante el tribunal revolucionario), en una parálisis de todos los miembros y de la lengua, no supo hacer otra cosa que dirigir a todos lados unas miradas de espanto, de indignación por la violencia que le infligían, unas miradas tan suplicantes como interrogadoras. Y, sin embargo, monsieur de Charlus poseía todos los recursos no sólo de la elocuencia, sino de la audacia, cuando, presa de una ira que hervía en él desde hacía tiempo, dejaba a cualquiera hecho un guiñapo, con las palabras más cruentas, ante las gentes del gran mundo escandalizadas y que nunca creyeron que se pudiera llegar tan lejos. En estos casos, monsieur de Charlus ardía, se agitaba en verdaderos ataques nerviosos que hacían temblar a todo el mundo. Pero es que en estos casos tenía la iniciativa, atacaba, decía lo que quería (como Bloch sabía burlarse de los judíos y enrojecía si alguien los nombraba delante de él). A aquellas personas a quienes odiaba, las odiaba porque creía que le despreciaban. De haber sido amables con él, en lugar de enfurecerse contra ellas las hubiera besado. En una circunstancia tan terriblemente imprevista, aquel gran discurseador sólo supo balbucir:

–¿Qué quiere decir esto? ¿Qué pasa?

Ni siquiera se le oía. Y como la eterna pantomima del terror pánico ha cambiado tan poco, aquel viejo caballero al que ocurría una aventura desagradable en un salón parisiense repetía sin querer las actitudes esquemáticas en las que la escultura griega de las primeras edades estilizaba el espanto de las ninfas perseguidas por el dios Pan.

El embajador caído en desgracia, el alto funcionario que pasa a la reserva, el hombre de mundo recibido fríamente, el enamorado despedido, examinan, a veces durante meses, el hecho que ha matado sus esperanzas; le dan vueltas y más vueltas como a un proyectil disparado de no se sabe dónde ni por qué, casi un aerolito. Quisieran conocer los elementos que forman ese extraño objeto caído sobre ellos, saber qué malas voluntades se pueden reconocer en él. Los químicos disponen de análisis; los enfermos de un mal cuyo origen desconocen pueden llamar al médico, y los hechos criminales son más o menos dilucidados por el juez de instrucción. Pero rara vez descubrimos los móviles de los hechos desconcertantes de nuestros prójimos. Y monsieur de Charlus –anticipándonos a los días que siguieron a aquella noche sobre la que hemos de volver– sólo una cosa clara vio en la actitud de Charlie. Morel, que había amenazado muchas veces al barón con contar la pasión que le inspiraba, debía de haber aprovechado para ello aquel momento en que se creía suficientemente «llegado» para volar con sus propias alas. Y por pura ingratitud se lo habría contado todo a madame Verdurin. Pero ¿cómo ésta se había dejado engañar? (pues el barón, decidido a negar, se había convencido a sí mismo de que los sentimientos que le reprocharían eran imaginarios). Acaso algún amigo de madame Verdurin, tal vez él mismo, enamorado de Charlie, había preparado el terreno. En consecuencia, monsieur de Charlus, los días siguientes, escribió unas cartas terribles a varios «fieles» completamente inocentes y que le creyeron loco; después fue a hacerle a madame Verdurin un largo relato enternecedor, relato que no produjo en absoluto el efecto que él deseaba. Pues, por una parte, madame Verdurin repetía al barón: «Pues no se ocupe más de él, despréciele, es un niño». Pero el barón no ansiaba más que una reconciliación. Por otra parte, para conseguirla privando a Charlie de todo lo que creía seguro, monsieur de Charlus pedía a madame Verdurin que no volviera a recibirle, a lo que ésta opuso una negativa que le valió unas cartas irritadas y sarcásticas de monsieur de Charlus. Yendo de una suposición a otra, el barón no dio jamás con la verdadera; es decir, que el golpe no había partido en modo alguno de Morel. Verdad es que hubiera podido enterarse pidiendo a éste unos minutos de conversación. Pero consideraba esto contrario a su dignidad y a los intereses de su amor. Había sido ofendido y esperaba explicaciones. Por lo demás, a la idea de una entrevista que pudiera disipar una mala interpretación va siempre unida otra idea que, por la razón que sea, nos impide prestarnos a esa entrevista. El que se ha rebajado y ha demostrado su debilidad en veinte ocasiones dará prueba de orgullo en la ocasión número veintiuno, precisamente la única en que sería útil no atrincherarse en una actitud arrogante y disipar un error que, al no ser desmentido, se va arraigando en el adversario. En cuanto al aspecto mundano del incidente, corrió el rumor de que a monsieur de Charlus le habían echado de casa de los Verdurin cuando intentaba violar a un joven músico. Y no le extrañó a nadie que monsieur de Charlus no volviera a aparecer en casa de los Verdurin; cuando por casualidad se encontraba en alguna parte con alguno de los «fieles» de los que sospechara y a los que había insultado, éste le guardaba rencor al barón y el barón ni siquiera le saludaba, lo que no sorprendía a nadie, pues se comprendía muy bien que ningún miembro del pequeño clan quisiera hablar al barón.

Mientras monsieur de Charlus, anonadado por las palabras que acababa de pronunciar Morel y por la actitud de la patrona, parecía una ninfa presa de terror pánico, monsieur y madame Verdurin se retiraron al primer salón, como en señal de ruptura diplomática, dejando solo a monsieur de Charlus, y Morel, en el estrado, metía su violín en el estuche.

–Cuéntanos cómo fue –dijo ávidamente madame Verdurin a su marido.

–No sé qué le dijo usted, pero parecía impresionadísimo –intervino Ski–; se le saltaban las lágrimas.

–Creo que lo que he dicho yo le ha sido completamente indiferente –dijo madame Verdurin fingiendo no haber entendido, con uno de esos manejos que, por lo demás, no engañan a todo el mundo y para obligar al escultor a repetir que Charlie lloraba, lágrimas que enorgullecían demasiado a la patrona para que quisiera arriesgarse a que las ignorara alguno de los fieles que podía no haber oído bien.

–No, no, al contrario, le brillaban unos buenos lagrimones –dijo el escultor en voz baja y con sonriente gesto de confidencia mal intencionado, sin dejar de mirar de reojo para cerciorarse de que Morel seguía en el estrado y no podía oír la conversación.

Pero había una persona que la oía y cuya presencia iba a devolver a Morel, nada más verla, una de las esperanzas que había perdido. Era la reina de Nápoles, que al darse cuenta de que había olvidado el abanico le había parecido más amable volver ella misma a buscarlo, dejando para ello la otra fiesta. Entró calladamente, como confusa, dispuesta a pedir perdón y a hacer una breve visita ahora que no quedaba nadie. Pero en el calor del incidente, que ella comprendió en seguida y que la indignó, no la oyeron entrar.

–Dice Ski que tenía lágrimas en los ojos; ¿te fijaste tú en eso? Yo no he visto esas lágrimas. ¡Ah, sí, es verdad, ahora me acuerdo! –corrigió, temiendo que su denegación fuera creída–. Y Charlus está hecho un guiñapo, debía buscar una silla, le tiemblan las piernas, se va a caer redondo –dijo burlándose despiadadamente.

En este momento corrió Morel hacia ella.

–¿No es esa señora la reina de Nápoles? –preguntó (aunque sabía que era ella) señalando a la soberana que se dirigía hacia Charlus–. Después de lo ocurrido, ya no puedo pedir al barón que me presente a ella.

–Espere, le presentaré yo –dijo madame Verdurin, y seguida por algunos fieles, pero no por mí ni por Brichot, que nos apresuramos a pedir nuestros abrigos y a marcharnos, se dirigió hacia la reina, que estaba hablando con monsieur de Charlus. Había creído éste que la realización de su gran deseo de que Morel fuera presentado a la reina de Nápoles sólo podía impedirla la muerte, improbable, de la soberana. Pero nos representamos el futuro como un reflejo del presente proyectado en un espacio vacío, cuando es el resultado, a veces muy inmediato, de causas que en su mayor parte ignoramos. No hacía de aquello ni una hora, y monsieur de Charlus lo habría dado todo por que Morel no fuera presentado a la reina. Madame Verdurin hizo a ésta una reverencia. Al ver que la reina no parecía reconocerla, dijo–: Soy madame Verdurin. ¿No me reconoce vuestra majestad?

–Muy bien –dijo la reina, y siguió hablando a monsieur de Charlus con tanta naturalidad y con un aire tan perfectamente distraído que madame Verdurin dudó si era a ella a quien se dirigía aquel «muy bien» pronunciado en un tono maravillosamente distraído que a monsieur de Charlus, experto y goloso catador en materia de impertinencias, le arrancó, en medio de su dolor de amante, una sonrisa de gratitud.

Morel, al ver de lejos los preparativos de la presentación, se acercó. La reina ofreció su brazo a monsieur de Charlus. También con él estaba enfadada, pero sólo porque no hacía frente con más energía a los villanos que le habían insultado. Estaba roja de vergüenza por él, de que los Verdurin osaran tratarle así. La simpatía que con tanta sencillez les había demostrado unas horas antes y la insolente altivez con que ahora se erguía ante ellos nacían del mismo punto de su corazón. La reina era una mujer muy buena, pero la bondad la concebía sobre todo en forma de una lealtad inquebrantable a las personas que quería, a los suyos, a todos los príncipes de su familia, entre los cuales figuraba monsieur de Charlus, y luego a todas las personas de la burguesía o del pueblo más humilde que sabían respetar a los que ella amaba, tener para ellos buenos sentimientos. Si había mostrado simpatía a madame Verdurin, era porque la creía dotada de estos buenos instintos. Desde luego es un concepto estrecho, un poco *tory* y cada vez más anticuado de la bondad; pero esto no quiere decir que su bondad fuera menos sincera y menos ardiente. Los antiguos no amaban menos al grupo humano al que se consagraban porque ese grupo no rebasara los límites de la ciudad, ni los hombres de hoy aman menos a la patria que los que amarán a los Estados Unidos de toda la tierra. Muy cerca de mí he tenido el ejemplo de mi madre, a la que madame de Cambremer y madame de Guermantes no pudieron nunca decidir a formar parte de ninguna obra filantrópica, de ningún ropero patriótico, a vender papeletas en fiestas benéficas. No quiero decir que tuviera razón en no actuar más que cuando se lo dictaba el corazón y en reservar a su familia, a sus domésticos, a los desdichados que el azar pusiera en su camino, sus riquezas de amor y generosidad; pero sé muy bien que estas riquezas, como las de mi abuela, fueron inagotables y superaron con mucho todo lo que pudieran hacer e hicieron madame de Guermantes o madame de Cambremer. El caso de la reina de Nápoles era muy diferente, pero de todos modos hay que reconocer que ella no concebía los seres simpáticos como se conciben en esas novelas de Dostoievsky que Albertina había cogido de mi biblioteca y había acaparado, es decir, en figura de parásitos adulones, ladrones, borrachos, tan pronto serviles como insolentes, facinerosos, asesinos si llega el caso. Por lo demás, los extremos se tocan, pues el hombre noble, el allegado, el pariente ultrajado que la reina quería defender era monsieur de Charlus, es decir, a pesar de su alcurnia y de todos los parentescos que tenía con la reina, una persona cuya virtud iba escoltada por muchos vicios.

–Parece que no está usted bien, querido primo –dijo la reina a monsieur de Charlus–. Apóyese en mi brazo. Tenga la seguridad de que le sostendrá siempre. Es bastante firme para eso –y levantando altivamente los ojos ante ella (donde se encontraban entonces, según me contó Ski, madame Verdurin y Morel)–: Ya sabe que en otro tiempo, en Gaeta, este brazo tuvo a raya a la plebe. Sabrá servirle a usted de fortaleza –y así, llevando del brazo al barón y sin dejar que le presentaran a Morel, salió la gloriosa hermana de la emperatriz Isabel.

Conociendo el carácter terrible de monsieur de Charlus, las persecuciones con que aterrorizaba hasta a parientes suyos, se podría creer que después de aquella noche iba a desencadenar su furia y a ejercer represalias contra los Verdurin. Pues no ocurrió así, y la causa principal de que no ocurriera fue seguramente que el barón cogió frío a los pocos días, contrajo una de esas neumonías infecciosas muy frecuentes entonces y durante mucho tiempo los médicos le creyeron y se creyó él mismo a dos dedos de la muerte, permaneciendo varios meses entre ésta y la vida. ¿Fue simplemente metástasis física y la sustitución por un mal diferente de la neurosis que hasta entonces le había llevado hasta a orgías de cólera? Pues es demasiado sencillo creer que, como nunca había tomado en serio a los Verdurin en el aspecto social, no podía guardarles rencor como si se tratara de gentes de su clase; también demasiado sencillo recordar a este propósito que los nerviosos, irritados a cada paso contra enemigos imaginarios e inofensivos, se vuelven, en cambio, inofensivos cuando alguien toma contra ellos la ofensiva, y que es más fácil calmarlos echándoles agua fría a la cara que procurando demostrarles la inanidad de sus agravios. Pero probablemente la explicación de esta falta de rencor no hay que buscarla en una metástasis, sino más bien en la enfermedad misma, pues causaba al barón tan grandes fatigas que le quedaba poco tiempo para pensar en los Verdurin. Estaba medio muerto. Hablábamos de ofensivas; hasta las que no tendrán sino efectos póstumos requieren, para «montarlas convenientemente», el sacrificio de una parte de nuestras fuerzas. A monsieur de Charlus le quedaban demasiado pocas para el trabajo de una preparación. Se suele hablar de enemigos de por vida que, *in articulo mortis,* los dos al mismo tiempo, abren los ojos para verse recíprocamente y los vuelven a cerrar felices. Este caso debe de ser raro, excepto cuando la muerte nos sorprende en plena vida. Cuando ya no queda nada que perder, se evitan riesgos que en plena vida se asumirían despreocupadamente. El espíritu de venganza forma parte de la vida: aparte algunas excepciones

que, dentro de un mismo carácter, son, como se verá, humanas contradicciones, nos abandona, por lo general, en el umbral de la muerte. Monsieur de Charlus, después de pensar
un instante en los Verdurin, se volvía contra la pared y ya no
pensaba en nada. No es que hubiera perdido su elocuencia,
sino que la de ahora le pedía menos esfuerzos. Todavía le
manaba, pero había cambiado. Desprovista de las violencias
que tan a menudo la adornaran, ahora ya no era más que
una elocuencia casi mística embellecida por palabras dulces,
por parábolas del Evangelio, por una aparente resignación a
la muerte. Hablaba sobre todo los días en que se creía salvado. Una recaída le hacía callar. Esta cristiana dulzura en que
se había transmutado su magnífica violencia (como en *Esther* el genio, tan diferente, de *Andromaque)* causaba admiración a los que le rodeaban. Se la hubiera causado hasta a
los Verdurin, que no hubieran podido menos de venerar a
un hombre al que por sus defectos habían odiado. Claro que
sobrenadaban unos pensamientos que no tenían nada de
cristianos. Pedía al arcángel Gabriel que viniera a anunciar-
le, como al profeta, cuándo llegaría el Mesías. Y añadía, inte-
rrumpiéndose con una dulce sonrisa dolorosa: «Pero que no
venga el Arcángel a pedirme, como a Daniel, que espere "siete semanas y sesenta y dos semanas", pues me moriré antes».
El Mesías que monsieur de Charlus esperaba era Morel. Por
eso pedía también al arcángel Rafael que se lo trajera como
trajo al joven Tobías. Y mezclando otros medios más humanos (como los papas enfermos, que al mismo tiempo que
mandan decir misas no dejan de llamar a su médico), insinuaba a sus visitantes que si Brichot le traía en seguida a su
joven Tobías, acaso el arcángel Rafael consintiera en devol-
verle la vista como al padre de Tobías, o en la piscina probá-
tica de Betsaida. Mas, a pesar de estos retornos a lo humano,
no era menos deliciosa la pureza moral de las palabras de
monsieur de Charlus. Vanidad, maledicencia, arrebatos
de maldad y de orgullo, todo esto había desaparecido. Mo-

ralmente, monsieur de Charlus se había elevado muy por encima del nivel en que antes viviera. Pero este perfeccionamiento moral, sobre cuya realidad su arte oratorio era capaz, por otra parte, de engañar un poco a sus enternecidos auditores, este perfeccionamiento desapareció al desaparecer la enfermedad que había actuado por él. Como veremos, monsieur de Charlus volvió a bajar la cuesta con una rapidez progresivamente creciente. Pero la actitud de los Verdurin hacia él era ya sólo un recuerdo un poco lejano que unas iras más inmediatas impidieron que se reavivara.

Volviendo atrás, en la fiesta de los Verdurin, cuando los dueños de la casa se quedaron solos, monsieur Verdurin dijo a su mujer:

–¿Sabes por qué no ha venido Cottard? Está con Saniette, que ha fallado la jugada de Bolsa en que se metió para rehacerse. Cuando se enteró de que no le quedaba un franco y tenía cerca de un millón de deudas, le dio un ataque.

–Pero ¿por qué jugó? Es idiota, Saniette no entiende nada de eso. Otros más listos que él se dejan las plumas, y él estaba destinado a que le engañara todo el mundo.

–Pues claro, ya hace mucho tiempo que sabemos que es idiota –dijo monsieur Verdurin–. Pero, en fin, el resultado es ése: un hombre al que el casero echará mañana a la calle y que se va a encontrar en la última miseria; su familia no le quiere, no será Forcheville quien haga algo por él. Así que yo había pensado... Bueno, no quiero hacer nada que te desagrade, pero quizá podríamos pasarle una pequeña renta para que no se dé demasiado cuenta de su ruina, para que pueda cuidarse en su casa.

–Estoy completamente de acuerdo, está muy bien que hayas pensado en eso. Pero dices «en su casa»; ese imbécil ha seguido viviendo en una casa demasiado cara y ya no es posible, habría que alquilarle algo de dos habitaciones. Creo que todavía vive en un piso de seis o siete mil francos.

–Seis mil quinientos. Pero le tiene mucho cariño. Después de todo, esto que ha tenido es un primer ataque, no creo que pueda vivir más de dos o tres años. Supongamos que gastamos por él diez mil francos durante tres años. Creo que podríamos hacerlo. Por ejemplo, este año, en vez de volver a alquilar la Raspelière, podríamos tomar algo más modesto. Creo que con nuestras rentas no es imposible amortizar diez mil francos en tres años.

–Bueno, pero lo malo es que se sabrá, y eso obligaría a hacerlo por otros.

–Puedes creer que no había pensado en eso. Sólo lo haré con la expresa condición de que nadie se entere. ¡Estaría bueno!, no me haría ninguna gracia que nos viéramos obligados a ser los bienhechores del género humano. ¡Nada de filantropías! Lo que podríamos hacer es decirle que lo dejó la princesa Sherbatoff.

–Pero ¿lo creería? La princesa consultó a Cottard para su testamento.

–En último término, pondremos a Cottard en el secreto, tiene costumbre del secreto profesional, y como gana muchísimo dinero no será nunca uno de esos oficiosos a los que hay que soltarles la mosca. Y hasta puede que quiera encargarse de decir que la princesa le había tomado a él de intermediario. De ese modo, nosotros ni siquiera apareceremos para nada. Eso evitaría el fastidio de las escenas de gratitud, de las manifestaciones, de las frases.

Monsieur Verdurin añadió una palabra que significaba evidentemente esa clase de escenas conmovedoras y de frases que deseaba evitar. Pero no me la pudieron decir exactamente, pues no era una palabra francesa, sino uno de esos términos que usan en las familias para designar ciertas cosas, sobre todo las cosas molestas, probablemente porque quieren poder señalarlas ante los interesados sin que éstos lo entiendan. Estas expresiones son generalmente un resto contemporáneo de un estado anterior de la familia. En una familia judía, por ejemplo, será un término ritual desviado de su sentido y quizá la única palabra hebrea que la familia, afrancesada ahora, conoce aún. En una familia arraigadamente provinciana, será una palabra del dialecto de la provincia, aunque la familia no hable ya y ni siquiera comprenda el dialecto. En una familia procedente de América del Sur y que no hable más que el francés, será una palabra española. Y en la generación siguiente esa palabra ya no existirá más que como un recuerdo de infancia. Se recordará que, en la mesa, los padres aludían a los criados que servían, sin que éstos los entendieran, diciendo tal palabra, pero los niños ignoran lo que quería decir exactamente esa palabra, si era del español, del hebreo, del alemán, del dialecto, y ni siquiera si había pertenecido alguna vez a una lengua cualquiera o era un nombre propio o una palabra enteramente inventada. Sólo se puede aclarar la duda si se tiene un tío abuelo, un pariente viejo que ha debido de emplear el mismo término. Como yo no he conocido a ningún pariente de los Verdurin, no pude reconstruir exactamente la palabra. El caso es que hizo reír a madame Verdurin, pues el empleo de esa lengua menos general, más personal, más secreta que la lengua habitual da a los que la usan entre ellos un sentimiento egoísta nunca exento de cierta satisfacción. Pasado este instante de regocijo, madame Verdurin objetó:

—Pero ¿y si Cottard habla?

—No hablará.

Sí que habló, al menos a mí, pues por él supe lo ocurrido. Lo supe pasados unos años, precisamente en el entierro de Saniette. Sentí no haberlo sabido antes. En primer lugar, esto me hubiera llevado más rápidamente a la idea de que no se debe nunca tener antipatía a los hombres, juzgarlos por el recuerdo de una mala acción, pues no sabemos lo bueno que en otras ocasiones han podido querer sinceramente y quizá han realizado. De suerte que uno se equivoca, aun desde el simple punto de vista de la previsión. Pues la forma mala que hemos visto una vez por todas volverá, desde luego. Pero en el alma hay más, el alma tiene otras formas que también volverán en este hombre, y rechazamos la dulzura de esas formas por el mal proceder que tuvo. Mas, desde un punto de vista más personal, esa revelación de Cottard, si me la hubiera hecho antes, habría disipado mis sospechas sobre el papel que los Verdurin podían desempeñar entre Albertina y yo; por otra parte, las habrían disipado quizá indebidamente, pues si es verdad que monsieur Verdurin tenía virtudes, no por eso dejaba de ser amigo de pinchar hasta la más feroz persecución y celoso de dominación en el pequeño clan hasta el punto de no retroceder ante las peores mentiras, ante la provocación de los odios más injustificados, con tal de romper entre los fieles cualquier lazo que no tuviera por objeto exclusivo reforzar el pequeño grupo. Que fuera un hombre capaz de desinterés, de ciertas generosidades sin ostentación, no quiere decir forzosamente que fuese un hombre sensible, ni un hombre simpático, ni escrupuloso, ni verídico, ni siempre bueno. Una bondad parcial –en la que acaso subsistía un poco de la familia amiga de mi tía abuela– existía probablemente en él antes de conocerla yo por aquel hecho, como existían América o el Polo Norte antes de Colón o   [1]. Sin embargo, en el momento de mi descubrimiento, la índole de monsieur Verdurin me presentó un aspecto nuevo insospechado; y yo saqué la conclusión de que es difícil presentar una imagen fija, lo mismo de un carácter que de las sociedades y de las pasiones. Pues el carácter cambia no menos que ellas, y si queremos estereotipar lo que tiene de relativamente inmutable, vemos cómo presenta sucesivamente al desconcertado objetivo aspectos diferentes (lo que significa que no sabe permanecer inmóvil, sino que se mueve).

1. Palabra en blanco en el manuscrito. *(N. de la ed. de La Pléiade.)*

Al salir de casa de los Verdurin y ver la hora que era, temiendo que Albertina se aburriera, pedí a Brichot que me hiciera el favor de dejarme en mi casa. Luego le llevaría a él mi coche. Me felicitó por volver directamente a casa, pues no sabía que en ella me esperaba una muchacha, y terminar la noche pronto y juiciosamente, cuando la verdad era que yo no había hecho sino retrasar su verdadero comienzo. Después me habló de monsieur de Charlus. Seguramente éste se hubiera quedado estupefacto oyendo al profesor, tan amable con él –al profesor que le decía siempre: «Yo no repito nunca nada»–, hablar de él y de su vida sin la menor reticencia. Y quizá no habría sido menos sincero el asombro indignado de Brichot si monsieur de Charlus le hubiera dicho: «Me han asegurado que ha hablado usted mal de mí». Brichot sentía, en realidad, simpatía por monsieur de Charlus y si, hablando con el barón, hubiera tenido que referirse a una conversación sobre él, habría recordado aquellos sentimientos de simpatía que experimentara mientras decía de él las mismas cosas que decía todo el mundo, mucho más que estas cosas mismas. Y no creería mentir diciéndole: «Yo, que hablo de usted con tanto afecto», puesto que sentía de verdad cierto afecto cuando hablaba de monsieur de Charlus. Para monsieur Brichot, el barón tenía, sobre todo, el encanto que el universitario pedía en primer término en la vida mundana: ofrecerle *specimens* reales de lo que durante mucho tiempo había podido creer invención de los poetas. Brichot, que había explicado muchas veces la segunda égloga de Virgilio sin saber muy bien si esta ficción tenía algún fondo de realidad, hablando con monsieur de Charlus encontraba con retraso un poco del placer que él sabía que sus maestros Mérimée y Renan y su colega Maspéro sintieron, viajando por España, por Palestina, por Egipto, al reconocer en los paisajes y en las poblaciones actuales de España, de Palestina y de Egipto el escenario y los invariables actores de las escenas antiguas que ellos estudiaran en los libros. «Dicho sea sin ofender a ese gran hombre de alta alcurnia –me dijo Brichot en el coche que nos llevaba a casa–, es simplemente prodigioso cuando comenta su satánico catecismo con una labia un tanto *charentonesque*[1] y una obstinación, iba a decir un candor, de blanco de España y de emigrado. Le aseguro, si se me permite expresarme como monseñor de Hulst, que no me aburro cuando recibo la visita de ese señor feudal que, queriendo defender a Adonis contra nuestra época de descreídos, ha seguido los instintos de su raza, y con toda inocencia sodomista, se ha cruzado.» Mientras escuchaba a Brichot, no estaba sólo con él. Como, por lo demás, había ocurrido todo el tiempo desde que salí de casa, me sentía, aunque fuera oscuramente, con la muchacha que en aquel momento estaba en mi cuarto. Incluso cuando estaba hablando con uno o con otro en casa de los Verdurin la sentía confusamente junto a mí, tenía de ella esa vaga noción que sentimos de nuestros propios miembros, y cuando pensaba en ella, era como se piensa en el propio cuerpo, con el fastidio de estar atado a él por una absoluta esclavitud. «Y qué chismografía –prosiguió Brichot– la conversación de ese apóstol. ¡Como para alimentar todos los apéndices de las *Causeries du Lundi!* Figúrese que me he enterado por él de que el tratado de ética en el que admiré siempre la más fastuosa construcción moral de nuestra época se lo inspiró a nuestro venerable colega X... un joven repartidor de telegramas. Tenemos que reconocer que nuestro eminente amigo no nos ha dicho el nombre de ese efebo en el curso de sus demostraciones. En esto ha demostrado más respeto humano, o, si usted lo prefiere, menos gratitud que Fidias, pues Fidias inscribió en el anillo de su Júpiter Olímpico el nombre del atleta que él amaba. El barón ignoraba esta historia. Huelga decir que encantó a su ortodoxia. Ya se imagina usted que cada vez que argumento con mi colega en una tesis doctoral encuentro en su dialécti-

1. De la región de La Charente. *(N. de la T.)*

ca, por lo demás muy sutil, ese grano de pimienta que ciertas picantes revelaciones añadieron para Sainte-Beuve a la obra insuficientemente confidencial de Chateaubriand. De nuestro colega, que tenía una prudencia de oro, pero poco dinero, el telegrafista pasó a manos del barón *en tout bien tout honneur*[1] (era de oír el tono con que lo dijo). Y como ese Satanás es el más servicial de los hombres, obtuvo para su protegido un empleo en las colonias, desde donde el ex repartidor de telegramas, que es agradecido, le envía de cuando en cuando excelentes frutas. El barón las regala a sus altas relaciones; en la mesa del Quai Conti figuraron últimamente unas piñas de ese mozo que hicieron decir a madame Verdurin, y sin poner malicia en ello: "Seguramente tiene usted un tío o un sobrino en América, monsieur de Charlus, para recibir piñas como éstas." Confieso que las comí con cierto gozo recitándome *in petto* el principio de una oda de Horacio que Diderot gustaba de recordar. En fin, que yo, como mi colega Broissier deambulando del Palatino a Tibur, saco de la conversación del barón una idea más viva y más sabrosa de los escritores del siglo de Augusto. No hablemos siquiera de los de la Decadencia ni nos remontemos hasta los griegos, aunque una vez le dije a ese excelente monsieur de Charlus que junto a él yo me sentía como Platón con Aspasia. A decir verdad, aumenté mucho la escala de los dos personajes y, como dice La Fontaine, tomé el ejemplo "de animales más pequeños". De todos modos, no vaya usted a creer que el barón se ofendió. Nunca le vi tan ingenuamente contento. Una alegría de niño le hizo apearse de su flema aristocrática. "¡Qué lisonjeros son todos estos de la Sorbona! –exclamó entusiasmado–. ¡Pensar que he tenido que llegar a mi edad para que me comparen con Aspasia! ¡Un cuadro antiguo como yo! ¡Oh mi juventud!" Me hubiera gustado que le viera usted diciendo esto, escandalosamente empolvado como de

1. «Sin que hubiera entre ellos relaciones deshonestas. »*(N. de la T.)*

costumbre y, a su edad, amanerado como un petimetre. Por lo demás, con todas sus obsesiones de genealogía, el mejor hombre del mundo. Por todas estas razones, yo sentiría muchísimo que la ruptura de esta noche fuera definitiva. Lo que me extrañó fue la manera como se rebeló el mozo. Sin embargo, desde hacía algún tiempo había tomado ante el barón ciertas maneras de cómplice, de leude, que no permitían esperar esta insurrección. Espero que, en todo caso, aunque el barón *(Dii omen avertant)* no vuelva más al Quai Conti, el cisma no me alcanzará a mí. A los dos nos es muy provechoso el intercambio que hacemos de mi escaso saber contra su experiencia –ya veremos que, aunque monsieur de Charlus no le mostró a Brichot un rencor violento, al menos su simpatía por el universitario disminuyó lo bastante para llegar a juzgarle sin ninguna indulgencia–. Y le aseguro que el intercambio es tan desigual que, cuando el barón me da lo que su existencia le ha enseñado, yo no podría decir, con Sylvestre Bonnard, que donde mejor se piensa en la vida es en una biblioteca.»

Habíamos llegado a la puerta de mi casa. Me apeé del coche para dar al cochero la dirección de Brichot. Desde la acera veía la ventana del cuarto de Albertina, aquella ventana antes siempre negra, por la noche, cuando ella no vivía en la casa, y que ahora la luz eléctrica del interior, segmentada por los barrotes de los postigos, estriaba de arriba abajo con barras de oro paralelas. Aquel dibujo mágico, tan claro para mí y que proyectaba en mi tranquilizada mente unas imágenes precisas, muy próximas, y en posesión de las cuales iba a entrar yo al cabo de un momento, era invisible para Brichot, que seguía dentro del coche, casi ciego y, de todos modos habría sido incomprensible para él, porque el profesor, como los amigos que venían a verme antes de cenar, cuando Albertina volvía de paseo, ignoraba que una muchacha, toda mía, me esperaba en la habitación contigua. Se fue el coche. Yo permanecí un momento solo en la acera. Sí, a aquellas luminosas rayas que veía desde abajo y que a cualquier otro le hubieran parecido absolutamente superficiales, les daba yo una consistencia, una plenitud, una solidez extremadas, por todo el significado que yo ponía detrás de ellas, en un tesoro insospechado para los demás, que yo había escondido allí y del que emanaban aquellos rayos horizontales, pero un tesoro a cambio del cual había enajenado mi libertad, la soledad, el pensamiento. Si Albertina no hubiera estado allí arriba, y aun cuando yo hubiera buscado sólo el placer, habría ido a pedírselo a mujeres desconocidas y habría intentado penetrar en su vida, quizá en Venecia, o al menos en algún rincón del París nocturno. Pero ahora lo que había que hacer cuando llegaba para mí el momento de las caricias no era salir de viaje, no era siquiera salir, era entrar. Y entrar no para encontrarme solo y, después de dejar a los demás que nos proporcionaban desde fuera alimento para nuestra mente, encontrarnos al menos obligados a buscarlo en nosotros mismos, sino, por el contrario, menos solo que cuando estaba en casa de los Verdurin, recibido como iba a serlo por la persona en quien abdicaba, en quien depositaba más completamente la mía, sin tener un instante para pensar en mí, y ni siquiera el trabajo de pensar en ella, puesto que estaría a mi lado. De suerte que, al levantar por última vez los ojos desde fuera a la ventana del cuarto donde iba a estar al cabo de un momento, me pareció ver el luminoso enrejado que se iba a cerrar sobre mí y cuyos inflexibles barrotes de oro había forjado yo mismo para una eterna servidumbre.

Albertina no me había dicho nunca que sospechaba mis celos, mi preocupación por todo lo que ella hacía. Las únicas palabras, bastante antiguas además, que habíamos cruzado sobre los celos parecían demostrar lo contrario. Recordaba yo que, en una hermosa noche de luna, al principio de nuestras relaciones, una de las primeras veces que la acompañé, y cuando hubiera preferido no hacerlo y dejarla para irme con otras, le dije: «Te advierto que si te propongo acompañarte no es por celos; si tienes algo que hacer, me voy discretamente». Y ella me contestó: «¡Oh!, ya sé que no eres celoso y que te da lo mismo, pero no tengo más que hacer que estar contigo». Otra vez, en la Raspelière, monsieur de Charlus, mirando a hurtadillas a Morel, hizo ostentación de galante amabilidad con Albertina; le dije a ésta: «Vamos, te ha puesto bien los puntos». Y añadí con un poco de ironía: «He sufrido todos los tormentos de los celos». Albertina, con el lenguaje propio del medio vulgar del que procedía, o del más vulgar aún que frecuentaba, replicó: «¡Anda éste, qué guasón! De sobra sé que no eres celoso. En primer lugar, me lo has dicho tú, y además está a la vista, ¡chico!» Desde entonces no me había dicho nunca que hubiera cambiado de parecer, pero, sin embargo, se debían de haber formado en ella, a este respecto, muchas ideas nuevas, ideas que me ocultaba, pero que, por cualquier circunstancia, podían aflorar, pues aquella noche, cuando al volver fui a buscarla a su cuarto para llevarla al mío, le dije (con cierto malestar que ni yo mismo comprendí, puesto que le había anunciado a Albertina que iba a ir a una fiesta diciéndole que no sabía dónde, quizá a casa de madame de Guermantes, tal vez a casa de madame de Cambremer, pero precisamente sin nombrar a los Verdurin):

–Adivina de dónde vengo: de casa de los Verdurin.

Nada más pronunciar estas palabras, Albertina, muy alterado el rostro, me contestó éstas, que parecieron explotar por sí mismas con una fuerza que ella no pudo contener:

–Ya me lo figuraba.

–No sabía que te iba a molestar que fuera a casa de los Verdurin.

No me decía que la molestara, pero se veía muy bien. También es verdad que yo tampoco había pensado que aquello iba a contrariarla. Y, sin embargo, ante la explosión de su cólera, como ante esos acontecimientos que, por una especie de doble vista retrospectiva, nos parece haberlos conocido en el pasado, ahora me pareció que nunca pude esperar otra cosa.

–¿Molestarme? ¿Qué me importa a mí eso? Me da lo mismo. ¿No iba a ir allí esta noche mademoiselle Vinteuil?

Fuera de mí por estas palabras, le dije para demostrarle que estaba más enterado de lo que ella creía:

–No me habías dicho que la encontraste el otro día.

Albertina creyó que la persona a que me refería censurándole a ella el no haberme dicho que la había encontrado era madame Verdurin y no, como yo quería decir, mademoiselle Vinteuil.

–Pero ¿la encontré? –preguntó pensativa.

Se lo preguntó a la vez a sí misma, como buceando en sus recuerdos, y me lo preguntó a mí como si fuera yo quien pudiera enterarla; y, en realidad, seguramente para que yo dijese lo que sabía, quizá también por ganar tiempo antes de dar una respuesta difícil. Pero mucho más que mademoiselle Vinteuil me preocupaba un temor que ya me había rozado, pero que ahora me dominaba con más fuerza. Había llegado a creer que madame Verdurin había inventado de arriba abajo, por presumir, la venida de mademoiselle Vinteuil y de su amiga, de suerte que volví a casa tranquilo. Al decirme Albertina: «¿No iba a ir allí esta noche mademoiselle Vinteuil?», me demostró que no me había equivocado en mi primera sospecha. Pero de todos modos estaba tranquilo en cuanto a esto para lo sucesivo, porque Albertina, renunciando a ir a casa de los Verdurin, sacrificó por mí a mademoiselle Vinteuil.

–De todos modos –le dije con rabia– hay otras muchas cosas que me ocultas, hasta las más insignificantes, como, por ejemplo, tu viaje de tres días a Balbec, dicho sea de paso.

Estas palabras, «dicho sea de paso», las añadí como complemento de «hasta las cosas más insignificantes», de manera que si Albertina me decía: «¿Qué tiene de incorrecto mi

viaje de Balbec?», pudiera contestarle: «Ya ni siquiera me
acuerdo. Lo que me dicen se me enreda en la cabeza; ¡le doy
tan poca importancia!» Y, en efecto, si hablé de aquel viaje de
tres días que hizo con el mecánico a Balbec, de donde recibí
con tanto retraso sus postales, lo hice sin pensarlo, y me pesó
haber elegido tan mal el ejemplo, pues verdaderamente apenas había tenido tiempo más que para ir y volver, y fue sin
duda un viaje en el que no pudo tramarse un encuentro un
poco prolongado con nadie. Pero Albertina, por lo que yo
acababa de decir, creyó que yo sabía la verdad y le había
ocultado que la sabía. De todos modos, desde hacía poco
tiempo estaba convencida de que yo, por uno u otro medio,
la tenía vigilada y de que, como le había dicho la semana anterior a Andrea, «estaba más enterado que ella misma» de su
propia vida. Me interrumpió, pues, con una confesión inútil, pues la verdad es que yo no sospechaba nada de lo que
me dijo y que me abrumó: tanta distancia puede haber entre
la verdad disfrazada por una mentirosa y la idea que por estas mentiras se hace de esta verdad el enamorado de la mentirosa. Apenas pronuncié estas palabras –«tu viaje de tres
días a Balbec, dicho sea de paso»–, Albertina, cortándome la
palabra, me dijo como cosa muy natural:

–¿Quieres decir que no hubo tal viaje a Balbec? ¡Naturalmente! Y siempre me he preguntado por qué hiciste como
que lo creías. Pues fue una cosa bien inofensiva. El mecánico necesitaba tres días libres para cosas suyas y no se atrevía
a decírtelo. Entonces yo, por bondad (eso es muy mío, y después siempre soy yo la que paga esas historias), inventé un
viaje a Balbec. El mecánico no hizo más que dejarme en Auteuil, en casa de mi amiga la de la Rue de l'Assomption, donde pasé los tres días aburriéndome a cien *sous* por hora. Ya
ves que no es cosa grave, no pasó ninguna desgracia. Ya empecé yo a suponer que quizá lo sabías todo, cuando te vi
echarte a reír a la llegada de las postales con ocho días de retraso. Reconozco que fue ridículo y que hubiera sido mejor

no mandar postales ni nada. Pero no fue culpa mía. Las había comprado de antemano, se las di al mecánico antes de dejarme en Auteuil, y después ese bruto las olvidó en el bolsillo, en vez de mandárselas bajo sobre a un amigo que tiene en Balbec para que te las reexpidiera. Yo pensaba que llegarían. Él no se acordó hasta cinco días después, y en lugar de decírmelo el muy tonto las mandó a Balbec. Cuando me lo dijo, le puse verde. ¡Preocuparte a ti sin necesidad, el muy imbécil, después de tenerme a mí encerrada tres días para que él pudiera arreglar sus asuntitos de familia! Ni siquiera me atrevía a salir de Auteuil por miedo de que me vieran. La única vez que salí fue vestida de hombre, más bien por broma. Y la suerte que siempre me sigue hizo que la primera persona que me salió al paso fuera ese judío amigo tuyo, Bloch. Pero no creo que supieras por él que el tal viaje a Balbec no existió nunca más que en mi imaginación, pues no pareció reconocerme.

Yo no sabía qué decir, porque no quería mostrarme asombrado y abrumado por tantas mentiras. Además de un sentimiento de horror –que no me hacía desear echar a Albertina, sino al contrario–, tenía unas violentas ganas de llorar. Y no por la mentira misma y por la destrucción de lo que había creído tan cierto que ahora me sentía como en una ciudad arrasada en la que no quedaba en pie ni una cosa y sí únicamente el suelo lleno de escombros, sino por la melancolía de que Albertina, durante aquellos tres días que pasó aburriéndose en casa de su amiga de Auteuil, no sintiera ni una vez el deseo, acaso ni siquiera la idea, de ir a pasar a escondidas un día conmigo, o de mandarme un telegrama pidiéndome que fuera a verla a Auteuil. Pero no tenía tiempo de entregarme a estos pensamientos. Y sobre todo no quería mostrarme asombrado. Sonreí con el gesto de alguien que sabe más de lo que dice.

–Pero eso es una cosa entre mil. Mira, esta noche, sin ir más lejos, me enteré en casa de los Verdurin de que lo que me dijiste sobre mademoiselle Vinteuil...

Albertina me miraba fijamente, con expresión atormentada, tratando de leer en mis ojos lo que sabía. Y lo que yo sabía e iba a decirle era lo que era mademoiselle Vinteuil. Verdad es que no lo había sabido en casa de los Verdurin, sino en Montjouvain, tiempo atrás. Sólo que, como deliberadamente nunca le había hablado de esto a Albertina, podía parecer que no lo había sabido hasta aquella noche. Y casi me alegré –después de haberme dolido tanto en el trenecillo– de poseer aquel recuerdo de Montjouvain, recuerdo al que ahora le ponía una fecha posterior, pero que no por eso dejaba de ser una prueba abrumadora, un mazazo para Albertina. Al menos esta vez, yo no necesitaba «aparentar que sabía» y «hacer hablar» a Albertina: sabía, había *visto* por la ventana iluminada de Montjouvain. Ya podía decirme Albertina que sus relaciones con mademoiselle Vinteuil y su amiga habían sido puras: cuando yo le jurara (y se lo juraría sin mentir) que conocía las costumbres de aquellas dos mujeres, ¿cómo iba a sostener que habiendo vivido con ellas en una intimidad cotidiana, llamándolas «mis hermanas mayores», no iban éstas a hacerle proposiciones que, de no aceptarlas, la harían romper con ella? Pero no tuve tiempo de decir la verdad. Albertina, creyendo, como en el falso viaje a Balbec, que yo lo sabía, bien por mademoiselle Vinteuil si ésta había estado en casa de los Verdurin, bien, simplemente, por madame Verdurin, que había podido hablar de ella a mademoiselle Vinteuil, no me dejó tomar la palabra y me hizo una confesión, exactamente contraria a lo que yo hubiera creído, pero que, al demostrarme que Albertina no había dejado nunca de mentirme, me causó quizá el mismo dolor (sobre todo porque, como ya dije antes, ya no tenía celos de mademoiselle Vinteuil). En fin, Albertina, tomando la delantera, habló así:

–Quieres decir que esta noche te has enterado de que te mentí cuando te dije que había sido medio educada por la amiga de mademoiselle Vinteuil. Es verdad que te mentí un poco. Pero es que me sentía tan desdeñada por ti, te veía tan entusiasmado con la música de Vinteuil que, como una compañera mía –esto es verdad, te lo juro– fue amiga de mademoiselle Vinteuil, creí tontamente que me iba a hacer interesante para ti inventando que había conocido mucho a esas muchachas. Notaba que te aburría, que te parecía una tontaina, y pensé que diciéndote que me había tratado con esas personas, que podría muy bien darte detalles sobre las obras de Vinteuil, adquiriría un poquito de prestigio para ti, que esto nos acercaría. Cuando miento, es siempre por cariño a ti. Y ha sido necesaria esta fatal fiesta de los Verdurin para que te enterases de la verdad, y a lo mejor te la han exagerado. Apuesto a que la amiga de mademoiselle Vinteuil te ha dicho que no me conocía. Me ha visto lo menos dos veces en casa de mi amiga. Pero, naturalmente, yo no soy bastante elegante para una gente que ahora es tan célebre. Prefieren decir que no me han visto en su vida.

Pobre Albertina; cuando creyó que decirme que había estado tan relacionada con la amiga de mademoiselle Vinteuil retardaría el momento de que la dejara plantada, que la acercaría a mí, había llegado a la verdad, como suele ocurrir con tanta frecuencia, por otro camino distinto del que quiso tomar. Verla más enterada sobre música de lo que yo hubiera creído no me habría impedido en modo alguno romper con ella aquella tarde, en el trenecito de Balbec; y, sin embargo, fue, desde luego, aquella frase, dicha por ella con este fin, lo que determinó inmediatamente mucho más que la imposibilidad de romper. Sólo que Albertina incurría en un error de interpretación, no en cuanto al efecto que iba a tener aquella frase, sino en cuanto a la causa en virtud de la cual iba a producir tal efecto, causa que era el enterarme no de su cultura musical, sino de sus malas relaciones. Lo que me acercó repentinamente a ella, más aún que acercarme: lo que me fundió con ella no fue la espera de un placer –y un placer es todavía decir demasiado, una ligera diversión–, fue la sacudida de un dolor.

Tampoco esta vez tuve tiempo de guardar un silencio demasiado largo que pudiera hacerle suponerme asombrado. Emocionado de que fuera tan modesta y se creyera desdeñada en el medio Verdurin, le dije con ternura:

–Pero, querida, no se me había ocurrido hasta ahora, yo te daría con muchísimo gusto unos centenares de francos para que vayas a hacer la dama elegante donde quieras y para que invites a una magnífica comida a monsieur y a madame Verdurin.

¡Pobre de mí! Albertina era varias personas. La más misteriosa, la más simple, la más atroz, se mostró en la respuesta que me dio con un gesto de repugnancia y con unas palabras que no distinguí bien (ni siquiera las del comienzo, porque no terminó). No las reconstruí hasta un poco después, cuando adiviné su pensamiento. Oímos retrospectivamente cuando hemos comprendido.

–¡Muchas gracias! ¡Gastar un céntimo por esos viejos! Prefiero que me dejes una vez libre para ir *me faire casser...*

Y enrojeció súbitamente, con aire de terror, tapándose la boca con la mano como si pudiera volver a tragarse las palabras que acababa de decir y que yo no había entendido en absoluto.

–¿Qué estás diciendo, Albertina?

–No, nada, me estaba medio durmiendo.

–Nada de eso, estás bien despierta.

–Pensaba en la cena Verdurin, es muy amable por tu parte.

–Déjate de historias, hablo de lo que has dicho.

Me dio mil versiones, pero ninguna de ellas encajaba no ya con sus palabras, que, interrumpidas, quedaban vagas para mí, sino tampoco con esta misma interrupción y el súbito rubor que la había acompañado.

–Vamos, nena, no es eso lo que querías decir; si lo fuera, ¿por qué ibas a interrumpirte?

–Porque me pareció indiscreta mi petición.

–¿Qué petición?

–Dar una comida.

–Te digo que no, no es eso, entre nosotros no tenemos que andarnos con discreciones.

–Pues sí, al contrario, no se debe abusar de las personas queridas. En todo caso te juro que era eso.

Por una parte, siempre me era imposible dudar de un juramento suyo; por otra, sus explicaciones no eran satisfactorias para mi razón. Insistí:

–Bueno, ten por lo menos el valor de acabar tu frase, te quedaste en *casser*...

–¡Oh, no, déjame!

–Pero ¿por qué?

–Porque es horriblemente vulgar, me daría muchísima vergüenza decir eso delante de ti. No sé en qué estaba pensando; esas palabras que ni siquiera sé lo que quieren decir y que se las oí un día en la calle a una gente de lo más tirado, se me vinieron a la boca sin saber por qué. No tienen nada que ver conmigo ni con nadie, estaba soñando alto.

Me di cuenta de que no sacaría nada más de Albertina. Me había mentido cuando, un momento antes, me juró que lo que la había detenido era un temor mundano a la indiscreción, temor transformado ahora en la vergüenza de decir delante de mí una expresión demasiado vulgar. Esto era seguramente otra mentira. Pues cuando Albertina y yo estábamos juntos, no había expresión tan perversa, palabra tan grosera que no pronunciáramos mientras nos acariciábamos. De todos modos, era inútil insistir en aquel momento. Pero mi memoria seguía obsesionada con aquella palabra, *casser*. Albertina solía decir *casser du bois, casser du sucre sur quelqu'un* o, simplemente, *ah! ce que je lui en ai cassé!,* por decir «¡cómo le insulté!». Pero esto lo decía corrientemente delante de mí, y si fuera lo que había querido decir, ¿por qué se iba a callar bruscamente, por qué se puso tan colorada, se tapó la boca con las manos, cambió por completo la frase y cuando vio que yo había oído perfectamente *casser* dio una

explicación falsa? Pero desde el momento en que yo renunciaba a continuar un interrogatorio en el que no iba a recibir
respuesta, lo mejor era aparentar que no pensaba en ello, y
volviendo con el pensamiento a los reproches que Albertina
me había hecho por ir a casa de la Patrona, le dije muy torpe-
mente, lo que era una especie de disculpa idiota:

–Precisamente quise pedirte que fueras esta noche a la
fiesta de los Verdurin –frase doblemente torpe, pues si de
verdad quería hacerlo, ¿por qué no se lo propuse, si la vi todo
el tiempo?

Furiosa por mi mentira y envalentonada por mi timidez,
me dijo:

–Aunque me lo hubieras pedido mil años seguidos, no habría ido. Esa gente ha estado siempre contra mí, han hecho
todo lo posible por contrariarme. En Balbec no hubo gentileza
que yo no hiciera por madame Verdurin, y hay que ver el pa-
go que me ha dado. Así me llamara a su lecho de muerte no iría.
Hay cosas que no se perdonan. En cuanto a ti, es la primera in-
delicadeza que me haces. Cuando Francisca me dijo que habías
salido (y bien contenta que estaba de decírmelo), yo hubiera
preferido que me partieran la cabeza en dos. Procuré que no se
me notara nada, pero en mi vida sentí afrenta semejante.

Mas mientras ella me hablaba, yo proseguía dentro de mí,
en el sueño muy vivo y creador del inconsciente (sueño en el
que acaban de grabarse las cosas que solamente nos rozan,
en el que las manos dormidas cogen la llave que abre, en
vano buscada hasta entonces), la búsqueda de lo que Albertina había querido decir con la frase interrumpida cuyo final
hubiera yo deseado saber. Y de pronto cayeron sobre mí dos
palabras atroces, en las que no había pensado ni por lo más
remoto: *le pot* [1]. No puedo decir que me vinieran de una sola

---

1. *Casser le pot,* como *casser la cruche,* parece tener en este caso un significado escabroso, que se podría traducir por 'romper el v...' (quitar la
virginidad). *(N. de la T.)*

vez, como cuando, en una larga sumisión pasiva a un recuerdo incompleto, mientras procuramos suavemente, prudentemente, completarlo, permanecemos pegados, adheridos a él. No, en contra de mi manera habitual de recordar, en esto hubo, creo, dos vías paralelas de búsqueda: una de ellas se apoyaba no sólo en la frase de Albertina, sino en su mirada irritada cuando le propuse regalarle dinero para una gran comida, una mirada que parecía decir: «Gracias, ¡gastar dinero en cosas que nos fastidian, cuando sin dinero podría hacer otras que me divierten!» Y acaso fue el recuerdo de esta mirada lo que me hizo cambiar de método para encontrar el final de lo que había querido decir. Hasta entonces me había quedado hipnotizado en la última palabra, *casser;* ¿*casser* qué?, ¿*casser du bois*? No. ¿*Du sucre*? No. *Casser, casser, casser.* Y de pronto volver a su mirada con encogimiento de hombros en el momento de mi proposición de que diera una comida me hizo volver también a las palabras de su frase. Y así vi que no había dicho *casser,* sino *me faire casser.* ¡Qué horror! ¡Era esto lo que ella hubiera preferido! ¡Doble horror!, pues ni la última de las furcias, y que accede a esto, o lo desea, emplea con el hombre que se presta a ello esa horrible expresión. Se sentiría demasiado envilecida. Sólo con una mujer, si le gustan las mujeres, dice eso para disculparse de que después se va a entregar a un hombre. Albertina no había mentido cuando me dijo que estaba medio soñando. Distraída, impulsiva, sin pensar que estaba conmigo, se encogió de hombros y comenzó a hablar como lo hubiera hecho con una de esas mujeres, acaso con una de mis muchachas en flor. Y vuelta súbitamente a la realidad, colorada de vergüenza, tragándose lo que había querido decir, desesperada, no quiso pronunciar una sola palabra más. Yo no podía perder un segundo si no quería que ella se diera cuenta de mi desesperación. Pero ya, después del sobresalto de la rabia, se me saltaban las lágrimas. Como en Balbec la noche subsiguiente a su revelación de su amistad con los Vinteuil, tenía que inventar inmediatamente, como explicación de mi disgusto, una causa plausible, capaz de producir en Albertina un efecto tan profundo que me diera a mí una tregua de unos días antes de tomar una decisión. Por eso, en el momento en que me decía que jamás había recibido afrenta semejante a la que yo le infligí saliendo, que hubiera preferido morir antes que oírselo decir a Francisca, y cuando, irritado por su risible susceptibilidad, iba a decirle yo que lo que había hecho era insignificante, que no tenía nada de ofensivo para ella que yo hubiese salido; como mientras tanto, paralelamente, había encontrado una respuesta mi búsqueda subconsciente de lo que ella había querido decir después de la palabra *casser,* y como la desesperación en que me hundía mi descubrimiento era imposible de ocultar por completo, en vez de defenderme, me acusé:

–Mi pequeña Albertina –le dije en un tono dulce que mis primeras lágrimas ganaban–, podría decirte que no tienes razón, que lo que he hecho no es nada, pero mentiría; sí la tienes, has comprendido la verdad, pobrecita mía, y la verdad es que hace seis meses, que hace tres, cuando todavía te quería tanto, no hubiera hecho eso. No es nada y es muchísimo por el inmenso cambio en mi corazón que revela. Y puesto que has adivinado ese cambio que yo esperaba ocultarte, tengo que decirte esto: mi pequeña Albertina –le dije con una profunda dulzura, con una honda tristeza–, la vida que llevas aquí es aburrida para ti, es mejor que nos separemos, y como las mejores separaciones son las que se efectúan con mayor rapidez, te pido que, para abreviar la gran pena que voy a sentir, me digas adiós esta noche y te marches mañana sin que yo te vea, cuando esté dormido.

Pareció estupefacta, sin acabar de creerlo y ya desolada.

–¿Mañana? ¿Quieres que me vaya mañana?

Y pese a lo mucho que sufría hablando de nuestra separación como perteneciente ya al pasado –quizá, en parte, por este mismo sufrimiento–, me puse a dar a Albertina los con-

sejos más precisos sobre ciertas cosas que tendría que hacer
después de marcharse de casa. Y de recomendación en recomendación llegué en seguida a entrar en detalles minuciosos.

–Ten la bondad –le dije con infinita tristeza– de enviarme
el libro de Bergotte que está en casa de tu tía. No corre ninguna prisa, dentro de tres días, o de ocho, cuando quieras,
pero no lo olvides, para que yo no tenga que mandar a pedír-
telo, pues me sería muy doloroso. Hemos sido muy felices y
ahora nos damos cuenta de que seríamos desgraciados.

–No digas que nos damos cuenta de que seríamos desgraciados –me interrumpió Albertina–, no hables en plural,
eres tú solo quien piensa eso.

–Sí, en fin, tú o yo, como quieras, por una o por otra razón. Es tardísimo, tienes que acostarte…, hemos decidido
separarnos esta noche.

–Perdón, *has* decidido y yo te obedezco porque no quiero
causarte pena.

–Bueno, lo he decidido yo, pero no por eso es menos doloroso para mí. No digo que será doloroso mucho tiempo, ya
sabes que no tengo la facultad de los recuerdos duraderos,
pero los primeros días lo pasaré tan mal… Por eso me parece
inútil reavivar la cosa con cartas, hay que acabar de una vez.

–Sí, tienes razón –me dijo con un aire desolado, acentua-
do además por el cansancio de su cara a aquella hora tan tardía–; más vale que le corten a uno la cabeza de una vez que le
vayan cortando dedo tras dedo.

–¡Dios mío, estoy aterrado pensando en la hora a que te
hago acostarte, qué locura! ¡En fin, por ser la última noche!
Ya tendrás tiempo de dormir todo el resto de tu vida –y así,
diciéndole que teníamos que despedirnos, procuraba retrasar el momento de la despedida–. ¿Quieres que, para dis-
traerte los primeros días, le diga a Bloch que mande a su prima Esther al lugar donde estés tú? Lo hará por mí.

–No sé por qué dices eso –lo decía intentando arrancar a
Albertina una confesión–, a mí no me interesa más que una

persona, tú –me contestó, y estas palabras me fueron dulcí-
simas. Pero qué daño me hizo inmediatamente–: Recuerdo
muy bien que le di una foto mía a Esther porque insistió mucho y yo veía que le gustaría, pero en cuanto a tener amistad
con ella y deseo de verla, eso nunca –mas Albertina tenía un
carácter tan entero que añadió–: Si ella quiere verme, a mí
me da lo mismo, es muy simpática, pero no me interesa
nada.

De modo que cuando tiempo atrás le hablé de la fotografía de Esther que me había enviado Bloch (y que cuando hablé de ella a Albertina ni siquiera había recibido todavía), mi
amiga comprendió que Bloch me había enseñado una fotografía suya que ella había dado a Esther. Cuando me referí a
esta fotografía, Albertina no encontró nada que contestar. Y
ahora, creyendo, muy equivocadamente, que estaba enterado, le parecía más hábil confesar. Estaba abrumado.

–Y además, Albertina, te pido por favor una cosa: que no
intentes nunca volver a verme. Si alguna vez, y puede ocurrir dentro de un año, de dos, de tres, nos encontráramos
en la misma ciudad, evítame –y al ver que no contestaba
afirmativamente a mi ruego–: Albertina mía, no hagas eso,
no vuelvas a verme en esta vida. Me daría demasiada pena.
Pues te quería de verdad. Ya sé que cuando te conté el otro
día que quería volver a ver a la amiga de quien hablamos en
Balbec creíste que era inventado. Pero no, te aseguro que
me daba lo mismo, estás convencida de que hace mucho
tiempo que decidí dejarte, de que mi cariño era una comedia.

–No, no, estás loco, yo no he creído eso –dijo tristemente.

–Tienes razón, no debes creerlo; te quería de verdad, quizá no de amor, pero de grande, de muy grande amistad, más
de lo que puedes creer.

–Sí que lo creo. ¡Y si tú te figuras que yo no te quiero a ti!

–Me da mucha pena dejarte.

–Y a mí mil veces más –me contestó Albertina.

Y desde hacía un momento sentía que no iba a poder contener las lágrimas que me subían a los ojos, y estas lágrimas
no eran de la misma tristeza que sentía en otro tiempo cuando decía a Gilberta: «Es mejor que no nos veamos más, la
vida nos separa». Seguramente cuando escribía esto a Gilberta, pensaba que cuando amara no a ella, sino a otra, el exceso de mi amor disminuiría el que quizá pudiera yo ins-
pirar, como si hubiera fatalmente entre dos seres cierta cantidad de amor disponible y el exceso tomado por uno de
ellos se le quitara al otro, y que también de la otra estaría
condenado a separarme como entonces de Gilberta. Pero la
situación era muy diferente por muchas razones, la primera
de las cuales, que a su vez había producido las otras, era que
la falta de voluntad que mi abuela y mi madre temían en mí,
y ante la cual, en Combray, habían capitulado sucesivamente
las dos, pues tanta es la energía de un enfermo para imponer
su debilidad, aquella falta de voluntad se había ido agravan-
do en una progresión cada vez más rápida. Cuando sentí que
mi presencia cansaba a Gilberta, yo tenía aún bastantes fuerzas para renunciar a ella; cuando observé lo mismo en Albertina, ya no las tenía, y no pensaba más que en retenerla a
la fuerza. De suerte que, así como cuando escribí a Gilberta
que no volvería a verla y, en realidad, con la intención de no
verla, en efecto, a Albertina, en cambio, se lo decía por pura
mentira y para provocar una reconciliación. De modo que
nos presentábamos mutuamente una apariencia muy diferente de la realidad. Y seguramente es siempre así cuando
dos seres están frente a frente, porque cada uno de ellos ignora una parte de lo que hay en el otro, y aun lo que sabe no
puede comprenderlo del todo y los dos manifiestan lo menos personal que tienen, bien sea porque ellos mismos no lo
han dilucidado y lo consideran desdeñable, bien porque les
parecen más importantes y más agradables ciertas ventajas
insignificantes y que no les son propias, y porque, además,
ciertas cosas que les interesan y no tienen, para no ser des-

preciados, hacen como que no les interesan, y es precisamente lo que aparentan desdeñar más que nada y hasta exe-
crar. Pero, en amor, este *quid pro quo* llega a un grado supremo porque, excepto cuando somos niños, intentamos que
la apariencia que tomamos, más que reflejar exactamente
nuestro pensamiento, sea la que este pensamiento considera
más adecuada para hacernos lograr lo que deseamos, y que
para mí, desde que volví a casa, era poder conservar a Albertina tan dócil como antes, que no me pidiera, en su irritación, mayor libertad, libertad que yo deseaba darle algún
día, pero que en aquel momento, cuando yo tenía miedo de
sus veleidades de independencia, me hubiera dado demasiados celos. A partir de cierta edad, por amor propio y por habilidad, son las cosas que más deseamos las que aparenta-
mos que no nos interesan. Pero en amor la simple habilidad
–que, por otra parte, no es probablemente la verdadera inteligencia– nos obliga bastante pronto a ese genio de duplicidad. De niño, todo lo más dulce que yo soñaba en el amor y
que me parecía su esencia misma era expresar libremente,
ante la amada, mi cariño, mi gratitud por su bondad, mi deseo de una perpetua vida común. Pero por mi propia experiencia y por la de mis amigos me había dado muy bien
cuenta de que la expresión de tales sentimientos está lejos de
ser contagiosa. El caso de una vieja amanerada como monsieur de Charlus, que a fuerza de no ver en su imaginación
más que a un hermoso mancebo cree ser él mismo un hermoso mancebo y manifiesta cada vez más su afeminamiento
en sus risibles alardes de virilidad, este caso entra en una ley
que se aplica mucho más allá de los Charlus, una ley tan general que ni siquiera el amor la agota por completo; no vemos nuestro cuerpo que los demás ven, y «seguimos» nuestro pensamiento, el objeto que se encuentra ante nosotros,
invisible para los demás (hecho visible a veces por el artista
en una obra, y de aquí las desilusiones que suelen sufrir sus
admiradores cuando llegan a conocer al autor, en cuyo ros-

tro se refleja tan imperfectamente la belleza interior). Una
vez que se ha observado esto, ya no se «deja uno llevar»;
aquella tarde me había librado bien de decir a Albertina
cuánto le agradecía que no se hubiera quedado en el Trocadero, y aquella noche, por miedo de que me dejara, fingí que
deseaba dejarla, simulación que, como veremos en seguida,
no me la dictaban las enseñanzas que había creído recibir de
mis amores anteriores y que procuraba aplicar a éste.

El miedo de que Albertina pudiera decirme: «Quiero ciertas horas para salir sola, poder ausentarme veinticuatro horas», en fin, no sé qué solicitud de libertad que yo no intentaba definir, pero que me espantaba, esta idea me había
pasado un instante por la imaginación en la fiesta Verdurin.
Pero se había esfumado, contradicha además por el recuerdo de todo lo que Albertina me decía continuamente de lo
feliz que era en la casa. La intención de dejarme, si es que Albertina la tenía, no se manifestaba sino de un modo oscuro,
en ciertas miradas tristes, en ciertas impaciencias, en frases
que no querían de ninguna manera decir esto, sino que, ra-
zonando (y ni siquiera hacía falta razonar, pues el lenguaje
de la pasión se entiende inmediatamente, hasta la gente del
pueblo comprende esas frases que sólo pueden explicarse
por la vanidad, el rencor, los celos, frases, por otra parte, no
expresadas, pero que en seguida descubren en el interlocutor una facultad intuitiva que, como ese «sentido común» de
que habla Descartes, es «la cosa más extendida del mundo»),
sólo podían explicarse por la presencia en ella de un sentimiento que ocultaba y que podía llevarla a hacer planes para
otra vida sin mí. Y así como esta intención no se expresaba
en sus palabras de una manera lógica, así el presentimiento
de esta intención, que yo sentía desde aquella noche, permanecía en mí igualmente vago. Seguía viviendo en la hipótesis
de que tomaba por verdadero todo lo que me decía Albertina. Pero es posible que mientras tanto persistiera en mí una
hipótesis completamente opuesta y en la que no quería pen-

sar; esto es más probable aún porque de no ser así no me hubiera importado en absoluto decir a Albertina que había ido a casa de los Verdurin y no hubiera sido comprensible lo poco que me extrañó su ira. De modo que lo que vivía probablemente en mí era la idea de una Albertina enteramente contraria a la que mi razón creaba, y también a la que sus palabras pintaban, pero una Albertina no absolutamente inventada, porque era como un espejo anterior de ciertos movimientos que se producían en ella, como su mal humor porque yo había ido a casa de los Verdurin. Por otra parte, ya desde tiempo atrás mis angustias frecuentes, mi miedo de decir a Albertina que la amaba, todo esto correspondía a otra hipótesis que explicaba muchas más cosas y que tenía también a su favor que si se adoptaba la primera, la segunda resultaba más probable, pues dejándome llevar a efusiones de cariño con Albertina el resultado era una irritación por su parte (irritación a la que, por lo demás, ella atribuía otra causa).

Debo decir que lo que me había parecido más grave y me había impresionado más como síntoma de que Albertina se adelantaba a mi acusación, fue que me dijera: «Creo que esta noche va a ir mademoiselle Vinteuil», a lo que yo contesté lo más cruelmente posible: «No me habías dicho que habías encontrado a madame Verdurin». Cuando veía algo desagradable en Albertina, en vez de decirle que estaba triste me volvía malo.

Basándome en esto, en el sistema invariable de respuestas que expresaban exactamente lo contrario de lo que yo sentía, puedo estar seguro de que si aquella noche le dije que iba a dejarla fue –aun antes de darme cuenta de ello– porque tenía miedo de que Albertina reclamara una libertad (yo no sabría decir qué libertad era aquella que me hacía temblar, pero de todos modos una libertad que le hubiera permitido engañarme, o al menos me hubiera impedido a mí estar seguro de que no me engañaba) y yo, por orgullo, por habilidad, quería demostrarle que no temía tal cosa, como hacía ya en Balbec cuando quería que tuviera una alta idea de mí y, más tarde, cuando quería que no tuviera tiempo de aburrirse conmigo.

En fin, sería inútil detenerse en la objeción que se pudiera oponer a esta segunda hipótesis –la informulada–, que todo lo que Albertina me decía significaba siempre, por el contrario, que su vida preferida era la vida en mi casa, el reposo, la lectura, la soledad, el odio a los amores sáficos, etc. Pues si Albertina, por su parte, hubiera querido juzgar lo que yo sentía por lo que le decía, habría sabido exactamente lo contrario de la verdad, porque yo no manifestaba nunca el deseo de dejarla sino precisamente cuando no podía pasar sin ella, y en Balbec le confesé dos veces que amaba a otra mujer, una vez a Andrea, otra a una persona misteriosa, y fueron las dos veces en que los celos me devolvieron el amor a Albertina. Es decir, que mis palabras no reflejaban en absoluto mis sentimientos. Si el lector no tiene de esto más que una impresión bastante ligera, es porque, como narrador, le expongo mis sentimientos a la vez que le repito mis palabras. Pero si le ocultara los primeros y conociera sólo las segundas, mis actos, tan poco en relación con ellas, le darían tantas veces la impresión de extraños cambios que me creería poco menos que loco. Proceder que no sería, por lo demás, mucho más falso que el que yo he adoptado, pues las imágenes que me movían a obrar, tan opuestas a las expresadas en mis palabras, eran en aquel momento muy oscuras; yo no conocía sino imperfectamente la naturaleza según la cual obraba; hoy conozco claramente su verdad subjetiva. En cuanto a su verdad objetiva, es decir, si las intuiciones de esta naturaleza captaban más exactamente que mi razonamiento las verdaderas intenciones de Albertina, si hice bien en fiarme de esta naturaleza o si, por el contrario, esta naturaleza enturbió las intenciones de Albertina en vez de aclararlas, me es difícil decirlo.

Aquel vago temor que había sentido yo en casa de los Verdurin de que Albertina me dejara se disipó al principio, cuando volví a casa, con la sensación de ser un prisionero, en modo alguno de encontrar una prisionera. Mas, disipado el temor, me volvió con más fuerza cuando al decirle a Albertina que había ido a casa de los Verdurin le cubrió el rostro una apariencia de enigmática irritación que, por lo demás, no era la primera vez que afloraba a él. Yo sabía muy bien que no era más que la cristalización de la carne de agravios razonados, de ideas claras para quien las concibe y las calla, síntesis que resulta visible pero no racional y que aquel que recoge su precioso residuo en el rostro del ser amado procura a su vez, para entender lo que pasa en éste, reducirlo, mediante el análisis, a sus elementos intelectuales. La ecuación aproximativa a aquel desconocido que era para mí el pensamiento de Albertina me había dado sobre poco más o menos: «yo conocía sus sospechas, estaba seguro de que procuraría comprobarlas, y para que yo no pudiera estorbarle hizo todo su trabajito a escondidas». Pero si Albertina vivía con estas ideas, que nunca me había expresado, ¿no tomaría horror a esta existencia, no le faltarían fuerzas para vivirla, no decidiría en cualquier momento renunciar a ella, si era culpable, al menos en deseo, y se sentía adivinada, acorralada, sin poder nunca entregarse a sus gustos, sin que con ello desarmara mis celos; o, si era inocente de intención y de hecho, y a pesar de ello tenía derecho desde hacía tiempo a sentirse desanimada al ver que desde Balbec, donde tanta perseverancia puso en no quedarse sola nunca con Andrea, hasta hoy, en que había renunciado a ir a casa de los Verdurin y a quedarse en el Trocadero, no había logrado recuperar mi confianza? Sobre todo cuando yo no podía decir que su actitud no fuera perfecta. Si en Balbec, cuando se hablaba de muchachas de mala nota, había a veces visto en ella risas, gestos, imitaciones de sus maneras, que me torturaban por lo que yo suponía que aquello significaba para sus amigas, la verdad es que desde que conocía

mi opinión sobre este asunto siempre que se aludía a este tipo
de cosas dejaba de tomar parte en la conversación no sólo con
la palabra, sino con la expresión del rostro. Fuera por no con-
tribuir a las malevolencias que se decían sobre ésta o aquélla, o
por cualquier otra razón, lo único que se notaba entonces en
sus rasgos, tan movibles, es que en cuanto se tocaba el tema
mostraban su distracción conservando exactamente la expresión que tenía un instante antes. Y esta inmovilidad del gesto,
aunque ligera, pesaba como un silencio. Era imposible saber
si censuraba, si aprobaba, si conocía o no aquellas cosas. Cada
uno de sus rasgos no estaba en relación más que con otro de
sus rasgos. La boca, la nariz, los ojos formaban una armonía
perfecta, aislada del resto; parecía un pastel, parecía que no
hubiera entendido lo que acababa de decir, igual que si se hubiera dicho ante un retrato de La Tour.

Mi propia esclavitud, la esclavitud que todavía sentía cuando al dar al cochero la dirección de Brichot vi la luz de la
ventana, dejó de pesarme poco después, cuando vi que Albertina parecía sentir tan vivamente la suya. Y para que le
pareciese menos dura, para que no se le ocurriera romperla
ella, me pareció lo más hábil darle la impresión de que la esclavitud no sería definitiva, de que yo mismo deseaba poner-
le fin. Viendo que la simulación me había salido bien, hubiera podido sentirme contento, en primer lugar porque lo que
tanto había temido, el propósito de marcharse que yo le suponía, quedaba descartado, y además porque, aparte el resultado perseguido, el éxito de mi simulación en sí mismo, al
demostrar que yo no era absolutamente para Albertina un
amante desdeñado, un celoso burlado que ve descubiertos
de antemano todos sus ardides, devolvía a nuestro amor una
especie de virginidad, lo retrotraía al tiempo de Balbec,
cuando Albertina podía aún, en Balbec, creer tan fácilmente
que yo amaba a otra. Seguramente no lo hubiera creído ahora, pero sí daba fe a mi simulada intención de separarnos
para siempre aquella noche.

Parecía sospechar que la causa pudiera hallarse en casa de los Verdurin. Le dije que había visto a un autor dramático, Bloch, muy amigo de Léa, a quien ella había dicho cosas extrañas (pensaba hacerle creer con esto que sabía más de lo que decía sobre las primas de Bloch). Pero, por una necesidad de calmar la perturbación que me causaba mi simulación de ruptura, le dije:

–Albertina, ¿me puedes jurar que nunca me has mentido?

Miró fijamente al vacío y me contestó:

–Sí, es decir, no. Hice mal en decirte que Andrea había estado muy colada por Bloch; no le habíamos visto.

–Pero, entonces, ¿por qué me lo dijiste?

–Porque tenía miedo de que creyeras otras cosas de ella, nada más que por eso –volvió a mirar al vacío y me dijo–: Hice mal en ocultarte el viaje de tres semanas que había hecho con Léa. Pero es que te conocía tan poco...

–¿Fue antes de Balbec?

–Antes del segundo, sí.

¡Y aquella misma mañana me había dicho que no conocía a Léa! Veía quemarse de pronto en una llamarada una novela que me había costado millones de minutos escribir. ¿Para qué? ¿Para qué? Claro que yo comprendía muy bien que Albertina me revelaba aquellos dos hechos porque pensaba que los había sabido indirectamente por Léa, y no había ninguna razón para que no existieran otros cien parecidos. Comprendía también que en las palabras de Albertina cuando la interrogaban no había nunca ni un átomo de verdad, que la verdad sólo la dejaba escapar sin querer, como una mezcla que se producía en ella bruscamente, entre los hechos que hasta entonces estaba decidida a ocultar y la creencia de que se habían sabido.

–Pero dos cosas no es nada –le dije–; lleguemos hasta cuatro para que me dejes recuerdos. ¿Qué más me puedes revelar?

Volvió a mirar al vacío. ¿A qué creencias en la vida futura adoptaba Albertina la mentira, con qué dioses de manga menos ancha de lo que ella había creído intentaba arreglarse? No debió de ser fácil, pues su silencio y la fijeza de su mirada duraron bastante tiempo.

–No, nada más –acabó por decir.

Y a pesar de mi insistencia se encerró, fácilmente ahora, en «nada más». ¡Qué mentira! Pues desde el momento en que tenía aquellas aficiones y hasta el día en que quedó encerrada en mi casa, ¡cuántas veces, cuántas casas, cuántos paseos debieron de satisfacerla! Las gomorrianas son a la vez lo bastante raras y lo bastante numerosas para que en cualquier aglomeración no pasen inadvertidas unas de otras. Y luego es fácil encontrarse.

Recuerdo con horror una noche que en su época me pareció solamente ridícula. Me había invitado un amigo a comer en el restaurante con su querida y otro amigo suyo que llevó también la suya. No tardaron ellas en entenderse, pero tan impacientes por poseerse que ya desde la sopa se buscaban los pies, y a veces tropezaban con el mío. En seguida se enlazaron las piernas. Mis dos amigos no veían nada; yo estaba en ascuas. Una de las dos amigas, que no podía más, se metió debajo de la mesa diciendo que se le había caído una cosa. Después a una le dio jaqueca y pidió subir al lavabo. La otra se dio cuenta de que era la hora de ir a buscar a una amiga al teatro. Y me quedé yo solo con mis dos amigos, que no sospechaban nada. La de la jaqueca volvió a bajar, pero diciendo que la dejaran marcharse sola a esperar a su amante en su casa, para tomar un poco de antipirina. Se hicieron muy amigas, paseaban juntas; una de ellas, vestida de hombre, reclutaba jovencitas y las llevaba a casa de la otra para iniciarlas. La otra tenía un muchachito, hacía como que estaba descontenta de él y encargaba de castigarle a su amiga, que no se andaba con chiquitas. Puede decirse que no había lugar, por público que fuera, donde no hiciesen lo que hay de más secreto.

–Pero en aquel viaje Léa estuvo siempre muy correcta conmigo –me dijo Albertina–. Hasta más reservada que muchas señoras del gran mundo.

–¿Es que hay mujeres del gran mundo que no estuvieran reservadas contigo, Albertina?

–Nunca.

–Entonces, ¿qué quieres decir?

–Bueno, que era menos libre en su modo de hablar.

–¿Por ejemplo?

–No hubiera empleado, como muchas mujeres a las que todo el mundo recibe, la palabra reventante o la expresión chiflarse en el mundo.

Me pareció que caía también en cenizas una parte de la novela que aún subsistía. Las palabras de Albertina, cuando pensaba en ellas, sustituían mi desaliento por una ira furiosa, que desapareció a su vez ante una especie de enternecimiento. También yo, desde que entré y dije mi propósito de romper, mentía. Por otra parte, aun pensando a saltos, a punzadas, como se dice de los dolores físicos, en aquella vida orgiástica que había llevado Albertina antes de conocerme, admiraba más la docilidad de mi cautiva y dejaba de odiarla. Pero esta simulación me daba un poco de la tristeza que me hubiera dado la intención verdadera, porque para poder fingirla tenía que representármela. Verdad es que durante nuestra vida común yo no había dejado nunca de dar a entender a Albertina que, probablemente, aquella vida sería provisional, para que Albertina siguiera encontrándole cierto encanto. Pero esta noche había ido más lejos por miedo de que unas vagas amenazas de separación no fueran suficientes, contradichas como serían sin duda en el ánimo de Albertina por la idea de que era un gran amor a ella lo que me llevó –parecía decir– a inquirir en casa de los Verdurin. Aquella noche pensé que, entre las demás causas que hubieran podido decidirme bruscamente, sin darme cuenta siquiera más que a medida que se desarrollaba, a representar aquella comedia de ruptura, había sobre todo una: que cuando en un impulso como los que tenía mi padre amenazaba a un ser en su seguridad, como yo no tenía como él el valor de cumplir una amenaza, para que la persona amenazada no creyera que todo se iba a quedar en palabras iba bastante lejos en las apariencias de la realización y no me replegaba hasta que el adversario, creyendo verdaderamente en mi sinceridad, se echaba a temblar.

Por otra parte, sentimos que en esas mentiras hay algo de verdad; que si la vida no aporta cambios a nuestros amores, somos nosotros mismos quienes queremos aportarlos, o al menos fingirlos, y hablamos de separación: hasta tal punto sentimos que todos los amores y todas las cosas evolucionan rápidamente hacia el adiós. Queremos llorar las lágrimas de este adiós antes de que sobrevenga. En la escena por mí representada había, sin duda, aquella vez una razón de utilidad. Quise de pronto conservarla, porque la sentía dispersa en otros seres, sin poder impedir que se uniera con ellos. Mas si hubiera renunciado a todos por mí, acaso yo habría decidido más firmemente aún no dejarla nunca, pues si los celos hacen cruel la separación, la gratitud la hace imposible. En todo caso, me daba cuenta de que estaba librando la gran batalla, una batalla en la que tenía que vencer o sucumbir. Hubiera ofrecido a Albertina en una hora todo lo que poseía, porque pensaba: todo depende de esta batalla. Pero estas batallas se parecen menos a las de antaño, que duraban varias horas, que a una batalla contemporánea, que no termina ni al día siguiente, ni al otro, ni a la semana siguiente. Ponemos en ella todas nuestras fuerzas porque siempre creemos que serán las últimas que vamos a necesitar. Y pasa más de un año sin que llegue la «decisión».

Acaso se sumaba a esto una inconsciente reminiscencia de las escenas mentirosas organizadas por monsieur de Charlus, cerca del cual estaba yo cuando se apoderó de mí el miedo de que Albertina me dejara. Pero más tarde le oí contar a mi madre una cosa que entonces ignoraba y que me hace creer que todos los elementos de aquella escena los encontré en mí mismo, en una de esas oscuras reservas de la herencia

que ciertas emociones, obrando en esto como algunos me-
dicamentos análogos al alcohol y al café obran sobre el aho-
rro de nuestras reservas de fuerzas, nos hacen disponibles:
cuando mi tía Octavia se enteraba por Eulalia de que Francisca, segura de que su señora ya no iba a salir, había trama-
do en secreto alguna salida que mi tía debía ignorar, ésta, la
víspera, simulaba decidir que al día siguiente procuraría dar
un paseo. Y obligaba a Francisca, incrédula al principio, no
sólo a preparar de antemano sus cosas, a sacar al aire las que
llevaban mucho tiempo cerradas, sino hasta a encargar el
coche, a disponer casi al cuarto de hora todos los detalles del
día. Y sólo cuando Francisca, convencida, o al menos, vacilante, se veía obligada a confesar a mi tía sus propios planes,
renunciaba ésta públicamente a los suyos para no impedir,
decía, los de Francisca. De la misma manera, para que Albertina no pudiera creer que yo exageraba y para hacerle llegar lo más lejos posible en la idea de que nos separábamos,
sacando yo mismo las deducciones de lo que acababa de
anunciar, me puse yo a anticipar el tiempo que comenzaría
al día siguiente y que duraría siempre, el tiempo de nuestra
separación, dirigiendo a Albertina las mismas recomendaciones que si no nos fuéramos a reconciliar en seguida.
Como los generales que piensan que para engañar al enemigo con un falso ataque hay que llevarlo a fondo, yo puse en
este mío casi tantas fuerzas de mi sensibilidad como si fuera
verdadero. Aquella escena de separación ficticia acababa
por darme casi tanta pena como si fuera real, quizá porque
uno de los dos actores, Albertina, la creía real y acentuaba
así la figuración del otro. Vivíamos el momento, un momento que, aunque penoso, era soportable, retenidos en tierra
por el lastre del hábito y por la certidumbre de que el día siguiente, aunque fuera cruel, contendría la presencia del ser
que nos interesa. Y he aquí que yo, insensatamente, destruía
toda aquella grávida vida. Verdad es que no la destruía sino
ficticiamente, pero bastaba esto para desolarme; quizá por-

que las palabras tristes que se pronuncian, aunque sean mentirosas, llevan en sí mismas su tristeza y nos la inyectan profundamente, quizá porque se sabe que simulando adioses se evoca con anticipación una hora que llegará fatalmente más tarde; además, no se está muy seguro de no poner en marcha el mecanismo que dará esa hora. En todo *bluff* hay una parte de incertidumbre, por pequeña que sea, sobre lo que va a hacer el que engaña. ¡Y si la comedia de separación acabara en separación! No podemos pensar en tal posibilidad, aunque sea inverosímil, sin que se nos encoja el corazón. La ansiedad es mayor porque la separación se produciría entonces en el momento en que nos sería insoportable, cuando acaba de herirnos el dolor por la mujer que nos va a dejar antes de habernos curado, al menos aliviado. Y además ni siquiera tenemos ya el punto de apoyo de la costumbre en la que descansamos hasta de la pena. Acabamos de privarnos voluntariamente de este punto de apoyo, le hemos dado a este día una importancia excepcional, le hemos separado de los días contiguos y flota sin raíces como un día de partida; nuestra imaginación, antes paralizada por el hábito, se despierta; hemos incorporado de pronto a nuestro amor cotidiano sueños sentimentales que le agrandan muchísimo, que nos hacen indispensable una presencia con la que precisamente no estamos ya completamente seguros de poder contar. Y si nos hemos entregado al juego de poder pasar sin esta presencia, es sin duda con el fin de asegurarla para el porvenir. Pero es un juego peligroso y nos sale al revés: sufrimos con otro sufrimiento porque hemos hecho algo nuevo, desacostumbrado, y es como esos tratamientos que, a la larga, curarán el mal que padecemos, pero que por lo pronto lo agravan.

Yo tenía lágrimas en los ojos, como los que, solos en su cuarto, imaginándose según los giros caprichosos de su figuración la muerte de un ser querido, tan minuciosamente se representan el dolor que sentirían que acaban por sentirlo. Así, multiplicando las recomendaciones a Albertina so-

bre lo que debía hacer respecto a mí cuando nos separá-
ramos, me parecía que sentía tanta pena como si no fuéramos a reconciliarnos en seguida. Y además, ¿estaba tan seguro de lograrlo, de hacer volver a Albertina a la idea de la
vida común y de que, si lo lograba por aquella noche, no re-
nacería en Albertina el estado de espíritu que aquella escena
había disipado? Me sentía, pero no me creía dueño del porvenir, porque comprendía que esta sensación nacía solamente de que ese porvenir no existía aún y, por consiguiente,
no me punzaba su necesidad. En fin, mintiendo, ponía quizá
en mis palabras más verdad de lo que yo creía. Acababa de
tener un ejemplo de esto cuando dije a Albertina que la olvidaría pronto; era, en efecto, lo que me había ocurrido con
Gilberta, a la que ahora me abstenía de ir a ver por evitar no
un sufrimiento, sino una obligación pesada. Y, ciertamente,
había sufrido al escribir a Gilberta que no la vería más. Y a
ver a Gilberta no iba más que de cuando en cuando, mientras que todas las horas de Albertina me pertenecían. Y en
amor es más fácil renunciar a un sentimiento que perder una
costumbre. Pero todas esas palabras dolorosas sobre nuestra
separación, si tenía yo la fuerza de pronunciarlas porque las
sabía falsas, en cambio eran sinceras en boca de Albertina
cuando la oí exclamar: «¡Ah!, prometido, no te volveré a ver
nunca. Todo antes que verte llorar así, querido. No quiero
darte pena. Puesto que es necesario, no volveremos a vernos.»
Estas palabras eran sinceras, mientras que por mi parte no
hubieran podido serlo, porque como Albertina no sentía por
mí nada más que amistad, por una parte el renunciamien-
to que prometían le costaba menos, y por otra, mis lágrimas,
que tan poca cosa hubieran sido en un gran amor, le parecían casi extraordinarias y la trastornaban traspuestas a los
dominios de aquella amistad en la que ella se quedaba, de
aquella amistad más grande que la mía, según ella acababa
de decir –según ella acababa de decir, porque en una separación es el que no ama de amor quien dice las cosas tiernas,

pues el amor no se expresa directamente–, y que quizá no era completamente inexacto, pues las mil bondades del amor acaban por despertar en el ser que las inspira y no lo siente un afecto, una gratitud, menos egoístas que el sentimiento que las ha provocado y que quizá, pasados años de separación, cuando ya en el antiguo enamorado no quede nada de aquel sentimiento, subsistirán siempre en la amada[1].

1. «Sólo un momento sentí hacia ella una especie de odio, que no hizo más que avivar mi necesidad de retenerla. Como aquella noche sólo sentía celos de mademoiselle Vinteuil y pensaba con la mayor indiferencia en el Trocadero, no sólo considerando que la había enviado allí para evitar a los Verdurin, sino aun viendo en el Trocadero a aquella Léa por causa de la cual hice volver a Albertina para que no la conociera, dije sin pensar el nombre de Léa, y ella, desconfiada y creyendo que acaso me habían dicho más, se adelantó y dijo con volubilidad, no sin bajar un poco la frente: «La conozco muy bien; el año pasado fuimos con unas amigas a verla trabajar; después de la representación subimos a su camerino; se vistió delante de nosotras. Era muy interesante.» Entonces mi imaginación tuvo que dejar a mademoiselle Vinteuil y, en un esfuerzo desesperado, en esa carrera al abismo de las imposibles reconstituciones, se fijó en la actriz, en aquella noche en que Albertina subió a su camerino. Por una parte, después de todos los juramentos que me había hecho, y en un tono tan verídico; después del sacrificio tan completo de su libertad, ¿cómo creer que hubiera nada malo en todo aquello? Y, sin embargo, mis sospechas ¿no eran antenas dirigidas hacia la verdad, puesto que, si Albertina había sacrificado por mí a los Verdurin para ir al Trocadero, la verdad era que mademoiselle Vinteuil debía estar en casa de los Verdurin, y puesto que si había renunciado, por otra parte, al Trocadero para salir conmigo, y si yo la hice volver por aquella Léa que parecía preocuparme sin motivo, ahora, en una frase que yo no le pedí, confesaba Albertina que la había conocido en escala mayor que la de mis temores, en circunstancias muy sospechosas, pues quién pudo llevarla a subir así a su camerino? Si yo dejaba de sufrir por mademoiselle Vinteuil cuando sufría por Léa, los dos verdugos de mi jornada, era, bien por la incapacidad de mi espíritu para representarse a la vez varias escenas, bien por la interferencia de mis emociones nerviosas, de las que mis celos no eran más que un eco. Yo podía deducir que Albertina no había sido de Léa más que de mademoiselle Vinteuil, y que si yo creía en Léa era porque aún sufría por ella. Pero el hecho de que mis celos se extinguieran –para despertarse a veces, sucesivamente– no significaba

–Mi pequeña Albertina, eres muy buena prometiéndomelo. De todos modos, al menos los primeros meses, yo evitaré los lugares donde estés tú. ¿Sabes si irás este verano a Balbec?, porque, si vas, yo me las arreglaré para no ir.

Ahora, si seguía progresando así, adelantándome al tiempo en mi invención mentirosa, lo hacía tanto por atemorizar a Albertina como por hacerme daño a mí mismo. Como un hombre que, al principio, no ha tenido sino motivos poco importantes para enfadarse y se remonta por completo con sus propias palabras y se deja llevar por una furia engendrada no por agravios recibidos, sino por su misma ira que va subiendo de tono, así rodaba yo cada vez más por la pendiente de mi tristeza hacia una desesperación cada vez más profunda y con la inercia de un hombre que, sintiendo que le gana el frío, no intenta luchar y hasta encuentra una especie de placer en tiritar. Y, en fin, si un momento antes tuve, como esperaba, la fuerza de rehacerme, de reaccionar y de dar marcha atrás, ahora el beso de Albertina al darme las buenas noches tendría que consolarme mucho más que de la pena que me causó acogiendo tan mal mi regreso de la que yo sentí imaginando, para fingir luego arreglarlas, las formalidades de una separación imaginaria y previendo las consecuencias. En todo caso, aquellas buenas noches no debía ser ella quien me las diera, pues eso me hubiera hecho más difícil el viraje con el que le propondría renunciar a nuestra separación. Por eso no dejaba de recordarle que ha-

tampoco que no correspondiesen cada vez a una verdad presentida, que de aquellas mujeres no debía decir ninguna, sino todas. Digo presentida porque no podía ocupar todos los puntos del espacio y del tiempo que hubiera sido necesario; y además, ¿qué instinto hubiera podido darme la concordancia entre unas y otras para permitirme sorprender a Albertina aquí a tal hora con Léa, o con las muchachas de Balbec, o con la amiga de madame Bontemps que ella había rozado, o con la chica del tenis que le había dado con el codo, o con mademoiselle Vinteuil?» [La edición de La Pléiade agrega aquí este pasaje a pie de página. *(N. de la T.)*]

bía llegado hacía ya tiempo la hora de despedirnos, lo que, dejándome la iniciativa, me permitía retardarla un momento más. Y así sembraba de alusiones a la noche ya tan avanzada, a nuestro cansancio, las cuestiones que planteaba a Albertina.

–No sé a dónde iré –contestó a la última con aire preocupado–. Quizá vaya a Turena, a casa de mi tía.

Y este primer proyecto que esbozó me dejó helado, como si comenzara a realizarse efectivamente nuestra separación definitiva. Miró la habitación, la pianola, las butacas de raso azul.

–Todavía no puedo hacerme a la idea de que ya no veré todo esto ni mañana, ni pasado mañana, ni nunca. ¡Pobre cuartito este! Me parece imposible; no me cabe en la cabeza.

–Tenía que ser, aquí eras desgraciada.

–No, no era desgraciada, es ahora cuando lo voy a ser.

–No, seguro que es mejor para ti.

–¡Para ti quizá!

Me puse a mirar fijamente al vacío como si, sumido en una gran duda, me debatiera contra una idea que se me hubiera ocurrido. Por fin dije de pronto:

–Oye, Albertina, dices que eres más feliz aquí, que vas a ser desgraciada.

–Seguro.

–Eso me perturba. ¿Quieres que intentemos seguir unas semanas más? A lo mejor, semana a semana, podemos llegar muy lejos; ya sabes que lo provisional puede llegar a durar siempre.

–¡Oh, qué bueno serías!

–Pero entonces es insensato habernos hecho tanto daño durante horas para nada; es como prepararse para un viaje y después no hacerlo. Estoy muerto de pena.

La senté sobre mis rodillas, cogí el manuscrito de Bergotte que ella deseaba tanto y escribí en la cubierta: «A mi pequeña Albertina, en recuerdo de una renovación de contrato».

–Ahora –le dije– vete a dormir hasta mañana por la noche, querida mía, pues debes de estar destrozada.

–Lo que estoy, sobre todo, es muy contenta.

–¿Me quieres un poquito?

–Cien veces más que antes.

Hubiera hecho mal en sentirme dichoso con la pequeña
comedia. Aunque no hubiera llegado a aquella forma verdaderamente teatral a que yo la llevé, aunque no hubiéramos
hecho más que hablar simplemente de separación, ya habría
sido grave. Estas conversaciones creemos hacerlas no solamente sin sinceridad, lo que así es, en efecto, sino libremente. Pero, sin proponérnoslo, suelen ser el primer murmullo,
susurrado a pesar nuestro, de una tempestad que no sospe-
chamos. En realidad, lo que entonces decimos es lo contrario de nuestro deseo (que es vivir siempre con la mujer que
amamos), mas es también esa imposibilidad de vivir juntos
la causa de nuestro sufrimiento cotidiano, sufrimiento que
preferimos al de la separación, pero que acabará, a pesar
nuestro, por separarnos. Sin embargo, esto no suele ocurrir
de repente. Por lo general –como se verá, no en mi caso con
Albertina– acontece algún tiempo después de las palabras
en las que no creíamos, ponemos en acción un ensayo informe de separación voluntaria, no dolorosa, temporal. Para
que luego esté más a gusto con nosotros, para, por otra parte, sustraernos nosotros momentáneamente a tristezas y a
fatigas continuas, pedimos a la mujer que vaya a hacer sin
nosotros o que nos deje a nosotros hacer sin ella un viaje de
unos días, los primeros –desde hace mucho tiempo– que pa-
saremos sin ella, cosa que nos hubiera parecido imposible.
No tarda en volver a ocupar su sitio en nuestro hogar. Y esta
separación, corta pero realizada, no es tan arbitrariamente
decidida ni es, con tanta seguridad como nos figurábamos,
la única. Vuelven a empezar las mismas tristezas, se acentúa
la misma dificultad de vivir juntos, sólo que la separación ya
no es cosa tan difícil; hemos comenzado por hablar de ella,

luego se ha realizado en una forma amable. Pero esto no son sino pródromos que no hemos reconocido. Y a la separación momentánea y sonriente sucederá la separación atroz y definitiva que hemos preparado sin saberlo.

–Ven a mi cuarto dentro de cinco minutos para que pueda verte un poco, pequeño mío. Serás buenísimo si lo haces. Pero después me dormiré en seguida, pues estoy muerta.

Y, en efecto, fue una muerta lo que vi cuando entré en su cuarto. Se había dormido nada más acostarse; las sábanas, arrolladas a su cuerpo como un sudario, habían tomado, con sus bellos pliegues, una rigidez de piedra. Dijérase que, como en ciertos juicios finales de la Edad Media, sólo la cabeza surgía de la tumba, esperando en su sueño la trompeta del arcángel. Una cabeza, la suya, sorprendida por el sueño, casi doblada, hirsuto el cabello. Y al ver aquel cuerpo insignificante allí tendido, me preguntaba qué tabla de logaritmos era para que todos los actos en que había podido intervenir, desde un tocarse con el codo hasta un rozarse con la ropa, pudieran causarme, extendidas al infinito de todos los puntos que aquel cuerpo había ocupado en el tiempo y en el espacio y súbitamente revividas en mi recuerdo, unas angustias tan dolorosas y que, sin embargo, yo sabía determinadas por movimientos, por deseos de ella, que en otra, en ella misma cinco años antes, cinco años después, me hubieran sido tan indiferentes. Era una mentira, pero una mentira a la que yo no tenía el valor de buscar otra solución que mi muerte. Así, con la pelliza que todavía no me había quitado desde que volví de casa de los Verdurin, permanecía ante aquel cuerpo retorcido, ante aquella figura alegórica, ¿alegórica de qué? ¿De mi muerte? ¿De mi amor? En seguida empecé a oír su respiración rítmica. Me senté al borde de su cama para hacer aquella cura calmante de brisa y de contemplación. Después me retiré muy despacio para no despertarla.

Era tan tarde que, a la mañana, recomendé a Francisca que anduviera muy despacito cuando pasara delante de su cuarto. Y Francisca, convencida de que habíamos pasado la noche en lo que ella llamaba orgías, recomendó irónicamente a los otros criados que «no despertaran a la princesa». Y una de las cosas que yo temía era que un día Francisca no pudiera contenerse más, que se insolentara con Albertina y que esto trajera complicaciones a nuestra vida. Francisca ya no estaba en edad, como cuando sufría de ver a Eulalia bien tratada por mi tía, de soportar valientemente sus celos. Ahora le paralizaban el semblante hasta tal punto que a veces pensaba yo si no habría sufrido, por alguna crisis de rabia, y sin que yo me diera cuenta, algún pequeño ataque. Y yo, que así pedí que respetaran el sueño de Albertina, no pude conciliar el mío. Intentaba comprender cuál era el verdadero estado de ánimo de Albertina. ¿Había evitado yo, como triste comedia que representé, un peligro real, y Albertina, a pesar de decirse tan feliz en la casa, había tenido a veces la idea de desear su libertad, o, por el contrario, debía creer sus palabras? ¿Cuál de las dos hipótesis era la verdadera? Si a veces me ocurría, si, sobre todo, me iba a ocurrir dar a un caso de mi vida pasada las dimensiones de la historia cuando quería entender un hecho político, en cambio aquella mañana no dejé de identificar, a pesar de tantas diferencias y por el afán de comprenderlo, el alcance de nuestra escena de la víspera con un incidente diplomático que acababa de ocurrir.

Quizá tenía derecho a razonar así. Pues era muy probable que me hubiera guiado el ejemplo de monsieur de Charlus en la escena mentirosa que tantas veces le había visto representar con tanta autoridad; pero esa escena ¿era en él otra cosa que una inconsciente traslación al campo de la vida privada de la profunda tendencia de su raza alemana, provocadora por astucia y, por orgullo, guerrera si es necesario?

Como diversas personas, entre ellas el príncipe de Mónaco, sugirieran al Gobierno francés la idea de que si no prescindía de monsieur Delcassé la amenazadora Alemania iría efectivamente a la guerra, el Gobierno pidió al ministro de

Asuntos Exteriores que dimitiera. Luego el Gobierno francés admitía la hipótesis de una intención de hacernos la guerra si no cedíamos. Pero otras personas pensaban que había sido sólo un simple *bluff*, y que si Francia se hubiera mantenido firme, Alemania no habría sacado la espada. Claro que el escenario era no sólo diferente, sino casi inverso, puesto que Albertina no había proferido nunca la amenaza de romper conmigo; pero un conjunto de impresiones había llevado a mi ánimo la creencia de que pensaba hacerlo, como el Gobierno francés había tenido aquella creencia respecto a Alemania. Por otra parte, si Alemania deseaba la paz, provocar en el Gobierno francés la idea de que quería la guerra era una habilidad discutible y peligrosa. Cierto que si lo que provocaba en Albertina bruscos deseos de independencia era la idea de que yo no me decidiría nunca a romper con ella, mi conducta había sido bastante hábil. Y ¿no era difícil creer que no los tenía, negarse a ver en ella toda una vida secreta dirigida a la satisfacción de su vicio, aunque sólo fuera por la rabia con que se enteró de que yo había ido a casa de los Verdurin, exclamando: «Estaba segura», y acabando de descubrirlo todo con aquellas palabras: «Debía estar allí mademoiselle Vinteuil»? Todo esto corroborado por el encuentro de Albertina y de madame Verdurin que me había revelado Andrea. Pero –pensaba yo cuando me esforzaba en ir contra mi instinto– quizá esos bruscos deseos de independencia, suponiendo que existieran, eran debidos, o acabarían por serlo, a la idea contraria, es decir, a saber que yo no había tenido nunca la idea de casarme con ella, que era cuando aludía, como involuntariamente, a nuestra separación próxima cuando decía la verdad, que, de todas maneras, la dejaría un día u otro, creencia que mi escena de aquella noche no había podido sino afianzar y que podría acabar por determinarla a esta resolución: «Si ha de ocurrir fatalmente un día u otro, más vale acabar en seguida». Los preparativos de guerra que el más falso de los adagios preconiza para que triunfe la voluntad de paz crean, por el contrario, en primer lugar, la creencia en cada uno de los adversarios de que el otro quiere la ruptura, creencia que determina la ruptura, y cuando ésta ha tenido lugar, la otra creencia en cada uno es que es el otro el que la ha querido. Aunque la amenaza no fuera sincera, su éxito anima a repetirla. Pero es difícil determinar el punto exacto a que puede llegar el éxito del *bluff;* si el uno va demasiado lejos, el otro, que hasta entonces había cedido, se adelanta a su vez; el primero, no sabiendo cambiar de método, habituado a la idea de que aparentar que no se teme la ruptura es la mejor manera de evitarla (lo que yo hice aquella noche con Albertina), y, además, prefiriendo por orgullo sucumbir antes que ceder, persevera en su amenaza hasta el momento en que ya nadie puede retroceder. Y así, el *bluff* puede ir unido a la sinceridad, alternar con ella, y lo que ayer fue un juego puede mañana ser una realidad. También puede ocurrir que uno de los adversarios esté realmente decidido a la guerra, que, por ejemplo, Albertina tuviera, más tarde o más temprano, la intención de no seguir aquella vida, o, al contrario, que, sin que nunca se le ocurriera tal idea, mi imaginación la inventara de punta a cabo. Tales fueron las diversas hipótesis en que pensé mientras ella dormía aquella mañana. Pero en cuanto a la última, puedo decir que, en los tiempos subsiguientes, nunca amenacé a Albertina con dejarla a no ser respondiendo a una idea de mala libertad suya, idea que no me decía, pero que a mí me parecía implícita en ciertos descontentos misteriosos, en ciertas palabras, en ciertos gestos que no tenían más explicación posible que esa idea y de los que se negaba a darme ninguna. Y muchas veces los observaba yo sin aludir a una separación posible, esperando que provinieran de un rapto de mal humor que acabaría aquel día. Pero el mal humor duraba a veces sin tregua durante semanas enteras en las que Albertina parecía querer provocar un conflicto, como si en aquel momento hubiera, en una región más o menos lejana, ciertos placeres que ella sabía, de los que la privaba su clausura en mi casa e influyeran en ella hasta que acabaran, como esos cambios atmosféricos que, aun encontrándonos junto a la chimenea, influyen en nuestros nervios, aunque se produzcan tan lejos como las islas Baleares.

Aquella mañana, mientras Albertina dormía y yo intentaba adivinar lo que en ella se ocultaba, recibí una carta de mi madre en la que me decía que estaba preocupada por no saber de mis decisiones en relación con aquella frase de madame de Sévigné: «Por mi parte, estoy convencida de que no se casará, pero entonces, ¿por qué entretener a esa muchacha con la que nunca se va a casar? ¿Por qué arriesgarse a que rechace otros partidos que ya no podrán menos de parecerle despreciables? ¿Por qué perturbar el ánimo de una persona cuando sería tan fácil evitarlo?» Esta carta de mi madre me volvía a la tierra. ¿Para qué voy a buscar un alma misteriosa, a interpretar un rostro, a sentirme rodeado de sentimientos que no me atrevo a penetrar?, me dije. Estaba soñando, es muy sencillo. Soy un muchacho indeciso y se trata de una de esas bodas que tardamos algún tiempo en saber si se harán o no. En Albertina no hay nada de particular. Este pensamiento me dio un alivio profundo, pero pasajero. En seguida me dije: «Claro es que, si se considera el aspecto social, se puede reducir todo al más corriente de los sucesos: desde fuera, quizá yo lo vería así. Pero sé muy bien que la verdad es, o al menos lo es también, todo lo que yo he pensado, lo que he leído en los ojos de Albertina, los temores que me torturan, el problema que me planteo constantemente ante Albertina.» La historia del novio vacilante y de la boda rota puede corresponder a esto, como cierta reseña de teatro hecha por un periodista sensato puede dar el tema de una obra de Ibsen. Pero hay algo más que los hechos que se cuentan. Ese algo más acaso existe, si se sabe verlo, en todos los novios vacilantes y en todas las bodas aplazadas, porque acaso hay misterio en la vida cotidiana. Yo podía desdeñar ese misterio en la vida de los demás, pero la de Albertina y la mía la vivía por dentro. Después de aquella noche, Albertina no me dijo, como no me lo había dicho antes: «Ya sé que no tienes confianza en mí, procuraré disipar tus sospechas». Pero esta idea, que nunca expresó, hubiera podido servir de explicación de sus menores actos. No sólo se las arreglaba para no estar sola ni un momento, de modo que yo no pudiese ignorar lo que había hecho si no creía sus propias declaraciones, sino que, hasta cuando quería telefonear a Andrea, o al garaje, o al picadero, o a otro sitio, decía que era demasiado aburrido estar sola para telefonear, con el tiempo que las telefonistas tardaban en dar la comunicación, y se las arreglaba para que estuviese yo con ella en aquel momento, o, a falta mía, Francisca, como si temiera que yo imaginara comunicaciones telefónicas censurables destinadas a dar misteriosas citas.

Desgraciadamente, esto no me tranquilizaba. Amado me había mandado la fotografía de Esther diciéndome que no era ella. ¿Entonces, otras más? ¿Quiénes? Devolví la fotografía a Bloch. La que yo hubiera querido ver era la que Albertina había dado a Esther. ¿Cómo estaba en ella? Quizá descotada; quién sabe si se habrían retratado juntas. Pero no me atrevía a hablar de esto a Albertina (pues se me habría notado que no había visto la foto), ni a Bloch, porque no quería que se diera cuenta de que me interesaba Albertina.

Y aquella vida, que cualquiera que conociera mis sospechas y su esclavitud hubiera considerado cruel para mí y para Albertina, desde fuera, para Francisca, era una vida de placeres inmerecidos que aquella marrullera, y, como decía Francisca, que, más envidiosa de las mujeres, empleaba más el masculino que el femenino, aquella *charlatante*, había sabido hábilmente buscarse. Y como Francisca, en contacto conmigo, había enriquecido su vocabulario con palabras nuevas, pero arreglándolas a su manera, decía de Albertina que no había conocido jamás una persona de tal *perfidité*, que sabía sacarme los dineros haciendo tan bien la comedia (lo que Francisca, que tan fácilmente tomaba lo particular por lo general como lo general por lo particular, y que tenía ideas bastante vagas sobre la distinción de los géneros en el arte dramático, llamaba «saber hacer la pantomima»). Tal vez de este error sobre nuestra vida, la de Albertina y la mía, era yo un poco responsable por las vagas confirmaciones que, cuando hablaba con Francisca, dejaba hábilmente escapar, fuera por deseo de pincharla o por parecerle, si no amado, al menos contento. Y, sin embargo, aunque yo hubiese querido que Francisca no sospechara mis celos, la vigilancia que ejercía sobre Albertina, no tardó ella en adivinarlos, guiada, como el espiritista que con los ojos tapados encuentra un objeto, por esa intuición que Francisca tenía de las cosas que podían hacerme sufrir, intuición que no se dejaba engañar por las mentiras que yo podía decir para desviarla, y también por el odio a Albertina que impulsaba a Francisca –más aún que a creer a sus enemigos más felices, más ruines comediantes de lo que eran– a descubrir lo que podía perderlos y precipitar su caída. Desde luego, Francisca no le hizo nunca escenas a Albertina[1].

1. «Me preguntaba yo si Albertina, sintiéndose vigilada, no realizaría ella misma aquella separación con que yo la había amenazado, pues la vida, al cambiar, convierte en realidades nuestras fábulas. Cada vez que yo oía abrir una puerta, me estremecía, como se estremecía mi abuela, durante su agonía, cada vez que yo llamaba. No creía yo que Albertina saliera sin habérmelo dicho, pero lo pensaba mi inconsciente, como palpitaba el inconsciente de mi abuela al oír los timbrazos cuando ya estaba sin conocimiento. Una mañana hasta sentí de pronto la brusca inquietud de que no sólo hubiera salido, sino de que se hubiera marchado: acababa de oír una puerta que me pareció la puerta de su cuarto. A paso de lobo fui hasta su cuarto, entré, me paré en el umbral. En la penumbra, percibí las sábanas infladas en semicírculo; debía de ser Albertina que, curvado el cuerpo, dormía con los pies y la cabeza pegados a la pared. Sólo el cabello de aquella cabeza, abundante y negro, rebasando la cama, me hizo comprender que era ella, que no había abierto la puerta, que no se había movido, y sentí aquel semicírculo inmóvil y vivo, que contenía toda una vida humana y que era lo único que tenía valor para mí; sentí que aquel cuerpo estaba allí, en mi poder dominador». [La Pléiade, pasaje agregado a pie de página. (N. de la T.)]

Pero yo conocía su arte de insinuación, el partido que sabía sacar de un montaje teatral significativo, y no puedo creer que se resistiera a hacer comprender cada día a Albertina el papel humillado que ésta representaba en la casa, a pincharla pintándole con sabia exageración el encierro a que mi amiga estaba sometida. Una vez encontré a Francisca, calados los gruesos anteojos, revolviendo en mis papeles y volviendo a poner entre ellos uno en el que yo había anotado un relato sobre Swann y su imposibilidad de pasar sin Odette. ¿Lo habría dejado ella como por descuido en el cuarto de Albertina? Por otra parte, por encima de todas las medias palabras de Francisca, que no habían sido más que su orquestación susurrante y pérfida, en bajo, debió de elevarse, más alta, más clara, más insistente, la voz acusadora y calumniadora de los Verdurin, irritados de ver que Albertina me retenía involuntariamente, y yo a ella voluntariamente, lejos del pequeño clan.

En cuanto el dinero que yo gastaba con Albertina, no podía ocultárselo a Francisca, como no podía ocultarle ningún gasto. Francisca tenía pocos defectos, pero estos pocos habían creado en ella, para servirlos, verdaderas dotes que muchas veces le faltaban fuera del ejercicio de tales defectos. El principal era la curiosidad aplicada al dinero que nosotros gastáramos en beneficio de otras personas que no fueran ella. Si yo tenía una cuenta que pagar, una propina que dar, ya podía apartarme para hacerlo: Francisca encontraba siempre un plato que colocar, una servilleta que recoger, algo que le permitiera acercarse. Y si la despedía con ira, aquella mujer que ya casi no veía, que apenas sabía contar, orientada por la misma inclinación de un sastre que, nada más vernos, aprecia instintivamente la tela de nuestro traje y hasta no puede menos de tocarla, o como un pintor sensible a un efecto de colores, Francisca, a poco tiempo que le diera, veía a hurtadillas, calculaba instantáneamente lo que yo daba. Si, para que no pudiera decir a Albertina que yo corrompía a su chófer, me anticipaba y, disculpándome por la propina, decía: «Para que el chófer esté contento, le he dado diez francos», Francisca, implacable y segura de su mirada de águila vieja, me replicaba: «No, señor, le ha dado cuarenta y tres francos de propina. Le dijo al señor que eran cuarenta y cinco francos, el señor le dio cien francos y él no le devolvió más que doce.» Había tenido tiempo de ver y de contar la cifra de la propina, que yo mismo ignoraba.

Si Albertina se proponía devolverme la tranquilidad, lo consiguió en parte; de todos modos, mi razón no pedía más que demostrarme que me había equivocado sobre los malos proyectos de Albertina, como quizá me había equivocado sobre sus instintos viciosos. En el valor de los argumentos que mi razón me suministraba ponía yo, sin duda, mi deseo de que me parecieran buenos. Mas para ser equitativo y poder ver la verdad, ¿no debía decirme, a menos de admitir que la verdad no se conoce nunca si no es por el presentimiento, por una emanación telepática, que si mi razón, tratando de curarme, se dejaba llevar de mi deseo, en cambio, en lo que se refería a mademoiselle Vinteuil, a los vicios de Albertina, a sus intenciones de tener otra vida, a sus proyectos de separación, que eran los corolarios de sus vicios, había podido mi instinto, para intentar enloquecerme, dejarse extraviar por mis celos? Por otra parte su secuestro, que Albertina se las arreglaba ingeniosamente para hacer ella misma absoluto, al suprimir mi sufrimiento, suprimió al mismo tiempo mis sospechas y, cuando la noche me traía otra vez mis inquietudes, pude encontrar de nuevo en la presencia de Albertina la calma de los primeros días. Sentada junto a mi cama, hablaba conmigo de una de aquellas prendas o de aquellos objetos que yo le regalaba continuamente para que su vida fuera más dulce y su cárcel más bella, aun temiendo a veces que ella pensara como aquella madame de La Rochefoucauld, cuando, al preguntarle alguien si no estaba contenta de vivir en una mansión tan hermosa como Liancourt, le contestó que no conocía ninguna cárcel hermosa.

Así, si una vez pregunté a monsieur de Charlus sobre la antigua plata francesa, es porque cuando hicimos el proyecto de tener un yate –proyecto que Albertina juzgó irrealizable, y yo también cada vez que, volviendo a creer en su virtud, disminuían mis celos y no comprimían otros deseos en los que no entraba Albertina y cuya satisfacción requería también dinero– pedimos consejo a Elstir, por si acaso nos lo daba y sin que, por lo demás, creyera Albertina que nos lo iba a dar nunca. Pero el gusto del pintor era tan refinado y difícil para la ornamentación de los yates como para el vestir de las mujeres. No admitía más que muebles ingleses y plata antigua. Albertina, al principio, no pensó más que en las *toilettes* y en los muebles. Ahora le interesaba la plata, y esto la llevó, desde que volvimos de Balbec, a leer obras sobre el arte de la platería, sobre los punzones de los antiguos orfebres. Pero la plata antigua –que fue fundida por dos veces cuando en la época de los tratados de Utrech el propio rey, imitado en esto por los grandes señores, dio su vajilla, y en 1789– es rarísima. Por otra parte, en vano los modernos orfebres han reproducido aquella plata por los dibujos de Pont-aux-Choux; Elstir encontraba esta antigüedad nueva indigna de entrar en la casa de una mujer de buen gusto, aunque fuera una casa flotante. Yo sabía que Albertina había leído la descripción de las maravillas que hizo Roettiers para madame du Barry. Se moría de ganas de verlas, si todavía quedaban algunas piezas, y yo de regalárselas. Hasta había comenzado unas bonitas colecciones, que colocaba con exquisito gusto en una vitrina y que yo no podía mirar sin una tierna emoción y sin temor, porque el arte con que las disponía era ese arte, lleno de paciencia, de ingeniosidad, de nostalgia, de necesidad de olvidar, al que se entregan los cautivos.

En cuanto a las *toilettes,* lo que más le gustaba en aquel momento era todo lo que hacía Fortuny. Por cierto que, sobre estos vestidos de Fortuny –yo le había visto uno a madame de Guermantes–, cuando Elstir nos hablaba de los mag-

níficos trajes de los contemporáneos de Carpaccio y de Tiziano, nos anunció su próxima aparición renaciendo, suntuosos, de sus cenizas, pues todo ha de volver, como está escrito en las bóvedas de San Marcos y como lo proclaman,
bebiendo en las urnas de mármol y de jaspe de los capiteles
bizantinos, los pájaros que significan a la vez la muerte y la
resurrección. En cuanto las mujeres empezaban a llevar
aquellos vestidos, Albertina recordó las promesas de Elstir;
deseaba uno y teníamos que ir a elegirlo. Ahora bien, aquellos vestidos, aunque no eran esos trajes verdaderamente antiguos con los que las mujeres de hoy parecen un poco disfrazadas y que es bonito guardar como piezas de colección
(yo buscaba uno así para Albertina), tampoco tenían la
frialdad de la imitación de lo antiguo. Eran más bien a la manera de las decoraciones de Sert, de Bakst y de Benoist, que
en aquel momento evocaban en los bailes rusos las épocas
de arte más amadas con obras impregnadas de su espíritu y,
sin embargo, originales; de la misma manera los trajes de
Fortuny, fielmente antiguos pero poderosamente originales,
evocaban como un decorado, y aun con más fuerza de evo-
cación que un decorado, pues éste había que imaginarlo, la
Venecia toda llena de Oriente donde aquellos trajes se lleva-
ron, evocando, mejor que una reliquia en el sagrario de San
Marcos, el sol y los turbantes, el color fragmentado, misterioso y complementario. Todo lo de aquel tiempo había pe-
recido, mas todo renacía, evocado y combinado por el esplendor del paisaje y por el movimiento de la vida, por el
resurgimiento parcelario y sobreviviente de las estofas de las
dogaresas. Una o dos veces estuve por pedir consejo en este
punto a madame de Guermantes. Pero a la duquesa no le
gustaban los vestidos que parecen para un baile de trajes.
Ella misma nunca estaba mejor que de terciopelo negro con
diamantes. Y para vestidos como los de Fortuny, no era muy
útil su consejo. Además, yo tenía el escrúpulo de que, si se lo
pedía, podía pensar que no iba a verla más que cuando la ne-

cesitaba, pues llevaba tiempo rehusando bastantes invitaciones suyas por semana. Por cierto que sólo de ella las recibía
con tal profusión. Ella y otras mujeres fueron siempre muy
amables conmigo; pero mi enclaustramiento había decupli-
cado, sin duda alguna, esta amabilidad. Parece ser que en la
vida mundana la mejor manera de que le busquen a uno es
rehusar, reflejo insignificante de lo que ocurre en amor. Un
hombre, para agradar a una mujer, calcula todos los rasgos
gloriosos que puede citar a su favor: cambia constantemente
de traje, se cuida la cara; y la mujer por la que hace todo esto
no tiene para él una sola de las atenciones que le prodiga otra
a la que, engañándola y presentándose ante ella desaliñado y
sin ningún artificio atrayente, se ha ganado para siempre. De
la misma manera, si un hombre se lamentara de no recibir
en sociedad bastantes atenciones, no le aconsejaría yo que
hiciera más visitas y que tuviera mejores coches y mejores
caballos: le aconsejaría no asistir a ninguna invitación, vivir
encerrado en su cuarto, no dejar entrar en él a nadie, pues
entonces harían cola ante su puerta. O, más bien, no se lo diría. Pues es una manera segura de ser solicitado, pero que,
como la de ser amado, sólo sale bien cuando no se ha puesto
en práctica para eso, sino, por ejemplo, cuando estamos
siempre en casa porque nos encontramos o creemos encontrarnos gravemente enfermos, o cuando tenemos encerrada
en él a una mujer que nos interesa más que la sociedad (o por
los tres motivos a la vez) y la sociedad, sin saber la existencia
de esa mujer y simplemente porque esquivamos sus atenciones, nos preferirá a todos los que se ofrecen solícitos y se afe-
rrará a nosotros.

–A propósito de habitación, pronto tendremos que ocuparnos de tu vestido de Fortuny –le dije a Albertina.

Y, desde luego, para ella, que había deseado mucho tiempo aquellos vestidos, que iba a elegirlos detenidamente conmigo, que les tenía reservado sitio no sólo en sus armarios,
sino en su imaginación, que para decidirse entre tantos

otros apreciaría largamente cada detalle, sería algo más que para una mujer muy rica que tiene más vestidos de los que desea y ni siquiera los mira. Sin embargo, a pesar de la sonrisa con que Albertina me dio las gracias diciéndome: «Eres demasiado bueno», me pareció muy fatigada y hasta triste.

Y aun a veces, mientras terminaban los que ella deseaba, yo hacía que me prestaran algunos, a veces sólo las telas, y se los ponía a Albertina o la envolvía en ellas. Y Albertina se paseaba por mi cuarto con la majestad de una dogaresa y de una modelo. Pero mi esclavitud en París me resultaba más dura ante aquellos vestidos que me recordaban Venecia. Claro que Albertina estaba mucho más cautiva que yo. Y era curioso ver cómo, a través de los muros de su cárcel, pudo pasar el destino, que transforma a las criaturas, cambiarla en su misma esencia y de la muchacha de Balbec hacer una cautiva aburrida y dócil. Sí, los muros de la cárcel no pudieron impedir el paso de esta influencia; hasta quizá fueron ellos los que la produjeron. Ya no era la misma Albertina, porque ya no estaba, como en Balbec, siempre escapando en su bicicleta, inencontrable porque eran muchas las pequeñas playas a donde iba a dormir en casa de las amigas y donde, además, sus mentiras hacían más difícil encontrarla; porque encerrada en mi casa, dócil y sola, ya no era, como en la playa de Balbec, ni siquiera cuando en Balbec llegaba yo a encontrarla, aquel ser huidizo, prudente y trapacero, cuya presencia se prolongaba en tantas citas que disimulaba hábilmente, unas citas que la hacían amar porque la hacían sufrir, cuando, bajo su frialdad con los demás y sus respuestas triviales, se notaba la cita de la víspera y la del día siguiente, y para mí un pensamiento de desdén y de engaño. Porque ya no le inflaba los vestidos el viento del mar, porque, sobre todo, yo le había cortado las alas y ya no era una Victoria, sino una pesada esclava de la que yo quisiera desprenderme.

Entonces, para cambiar el curso de mis pensamientos, más bien que comenzar con Albertina una partida de cartas o de damas, le pedía que me hiciera un poco de música. Me quedaba en la cama y ella iba a sentarse a la pianola al otro extremo de la habitación, entre los montantes de la biblioteca. Elegía piezas completamente nuevas o que no me había tocado más que una vez o dos[1], pues empezaba a conocerme y sabía que sólo me gustaba dedicar mi atención a lo que para mí era todavía oscuro y, a través de las ejecuciones sucesivas y gracias a la luz creciente, pero, ¡ay!, desnaturalizada y extraña, de mi inteligencia, ir uniendo las líneas fragmentarias e interrumpidas de la construcción, al principio casi enterrada en la bruma. Sabía y creo que comprendía la alegría que, las primeras veces, daba a mi espíritu aquel trabajo de modelación de una nebulosa todavía informe. Y mientras Albertina tocaba, de su múltiple cabellera sólo podía ver yo una coca de pelo en forma de corazón aplicada a lo largo de la oreja como el moño de una infanta de Velázquez. Así como el volumen de aquel ángel músico estaba constituido por los múltiples trayectos entre los diferentes puntos del pasado que su recuerdo ocupaba en mí y los diferentes signos, desde la vista hasta las sensaciones más íntimas del ser, que me ayudaban a descender hasta la infinidad del suyo, la música que Albertina tocaba tenía también un volumen, producido por la desigual visibilidad de las diferentes frases, según que yo lograra más o menos aclararlas y unir unas con otras las líneas de una construcción que al principio me pareciera enteramente hundida en la niebla. Albertina sabía que me complacía no ofreciendo a mi mente sino cosas oscuras todavía y el trabajo de modelar aquellas nebulosas. Adivinaba que a la tercera o a la cuarta ejecución mi inteli-

---

1. «(Y que a veces eran, a petición mía, trozos de Vinteuil, pues desde que me di cuenta de que Albertina no trataba en absoluto de volver a ver a mademoiselle Vinteuil y a su amiga, y aun entre todos los proyectos de veraneo que hacíamos, ella misma había eliminado Combray, tan próximo a Montjouvain, podía oír sin sufrir la música de Vinteuil.)» [La edición de La Pléiade, incluye, a pie de página, este fragmento. (N. de la T.)]

gencia había llegado ya a todas las partes, las había puesto, por tanto, a la misma distancia, y no teniendo ya nada que hacer respecto a ellas, las había extendido recíprocamente y las inmovilizaba en un plano uniforme. Sin embargo, no pasaba todavía a otra pieza, pues, quizá sin darse muy bien cuenta del trabajo que se operaba en mí, sabía que cuando mi inteligencia había llegado a disipar el misterio de una obra era muy raro que en el transcurso de su labor nefasta no encontrara, en compensación, una u otra reflexión provechosa. Y el día en que Albertina decía: «Este rollo se lo vamos a dar a Francisca para que nos lo cambie por otro», solía haber para mí un trozo de música menos en el mundo, pero una verdad más.

Como Albertina no intentaba en modo alguno ver a mademoiselle Vinteuil y a su amiga, y hasta, de todos los proyectos que hacíamos para el veraneo ella misma eliminó Combray, tan cerca de Montjouvain, tan claro vi que sería absurdo tener celos de ellas que muchas veces era música de Vinteuil lo que pedía a Albertina que me tocara, y sin que me hiciera sufrir. Sólo una vez me produjo celos, indirectamente, la música de Vinteuil. Y fue una noche en que Albertina, sabiendo que se la había oído tocar a Morel en casa de madame Verdurin, me habló de él manifestándome un vivo deseo de ir a oírle. Esto ocurrió precisamente dos días después de conocer yo la carta de Léa a Morel involuntariamente interceptada por monsieur de Charlus. Pensé que acaso Léa había hablado de él a Albertina. Recordé con horror las palabras de «la muy cochina», «la muy viciosa». Pero precisamente porque la música de Vinteuil quedó así dolorosamente unida a Léa –no a mademoiselle Vinteuil y a su amiga–, una vez mitigado el dolor que Léa me produjera, pude oír sin sufrir aquella música; un mal me había curado de la posibilidad de los demás. En la música oída en casa de madame Verdurin, larvas inadvertidas, oscuras larvas entonces indistintas, eran ahora arquitecturas deslumbrantes; y algunas se torna-

ban amigas, algunas que apenas había distinguido, que a lo
mejor me habían parecido feas y que, como ocurre con ciertas personas que nos son antipáticas al principio, jamás hubiera creído que son como son una vez que se las conoce
bien. Entre uno y otro estado se operaba una verdadera
transmutación. Por otra parte, algunas frases, distintas la
primera vez, pero que entonces no había reconocido, las
identificaba ahora con frases de otras obras, como aquella
de la Variación religiosa para órgano, que en casa de madame Verdurin me pasó inadvertida en el *septuor,* donde, sin
embargo, santa que había descendido las gradas del santuario, se encontraba mezclada con las hadas familiares del músico. Y la frase del júbilo titubeante de las campanas del
mediodía, que me había parecido muy poco melódica, demasiado mecánicamente ritmada, ahora era la que más me
gustaba, bien porque me hubiese habituado a su fealdad,
bien porque hubiera descubierto su belleza. Esta especie de
decepción que nos producen al principio las obras maestras
podemos, en realidad, atribuirla a una impresión inicial más
débil o al esfuerzo necesario para dilucidar la verdad. Dos
hipótesis que se plantean en todas las cuestiones importantes: las cuestiones de la realidad del arte, de la realidad, de la
eternidad del alma; hay que elegir entre ellas; en la música de
Vinteuil, esta elección se planteaba a cada momento bajo
muchas formas. Por ejemplo, esta música me parecía cosa
más verdadera que todos los libros conocidos. A veces pensaba que esto se debía a que, como lo que sentimos de la vida
no lo sentimos en forma de ideas, su traducción literaria, es
decir, intelectual, lo expresa, lo explica, lo analiza, pero no lo
reconstruyó como la música, en la que los sonidos parecen
tomar la inflexión del ser, reproducir esa punta interior y ex-
trema de las sensaciones que es la parte que nos da esa embriaguez específica que encontramos de cuando en cuando,
y que cuando decimos: «¡Qué tiempo más hermoso!, ¡qué
hermoso sol!», no la comunicamos al prójimo, en el que el

mismo sol y el mismo tiempo suscitan vibraciones muy diferentes. En la música de Vinteuil había también algo de esas visiones que es imposible expresar y casi prohibido contemplar, pues cuando al dormirnos recibimos la caricia de su irreal encantamiento, en ese momento mismo en que la razón nos ha abandonado ya, los ojos se cierran y, sin darnos tiempo a conocer no sólo lo inefable, sino lo invisible, nos dormimos. Cuando me entregaba a la hipótesis en la que el arte sería real, me parecía que lo que la música puede dar era incluso más que la simple alegría nerviosa de un hermoso tiempo o de una noche de opio, que era una embriaguez más real, más fecunda, al menos tal como yo lo presentía. Pero no es posible que una escultura, una música que da una emoción que sentimos más elevada, más pura, más verdadera, no corresponda a cierta realidad espiritual, o la vida no tendría ningún sentido. Así, nada más parecido que una bella frase de Vinteuil a ese placer especial que yo había sentido algunas veces en mi vida, por ejemplo, ante las torres de Martinville, ante ciertos árboles de un camino de Balbec o, más sencillamente, al comenzar esta obra, bebiendo cierta taza de té. Como aquella taza de té, tantas sensaciones de luz, los claros rumores, los estrepitosos colores que Vinteuil nos enviaba del mundo donde componía, paseaban ante mi imaginación con insistencia, pero demasiado rápidamente para que pudiera aprehenderlo, algo que podría comparar con la seda embalsamada de un geranio. Sólo que mientras que ese algo vago puede, si no profundizarse, al menos precisarse en el recuerdo, gracias al punto de referencia de ciertas circunstancias que explican por qué cierto sabor puede recordarnos sensaciones luminosas, las sensaciones vagas que nos da Vinteuil, al venir no del recuerdo, sino de una impresión (como la de las torres de Martinville), habría que encontrar, de la fragancia de geranio de su música, no una explicación material, sino el equivalente profundo, la fiesta desconocida y animada (de la que sus obras parecían fragmentos dispersos, vidrios rotos de bordes escarlata), modo según el cual «oía» y proyectaba él fuera de sí el universo. En esta cualidad desconocida de un mundo único y que ningún otro músico nos había hecho ver nunca, radicaba quizá, decía yo a Albertina, la prueba más auténtica del genio, mucho más que en el contenido de la obra misma.

–¿También en literatura? –me preguntaba Albertina.

–También en literatura –y volviendo a pensar en la monotonía de las obras de Vinteuil, explicaba a Albertina que los grandes literatos no han hecho nunca más que una sola obra, o más bien han refractado a través de diversos medios una misma belleza que aportan al mundo–. Si no fuera tan tarde, pequeña –le decía–, te demostraría eso en todos los escritores que lees mientras yo duermo, te demostraría la misma identidad que en Vinteuil. Esas frases-tipo que tú empiezas a reconocer como yo, mi pequeña Albertina, las mismas en la Sonata, en el *septuor,* en las demás obras, serían, por ejemplo, en Barbey d'Aurevilly, una realidad oculta, revelada por una señal material, el rojo fisiológico de la Embrujada, de Amado de Spens, de la Clotte, la mano de *Le rideau cramoisi,* los antiguos usos, las antiguas costumbres, las antiguas palabras, los oficios antiguos y singulares tras los que está el pasado, la historia oral hecha por los patriarcas del terruño, las nobles ciudades normandas perfumadas de Inglaterra y bonitas como un pueblo de Escocia, la causa de maldiciones contra las que nada se puede, la Vellini, el Pastor, una misma sensación en un paso, ya sea la mujer buscando a su marido en *Une vieille maîtresse,* o el marido, en *L'ensorcelée,* recorriendo la landa, y la Embrujada misma al salir de misa. También son frases-tipos de Vinteuil esta geografía del escultor en las novelas de Thomas Hardy.

Las frases de Vinteuil me hicieron pensar en la pequeña frase y le dije a Albertina que había sido como el himno nacional del amor de Swann y de Odette.

–Son los padres de Gilberta, a los que creo que conocías. Me dijiste que era de ésas. ¿No intentó tener relaciones contigo? Me habló de ti.

–Sí, como sus padres mandaban el coche a buscarla al colegio cuando hacía muy mal tiempo, creo que una vez me llevó y me besó –me dijo al cabo de un momento, riendo y como si fuera una confidencia divertida–. De pronto me preguntó si me gustaban las mujeres –pero si creía sólo recordar que Gilberta la había llevado en el coche, ¿cómo podía decir con tanta precisión que Gilberta le había hecho aquella extraña pregunta?–. Hasta se me ocurrió la idea de engañarla y le contesté que sí –cualquiera diría que Albertina temía que Gilberta me hubiera contado aquello y no quería que yo comprobase que me mentía–. Pero no hicimos nada –era extraño, si habían llegado a aquellas confidencias, que no hicieran nada, sobre todo habiéndose besado antes en el coche, al decir de Albertina–. Me llevó así cuatro o cinco veces, quizá algunas más, y eso fue todo.

Me costó mucho no hacerle ninguna pregunta, pero dominándome para aparentar que no daba a todo aquello ninguna importancia, volví a los canteros de Thomas Hardy:

–¿Recuerdas bien en *Jude l'obscur,* has visto en *La bien-aimée* los bloques de piedra que el padre extrae de la isla y van en barco a amontonarse en el taller del hijo para convertirse en estatuas; en *Les yeux bleus,* el paralelismo de las tumbas, y también la línea paralela del barco, y los vagones contiguos donde están los dos enamorados y la muerte; el paralelismo entre *La bien-aimée,* donde el hombre ama a tres mujeres; *Les yeux bleus,* donde la mujer ama a tres hombres, etc., y, en fin, todas esas novelas superponibles unas a otras, como las casas verticalmente superpuestas en el pedregoso suelo de la isla? No puedo hablarte así en un minuto de los más grandes, pero verías en Stendhal cierto sentido de la altitud unido a la vida espiritual: el lugar elevado donde está preso Julián Sorel, la torre en lo alto de la cual está encerrado Fabricio, el campanario donde el cura Blanès se dedica a la astrología y de donde Fabricio ve un panorama tan hermoso. Tú me dijiste que habías visto ciertos cuadros de Ver Meer; te darías cuenta de que son fragmentos de un mismo mundo, de que es siempre, cualquiera que sea el genio que lo recree, la misma mesa, el mismo tapiz, la misma mujer, la misma nueva y única belleza, enigma en esta época en la que nada se le parece ni le explica, si no tratamos de emparentarlo por los temas, pero separando la impresión especial que produce el color. Pues bien, esa belleza nueva es siempre idéntica en todas las obras de Dostoyevski: la mujer de Dostoyevski (tan particular como una mujer de Rembrandt), con su rostro misterioso cuya belleza afable se transforma de pronto, como si hubiera representado la comedia de la bondad, en una insolencia terrible (aunque, en el fondo, parece ser más bien buena), ¿no es siempre la misma, ya se trate de Nastasia Filípovna escribiendo cartas de amor a Aglae y confesándole que la odia, o, en una visita enteramente idéntica a ésta –también a aquella en que Nastasia Filípovna insulta a los padres de Gania–, Grúshenca, tan gentil con Caterina Ivánovna como terrible la había creído ésta, descubriendo después bruscamente su maldad insultando a Caterina Ivánovna (y aunque Grúshenca fuera buena en el fondo)? Grúshenca, Nastasia: figuras tan originales, tan misteriosas, no sólo como las cortesanas de Carpaccio, sino como la Betsabé de Rembrandt. Observa que seguramente no supo que ese rostro deslumbrante, doble, con bruscos eclipses del orgullo, hace ver a la mujer como no es («Tú no eres ésa», dice Muishkin a Nastasia en la visita a los padres de Gania, y Aliosha podía decírselo a Grúshenca en la visita a Caterina Ivánovna). Y, en cambio, cuando quiere tener «ideas de cuadros», son siempre estúpidos y darían a lo sumo los cuadros en que Muishkin pretende que veamos un condenado a muerte en el momento en que, *etc.,* la Virgen en el momento en que, *etc.* Pero volviendo a la belleza nueva que Dostoyev-

ski ha dado al mundo, así como en Ver Meer hay creación de
cierta alma, de cierto color de las telas y de los lugares, en
Dostoyevski no hay sólo creación de seres, sino de moradas,
y la casa del asesinato en *Los hermanos Karamázov,* con su
dvornik, ¿no es tan maravillosa como la obra maestra de la
casa del crimen en Dostoyevski, esa oscura, y tan larga, y tan
alta, y tan vasta casa de Rogoyin donde éste mata a Nastasia
Filípovna? Esa belleza nueva y terrible de una casa, esa belleza nueva y mixta de un rostro de mujer, eso es lo que Dostoyevski ha aportado de único al mundo, y las comparaciones
que unos críticos literarios pueden hacer entre él y Gógol, o
entre él y Paul de Kock, no tienen ningún interés, porque son
ajenas a esa belleza secreta. Además, te he dicho que de una
novela a otra es la misma escena, pero es que dentro de
una misma novela, si es muy larga, se reproducen las mismas
escenas, los mismos personajes. Podría demostrártelo muy
fácilmente en *Guerra y paz,* y cierta escena en un coche...

–No quería interrumpirte, pero como veo que dejas
Dostoyevski, y tengo miedo de olvidarlo, oye, querido, ¿qué
querías decir el otro día cuando me dijiste: «Es como la parte
Dostoyevski de madame de Sévigné»? Te confieso que no lo
entendí. Me parecen tan diferentes.

–Ven acá, nena mía, te voy a dar un beso por recordar tan
bien lo que yo te digo, después volverás a la pianola. Y confieso que lo que te dije era bastante idiota. Pero lo dije por
dos razones. La primera es una razón particular. Madame de
Sévigné, como Elstir, como Dostoyevski, en vez de presentar
las cosas en el orden lógico, es decir, empezando por la causa, nos muestra en primer lugar el efecto, la ilusión que nos
impresionó; así presenta Dostoyevski sus personajes. Sus actos nos parecen tan engañosos como esos efectos de Elstir en
los que el mar parece que está en el cielo. Cuando después
nos enteramos de que aquel hombre ladino es en el fondo
muy bueno, o al contrario, nos quedamos muy sorpren-
didos.

–Sí, pero dime un ejemplo en madame de Sévigné.

–Confieso –le contesté riendo– que es muy traído por los cabellos, pero, en fin, podría encontrar ejemplos.

–Pero ¿es que Dostoyevski asesinó a alguien? Todas las novelas suyas que yo conozco se podrían titular *Historia de un crimen*. Es una obsesión, no es natural que hable siempre de eso.

–No creo, pequeña, conozco mal su vida. Desde luego, como todo el mundo, conoció el pecado, en una forma o en otra, y probablemente en una forma que las leyes prohíben. En este sentido debía de ser un poco criminal, como sus héroes, que, por lo demás, no lo son del todo, pues se les condena con circunstancias atenuantes. Y quizá no valía la pena de que fuera criminal. Yo no soy novelista; es posible que a los creadores les tienten ciertas formas de vida que no han experimentado personalmente. Si voy contigo a Versalles como hemos convenido, te enseñaré el retrato del hombre honrado por excelencia, del mejor de los maridos, Choderlos de Laclos, que escribió el libro más terriblemente perverso, y justamente enfrente del de madame de Genlis, que escribió cuentos morales y no se contentó con engañar a la duquesa de Orleans, sino que la martirizó alejando de ella a sus hijos. De todos modos reconozco que en Dostoyevski esta preocupación del asesinato tiene algo de extraordinario y me lo hace muy extraño. Ya me deja bastante estupefacto oír decir a Baudelaire:

> *Si le viol, le poison, le poignard, l'incendie...*
> *C'est que notre âme, hélas! n'est pas assez hardie*[1].

»Pero de Baudelaire puedo al menos creer que no es sincero. Mientras que Dostoyevski... Todo eso me parece lejísimos de mí, a menos que haya en mí partes que ignoro, pues nos va-

---

1. «Cuando la violación, el veneno, el puñal, el incendio... / Es, ¡ay!, que nuestra alma no es bastante animosa».

mos conociendo sucesivamente. En Dostoyevski encuentro pozos demasiado profundos, pero en algunos puntos aislados del alma humana. Pero es un gran creador. En primer lugar, el mundo que pinta parece verdaderamente creado por él. Todos esos bufones que reaparecen siempre, todos esos Lébedev, Karamázov, Ivolguin, Segrev, ese increíble cortejo, es una humanidad más fantástica que la que puebla *La ronda de roche,* de Rembrandt. Y, sin embargo, quizá sólo es fantástica, de la misma manera, por la luz y por el traje, y en el fondo es corriente. En todo caso, es a la vez una humanidad llena de verdades, profunda y única, propia exclusivamente de Dostoyevski. Eso, esos bufones, es cosa que ya no tiene empleo, como ciertos personajes de la comedia antigua, y, sin embargo, ¡qué bien revelan aspectos verdaderos del alma humana! Lo que me fastidia es la manera solemne con que se habla y se escribe sobre Dostoyevski. ¿Te has fijado en el papel que el amor propio y el orgullo desempeñan en sus personajes? Dijérase que, para él, el amor y el odio más encarnizado, la bondad y la tristeza, la timidez y la insolencia, no son más que dos estados de una misma naturaleza; el amor propio, el orgullo, impiden a Aglaya, a Nastasia, al capitán a quien Mitia tira de la barba, a Krasotin, el enemigo-amigo de Aliosha, mostrarse tales como son en realidad. Pero hay otras muchas grandezas. Yo conozco muy pocos libros suyos, pero ¿no es un motivo escultórico y simple, digno del arte más antiguo, un friso interrumpido y luego continuado en el que se representan la venganza y la expiación, el crimen del padre de los Karamázov dejando embarazada a la pobre loca, el movimiento misterioso, animal, inexplicable, con el que la madre, involuntario instrumento de las venganzas del destino, obedeciendo tan oscuramente a su instinto de madre, quizá a una mezcla de resentimiento y de gratitud física por el violador, va a dar a luz en casa del padre de los Karamázov? Esto es el primer episodio, misterioso, grande, augusto, como una creación de la mujer en las esculturas de

Orvieto. Y como réplica el segundo episodio, más de veinte años después, la muerte del padre de los Karamázov, la infamia que cae sobre la familia Karamázov por obra del hijo de la loca, Smerdiákov, seguida poco después de un mismo acto tan misteriosamente escultórico e inexplicado, de una belleza tan oscura y natural como el alumbramiento en el jardín del padre de los Karamázov: Smerdiákov ahorcándose, después de realizar su crimen. En cuanto a Dostoyevski, yo no le dejaba tanto como tú crees al hablar de Tolstói, que le imitó mucho. Y en Dostoyevski hay concentrado, todavía contraído y gruñón, mucho de lo que se desarrollará en Tolstói. En Dostoyevski hay esa tosquedad anticipada de los primitivos que los discípulos aclararán.

–Es desesperante que seas tan perezoso, hijo mío. Fíjate cómo ves la literatura de una manera más interesante que como nos la hacían estudiar; aquellos ejercicios que nos hacían hacer sobre *Esther*: «Monsieur», ¿te acuerdas? –me dijo riendo, más que por reírse de sus maestros y de ella misma, por el gusto de revivir en su memoria, en nuestra memoria común, un recuerdo ya un poco antiguo.

Pero, mientras me hablaba, yo pensaba en Vinteuil, y era la otra hipótesis, la hipótesis materialista, la de la nada, la que surgía en mí. Volvía la duda, pensaba que, después de todo, las frases de Vinteuil pudieran parecer la expresión de ciertos estados de alma análogos al que yo sentí saboreando la magdalena mojada en la taza de té; nada me aseguraba que la vaguedad de tales estados fuera una prueba de su profundidad, sino solamente que todavía no hemos sabido analizarlos, que, por consiguiente, no eran más reales que los demás. Sin embargo, aquella felicidad, aquel sentimiento de certidumbre en la felicidad, cuando tomaba la taza de té, cuando respiraba en los Champs-Elysées un olor a árboles viejos, no era una ilusión. En todo caso, me decía el espíritu de duda, aun cuando esos estados son en la vida más profundos que otros, y son por eso mismo inanalizables, por-

que ponen en juego demasiadas fuerzas de las que todavía
no nos hemos dado cuenta, el encanto de ciertas frases de
Vinteuil hace pensar en ellas porque también él es inanaliza-
ble, pero esto no demuestra que tenga la misma profundidad; la belleza de una frase de música parece fácilmente la
imagen o, al menos, la pariente de una impresión ininintelec-
tual que hemos tenido, pero simplemente porque es ininte-
lectual. Y entonces, ¿por qué creemos especialmente profundas esas frases obsesivas en ciertos *quatuors* y en aquel
«concierto» de Vinteuil? Pero no era solamente música de
Vinteuil lo que me tocaba Albertina; a veces la pianola era
para nosotros como una linterna mágica científica (históri-
ca y geográfica), y, según que Albertina tocara Rameau o
Borodin, yo veía extenderse sobre las paredes de aquella habitación de París, en la que había inventos más modernos
que en la de Combray, ya un tapiz del siglo XVIII sembrado
de amores sobre un fondo de rosas, ya la estepa oriental
donde las sonoridades se pierden en las distancias ilimitadas,
en el suelo alfombrado de nieve. Y aquellas decoraciones fugitivas eran, por lo demás, únicas en mi cuarto, pues aunque
cuando las heredé de mi tía Leontina me propuse tener colecciones como Swann, comprar cuadros, esculturas, se me
iba todo el dinero en caballos, en un automóvil, en *toilettes*
para Albertina. Pero ¿no había en mi habitación una obra de
arte más valiosa que todas? Era la misma Albertina. La miraba. Me resultaba extraño pensar que era ella, ella, a la que
durante tanto tiempo me pareció imposible hasta conocerla, y que hoy, animal salvaje domesticado, rosal al que yo
puse el rodrigón, el marco, el espaldar de su vida, estaba allí
sentada, cada día, en su casa, junto a mí, ante la pianola, apoyada en mi biblioteca. Sus hombros, que yo había visto bajos, inclinados en los clubs de golf, se apoyaban en mis labios. Sus bonitas piernas, que el primer día imaginé yo, con
razón, maniobrando durante toda su adolescencia los peda-
les de una bicicleta, subían y bajaban sucesivamente sobre

los de la pianola, en los que Albertina, ahora de una elegancia que me hacía sentirla más mía, porque era yo quien se la había dado, posaba sus zapatos de brocado de oro. Sus dedos, antes familiarizados con el manillar, se posaban ahora en las teclas como los de una Santa Cecilia; su cuello, lleno y fuerte visto desde mi cama, a aquella distancia y a la luz de la lámpara parecía más rosado, menos, sin embargo, que su rostro inclinado de perfil, al que mi mirada, saliendo de las profundidades de mí mismo, cargada de recuerdos y ardiente de deseo, daba tal brillantez, tal intensidad de vida, que su relieve parecía alzarse y girar con la misma fuerza casi mágica que aquel día en que, en el hotel de Balbec, yo, nublada la vista por el deseo de besarla, prolongaba cada superficie de aquel rostro más allá de lo que podía ver, y así, cada superficie me ocultaba los rasgos –párpados que cerraban a medias los ojos, cabellera que tapaba las mejillas– y me hacía sentir mejor el relieve de aquellos planos superpuestos; los ojos (como en un mineral de ópalo donde está todavía envainado se ven sólo pulidas las dos placas), más resistentes que el metal a la vez que más brillantes que la luz, presentaban, en medio de la materia ciega que gravitaba sobre ellos, como las alas de seda malva de una mariposa bajo un cristal; y el cabello, negro y crespo, mostrando otros aspectos según que se volviera hacia mí para preguntarme qué quería que tocara, ya un ala magnífica, fina en la punta, ancha en la base, negra, plumosa y triangular; ya compacto el relieve de sus bucles en una cordillera poderosa y variada, llena de picos, de divisorias, de precipicios, con su orografía tan rica y tan múltiple, pareciendo superar la variedad que realiza habitualmente la naturaleza y responder más bien al deseo de un escultor que acumula las dificultades para hacer valer la soltura, el vuelo, los matices, la vida de su ejecución, hacía resaltar más la animada curva y como la rotación del rostro liso y rosa, interrumpiéndola para cubrirla con el barniz mate de una madera pintada. Y en contraste con tanto relieve, también por la armonía que los unía a ella, que había adaptado su actitud a su forma y a su utilización, la pianola que la ocultaba a medias como una caja de órgano, la biblioteca, todo aquel rincón de la estancia parecía reducido a no ser otra cosa que el santuario iluminado, la cuna de aquel ángel músico, obra de arte que, pasado un momento, por una dulce magia, iba a salir de su hornacina y a ofrecer a mis besos su preciosa y rosada sustancia. Pero no; Albertina no era en modo alguno para mí una obra de arte. Yo sabía lo que era admirar a una mujer de una manera artística, yo había conocido a Swann. Por mí mismo, además, era incapaz de hacerlo, fuera quien fuere la mujer de quien se tratara, pues no tenía ninguna clase de espíritu de observación exterior, no sabía nunca qué era lo que veía, y me maravillaba cuando Swann daba retrospectivamente una dignidad artística –comparándola para mí, como se complacía en hacerlo galantemente ante ella misma, con un retrato de Luini; viendo en su *toilette* el vestido o las alhajas de un cuadro de Giorgione– a una mujer que me había parecido insignificante. En mí no había nada de esto. A decir verdad, incluso cuando comenzaba a mirar a Albertina como un ángel músico maravillosamente patinado y que me felicitaba de poseer, no tardaba en volver a serme indiferente; en seguida me aburría a su lado, pero esto duraba poco: sólo amamos aquello en que buscamos algo inasequible, sólo amamos lo que no poseemos, y en seguida volvía a darme cuenta de que no poseía a Albertina. Veía pasar en sus ojos, ya la esperanza, ya el recuerdo, ya la añoranza de alegrías que yo no adivinaba, a las que, en este caso, prefería ella renunciar antes que decírmelas, y como no llegaba a captar en sus pupilas más que aquel resplandor, no veía más de lo que ve el espectador que no ha podido entrar en el teatro y que, pegado al cristal de la puerta, no puede ver lo que pasa en el escenario. (No sé si era éste el caso en ella, pero es extraño, como un testimonio en los más incrédulos de una creencia en el bien, esa perseverancia en la mentira que tienen todos los que nos engañan. Por más que se les diga que su mentira causa más pena que la confesión, por más que lo comprendan, volverán a mentir al cabo de un momento, para seguir concordando con lo que antes nos dijeron que eran o con lo que nos dijeron que éramos para ellos. Así, un ateo que tiene apego a la vida se deja matar por no desmentir la idea que se tiene de su valentía.) A veces, en aquellas horas, veía flotar sobre ella, en sus miradas, en su gesto, en su sonrisa, el reflejo de esos espectáculos interiores cuya contemplación la hacía distinta aquellas noches, alejada de mí, a quien eran negados.

–¿En qué piensas, querida?

–En nada.

A veces, para contestar a este reproche que le hacía de no decirme nada, tan pronto me decía cosas que ella no ignoraba que yo sabía tan bien como todo el mundo (como esos hombres de Estado que no nos anunciarían la más pequeña noticia, pero en cambio nos hablan de la que hemos podido leer en los periódicos de la víspera), tan pronto me contaba, sin ninguna precisión, como una especie de falsas confidencias, unos paseos en bicicleta que hacía en Balbec el año antes de conocerme. Y como si yo hubiera adivinado exactamente en otro tiempo, deduciendo de aquello que debía de ser una muchacha muy libre puesto que hacía aquellos viajes tan largos, al evocar aquellos paseos se insinuaba entre los labios de Albertina la misma misteriosa sonrisa que me sedujo los primeros días en el malecón de Balbec. Me hablaba también de las excursiones que había hecho con amigas por el campo holandés, de sus regresos a Amsterdam a horas tardías de la noche, cuando una multitud compacta y alegre de personas, casi todas conocidas suyas, llenaban las calles, las orillas de los canales, cuyas luces innumerables y fugitivas creía yo ver reflejarse en los ojos brillantes de Albertina, como en los cristales inciertos de un carruaje rápido. Comparada con mi curiosidad dolorosa, insaciable, por los lugares donde Albertina había vivido, por lo que había podido hacer tal o cual noche, por las sonrisas y las miradas que había dirigido, por las palabras que había dicho, por los besos que había recibido, la sedicente curiosidad estética merecería más bien el nombre de indiferencia. ¡Cuántas gentes, cuántos lugares (incluso que no la concernían directamente, vagos lugares de placer donde pudo gustarlo, los lugares donde hay mucha gente, donde le rozan a uno) había introducido Albertina en mi corazón desde el umbral de mi imaginación o de mi recuerdo, donde no me importaban! –como una persona que hace entrar en el teatro a su séquito, toda una compañía, haciéndola pasar por el control delante de ella–. Ahora mi conocimiento de todo aquello era interno, inmediato, espasmódico, doloroso. El amor es el espacio y el tiempo hechos sensibles al corazón.

Y, sin embargo, enteramente fiel, quizá no hubiese soportado infidelidades que sería incapaz de concebir. Pero lo que me torturaba imaginar en Albertina era mi propio deseo de gustar a otras mujeres, de iniciar otras aventuras; era suponerle aquella mirada que el otro día no pude menos de dirigir, aunque iba con ella, a unas jóvenes ciclistas sentadas en las mesas del Bois de Boulogne. Como no hay conocimiento, casi se puede decir que no hay celos más que de sí mismo. La observación cuenta poco. Sólo del placer sentido por uno mismo se puede sacar saber y dolor.

A veces, en los ojos de Albertina, en el brusco arrebato de su tez, sentía yo como un rayo de calor pasar furtivamente en regiones más inaccesibles para mí que el cielo, y donde evolucionaban los recuerdos de Albertina, desconocidos para mí. Entonces aquella belleza que, pensando en los años sucesivos en que había conocido a Albertina, ya en la playa de Balbec, ya en París, le había encontrado desde hacía poco, y que consistía en que mi amiga se iba desarrollando en tantos planos y contenía tantos días transcurridos, aquella belleza tomaba para mí un algo desgarrador. Entonces, bajo

aquel rostro sonrojado, sentía escondido como un abismo el
inacabable espacio de las noches en que yo no conocía a Albertina. Ya podía sentarla en mis rodillas, tener su cabeza
entre mis manos, ya podía acariciarla, pasar amorosamente
mis manos sobre ella: como si manejara una piedra que en-
cierra la salsedumbre de los océanos inmemoriales o la luz
de una estrella, sentía que tocaba solamente la envoltura cerrada de un ser que por el interior accedía al infinito. ¡Cuánto sufría por esta posición a que nos ha reducido el olvido de
la naturaleza, que al instituir la separación de los cuerpos no
pensó en hacer posible la interpenetración de las almas! Y
me daba cuenta de que Albertina no era para mí (pues si su
cuerpo estaba en poder del mío, su pensamiento escapaba al
dominio de mi pensamiento) la maravillosa cautiva con la
que había creído enriquecer mi morada, sin dejar de ocultar
perfectamente su presencia incluso a los que iban a verme y
no la sospechaban al final del pasillo en el cuarto vecino,
como aquel personaje que la princesa de China tenía encerrado en una botella sin que nadie lo supiese; invitándome
apremiante, cruel e ineludible a la búsqueda del pasado, era
más bien como una gran diosa del Tiempo. Y si hube de perder por ella años, mi fortuna –y con tal de poder pensar, lo
que, desgraciadamente, no es seguro, que ella no ha perdido–, no tengo nada que lamentar. Seguramente hubiera sido
preferible la soledad, más fecunda, menos dolorosa. Pero la
vida de coleccionista que me aconsejaba Swann y que monsieur de Charlus me reprochaba no conocer, diciéndome
con una mezcla de ingenio, de insolencia y de gusto: «¡Qué
feo está eso en usted!», ¿qué esculturas, qué cuadros largamente perseguidos, poseídos al fin, o incluso, en el mejor de
los casos, contemplados con desinterés, me hubieran dado
acceso –como la pequeña herida que cicatrizaba bastante rápidamente, pero que la torpeza inconsciente de Albertina,
de personas indiferentes o de mis propios pensamientos no
tardan en abrir de nuevo– a aquel salirse fuera de sí mismo, a

aquel camino de comunicación privado, pero que da a la carretera general donde acontece lo que no conocemos hasta el día que lo sufrimos: la vida de los demás?

A veces hacía una luna tan hermosa, que, llevando ya Albertina una hora en la cama, iba a decirle que se asomara a la ventana. Estoy seguro de que iba a su cuarto por eso y no para cerciorarme de que estaba allí. Nada indicaba que pudiera y deseara escaparse. Hubiera sido necesaria una colusión inverosímil con Francisca. En la oscuridad del cuarto sólo veía una diadema de pelo negro sobre la blanca almohada. Pero oía la respiración de Albertina. Su sueño era tan profundo que yo vacilaba en acercarme a la cama; me sentaba al borde de la misma; el sueño seguía corriendo con el mismo murmullo. Lo que no sé decir es la suprema alegría de su despertar. La besaba, la sacudía. En seguida dejaba de dormir, pero sin mediar siquiera el intervalo de un instante rompía a reír y me decía echándome los brazos al cuello: «Precisamente estaba pensando si no vendrías», y reía tiernamente a todo reír. Dijérase que, cuando dormía, su cabeza estaba llena de alegría, de ternura y de risa, y que yo, al despertarla, había hecho brotar, como cuando se abre una fruta, el jugo rezumante que nos calma la sed.

Pero se acababa el invierno; y llegó la estación bella y muchas veces, cuando Albertina acababa de darme las buenas noches, todavía completamente oscuros mi cuarto, mis cortinas, la pared sobre las cortinas, ya en el jardín de las monjas vecinas oía, rica y preciosa en el silencio como un *armonium* de iglesia, la modulación de un pájaro desconocido que cantaba ya maitines al modo lidio y ponía en mis tinieblas la rica nota esplendorosa del sol que él veía.

Empezaron a menguar las noches, y antes de las horas antiguas de la madrugada veía ya atravesar las cortinas de mi ventana la claridad cotidianamente acrecida del día. Si me resignaba a que Albertina siguiera llevando aquella vida en la que, a pesar de sus denegaciones, le notaba que se sentía

prisionera, era sólo porque cada día estaba seguro de que al
día siguiente podría empezar, al mismo tiempo que a trabajar, a levantarme, a salir, a preparar la marcha a una finca
que compraríamos y en la que Albertina podría hacer más
libremente, y sin preocupación para mí, la vida de campo o
de mar, de navegación o de caza, que le gustara. Sólo que al
otro día acontecía que aquel tiempo pasado que yo amaba y
detestaba alternativamente en Albertina (como, cuando se
trata del presente, cada cual, por interés, o por finura, o por
piedad, trabaja en tejer una cortina de mentiras que tomamos por realidad), una de las horas que lo constituían, y aun
una de las horas que yo había creído conocer, me presentaba
de pronto, retrospectivamente, un aspecto que no se intentaba ocultar y que era muy diferente de aquel con que la había visto. Detrás de una mirada, en lugar del buen pensamiento que creí ver en otro tiempo, aparecía un deseo insospechado hasta entonces, alienándome una parte más de
aquel corazón de Albertina que yo creyera asimilado al mío.
Por ejemplo, cuando Andrea se marchó de Balbec en el mes
de julio, Albertina no me dijo nunca que iba a volver a verla
pronto; y yo pensaba que había vuelto a verla incluso antes
de lo que ella creía, pues, por la gran tristeza que tuve en Balbec aquella noche del 14 de septiembre, me hizo el sacrificio
de no quedarse allí y volver en seguida a París. Cuando llegó,
el 15, le pedí que fuera a ver a Andrea y le pregunté: «¿Se ale-
gró de verte?» Ahora vino madame Bontemps a casa a traer
una cosa a Albertina; la vi un momento y le dije que Albertina había salido con Andrea:

–Han ido al campo.

–Sí –me contestó madame Bontemps–, Albertina no es
difícil en eso del campo. Hace tres años tenía que ir todos los
días a las Buttes-Chaumont –este nombre de Buttes-Chaumont, a donde Albertina no me había dicho nunca que había ido, me cortó la respiración. No hay enemigo más diestro que la realidad. Dirige sus ataques al punto de nuestro

corazón donde no los esperábamos y donde no habíamos preparado la defensa. ¿Mintió Albertina entonces a su tía diciéndole que iba todos los días a las Buttes-Chaumont, o me mintió a mí después diciéndome que no las conocía?–. Afortunadamente –añadió madame Bontemps–, esa pobre Andrea se va a marchar pronto a un campo más sano, al verdadero campo, que buena falta le hace, porque tiene muy mala pinta. Verdad es que este verano no tuvo el tiempo de aire sano que se necesita. Piense que se marchó de Balbec a finales de julio pensando volver en septiembre, pero como su hermano se dislocó la rodilla, no pudo volver.

¡Entonces, Albertina la esperaba en Balbec y me lo ocultó! Verdad es que, siendo así, mayor fue su bondad al proponerme volverse conmigo. A menos que...

–Sí, recuerdo que Albertina me habló de eso... –no era verdad–. ¿Y cuándo ocurrió ese accidente? Todo eso está un poco enredado en mi cabeza.

–Por un lado, vino justamente a punto, porque un día después empezaba el alquiler de la casa, y la abuela de Andrea habría tenido que pagar un mes para nada. El muchacho se rompió la pierna el catorce de septiembre, así que Andrea tuvo tiempo de telegrafiar a Albertina, el quince por la mañana, que no iría a Balbec, y Albertina de avisar a la agencia. Un día más y corría el alquiler hasta el quince de octubre.

De modo que cuando Albertina, cambiando de parecer, me dijo: «Vámonos esta noche», seguramente lo que veía era un piso que yo no conocía, el de la abuela de Andrea, en el que podría encontrar, cuando volviéramos, a la amiga que, sin que yo lo sospechara, había pensado ella volver a ver pronto en Balbec. Y yo había atribuido a un arranque de su buen corazón aquellas palabras, tan amables, de volver conmigo, cuando eran simplemente el reflejo de un cambio acaecido en una situación que no conocemos, y que es todo el secreto de la variación de conducta de las mujeres que no nos aman. Nos niegan obstinadamente una cita para el día siguiente porque están cansadas, porque su abuelo les exige que coman con él. «Pues ven después», insistimos. «Me tiene hasta muy tarde. A lo mejor me acompaña a la vuelta.» Es simplemente que tienen una cita con alguien que les gusta. De pronto, este alguien ya no está libre, y vienen a decirnos que sienten mucho habernos causado pena, que mandarán a paseo al abuelo y vendrán con nosotros, porque es lo único que les interesa. Yo hubiera debido reconocer estas frases en lo que me dijo Albertina el día que salí de Balbec. Pero quizá no debía limitarme a reconocer sólo estas frases: para interpretar este lenguaje, convenía recordar dos rasgos particulares del carácter de Albertina.

Dos rasgos del carácter de Albertina me vinieron en aquel momento a la mente, uno para consolarme, otro para desolarme, pues en nuestra memoria encontramos de todo; es una especie de farmacia, de laboratorio químico, donde tan pronto ponemos la mano en una droga calmante como en un veneno peligroso. El primer rasgo, el consolador, fue esa costumbre de complacer con una misma acción a dos personas, esa utilización múltiple de lo que hacía, característica en Albertina. Era, en efecto, muy propio de su carácter sacar de un solo viaje, al volver a París (el hecho de que Andrea no volviera podía hacerle incómoda la permanencia en Balbec, sin que esto significara que no podía prescindir de ella), una ocasión de conmover a dos personas a las que quería sinceramente: a mí, haciéndome creer que era por no dejarme solo, por que no sufriese, por fidelidad a mí; a Andrea, convenciéndola de que, al no volver ella a Balbec, no quería quedarse allí ni un momento más, de que sólo por ella había prolongado la estancia y de que corría inmediatamente a su lado. Y la partida de Albertina conmigo sucedió de una manera tan inmediata, por una parte a mi pena, a mi deseo de volver a París, por otra al telegrama de Andrea, que era muy natural que Andrea y yo, ignorando respectivamente, ella mi pena, yo su telegrama, pudiéramos creer que la partida de

Albertina se debía únicamente a la causa que cada uno de nosotros conocía, a las que siguió, en efecto, a tan pocas horas de distancia y tan inopinadamente. Y en este caso, yo podía creer aún que el verdadero propósito de Albertina fue acompañarme, sin desdeñar por eso la ocasión de ofrecer un motivo a la gratitud de Andrea.

Mas, desgraciadamente, casi inmediatamente recordé otro rasgo del carácter de Albertina: la vivacidad con que se apoderaba de ella la tentación irresistible de un placer. Y recordé su impaciencia de llegar al tren una vez que decidió partir, lo bruscamente que trató al director del hotel, que, tratando de retenernos, podía hacernos perder el ómnibus, su gesto de connivencia, que tanto me conmovió cuando, ya en el trenecillo, monsieur de Cambremer nos preguntó si no podíamos aplazar el regreso una semana. Sí, lo que Albertina veía ante sus ojos en aquel momento, lo que la ponía tan impaciente por marchar, lo que la reclamaba con tanta prisa, era un piso inhabitado que yo había visto una vez, perteneciente a la abuela de Andrea, un piso lujoso al cuidado de un viejo servidor, un piso que daba de lleno al mediodía, pero tan vacío, tan silencioso, que el sol parecía poner fundas en el canapé, en las butacas de las habitaciones donde Albertina y Andrea pedían al criado respetuoso, inocente quizá, acaso cómplice, que las dejara descansar. Yo lo veía ahora todo el tiempo vacío, con una cama o un canapé, una doncella engañada o cómplice, y al que cada vez que Albertina se mostraba apresurada y seria iba a reunirse con su amiga, que seguramente llegaba antes que ella porque estaba más libre. Nunca había pensado en aquel piso que ahora tenía para mí una horrible belleza. Lo desconocido de la vida de los seres es como lo desconocido de la naturaleza; que cada descubrimiento científico no hace más que retrasar, pero sin anularlo. Un celoso exaspera a la mujer amada privándola de mil placeres sin importancia. Pero los que están en el fondo de su vida los guarda allí donde al celoso no se le ocurre buscarlos cuando su inteligencia se cree más perspicaz y cuando otros le dan los mejores informes. Pero, en fin, Andrea, al menos, se iba a marchar, mas yo no quería que Albertina pudiera despreciarme por haberme engañado ella y Andrea. Un día u otro se lo diría. Y así, demostrándole que me enteraba de todo lo que ella me ocultaba, la obligaría quizá a hablarme más francamente. Pero no quería hablarle aún de esto, en primer lugar porque, tan cerca de la visita de su tía, habría comprendido de dónde me venía la información, habría cegado esta fuente y no habría temido otras desconocidas. Además, porque no quería arriesgarme, mientras no estuviera seguro de conservar a Albertina todo el tiempo que quisiera, a acosarla demasiado, porque esto podría despertarle el deseo de dejarme. Verdad es que si yo razonaba, si buscaba la verdad, si pronosticaba el porvenir por sus palabras, que aprobaban siempre todos mis proyectos, que expresaban lo mucho que le gustaba aquella vida, lo poco que le importaba su encierro, yo no podía dudar que se quedaría siempre conmigo. Y esto no dejaba de fastidiarme mucho, pues sentía que perdía la vida, el mundo, de los que nunca había disfrutado, a cambio de una mujer en la que ya no podía encontrar nada nuevo. Ni siquiera podía ir a Venecia, porque allí, cuando me quedara en la cama, me torturaría el temor de las insinuaciones que pudieran hacerle el gondolero, la gente del hotel, los venecianos. Mas si, por el contrario, razonaba sobre la otra hipótesis, la que se fundaba, no en las palabras de Albertina, sino en silencios, en miradas, en sonrojos, en enfurruñamientos, y hasta en accesos de rabia, que me hubiera sido muy fácil demostrarle que eran infundados, pero que prefería hacer como que no los notaba, entonces pensaba que aquella vida le resultaba insoportable, que estaba siempre privada de lo que le gustaba y que, fatalmente, me dejaría algún día. Si había de hacerlo, lo único que yo deseaba era poder elegir el momento, un momento en que no me fuera demasiado penoso, y además una estación en la que ella no pudiera ir a ninguno de los lugares donde yo imaginaba sus extravíos: ni a Amsterdam, ni a casa de Andrea, ni de mademoiselle Vinteuil. Verdad es que las encontraría más tarde, pero de aquí a entonces me habría calmado y aquello me sería ya indiferente. En todo caso, para pensar esto había que esperar a que curara la pequeña recaída causada por el descubrimiento de las razones que, con unas horas de distancia, movieron a Albertina a marcharse y a no marcharse inmediatamente; había que dar tiempo a que desaparecieran los síntomas que no podían menos de atenuarse si no me enteraba de nada nuevo, pero que eran todavía demasiado agudos para no hacer más dolorosa, más difícil, una operación de ruptura, ahora considerada inevitable, pero nada urgente, y que era preferible practicar «en frío». La elección del momento era cosa mía; pues si ella quería marcharse antes de que yo lo decidiera, siempre estaría yo a tiempo, cuando me comunicara que estaba harta de aquella vida, de rebatir sus razones, de darle más libertad, de prometerle algún gran placer próximo que ella deseara, incluso, si no me quedaba más recurso que su corazón, de confesarle mi pena. Estaba, pues, bien tranquilo a este respecto, pero no era muy lógico conmigo mismo. Pues en una hipótesis en la que yo no tenía precisamente en cuenta cosas que ella decía y que anunciaba, suponía que, cuando se tratara de su marcha, me daría con anticipación sus razones, me permitiría rebatirlas y vencerlas.

Me daba cuenta de que mi vida con Albertina no era más que, por una parte, cuando no tenía celos, aburrimiento; por otra parte, cuando los tenía, sufrimiento. Suponiendo que en esto hubiera felicidad, no podía dudar. En el mismo estado de sensatez que me inspiraba en Balbec, la noche en que fuimos felices, después de la visita de madame de Cambremer, quería dejarla, porque sabía que prolongando la cosa no ganaría nada. Pero ahora todavía me imaginaba que el recuerdo que conservara de ella sería como una especie de vibración, prolongada por un pedal, del minuto de nuestra separación. Por eso quería elegir un minuto dulce para que fuera este minuto el que siguiera vibrando en mí. No debía pedir demasiado, no debía esperar demasiado, tenía que ser oportuno. Pero después de esperar tanto sería locura no saber esperar unos días más, hasta que se presentara un minuto aceptable, en vez de arriesgarme a verla marcharse con aquella misma desesperación que yo sentía de pequeño cuando mamá se alejaba de mi cama sin darme las buenas noches, o cuando, después, me decía adiós en la estación. A todo evento, multiplicaba mis atenciones a Albertina. En cuanto a los vestidos de Fortuny, nos decidimos por fin por uno azul y oro forrado de rosa recién terminado. Y yo encargué, además, los otros cinco a los que ella había renunciado con pesar al preferir aquél. Sin embargo, al llegar la primavera, dos meses después de que su tía me dijera aquello, una noche me dejé llevar por la ira. Y fue precisamente la noche en que Albertina se puso por primera vez el vestido azul y oro de Fortuny que, evocando Venecia, me hacía sentir más aún lo que sacrificaba por Albertina sin que ésta me lo agradeciera en absoluto. No había visto nunca Venecia, pero soñaba continuamente con Venecia, desde aquellas vacaciones de Pascua que, niño aún, debía haber pasado allí, y, más atrás aún, por los grabados de Tiziano y las fotografías de Giotto que Swann me dio en Combray. El vestido de Fortuny que Albertina llevaba aquella noche me parecía como la sombra tentadora de aquella invisible Venecia. Estaba invadido de ornamentación árabe como Venecia, como los palacios de Venecia tapados, a la manera de las sultanas, por un velo de piedra calada, como las encuadernaciones de la Biblioteca Ambrosiana, como las columnas cuyos pájaros orientales, que significan alternativamente la muerte y la vida, se repetían en el tornasolado de la estofa, de un azul profundo que, a medida que mis ojos se fijaban en él, se transformaba en oro maleable por esas mismas transmuta-

ciones que ante la góndola que avanza transforman en metal
llameante el azul del Gran Canal. Y las mangas estaban forradas de un rosa cereza, tan particularmente veneciano que
se llama rosa Tiepolo.

Aquel día Francisca dejó escapar delante de mí que Albertina no estaba contenta de nada; que cuando yo le mandaba
a decir que iba a salir con ella, o que no iba a salir, que vendría a buscarla el automóvil, o que no vendría, casi se encogía de hombros y apenas contestaba por educación; un día en
que la noté de mal humor y yo estaba nervioso por el calor
que hacía, no pude contenerme y le reproché su ingratitud:

–Sí, puedes preguntárselo a todo el mundo –le dije a voz
en grito, fuera de mí–, puedes preguntárselo a Francisca,
todo el mundo lo dice.

Pero en seguida recordé que Albertina me había dicho
una vez el miedo que le daba cuando me enfurecía, y me
aplicó los versos de *Esther*:

> *Jugez combien ce front irrité contre moi*
> *Dans mon âme troublée a dû jeter d'émoi...*
> *Hélas! sans frissonner quel coeur audacieux*
> *Soutiendrait les éclairs qui partent de vos yeux?*[1]

Me avergoncé de mi violencia, y para deshacer lo hecho,
pero sin que fuera una derrota, sino una paz armada y temi-
ble, al mismo tiempo que me parecía útil demostrar que no
temía una ruptura para que a ella no se le ocurriera la idea:

–Perdóname, mi pequeña Albertina, estoy avergonzado
de mi violencia, desesperado. Si ya no podemos entender-
nos, si hemos de separarnos, no debe ser así, no sería digno
de nosotros. Nos separaremos si es necesario, pero ante todo

1. «Piensa con qué emoción a mi alma angustiada / ha debido turbar esa
frente irritada... / ¿Qué corazón intrépido pudiera sin temblar / resistir a
los rayos que lanzan vuestros ojos?»

quiero pedirte perdón muy humildemente y de todo corazón.

Pensé que para reparar esto y cerciorarme de sus proyectos de quedarse, al menos hasta que Andrea se marchara, que iba a ser a las tres semanas, convendría buscar desde el día siguiente algún placer más grande que los que le había ofrecido, y para un tiempo bastante lejano; y ya que iba a borrar el disgusto que le había causado, quizá debiera aprovechar aquel momento para demostrarle que conocía su vida mejor de lo que ella creía. El mal humor que le causara lo borrarían después mis atenciones, pero la advertencia quedaría en su ánimo.

–Sí, Albertina mía, perdóname si he estado violento. No soy tan culpable como tú crees. Hay gente mala que procura indisponernos, no quería hablarte de esto para no atormentarte, pero a veces me han vuelto loco ciertas denuncias –y queriendo aprovechar que iba a demostrarle que estaba enterado de lo de la marcha de Balbec–: Por ejemplo, tú sabías que mademoiselle Vinteuil iba a ir a casa de madame Verdurin la tarde que fuiste al Trocadero.

Enrojeció.

–Sí, lo sabía.

–¿Me puedes jurar que no era para reanudar relaciones con ella?

–Claro que te lo puedo jurar. ¿Por qué «reanudar»? Nunca las tuve, te lo juro.

Estaba desolado de oír a Albertina mentirme así, negarme la evidencia que su sonrojo me había confesado muy bien. Su falsedad me desesperaba. Y, sin embargo, como esta falsedad contenía una protesta de inocencia que, sin darme cuenta, estaba dispuesto a admitir, me hizo menos daño que su sinceridad cuando le pregunté si podía jurarme que en su deseo de ir a aquella fiesta de los Verdurin no entraba para nada el deseo de volver a ver a mademoiselle Vinteuil, y me contestó:

–No, eso no te lo puedo jurar. Me gustaba mucho volver a ver a mademoiselle Vinteuil.

Un segundo antes me daba rabia que disimulara sus relaciones con mademoiselle Vinteuil y ahora me mataba la confesión de la alegría que le hubiera dado verla. Desde luego, cuando Albertina me dijo, al volver yo de casa de los Verdurin: «¿No esperaban a mademoiselle Vinteuil?», me reanimó todo el sufrimiento demostrándome que estaba enterada de su venida. Pero después me hice este razonamiento: «Sabía que iba a llegar, pero como debió de comprender, *a posteriori,* que la revelación de que conocía a una persona de tan mala fama como mademoiselle Vinteuil fue lo que me desesperó en Balbec hasta darme la idea del suicidio, no quiso hablarme de esa persona.» Y ahora se veía obligada a confesarme que la venida de mademoiselle Vinteuil le daba alegría. Por lo demás, aquel misterioso deseo suyo de ir a casa de los Verdurin debía haber sido para mí una prueba suficiente. Pero no pensé bastante en ello. Y aunque ahora me decía: «¿Por qué no confiesa más que a medias? Es peor que malo y que triste, es estúpido», estaba tan abrumado que no tuve valor para insistir en un asunto en el que no pisaba terreno firme, pues no podía presentar ningún documento revelador, y para recuperar el dominio me apresuré a pasar al tema de Andrea, en el que podía derrotar a Albertina con la aplastante revelación del telegrama de Andrea.

–Ya ves –le dije–, ahora me atormentan, me persiguen hablándome también de tus relaciones, pero con Andrea.

–¿Con Andrea? –exclamó. Estaba sofocada de rabia y con los ojos encandilados por el asombro o por el deseo de parecer asombrada–. ¡Muy bonito! ¿Y se puede saber quién te ha dicho esas lindezas? ¿Podría yo hablar con esas personas, preguntarles en qué se basan para decir esas infamias?

–No sé, pequeña, son cartas anónimas, pero de personas que quizá te sería fácil encontrar –para demostrarle que yo no creía que las buscara–, porque deben de conocerte bien.

La última (y te cito precisamente ésta porque se trata de una insignificancia y no es nada penoso citarla) me ha exasperado, sin embargo, lo confieso. Me dicen en ella que si, el día que salimos de Balbec, primero quisiste quedarte y después decidiste marcharte fue porque, en el intervalo, recibiste una carta de Andrea diciéndote que no volvería.

–Sé muy bien que Andrea me escribió que no volvería, y hasta me telegrafió; no puedo enseñarte el telegrama porque no lo guardé, pero no fue aquel día. Y después de todo, aunque hubiera sido aquel día, ¿qué me importaba a mí que Andrea volviera a Balbec o no volviera?

Aquello de «¿qué me importaba a mí?» era una prueba de rabia y de que sí le importaba algo; pero no necesariamente de que Albertina se hubiera venido conmigo únicamente por el deseo de ver a Andrea. Cada vez que veía que una persona a la que había dicho otro motivo de un acto suyo descubría el motivo real, Albertina se enfurecía, aunque fuera la persona por la que había realizado realmente aquel acto. Que Albertina creyera que yo no estaba enterado de lo que ella hacía por anónimos recibidos a pesar mío, sino por informes ávidamente solicitados por mí, era cosa que no se hubiera podido deducir de las palabras que me dijo, en las que parecía aceptar la versión de los anónimos, sino de su aire de furia contra mí, con todas las apariencias de una explosión de sus malos humores anteriores, y, en esta misma hipótesis, el espionaje al que debía de creer que me había entregado, no sería más que la última etapa de una vigilancia de todos sus actos de la que ella no había dudado desde hacía tiempo. Su furia se extendió hasta la misma Andrea, y pensando, sin duda, que ahora yo no estaría ya tranquilo ni siquiera cuando saliese con Andrea, me dijo:

–Además, Andrea me exaspera. Es pesadísima. Va a volver mañana. No quiero salir más con ella. Se lo puedes comunicar a los que te han dicho que volví a París por ella. Si te dijera que al cabo de tantos años de conocerla no sabría decirte cómo es su cara, ¡tanto la he mirado!

El caso es que el primer año de Balbec me dijo: «Andrea es encantadora». Claro que esto no quería decir que tuviera relaciones amorosas con ella, y entonces siempre le oí hablar con indignación de todas las relaciones de esta clase. Pero ¿no podía haber cambiado, incluso sin darse cuenta de que había cambiado, no creyendo que sus juegos con una amiga fuesen lo mismo que las relaciones inmorales, bastante poco precisas en su cabeza, que ella censuraba en las demás? ¿No era posible esto, si el mismo cambio, y la misma inconsciencia del cambio, se habían producido en sus relaciones conmigo, conmigo a quien con tanta indignación había rechazado en Balbec unos besos que en seguida iba a darme ella misma cada día y que, así lo esperaba yo, me daría aún por mucho tiempo, que me iba a dar dentro de un momento?

–Pero, querida, ¿cómo quieres que se lo comunique si no los conozco?

Esta respuesta era tan rotunda que hubiera debido anular las objeciones y las dudas que yo veía cristalizadas en las pupilas de Albertina. Pero las dejó intactas. Yo me callé y ella seguía mirándome con esa atención persistente que se presta a una persona que no ha acabado de hablar. Volví a pedirle perdón. Me contestó que no había nada que perdonar, estaba otra vez muy tierna. Pero me parecía que bajo su rostro triste y alterado se había formado un secreto. Yo sabía bien que no podía dejarme sin prevenirme; además, no podía ni desearlo (faltaban ocho días para probarse los nuevos vestidos de Fortuny), ni hacerlo decentemente, pues a finales de la semana volvía mi madre y también mi tía. Y si era imposible que se marchara, ¿por qué le repetí varias veces que al día siguiente iríamos a ver unos cristales de Venecia que quería regalarle y me produjo aquel alivio oírla decir que sí, que muy bien? Cuando pudo despedirse y la besé, no fue como de costumbre, se volvió y –apenas habían pasado unos instantes desde el momento en que pensé en aquella dulzura que me daba todas las noches lo que me había negado en

Balbec– no me devolvió el beso. Dijérase que, enfadada conmigo, no quería darme una muestra de cariño que más tarde pudiera parecerme como una falsedad para desmentir el enfado.

Dijérase que adaptaba sus actos a este enfado, pero lo hacía con mesura, fuera por no anunciarlos, fuera porque, rompiendo conmigo relaciones carnales, quería, sin embargo, seguir siendo mi amiga. La besé otra vez, apretando contra mi corazón el azul tornasolado y dorado del Gran Canal y los pájaros acoplados, símbolos de muerte y de resurrección. Pero otra vez ella, en vez de devolverme el beso, se apartó con esa especie de obstinación instintiva y nefasta de los animales que presienten la muerte. Este presentimiento que ella parecía expresar me ganó a mí también y me infundió un miedo tan ansioso que cuando Albertina llegó a la puerta no tuve valor para dejarla salir y la llamé.

–Albertina –le dije–, no tengo nada de sueño. Si tú tampoco tienes ganas de dormir, podías quedarte un poco más, si quieres, pero yo no tengo empeño, y sobre todo no quiero cansarte.

Me parecía que si hubiera podido hacerla desnudarse y verla en su camisón blanco, con el cual parecía más rosada, más cálida, con el que me enardecía más los sentidos, la reconciliación habría sido más completa. Pero vacilé un momento, porque el borde azul del vestido añadía a su rostro una belleza, una iluminación, un cielo sin los cuales me habría parecido más dura. Volvió despacio y me dijo muy dulce y con el mismo semblante abatido y triste:

–Puedo quedarme todo el tiempo que quieras, no tengo sueño.

Su respuesta me calmó, pues mientras ella estuviera allí yo sentía que podía mirar al porvenir, y esta respuesta contenía también amistad, obediencia, pero de cierta clase, una clase que me parecía tener por límite aquel secreto que yo sentía detrás de su mirada triste, de sus maneras cambiadas, mitad sin ella creerlo, mitad, sin duda, para ponerlas de antemano en armonía con aquello que yo ignoraba. De todos modos, me pareció que solamente verla toda de blanco, con su cuello desnudo, ante mí, como la había visto en Balbec en su cama, me daría la audacia suficiente para que se sintiera obligada a ceder.

–Ya que eres tan buena quedándote un poco para consolarme, deberías quitarte el vestido; es demasiado caliente, demasiado rígido, no me atrevo a acercarme a ti por no arrugar esa hermosa tela, y además hay entre nosotros esos pájaros fatídicos. Desnúdate, querida.

–No, no sería cómodo desarmar aquí este vestido. Me desnudaré luego en mi cuarto.

–Entonces, ¿no quieres siquiera sentarte en mi cama?

–Eso sí.

Pero se quedó un poco lejos, cerca de mis pies. Charlamos. De pronto oímos la cadencia regular de una queja. Eran las palomas que comenzaban a arrullarse.

–Eso es que ya es de día –dijo Albertina; y con el entrecejo casi fruncido, como si perdiera, por vivir conmigo, los placeres de la estación bella–: Si vuelven las palomas, es que ha comenzado la primavera.

La semejanza entre su zureo y el canto del gallo era tan profunda y tan oscura como, en el *septuor* de Vinteuil, el parecido entre el tema del adagio construido sobre el mismo tema clave que el primero y el último fragmento, pero tan variado por las diferencias de tonalidad, de medida, etc., que el público profano, si abre un libro sobre Vinteuil, se sorprende al leer que los tres están compuestos sobre las mismas cuatro notas, cuatro notas que él puede tocar con un dedo al piano sin encontrar ninguno de los tres fragmentos. Y, asimismo, aquel melancólico fragmento ejecutado por las palomas era una especie de canto del gallo en tono menor que no se elevaba hacia el cielo, que no ascendía verticalmente, sino que, acompasado como el rebuzno de un asno,

envuelto de dulzura, iba de una paloma a otra en una misma
línea horizontal, nunca se levantaba, nunca transformaba su
queja lateral en aquella gozosa llamada que tantas veces habían lanzado el *allegro* de la introducción y el final. Sé que yo
pronunciaba entonces la palabra «muerte» como si Albertina fuera a morir. Parece que los acontecimientos son más
vastos que el momento en el que ocurren y en el que no ca-
ben enteros. Cierto que rebasan hacia el porvenir por la memoria que de ellos conservamos, pero también requieren un
lugar en el tiempo que los precede. Cierto que se dirá que entonces no los vemos tales como serán, pero ¿acaso no los
modifica también el recuerdo?

Cuando vi que ella no me besaba, comprendiendo que
todo aquello era tiempo perdido, que sólo a partir del beso
comenzarían los minutos calmantes y verdaderos, le dije:

–Buenas noches, es muy tarde –porque así me besaría y
luego seguiríamos.

Pero me dijo:

–Buenas noches, a ver si duermes bien –exactamente
como las dos primeras veces, y se contentó con darme un
beso en la cara.

Esta vez no me atreví a volver a llamarla. Pero el corazón
me latía tan fuerte que no pude volver a acostarme. Como
un pájaro que va de un extremo a otro de su jaula, yo pasaba
sin parar de la inquietud de que Albertina pudiera marcharse a una calma relativa. Esta calma la producía el razonamiento que comenzaba varias veces por minuto: «De todos
modos no se puede marchar sin avisarme, no me ha dicho
que se marcharía», y me quedaba casi tranquilo. Pero en seguida volvía a pensar: «¡Pero y si mañana me encontrara con
que se ha ido! Mi misma inquietud tiene que fundarse en
algo; ¿por qué no me ha besado?» Y el corazón me dolía horriblemente. Después se me calmaba un poco cuando empezaba otra vez el mismo razonamiento, pero acababa por
dolerme la cabeza con aquel ejercicio tan incesante y tan

monótono del pensamiento. Y es que en algunos estados
morales, y especialmente en la inquietud, como no nos presentan más que dos alternativas, hay algo tan atrozmente limitado como un simple dolor físico. Yo repetía perpetuamente el razonamiento que justificaba mi inquietud y el que
la refutaba y me tranquilizaba, en un espacio tan exiguo
como el enfermo que palpa sin cesar, con un movimiento interno, el órgano que le hace sufrir, se aleja un instante del
punto doloroso y vuelve inmediatamente a él. De pronto, en
el silencio de la noche, oí un ruido insignificante en apariencia, pero que me dejó helado de espanto: el ruido de la ventana de Albertina abriéndose violentamente. Al no oír nada
después, me pregunté por qué me habría asustado tanto
aquel ruido. No tenía en sí mismo nada de extraordinario,
pero yo le daba probablemente dos significados que me producían el mismo espanto. En primer lugar, era cosa convenida en nuestra vida común, porque yo temía las corrientes de
aire, no abrir nunca de noche las ventanas. Se lo explicamos
a Albertina cuando vino a vivir a casa, y aunque estaba convencida de que era por mi parte una manía, y una manía
malsana, me prometió no infringir nunca aquella prohibición. Y era tan temerosa en todo lo que sabía que yo quería,
aunque ella no lo aprobara, que yo estaba seguro de que antes dormiría con el tufo de un fuego de chimenea que abrir la
ventana, de la misma manera que ni por el acontecimiento
más importante me hubiera despertado por la mañana.
Aquello no era más que uno de los pequeños convenios de
nuestra vida, pero desde el momento en que lo violaba sin
habérmelo anunciado, ¿no querría decir que ya no iba a respetar nada y violaría también todo lo demás? Por otra parte,
aquel ruido había sido violento, casi de mala educación,
como si hubiera abierto roja de ira y diciendo: «Esta vida me
asfixia, ¡hala, yo necesito aire!» No me dije exactamente todo
esto, pero seguí pensando, como en un presagio más misterioso y más fúnebre que el grito de una lechuza, en aquel rui-

do de la ventana abierta por Albertina. Agitado como quizá no lo había estado desde el día de Combray en que Swann comió en casa, estuve toda la noche andando por el pasillo, esperando, con el ruido que hacía, llamar la atención de Albertina, que se apiadara de mí y me llamara, pero no oí ningún ruido en su habitación. En Combray le había pedido a mi madre que viniera. Pero no temía que mi madre se enfadara, sabía que testimoniándole mi cariño no disminuiría el suyo. Y dejé pasar tiempo sin llamar a Albertina. Hasta que me di cuenta de que era demasiado tarde. Debía de estar dormida desde hacía mucho rato. Me volví a la cama. Al día siguiente, al despertarme, como, ocurriera lo que ocurriera, nunca venían a mi cuarto sin que yo llamara, llamé a Francisca. Y al mismo tiempo pensé: «Le hablaré a Albertina de un yate que quiero encargarle». Al coger el correo, le dije a Francisca sin mirarla:

–Tengo que decirle una cosa a mademoiselle Albertina; ¿se ha levantado?

–Sí, se levantó temprano.

Sentí alborotándome en el lecho, como con una ráfaga de viento, mil inquietudes que ya no pude mantener en suspenso. Tan grande era el tumulto que se me cortaba el aliento como en una tempestad.

–¿Sí? Pero ¿dónde está ahora?

–Debe de estar en su cuarto.

–¡Ah, bien!, la veré luego.

Respiré, se me pasó la ansiedad; Albertina estaba allí y casi me era indiferente que estuviera allí. De todos modos, ¿no era absurdo suponer que pudiera no estar? Me volví a dormir, pero, a pesar de mi seguridad de que no me dejaría, fue un sueño ligero, y de una ligereza solamente relativa a ella. Pues los ruidos que sólo podían provenir de los trabajos en el patio, aunque los oía vagamente durmiendo, me dejaban tranquilo, mientras que la más leve vibración que viniera de su cuarto, o cuando ella salía, o entraba sin ruido, apretando suavemente el timbre, me hacía estremecerme, me recorría todo el cuerpo, me dejaba el corazón alborotado, aunque lo oyera en un sopor profundo, lo mismo que mi abuela, en los últimos días que precedieron a su muerte, sumida en una inmovilidad que nada alteraba y que los médicos llamaban el coma, temblaba un instante como una hoja cuando oía los tres timbrazos con que yo acostumbraba llamar a Francisca y que, aunque aquella semana los daba más ligeros, para no turbar el silencio de la cámara mortuoria, nadie, aseguraba Francisca, podía confundirlos con la llamada de ninguna otra persona, por mi especial manera de pulsar el timbre, manera que yo mismo ignoraba. ¿También yo había entrado en la agonía? ¿Era la llegada de la muerte?

Aquel día y al siguiente salimos juntos, porque Albertina ya no quería salir con Andrea. Ni siquiera le hablé del yate. Aquellos paseos me calmaron por completo. Pero Albertina siguió besándome, por la noche, de la misma manera nueva, de modo que estaba furioso. No podía menos de ver en esto un modo de demostrarme que estaba enfadada, lo que me parecía ridículo en extremo después de las atenciones que le prodigaba. Y no recibiendo de ella las satisfacciones carnales que deseaba, encontrándola fea en su enfado, sentí más vivamente la privación de todas las mujeres y de todos los viajes cuyo deseo despertaban en mí aquellos primeros días del buen tiempo. Gracias sin duda al recuerdo difuso de olvidadas citas que, colegial aún, había tenido con mujeres bajo el follaje ya espeso, esta región de la primavera en que el viaje de nuestra morada, errante a través de las estaciones, la había detenido bajo un cielo clemente, y cuyos caminos huían todos hacia comidas en el campo, paseos en barca, excursiones gozosas, me parecía el país de las mujeres tanto como de los árboles, y en el que el placer que se ofrecía en todo a cada paso era ya permitido a mis convalecientes fuerzas. La resignación a la pereza, la resignación a la castidad, a no conocer el placer más que con una mujer a la que no amaba, la resignación a quedarme en mi cuarto, a no viajar, todo esto era posible en el antiguo mundo donde estábamos todavía la víspera, en el mundo vacío del invierno, pero ya no lo era en este universo nuevo, frondoso, donde me desperté como un joven adán al que se le plantea por primera vez el problema de la existencia, de la felicidad y sobre el que no pesa la acumulación de las soluciones negativas anteriores. La presencia de Albertina me pesaba, la miraba, dura y hosca, y sentía que era una lástima no haber roto. Yo quería ir a Venecia, quería, entre tanto, ir al Louvre, ver cuadros venecianos y, en el Luxembourg, los dos Elstir que, según me dijeron, acababa de vender a este museo la princesa de Guermantes, aquellos cuadros que tanto había admirado yo en casa de la duquesa de Guermantes, los *Placeres de la danza* y *Retrato de la familia X...* Pero tenía miedo de que ciertas posturas lascivas del primero despertasen en Albertina un deseo, una nostalgia de diversiones populares, le hicieran decir que quizá una vida que ella no había hecho, una vida de fuegos artificiales y de merenderos, tenía algo de bueno. Ya de antemano temía que el 14 de julio me pidiera ir a un baile popular, y soñaba con un acontecimiento imposible que suprimiera esta fiesta. Y, además, en los Elstir había desnudos de mujeres en paisajes frondosos del Midi que podían hacer pensar a Albertina en ciertos placeres, aunque el propio Elstir –pero ¿no iría ella más lejos que la obra?– no hubiera visto en ellos más que la belleza escultural, mejor dicho, la belleza de blancos monumentos que toman unos cuerpos de mujer sentados en la hierba. Me resigné, pues, a renunciar a aquello y quise ir a Versalles. Albertina, que no había querido salir con Andrea, se había quedado en su cuarto leyendo, envuelta en un peinador de Fortuny. Le pregunté si quería ir a Versalles. Tenía esto de simpático que siempre estaba dispuesta a todo, quizá por la costumbre de haber vivido la mitad del tiempo en casa ajena, y así se decidió en dos minutos a venirse con nosotros a París. Me dijo:

–Si no nos bajamos del coche, puedo ir así.

Dudó un momento entre dos abrigos de Fortuny para cubrir su vestido de casa –como hubiera dudado entre dos amigos que llevar–, tomó uno azul oscuro, admirable, y clavó un agujón en un sombrero. En un minuto estuvo dispuesta, antes que yo cogiera mi abrigo, y fuimos a Versalles. Aquella misma rapidez, aquella docilidad absoluta, me dejaron más tranquilo, como si en realidad tuviera necesidad de estarlo, aunque sin ningún motivo preciso de inquietud. «La verdad es que no tengo nada que temer, hace lo que le pido, a pesar del ruido de la ventana de la otra noche. En cuanto le hablé de salir, se puso el abrigo azul sobre la bata y se vino; no haría esto una insurrecta, una persona que ya no estuviera bien conmigo», me decía camino de Versalles. Nos quedamos mucho tiempo. El cielo estaba todo él de ese azul radiante y un poco pálido como a veces lo ve sobre su cabeza el paseante acostado en un campo, pero tan nítido, tan profundo, que da la sensación de haber sido pintado con un azul sin mezcla alguna, y con una riqueza tan inagotable que se podría profundizar más y más en su sustancia sin encontrar un átomo de otra cosa que ese mismo azul. Yo pensaba en mi abuela, que en el arte humano, en la naturaleza, amaba todo lo grande y que se recreaba mirando ascender en aquel mismo azul la torre de San Hilario. De pronto volví a sentir la nostalgia de mi libertad perdida, al oír un ruido que de momento no reconocí y que a mi abuela le hubiera también gustado tanto. Era como el zumbido de una avispa.

–Mira –me dijo Albertina–, un aeroplano. Va muy alto, muy alto.

Yo miraba en torno mío, pero, como el paseante acostado en un campo, no veía más que la claridad intacta del azul purísimo, sin ninguna mancha negra. Seguía oyendo, sin embargo, el zumbido de las alas, que de pronto entraron en el campo de mi visión. Allá arriba, unas minúsculas alas oscuras y brillantes fruncían el terso azul del cielo inalterable. Pude por fin adscribir el zumbido a su causa, a aquel pequeño insecto que trepidaba muy arriba, seguramente a unos buenos dos mil metros de altura; le veía runrunear. Cuando no hacía aún mucho tiempo que la velocidad había acortado las distancias en la superficie de la tierra, el silbato de un tren que pasaba a dos kilómetros tenía esa misma belleza que ahora, por algún tiempo todavía, nos emociona en el zumbar de un aeroplano a dos mil metros al pensar que las distancias recorridas en ese viaje vertical son las mismas que en el suelo, y que en esa otra dirección nos parecen distintas porque las creemos inaccesibles; un aeroplano a dos mil metros no está más lejos que un tren a dos kilómetros, e incluso está más cerca, porque el trayecto idéntico se efectúa en un medio más puro, sin separación entre el viajero y su punto de partida, de la misma manera que en el mar o en las llanuras en un tiempo sereno el movimiento de la nave ya lejana o el simple soplo del céfiro surcan el océano de las olas o de los trigales. Volvimos muy tarde, en una noche en que, acá y allá, un pantalón rojo junto a una falda al borde del camino revelaban parejas enamoradas. Nuestro coche entró por la puerta Maillot. Los monumentos de París habían sido sustituidos por el dibujo, puro, lineal, sin espesor, de los monumentos de París, como si fuera la imagen de una ciudad destruida; mas a la orilla de ésta se elevaba tan suave la orla azul pálido sobre la cual se destacaba que los ojos, sedientos, buscaban todavía por doquier un poco de aquel delicioso matiz que les era medido demasiado avaramente: hacía luna. Albertina la contempló admirada. No me atrevía a decirle que yo la gozaría mejor si estuviera solo o buscando a una desconocida. Le recité versos o frases de prosa sobre la luna, haciéndole ver cómo, de plateada que fuera en otro tiempo, se tornó azul con Chateaubriand, con el Victor Hugo de *Eviradnus* y de *Fête chez Thérèse*, para volver a ser amarilla y metálica con Baudelaire y Leconte de Lisle. Después, recor-

dándole la estampa que representa la luna en creciente de
Booz endormi, se lo recité entero.

No sé decir, cuando pienso en ello, hasta qué punto estaba su
vida llena de deseos alternados, fugitivos, contradictorios a
menudo. Claro es que la mentira complicaba más la cosa,
pues, como no se acordaba exactamente de nuestras conversaciones, cuando me había dicho: «¡Ah!, era una muchacha
muy linda y que jugaba bien al golf», y preguntándole yo el
nombre de aquella muchacha, me había contestado con
aquel aire displicente, universal, superior, que sin duda tiene siempre partes libres, pues cada mentiroso de esta categoría la toma cada vez por un instante cuando no quiere
responder a una pregunta, y nunca le falla: «¡Ah!, no sé
–lamentando no poder informarme–, nunca supe su nombre, la veía en el golf, pero no sabía cómo se llamaba»; si, pasado un mes, le decía: «Albertina, aquella muchacha de que
me hablaste, que jugaba tan bien al golf... "¡Ah!, sí –me contestaba sin pensar–. Emilia Daltier, no sé qué habrá sido de
ella".» Y la mentira, como una fortificación de campaña, pasaba de la defensa del nombre, ahora tomado, a las posibilidades de encontrarla. «¡Ah!, no sé, nunca supe su dirección.
No recuerdo a nadie que pueda dártela. ¡Oh!, no, Andrea no
la ha conocido, no era de nuestro grupo, tan dividido ahora.» Otras veces la mentira era como una confesión fea:
«¡Ah!, si yo tuviera trescientos mil francos de renta...» Se
mordía los labios. «¿Qué harías entonces?» «Te pediría permiso –decía besándome– para quedarme en tu casa. ¿Dónde
podría ser más feliz?» Pero aun teniendo en cuenta estas
mentiras, era increíble lo sucesiva que era su vida, lo fugitivos que eran sus mayores deseos. Estaba loca por una persona y al cabo de tres días no quería recibir su visita. No podía
esperar una hora a que yo le comprase lienzos y colores, pues
quería volver a pintar. Se pasaba dos días impaciente, casi
con lágrimas en los ojos, lágrimas que se secaban en segui-

da, como las de un niño a quien le quitan la nodriza. Y esta
inestabilidad de sus sentimientos con los seres, las cosas, las
ocupaciones, las artes, los países, era en verdad tan universal que si ha amado el dinero, lo que no creo, no ha podido
amarlo más tiempo que lo demás. Cuando decía: «¡Ah!, si yo
tuviera trescientos mil francos de renta...», aunque expresara un pensamiento malo pero muy poco duradero, no podría abrigarlo más tiempo que el deseo de ir a Les Rochers,
cuya imagen había visto en la edición de madame de Sévigné de mi abuela, o el de encontrar a una amiga de golf, de
subir en aeroplano, de ir a pasar las navidades con su tía o de
volver a pintar.

–La verdad es que ni tú ni yo tenemos hambre; hubiéramos podido pasar por casa de los Verdurin –dijo–, es su
hora y su día.

–Pero ¿no estás enfadada con ellos?

–Bueno, se dicen muchas cosas de ellos, pero en el fondo
no son tan malos. Madame Verdurin ha sido siempre muy
amable conmigo. Y, además, no se puede estar siempre enfadado con todo el mundo. Tienen defectos, pero ¿quién no los
tiene?

–No estás bastante vestida, tendríamos que volver a que te
vistieras, y se haría muy tarde.

–Sí, tienes razón, vámonos a casa –contestó Albertina con
aquella admirable docilidad que siempre me impresionaba.

Paramos en una gran pastelería situada fuera de la ciudad y
que estaba muy de moda en aquel momento. Se disponía a
salir una señora que pidió su abrigo a la dueña. Cuando se
marchó, Albertina miró varias veces a la pastelera como
queriendo llamar la atención de ésta que estaba ordenando
tazas, platos, pastas, pues ya era tarde. Sólo se acercaba a mí
cuando le pedía algo. Y cuando se acercaba para servirnos,
Albertina, sentada junto a mí, alzaba verticalmente hacia
ella una mirada rubia que la obligaba a levantar mucho los

ojos, pues como la pastelera, que era altísima, estaba muy
junto a nosotros, a Albertina no le quedaba el recurso de
suavizar la pendiente con la oblicuidad de la mirada. Se veía
obligada a hacer llegar sus miradas, sin levantar demasiado
la cabeza, hasta aquella desmesurada altura en que estaban
los ojos de la pastelera. Albertina, por atención a mí, bajaba
rápidamente aquellas miradas, y como la pastelera no le había prestado ninguna atención volvía a empezar. Era como
una serie de vanas elevaciones implorantes hacia una divinidad inaccesible. Después, la pastelera no tuvo más que hacer
que colocar las cosas en una gran mesa vecina. Allí, la mirada de Albertina podía ser ya natural. Pero la pastelera no fijó
ni una vez la suya en mi amiga. A mí no me extrañó, pues sabía que aquella mujer, a la que conocía un poco, tenía amantes, aunque estaba casada, pero ocultaba perfectamente sus
intrigas, lo que sí me extrañaba mucho, porque era prodi-
giosamente tonta. Miré a aquella mujer mientras acabábamos de merendar. Absorbida por sus arreglos, su actitud era
casi de mala educación con Albertina a fuerza de no corresponder ni con una sola mirada a las de mi amiga, que, por lo
demás, no tenían nada de inconvenientes. La mujer, venga
arreglar, venga arreglar las cosas, sin la menor distracción.
Hubiérase encomendado la colocación de las cucharillas, de
los cuchillos para fruta, no a una mujer alta y bella, sino, por
economía de trabajo humano, a una simple máquina, y no
habríamos visto un aislamiento tan completo de la atención
de Albertina, y, sin embargo, la mujer no bajaba la vista, no
se absorbía, dejaba brillar sus ojos, sus encantos, exclusivamente atenta a su trabajo. Verdad es que si la pastelera no hubiera sido una mujer singularmente tonta (y yo lo sabía no
sólo por su fama, sino por experiencia) aquel desinterés habría podido ser un refinamiento de habilidad. Y yo sé muy
bien que hasta el ser más estúpido, si entra en juego su deseo
o su interés, y sólo en este caso, puede adaptarse inmediatamente, en medio de la nulidad de su vida estúpida, al engra-

naje más complicado; pero hubiera sido una suposición demasiado sutil aplicada a una mujer tan boba como la pastelera. Esta bobería llegaba a un punto inverosímil de mala educación. Ni una sola vez miró a Albertina, a la que, sin embargo, no podía no ver. Esto era poco agradable para mi amiga, pero en el fondo yo estaba encantado de que Albertina recibiera aquella pequeña lección y viera que muchas veces las mujeres no le hacían caso. Salimos de la pastelería, subimos al coche y, ya camino de casa, lamenté de pronto haber olvidado llevar aparte a la pastelera y rogarle, por si acaso, que no dijera a la señora que se marchó cuando nosotros llegábamos mi nombre y mi dirección, que la pastelera debía de saber perfectamente porque le había hecho encargos muchas veces. Quería evitar que aquella señora pudiera enterarse indirectamente de la dirección de Albertina. Pero me pareció demasiado largo volver atrás por tan poca cosa, y además hubiera sido dar a aquello demasiada importancia ante la imbécil y mentirosa pastelera. Pero pensé que habría que volver a merendar allí la semana siguiente para hacerle esta advertencia, y que es un fastidio olvidar siempre la mitad de lo que tenemos que decir y hacer en varias veces las cosas más sencillas.

Aquella noche el buen tiempo dio un salto hacia adelante, como sube un termómetro con el calor. En las tempranas madrugadas de primavera, oía desde la cama avanzar los tranvías, a través de los perfumes, en el aire, un aire que se iba calentando poco a poco hasta llegar a la solidificación y a la densidad del mediodía. Más fresco, en cambio, en mi cuarto, cuando el aire untuoso acababa de barnizar y de aislar el olor del lavabo, el olor del armario, el olor del canapé, sólo por la nitidez con que, verticales y en pie, se disponían en lonchas yuxtapuestas y distintas, en un claroscuro nacarado que daba un lustre más suave al reflejo de las cortinas y de las butacas de raso azul, me veía, y no por simple capricho de la imaginación, sino porque era efectivamente posible, siguiendo en cualquier barrio parecido a aquel donde vivía[1]   en Balbec las calles enceguecidas de sol, y veía no las aburridas carnicerías y la blanca piedra sillería, sino el comedor de campo a donde podría llegar en seguida, y los olores que encontraría al llegar, el olor del compotero de cerezas y de albaricoques, de la sidra, del queso de *gruyère,* suspensos en la luminosa congelación de la sombra que surca de venillas delicadas como el interior de un ágata, mientras que los portacuchillos de cristal la irisan de arco iris o salpican el hule de la mesa con ocelos de pluma de pavo real.

Oí con alegría, como un viento que se va inflando en progresión regular, un automóvil bajo la ventana. Sentí su olor a petróleo. Este olor puede parecer lamentable a los delicados (que son siempre materialistas y ese olor les menoscaba el campo) y a ciertos pensadores, también materialistas a su modo, que creyendo en la importancia del hecho se imaginan el hombre sería más feliz, capaz de una poesía más alta, si sus ojos pudieran ver más colores, sus narices percibir más perfumes, versión filosófica de esa ingenua idea de quienes creen que la vida era más bella cuando, en lugar del frac negro, se llevaban unos trajes suntuosos. Mas, para mí (lo mismo que un aroma, quizá desagradable en sí mismo, de naftalina y de vetiver me exaltaría devolviéndome la pureza azul del mar al día siguiente de mi llegada a Balbec), aquel olor a petróleo que, con el humo que se escapaba de la máquina, tantas veces se había esfumado en el pálido azul aquellos días ardientes en que yo iba de Saint-Jean-de-la-Haise a Gourville, como me había seguido en mis paseos de las tardes de verano mientras Albertina pintaba, ahora hacía florecer en torno mío, aunque estuviese en mi cuarto oscuro, los acianos, las amapolas y los tréboles encarnados, me

---

1. En la edición de La Pléiade se advierte que falta en el manuscrito el sujeto de esta frase –quizá «Bloch», añade–. *(N. de la T.)*

embriagaba como un olor de campo, no un olor circunscrito
y fijo, como el que queda detenido ante los majuelos y, rete-
nido por sus elementos untuosos y densos, flota con cierta
estabilidad ante el seto, sino un olor ante el cual huían los caminos, cambiaba el aspecto del suelo, acudían los castillos,
palidecía el cielo, se decuplicaban las fuerzas, un olor que era
como un símbolo de impulso y de poder y que renovaba el
deseo que tuve en Balbec de subir en la jaula de cristal y de
acero, pero esta vez para ir, no a hacer visitas a casas familiares con una mujer que conocía demasiado, sino a hacer el
amor en lugares nuevos con una mujer desconocida, olor
que acompañaba en todo momento a la llamada de las boci-
nas de automóviles que pasaban, a la que yo adaptaba una
letra como a un toque militar: «Parisiense, levántate, levántate, ven a comer al campo y a pasear en barca por el río, a la
sombra de los árboles, con una muchacha bonita; levántate,
levántate». Y todos estos pensamientos me eran tan agradables que me felicitaba de la «severa ley» en virtud de la cual,
mientras yo no llamara a ningún «tímido mortal», así fuese
Francisca, así fuese Albertina, se le ocurriría venir a molestarme «en el fondo de aquel palacio» donde

> *une majesté terrible*
> *Affecte à mes sujets de me rendre invisible* [1].

Pero de pronto cambió la decoración; ya no fue el recuerdo
de antiguas impresiones, sino de un antiguo deseo, muy recientemente despertado por el vestido azul y oro de Fortuny,
lo que exhibió ante mí otra primavera, una primavera sin
ningún follaje, sino, al contrario, súbitamente despojada de
sus árboles y de sus flores por aquel nombre que acababa de
decirme: Venecia; una primavera decantada, reducida a su

---

1. «Una majestad terrible / me hace, para mis súbditos, como un ser invisible.»

esencia y que traduce la prolongación, el calentamiento, la expansión gradual de sus días en la fermentación progresiva no de una tierra impura, sino de un agua virgen y azul, primaveral sin corolas y que sólo podría responder al mes de mayo con reflejos, un agua moldeada por él, adaptada exactamente a él en la desnudez radiante y fija de su oscuro zafiro. Ni los nuevos tiempos pueden cambiar la ciudad gótica, ni las estaciones florecer sus brazos de mar. Yo lo sabía, no podía imaginarla, o, imaginándola, lo que quería, con el mismo deseo que en otro tiempo, cuando niño, el ardor mismo de la partida rompió en mí la fuerza de partir; lo que quería era encontrarme frente a frente con mis imaginaciones venecianas, ver cómo aquel mar dividido encerraba entre sus meandros, como repliegues del mar océano, una civilización urbana y refinada, pero que, aislada por su cinturón azul, se había desarrollado aparte, había creado aparte sus escuelas de pintura y arquitectura, fabuloso jardín de frutas y de pájaros de piedra de color florecido en medio del mar que venía a refrescarle, que besaba con sus olas el fuste de las columnas y en el poderoso relieve de los capiteles pone a manchas la luz perpetuamente móvil, como unos ojos de un azul oscuro que velan en la sombra.

Sí, había que partir, era el momento. Desde que Albertina no parecía ya enfadada conmigo, su posesión no era para mí un bien por el que estamos dispuestos a dar todos los demás (quizá porque lo habríamos hecho para liberarnos de una preocupación, de una ansiedad que ahora ya se calmó). Hemos logrado atravesar el cerco de lienzo que por un momento creímos infranqueable. Hemos superado la tormenta, recobrado la serenidad de la sonrisa. Se ha aclarado el misterio angustioso de un odio sin causa conocida y quizá sin término. Nos encontramos frente a frente con el problema, momentáneamente alejado, de una felicidad que sabemos imposible. Ahora que la vida con Albertina volvía a ser posible, me daba cuenta de que de esta vida sólo desdichas podrían venirme, puesto que Albertina no me amaba; más valía dejarla en el dulce sentir de su consentimiento, que yo prolongaría en el recuerdo. Sí, era el momento; tenía que enterarme exactamente de la fecha en que Andrea se iba a ir de París, actuar enérgicamente con madame Bontemps para estar bien seguro de que en aquel momento Albertina no podría ir a Holanda ni a Montjouvain [1]; y así evitados los posibles inconvenientes de aquella partida, elegir un día de buen tiempo como éste –habría muchos– en que Albertina me fuera indiferente, en que me tentaran mil deseos; tendría que dejarla salir sin verla y después levantarme, arreglarme de prisa, dejarle unas letras, aprovechando que, como en aquel momento no podía ella ir a ningún sitio que me perturbara, me sería posible conseguir, en el viaje, no imaginar las cosas malas que ella podría estar haciendo –y que, por lo demás, en aquel momento me parecían indiferentes–, y, sin haberla visto, salir para Venecia.

Toqué el timbre para pedir a Francisca que me comprara una guía y un plano, como cuando de niño quise también preparar un viaje a Venecia, realización de un deseo tan vio-

---

1. «Si supiéramos analizar mejor nuestros amores, veríamos que a veces las mujeres sólo nos gustan como contrapeso, de otros hombres a quienes tenemos que disputárselas, aunque disputárselas nos cause sufrimientos de muerte; suprimido ese contrapeso desaparece el encanto de la mujer. Un ejemplo doloroso y preventivo de esto lo tenemos en esta predilección de los hombres por las mujeres que, antes de conocerlas ellos, han cometido faltas, por esas mujeres a las que ven siempre en peligro, a las que, mientras dura su amor, tienen que reconquistar; otro ejemplo posterior, contrario a éste y nada dramático, es el del hombre que, sintiendo que se debilita su inclinación por la mujer amada, aplica espontáneamente las reglas que ha sacado de su experiencia y, para estar seguro de no dejar de amar a la mujer, la pone en un medio peligroso donde tendrá que protegerla cada día. (Lo contrario de los hombres que exigen que una mujer renuncie al teatro, aunque la amaron precisamente porque había sido del teatro.)» [La edición de La Pléiade añade, a pie de página, estas líneas halladas en papel aparte en el manuscrito. *(N. de la T.)*]

lento como el que ahora sentía; olvidaba que desde entonces había realizado otro, y sin ningún placer: el deseo de Balbec, y que Venecia, otro fenómeno visible, probablemente no podría, como no pudo Balbec, realizar un sueño inefable, el del tiempo gótico, actualizado con un mar primaveral y que venía de cuando en cuando a acariciar mi espíritu con una imagen encantada, dulce, inasible, misteriosa y confusa. Acudió Francisca a mi llamada.

–Me apuraba que el señor tardara tanto en llamar –me dijo–. No sabía qué hacer. Esta mañana a las ocho, mademoiselle Albertina me pidió sus baúles, no me atrevía a negárselos y tenía miedo de que el señor me riñera si venía a despertarle. Por más que la quise convencer, por más que le dije que esperara una hora, porque yo pensaba que el señor iba a llamar de un momento a otro, ella no quiso, me dejó esta carta para el señor y a las nueve se fue.

Entonces –hasta tal punto podemos ignorar lo que tenemos en nosotros, pues yo estaba convencido de mi indiferencia por Albertina– se me cortó el aliento, me sujeté el corazón con las dos manos, mojadas de repente de un sudor especial que yo no había tenido desde la revelación que mi amiga me hizo en el trenecillo de Balbec sobre la amiga de mademoiselle Vinteuil, y no pude decir más que:

–¡Ah!, muy bien, Francisca, gracias, claro que hizo muy bien en no despertarme, déjeme un momento, luego la llamaré.